『十四五』时期国家重点图书出版专项规划

中国考古发掘报告提要

综合卷（下册）

报告提要

刘庆柱 ◎ 总主编
丁晓山 ◎ 主编

中国文史出版社

河南省

544.河南省几处石窟简介

作　者：古代建筑修整所　杨玉柱、单少康
出　处：《文物》1961 年第 2 期

1957 年夏，考古人员在河南北部、西部调查了几处石窟和摩崖造像。简报分为：一、浚县千佛洞，二、汤阴县石窟，三、陕县温塘摩崖造像，四、沁阳玄谷山摩崖造像，共四个部分予以介绍，有照片、手绘图。

据介绍，浚县千佛洞位于县城西南二里浮丘山上，计二洞，第一洞有铭记，知其约为唐高宗至武后时开凿。汤阴县石窟位于城西 60 里的庙口乡前咀村东，仅一洞，时代应属北朝晚期。陕县温塘摩崖造像位于陕县西七里铺南温塘村，计 4 龛，应为唐大历九年（774 年）前后所凿。沁阳玄谷山摩崖造像位于紫陵乡玄谷山，共 6 龛、小型洞窟 2 处，时代自唐至宋，明、清两代亦曾重加雕刻。

545.河南省石刻调查登记情况简报

作　者：游清汉
出　处：《文物》1963 年第 6 期

考古人员于 1962 年开始，在全省范围内进行石刻调查登记工作，除旧存的碑刻外，又有许多新的发现。简报分时代介绍如下：

汉代碑刻，重要的有："鄢陵县豫州从事尹宙碑"，南阳市"永兴二年汉故宛令益州刺史李孟初神祠碑"，"汉郎中赵菿残碑"，延津县汉"刘熊残碑"。新发现的有：南阳市南门里延熹年间"张景碑"，邓县的"汉代华表"。在偃师县找到了多年下落不明的汉"袁安碑"，在滑县找到了汉"子游碑"、汉"元孙碑"、汉"正直碑"等。

魏、晋至隋的石刻有：偃师县晋咸宁四年"辟雍颂"，永安元年"中书侍郎颍川颍阴荀岳墓志"，偃师县寺里村的四块魏"造像碑"，魏"石瑶门石窟碑记"，长葛县东魏兴和二年"敬史君碑"，陕县梁大同二年"菩提达摩大师颂并序"，新乡县隋开皇十年"尊胜陀罗尼经幢"等。墓志中除现存开封市博物馆碑林外，此次调查新发现的有：孟津县安家沟北魏正光元年"镇远将军安州刺史元使君成公墓志铭"。

唐、宋、元各代的碑刻、墓志，具书法艺术价值的有：孟津县唐"邛州刺史狄知愁碑"；鲁山唐颜真卿撰并书"元次山墓碑"；浚县后周显德六年"黎阳大伾山寺准敕不停废记"；辉县"盘谷序"，宋苏轼书"滑县书帖"，宋元祐三年苏轼书"布袋和尚真仪"，金元好问书"涌金亭同游诸君子诗"。濮阳县宋寇准书"迴銮碑"；叶县宋黄庭坚书"幽兰赋"（翻刻），伊川县"敕赐伊川书院碑"；延津县"长明灯记碑"；焦作市元张起岩书"许文公神道碑"。上述碑刻，有一些可能是重刻或翻刻，尚在鉴别中。但有的内容反映了历史上的重大事件，如"迴銮碑"就是反映澶渊之盟的实物。虞城县尚有元元统二年"孝烈将军祠辩正记"。

明、清以来的石刻有：汤阴明海瑞书"岳飞大江红日夜跋"；清何绍基在光山的题诗，王铎书孟津县"拟山园"等帖，开封市明正统十一年于谦书"镇河铁犀铭"，清道光二十四年"重修河南省城碑记"，同治九年"浚惠济河碑记"，开封县光绪八年"朱仙镇新河记"等；鹿邑县康熙十二年"大中丞佟公德政碑"，永城县乾隆二十三年刻"河南水利图"，新野县乾隆二十三年"疏渠筑堤碑记"，都是记述黄河泛滥情况及治黄在渠工程。此外，开封市尚有明万历间"挑筋教碑"，字迹虽多已剥落，但仍为说明挑筋教传入中国的很好资料。明弘治二年"重建清真寺记"，记述了清真寺的历史。焦作市有明万历三十三年"炎帝宫记"，后人利用碑文间隙，刻上了崇祯年间的灾情。唐河县的"邵营长大人功德碑"、宝丰县"陶文杰之碑"、镇平县"刘君琢如社会功德碑序"，均记述了白朗起义的活动情况。清嘉庆十一年"孝烈将军祠辩误记"，对花木兰的生地，进行了详细的考证。

546.1975 年豫西考古调查

作　者：中国社会科学院考古研究所洛阳工作队

出　处：《考古》1978 年第 1 期

徐旭生先生（1888～1976 年），根据研究古史的成果，首先提出探寻"夏墟"的问题，并于 1959 年夏在中国科学院考古研究所洛阳发掘队的协助下，在豫西传说夏都的地域内，调查了禹县的谷水河、阎砦、登封县的石羊关、告城镇、宋家沟、大康村、偃师县的二里头等遗址，获得大量的考古资料，发表了调查"夏墟"的初步报告，揭开了探索夏文化的序幕。同年秋季，洛阳发掘队在徐旭生先生调查工作的基础上，开始发掘偃师二里头遗址，经过多次的发掘证明这个遗址有四个时期的文化层堆积，中部有许多块大面积的夯土基址，出土一大批重要的文物资料。1975

年年底根据徐旭生先生当年调查的路线,再次调查了登封的石羊关、禹县的阎砦、谷水河遗址,新发现有登封的北庄和禹县的崔庄遗址。同年夏季还调查了临汝的柏树圪垱和平顶山市的寺岗遗址。

7 处遗址简报分为:一、登封石羊关遗址,二、禹县谷水河遗址,三、禹县阎砦和平顶山市寺岗遗址,五、禹县崔庄和登封北庄遗址,六、结语,共六个部分予以介绍,有手绘图。

据介绍,以上 7 处遗址是根据采集标本的时代先后为序介绍的。属于豫西仰韶文化的以石羊关为代表,属于王湾二期的以谷水河为代表,属于河南龙山文化的以阎砦和寺岗为代表,时代为晚期,属于河南龙山晚期到二里头早期的以柏树圪垱为代表,属于二里头类型早期(一期)的以崔庄和北庄为代表,属于二里头类型二、三期的以石羊关为代表。关于二里头类型文化的性质,简报认为它的时代应相当于夏代。

简报称这次调查谷水河和寺岗遗址采集到中原地区的王湾二期文化、大汶口文化和屈家岭文化的遗物,为进一步探索这三种文化的关系,研究我国古代文化发展形成提供了一个重要的线索。

无独有偶,1991 年 8 月至 1993 年 4 月,考古人员又对豫东北也进行了两次考古调查与试掘。据《考古》1995 年第 12 期报道,共调查了濮阳市、濮阳县、浚县、滑县、南乐、台前、范县等处。这一带是黄河故道,不少遗址都被湮没,但也由此难以在地表发现踪迹。调查时间又短,未能完全达到预期目的。仅通过对已发现的濮阳市马庄遗址、程庄遗址、浚县大赉店遗址等几处遗址的试掘,发现岳石文化的西部边缘应在冠县—莘县—范县—甄城一线。另外,程庄遗址发现有不少非正常死亡的中青年女性遗骨,也有待进一步研究。

此次调查发现的遗址,包括岳石文化、早商文化等不同历史时期。

547.河南省五县古代铁矿冶遗址调查

作　　者:河南省文物研究所、中国冶金史研究室　李京华
出　　处:《华夏考古》1992 年第 1 期

1974 年、1976 年,考古人员对鲁山县、安阳和桐柏县等地的古代冶铁遗址进行了科学考察,在调查中采集了遗物标本,后又对重要标本做了成分分析。仅确定遗址时代和性质,还对一些遗迹做了专题研究。这次调查给研究古代铁矿冶史,提供了重要资料。简报分为:一、安阳县冶铁遗址,二、林县铁矿遗址,三、桐柏县冶铁遗址,共三个部分予以介绍,有照片、手绘图。

据介绍,这次有冶炼专业人员参加的五县冶铁遗址调查主要收获有以下几点:

一是汉代创造的黑色耐高温新材料,不仅河南郡铁官作坊应用,而且南阳郡铁

官作坊也采用，说明铁官在推广先进技术和材料上很有成效。

二是对于宋代炼炉有较多的了解，发现宋代炉子结构更科学，利用当地高 SiO_2、Al_2O_3 的河卵石筑炉，既经济又耐用。另外，宋代仍然炼块矿而不冶炼粉矿。宋代较多的冶炼作坊以煤为燃料，说明宋代应用新能源较普遍。

三是因地制宜建炼炉，尤其在山区就以地筑炉，在台地上对矿石和燃料整粒和配料，平行装料，省去提升设备，减轻劳动强度。林县申村多层结构的熔化炉，较汉代熔炉有新变化，炉衬层多达 8 层，说明大修次数之多和炉龄之长。

郑州市

548.一九五二年秋季郑州二里冈发掘记

作　者：中国科学院考古研究所　安志敏
出　处：《考古学报》第 8 册

1950 年秋，韩维周先生在郑州东南郊二里冈一带较大的遗址。1951 年、1952 年、1953 年，考古人员都做过调查、发掘。简报分为五个部分并配以照片介绍了相关情况。

目次如下：

一、引言

二、遗址地形及文化遗存

（一）遗址地形

（二）发掘概况

（三）地层情况

（四）龙山灰坑

（五）殷代灰坑

（六）墓葬

三、龙山文化遗物

（一）陶器

1. 容器

（1）细泥黑陶系（碗、罐、豆、其他）

（2）泥质灰陶系（碗、罐、甑、斝）

（3）夹砂粗灰陶系（碗、罐、鬲）

2. 装饰品（环、坠）

（二）石器（斧）

（三）蚌器（刀）

（四）其他（白灰面）

（五）自然遗物

四、殷代文化遗物

（一）陶器

1．容器

（1）泥质灰陶系

（2）夹砂粗灰陶系

（3）～（6）其他陶系

（二）石器

1．工具和武器

2．装饰品

（三）骨蚌器

1．卜用甲骨

2．骨器

3．蚌器

（四）青铜器（镞、镞）

（五）自然遗物

五、结论

（一）龙山文化

（二）殷代文化

（三）龙山文化与殷文化的关系

据介绍，二里冈的龙山文化，属于典型的河南龙山文化。殷商文化遗存表明，先民的经济生活以农业为主，畜养着牛、猪、羊、马、狗等家畜。狩猎、捕鱼和采集蚌螺，只是辅助的生产而已。

549.郑州旭旮王村遗址发掘报告

作　者：河南省文化局文物工作队第一队　赵青云、刘东亚

出　处：《考古学报》1958年第3期

旭旮王村距郑州旧城约13华里，1956年考古人员进行了发掘，发现灰坑40个。简报分为：一、前言，二、地层关系，三、文化遗存，四、结语，共四个部分予以介绍，

有照片、手绘图。

据介绍，发现有龙山文化和商代遗存，有石器、陶器、卜骨等。

550. 河南巩县古窑址调查记要

作　者：冯先铭

出　处：《文物》1959 年第 3 期

简报配以手绘图等，介绍了冯行铭先生 1957 年 7 月赴河南省巩县调查古代窑址的情况。

据介绍，调查主要在县城以南小黄冶、铁匠炉村、白河乡等处展开。发现有白釉瓷、彩釉瓷等多件标本。冯先生认为此处很可能是唐开元中白瓷的贡地，唐代不少墓葬中瓷器也有可能出于此地。另外，在铁匠炉村遗址采集到属于隋代的十几片青釉高足盘和碗的碎片，可知巩县在隋曾烧制过青釉器物，这为研究北方早期青釉问题提供了资料。

冯先生指出，巩县瓷窑生产的下限或在北宋初期，但这一点尚有待证实。

今有《洛京遗珍录：青龙山人藏巩县窑》全两册（得一堂古美术印本），可参阅。

551. 河南登封卢店汉、唐墓的发掘

作　者：王自刚

出　处：《考古》1959 年第 3 期

卢店镇位于登封县城东约 20 华里的小盆地中，1958 年 10 月在卢店南地的建设工程中发现了几座古墓葬，考古人员进行了发掘。简报配以手绘图予以介绍。

据介绍，汉墓 1 座，为长方竖井土洞空心砖室墓，墓底有棺木灰痕，骨架腐朽，尚可辨认出人骨架系头北足南。墓内随葬品多零散破碎，能看出器形者有 3 件放置在头部附近，另 1 件罐斜置墓室门的西侧，皆系泥质灰陶。就墓室结构和出土物来看，此墓应属西汉中期。唐墓 2 座：1 座为小型砖室墓，有 4 具骨架。随葬品有陶器、瓷器、铜叉等，年代简报推断为唐代晚期。另 1 唐墓为长方竖穴墓，有陶罐、铜钱等，葬具为石棺。

552. 河南巩县石家庄古墓葬发掘简报

作　者：河南省文化局文物工作队　赵国璧

出　处：《考古》1963 年第 2 期

巩县石家庄村位于陇海线上黑石关车站西 1 公里处。北靠邙山，南临洛河。

1957 年考古人员在其附近发现古墓 49 座。因为这些墓葬多经盗掘，只清理了其中 17 座，包括：东周墓 2 座，长方形竖井墓，简报推断为春秋晚期墓；汉墓 11 座，其中西汉墓 2 座，东汉中期墓、东汉晚期墓 9 座；晋墓 1 座，简报推断为西晋初期墓；宋墓 3 座。此次清理的 11 座汉墓，全分布在村西，在村西还发现一座宋墓。晋墓和另外的两座宋墓位于村东。周墓位于距石家庄村西 1.5 公里的"寺沟"村附近，当地还有西周文化遗址。简报分为：一、东周墓，二、汉墓，三、晋墓，四、宋墓，共四个部分予以介绍，有照片、拓片、手绘图。

553.河南省密县、登封唐宋窑址调查简报

作　者：河南省文化局文物工作队　　安金槐、贾　峨
出　处：《文物》1964 年第 2 期

简报分为密县西关窑址、密县窑沟窑址、登封曲河窑址等几个部分，介绍了考古人员 1961 年前往密县、登封调查唐、宋窑址的情况，有照片、手绘图。

据介绍，密县西关窑址位于密县的西关。出密县旧城西门，是一条南北走向的时令河沟，沟宽约 200 米，西关横跨于河沟的东西两岸。由西关向南约 500 米至菜园沟村，再向北约 400 米，即为古代瓷窑遗址的集中地区。根据西关窑址的部分器物形制看，也有属于宋代的，因而密县西关窑址的时代，上限可能到隋，下限则可能到宋代。

密县窑沟窑址位于窑沟村。窑沟村位于密县城东南约 18 公里的洧水南岸，东南距大隗镇 3 公里。村南为起伏的丘陵地，由窑沟村向南是一条宽阔的大沟，大沟内的两侧，又有许多小的支沟。在村南大沟和小沟的两侧断崖上，遍布着瓷片和窑具残片的堆积层，其中以大沟西岸的黄庄南沟最为集中。在窑沟村南约 500 米处的沟西岸断崖上，曾发现了两座残窑址，皆为小口圆袋形，窑腔用小砖筑成。窑的内壁已烧成灰青色，向外逐渐呈砖红色。窑沟窑址应是北宋时代的一处范围较大的民间瓷窑址。从采集的部分标本看，也可能有早到五代的。

登封曲河窑址在登封县曲河村。曲河窑的产品皆为民用瓷器，多为碗、碟、壶、盘、瓶、盂之属。珍珠地刻花瓷器虽较密窑为多，但器形却很单一，刻花朴素美观。从曲河窑出土遗物来看，这处窑址的年代上限约当晚唐到五代，它的兴盛期为北宋，金元时期盛况愈下，但尚生产少量的钧瓷。此后即衰落了。

554.河南密县、登封唐宋古窑址调查

作　者：冯先铭

出　处：《文物》1964 年第 3 期

简报配以手绘图、照片，介绍了冯先铭先生 1962 年 3～5 月赴密县、登封调查唐、宋窑址的情况。

简报称，密县烧瓷一向不见记载，调查前仅看到简单的报道。通过这次田野调查和对采集标本的分析研究，对其烧造历史获得了初步认识。由采集标本所具特征看，西关窑烧瓷时间是始于唐而终于北宋的，从遗址散布标的比例看，绝大部分是唐五代的，宋代标本则很少，因之停烧时间似在宋初。停烧以后窑沟继之而起。登封曲河窑址在曲河村，从村西 0.25 公里许开始到村东，全长 1 公里左右，匣钵垫饼瓷片遍布在山坡田垅间，该村现尚有寨墙，城东部、北部墙上瓷片也很多，系历年修墙时所堆积者。经过了两天的调查和采集，共采集标本 473 件。采集的遗物共分白釉、白釉绿彩、白釉褐彩珍珠地、白釉刻花、白釉黑花、黑釉、三彩、黄釉、青釉及窑具等。

从标本看，以北宋时产量最大，质量也最好，据文献记载似明清时仍在生产，但此次调查未见明清时标本。

555.登封县雷村发现宋金时期犁镜

作　者：栗玉西

出　处：《中原文物》1985 年第 1 期

1980 年，登封县大金店乡雷村村民在挖地时发现带铭文犁镜一个。犁镜呈半椭圆形，正面内凹，背面凸起，并铸四鼻，鼻的形制呈八字形。鼻下部铸三行九个字"韩家桕真钢犁耳使司"。"韩家桕"是犁的制造者，"真钢"是宣传他制造犁镜质量高，"犁耳"是当时犁镜的名称。经鉴定此梨镜为宋金时期的遗物。其发现对研究古代农具史有一定价值。

556.郑州市陈庄遗址发掘简报

作　者：郑州市博物馆　陈立信

出　处：《中原文物》1986 年第 2 期

陈庄村位于郑州市旧城区西北约 10 公里的贾鲁河西岸，村东南约半公里的河西岸台地上，是一处面积约 25 万平方米的仰韶文化和商代文化遗址。遗址附近的地

势，基本是平坦的，可能由于历年来的雨水冲刷，遗址之北为一条深沟，当地人称为"南沟"。1964 年 7 月 20 日开始发掘，至 9 月 9 日结束，共发掘 250 平方米，其中清理各时代的窖穴 25 个，墓葬 7 座，陶窑一座。

简报分为：一、文化层概况，二、仰韶文化层，三、商代文化层，四、结语，共四个部分予以介绍，有照片、手绘图。

据介绍，陈庄遗址的分布范围虽然不算很大，但包含遗物比较丰富。从其遗存堆积之厚看，它是一处人们长期居住的古村落遗址，时代从仰韶文化晚期一直延续到整个商代。

557.两件制作精美的古代勾杀兵器——青铜戈

作　　者：邓城宝
出　　处：《中原文物》1986 年第 2 期

简报配以照片、拓片，介绍了两件青铜戈。

据介绍，一件是商晚期的銮内戈。出土于前营公社前营村，是农民郭正在翻地中发现。出土时戈的锋端已残断。戈上有族徽和使用者姓氏。另一件春秋时期的镂孔镶嵌三穿戈，是从废品收购单位的杂铜中拣选而得，出土地点不详。整个铜铸件与花饰间隔距离匀称，且为透花中空。这件三穿铜戈工艺之精、花饰之美，在青铜器物中比较少见。它对研究我国古代青铜器的铸造和镶嵌工艺技术是一件难得的实物。

558.郑州市西北郊区考古调查简报

作　　者：张松林
出　　处：《中原文物》1986 年第 4 期

1985 年春，考古人员对郑州市西北郊区的石佛乡、沟赵乡、古荥乡等进行了为期两个月的考古调查，发现了一批重要遗址和遗物。

简报分为：一、新石器时代遗存，二、二里头文化与商周文化遗存，三、战国秦汉遗址与城址，四、几点认识，共四个部分予以介绍，有拓片、手绘图。

据介绍，此次共调查新石器时代遗址 5 处，其中新发现 3 处。这些遗址中西山遗址、后庄王遗址、张五寨遗址为单纯的新石器时代仰韶文化遗存，而石河遗址、陈庄遗址则兼有其他遗存。郑州市西北郊区二里头文化与商周时期的文化遗址相当多，遗存十分丰富。这次调查就发现十余处。简报重点介绍了其中的郑庄、西连河、堂李、祥营、洼刘、瓦屋李、陈庄、赵村、兰寨、关庄、岳岗、道李遗址。关于战国秦汉遗址与城址，简报重点介绍了古荥阳城址、古荥冶铁遗址、沟赵遗址、常庙城址、道李故城、河阴故城。

简报称，此一地区仰韶文化从文化特征看，均沿河而居，盛行平地起建的方形房子，不见圆形半地穴式；中期以后房基多经大火烧烤，屋内设火池，并有套间出现。墓葬均为长方形竖穴土坑葬，盛行单人仰身直肢葬。中期以后发现有男子二人葬，女子二人合葬、夫妇合葬墓。一般陪葬品不多，多使用原始棺椁（用木条垒筑）。中期以后瓮棺多埋入墓葬区。陶器群中有鼎、罐、釜、尖底瓶、平底瓶、尖底缸、平底缸、钵、豆、碗、干食器等。其中干食器最为奇特，盘状器附三足，夹粗砂或蚌沫。彩陶最精彩，多施白衣，白衣上绘彩色图案。西周遗存以往发现不多，这次的发现很有意义。东周迁都洛阳，郑州地近王畿，成为王室东方之门户，故城池林立，调查中发现的数处城址多建于这个时期。战国秦汉的郑州地区处于最繁荣的时期。秦置三川郡于古荥阳城内，汉置荥阳县及官营冶铁作坊，加之秦末、楚汉战争经常于此作战，故战国秦汉时期的遗存十分丰富，有城址、村落、冶铁遗址、墓葬等。

559.郑州市站马屯遗址发掘报告

作　者：河南省文物研究所、文化部文物局郑州培训中心　程继才、方燕明
出　处：《华夏考古》1987 年第 2 期

站马屯村位于郑州市南郊十八里河西 1.5 公里。遗址在村南 0.5 公里处，南北长 200 米，东西宽 500 米，总面积约 10 万平方米。一条南北走向的古河道（地图上称"干沟"）将遗址分成两半。遗址四周为缓坡，中心为隆起的墁岗，高约 3 米，当地居民称其为"马岗"。1984 年春秋两季进行两次发掘，在这两次发掘中，发现房基 9 座（F1～F9）、灰坑 28 个（H1～H28）、水井 7 口（J1～J7）、墓葬 5 座（M1～M5）、瓮棺葬 1 座（W1）、陶窑 1 座（Y1）、灰沟 1 条（G1），其中除 7 口水井和 3 个灰坑为东周时期外，余皆为龙山文化遗存。两次发掘出土比较完整的各类遗物二百余件。由于田野实习时间所限，两次实习都有部分探方未探到生土就停工（也有因遗迹重要、情况复杂而就地封存，待以后进行发掘清理的原因）。

简报分为：一、前言，二、地层堆积与分期，三、第一期文化遗存，四、第二期文化遗存，五、第三期文化遗存，六、春秋晚期文化遗存，七、战国前期文化遗存，八、结语，共八个部分予以介绍，有照片、手绘图。

据介绍，第一期文化遗存距今 4450～4150 年，属龙山文化早期偏晚遗存。第

二期距今约 4000 年，为龙山文化中期偏晚。第三期距今约 3800 ～ 4000 年，为龙山文化晚期。简报称，中原地区龙山文化早期遗存，主要分布于两个地区。一是陕、晋、豫三省交界处，二是郑洛地区。这两个地区的龙山文化特征有一定的差别，前者以庙底沟二期为代表，可能来源于仰韶文化西王村类型，但下延的脉络尚不清楚。以郑洛地区为中心的龙山文化早期遗存陶器的纹饰主要是横向篦纹和附加堆纹。宽折沿罐形鼎、圈足罐和小口高领壶等在大河村三期中可以找到其祖形。此外，长方形地面连间式房址与大河村三期和王湾一期的房址在建筑方法、形制上有继承关系。二者之间在年代上也是衔接的。简报认为郑洛地区的龙山文化早期来源于仰韶文化大河村类型，而后又发展为河南龙山文化王湾类型。

560.河南荥阳县阎河遗址的调查与试掘

作　　者：郑州市文物工作队　张松林、刘彦锋
出　　处：《中原文物》1992 年第 1 期

阎河遗址位于郑州市荥阳县县城南约 3 公里处，文化遗存十分丰富，有房基、陶窑、灰坑、墓葬等。因长年取土，遗址遭到严重破坏。在多次调查的基础上，考古人员于 1986 年 5 月对该遗址进行了为期 20 天的试掘。布方三个，发掘面积 50 多平方米。

简报分为：一、文化遗存的分布与地层堆积，二、文化遗迹与遗物，三、结语，共三个部分予以介绍，有手绘图。

据介绍，发现的遗迹主要有灰坑 3 个，遗物主要为陶器，其次为石器，还有少量骨器、卜、骨、铁器。简报最后的结论是：阎河遗址是一处以二里头文化和二里岗文化遗存为主，兼有丰富战国秦汉遗存的大型遗址，也是目前在荥阳县境内发现的最靠南部的一处夏商文化遗址。从发掘结果看，这里应是夏商时期的一般村落遗址，是战国秦汉时期较大规模的作坊遗址。

561.郑州唐宋瓦窑址的发掘

作　　者：河南省文物研究所　陈嘉祥
出　　处：《华夏考古》1993 年第 2 期

1984 年 12 月中旬，考古人员于郑州顺河路工段金水河南岸，黄河水利委员会 55 号楼所在地下，发掘出一座古窑址，代号黄委 84Y1。简报配以手绘图、照片予以介绍。

据介绍，窑的结构由火膛、窑室与烟囱三部分组成，南北长 4.8 米，东西宽 2.2 米，为这一地区常见的唐宋时期瓦窑遗址。

562.洛汭地带商周文化遗存调查

作　者：河南社科院河洛文化研究所、河南巩义市文物保护管理所　张笑东、
　　　　张新月、张晓梅
出　处：《中原文物》1994 年第 4 期

1992 年 5 月，考古人员对洛汭地带进行考古调查，发现了以商、周文化遗存为主的康沟遗址。此外，在洛水两岸多处新石器时代遗址，如伏羲台、滩小关、董沟等遗址的地面上大都发现了商、周文化遗存，采集了部分遗物标本。康沟遗址坐落在洛水西岸邙岭山坡下，康沟村地面上商、周文化遗物俯拾皆是。遗址南北长约 250 米，东西宽 100 米，面积约 25000 平方米。从采集的文物标本看，除商、周遗存外，地面上也散见二里头文化遗物，并在遗址东部岗沿下接近地面处发现仰韶文化层。简报分为：一、商代文化遗存，二、周代文化遗存，和"结语"，共三个部分予以介绍，有手绘图。

据介绍，商代遗存有灰坑 2 座，遗物有陶片、陶罐、石器等。时代为商代早期偏晚、商代晚期不等。周代遗存有水井 1 眼、墓葬 1 座，遗物有陶器、贝币等。时代有西周、春秋、战国三期。

563.河南密县西关瓷窑遗址发掘简报

作　者：郑州市文物工作队、密县文管所　周　军、李卫东、刘彦锋、郝红星
出　处：《考古》1995 年第 6 期

密县西关瓷窑，在有关密县历史的史籍和密县志中均未见记载，在 20 世纪 60 年代以前，这一重要的瓷窑遗址一直未被人们所知晓。1961 年文物普查时，考古人员于该县文化馆的藏品中，发现几件采自老城西关菜园沟的唐宋瓷器；在赶赴现场进行实地考察时，又发现了一批瓷片和窑具。通过研究他们认为这里是一处上起隋代，下至宋代的瓷窑遗址。1962 年，故宫博物院的古陶瓷专家冯先铭先生等人前往该遗址进行调查，并采集了大批标本，提出了如下论点：一是密县西关瓷窑的烧造时代始于晚唐，终于宋初；二是中国瓷器中的珍珠地划花工艺源于密县西关瓷窑。20 世纪 80 年代以后，对西关瓷窑进行了多次试掘。1993 年 9 月，密县修筑环城公路需要通过该遗址，考古人员进行了抢救性发掘。发掘工作从 1993 年 9 月 17 日开始，到同年 12 月 20 日结束，历时三个月。简报分为五个部分予以介绍，有照片、手绘图。

据介绍，西关瓷窑遗址位于密县老城西关。遗址中部有一孔石桥，原名广济桥，后易名惠政桥。桥南叫菜园沟，桥北为碗窑沟，沟内流淌着一条自北向南流动的季节性河流。从遗物看，该窑应属磁州窑系的一处窑址，所烧瓷器比较粗糙，以白瓷

为主，也有黑瓷、青瓷，种类不多，主要为民用小型器。纹饰以珍珠地划花最为突出，其次为刻花和印花。其中珍珠地禽鸟和食草类动物（羊、鹿）等，是该遗址最富特色的典型装饰图案。始烧时间可能早于晚唐，废弃时间不会早于宋代中期。

564.河南巩义市仓西战国汉晋墓

作　者：河南省文物考古研究所　赵　清、赵新平、韩召会、王保仁等
出　处：《考古学报》1995 年第 3 期

仓西墓地位于巩义市东北约 6 公里，站街镇仓西村南岭上。伊洛河由村西蜿蜒流过，至村北折而东流。为配合开封至洛阳高速公路的修建工程，考古人员进行了钻探，发现古墓葬 52 座。1992 年 8 月 19 日至 10 月 5 日，对这些墓葬进行了发掘。这些墓葬除两座空心砖椁室墓和两座小砖券墓外，余为小型土洞墓和土坑墓。

简报分为：一、战国至西汉墓，二、东汉墓，三、西晋墓，四、结语，共四个部分予以介绍，有照片、拓片、手绘图。

据介绍，此次发掘战国至西汉墓 48 座，均为小型墓；东汉墓 2 座，西晋中期墓 1 座。西晋墓为穹隆顶小砖室墓，随葬器物多达 20 多种。

简报指出，仓西地区北有黄河，西北临伊洛河，左右连邙山，属丘陵地带。这里是一处大型墓地，此次发掘仅是其中一小部分。这一地区从战国中、晚期开始，直到明清乃至近代，流行土洞墓。不同时代其形制又不尽相同。有大墓道小墓室的，也有小墓道大墓室或长墓道宽墓室的；墓室深浅不一，不同时代有各自的特点。这些墓葬的发掘，对了解和掌握各个时代洞室墓的发展变化是有帮助的，对研究我国古代墓葬的墓室结构、埋葬习俗、器物组合与形制变化等方面均大有裨益。

565.巩义市北窑湾汉晋唐五代墓葬

作　者：河南省文物考古研究所、巩义市文物保管所　赵　清、赵新平、韩召会、
　　　　王保仁等
出　处：《考古学报》1996 年第 3 期

北窑湾古墓地位于巩义市东北约 10 公里的站街镇北窑湾村东岭上。这里西临伊洛河，北依邙山，向北 3 公里即伊洛河入黄河口，古称洛汭之地。为配合开封至洛阳国道 310 号修建工程，对北窑湾东岭上公路地段进行了钻探。并于 1992 年 11 月 29 日至 12 月 23 日进行了发掘。

简报分为：一、东汉墓，二、西晋墓，三、唐墓，四、五代墓，五、结语，共

五个部分予以介绍，有彩照、拓片、手绘图。

据介绍，此次发掘东汉墓1座、西晋墓1座、唐墓19座、五代墓5座。大多曾被盗，葬具与人骨荡然无存。出土陶器131件，瓷器62件，三彩器12件，铜器20件，骨笄、银钗、铁板各1件，长方形石板2件，砖墓志7块（合），石墓志3合，铜钱152枚。墓志未录志文。但从志文内容看，墓主人并无官职。

劫余的随葬品中，除墓志外还有以下各项值得重视：

其一，唐墓M6出土的瓷双龙柄壶。该墓厚重体大的瓷器已被盗走，此件当为窃余之物。说明M6墓主人生前有一定的身份地位。M6出土的瓷杯、瓷盂均为白瓷，器形继承了隋代器物特点，保留了较多的唐代早期特征。该墓出土的瓷器胎质细白，火候较高，胎体较薄，均未施化妆土，釉质莹润有光泽。"开元中河南贡白瓷"，所指白瓷当系巩县铁匠炉、白河等窑口所生产。巩县窑早在隋唐和唐初即烧制白瓷和青釉瓷器。M6出土的瓷器应为当地巩县窑生产的产品。M6出土的三彩器，色彩单调，还处在单色釉阶段。一件器物上虽施有黄、蓝、褐色釉，但仅是黄釉上间以斑点蓝彩和褐彩，还处在以一种釉色为主，滴上数滴他色釉而形成的不规则的双色釉阶段。这种创烧阶段的三彩器，为盛唐时期五彩缤纷的唐三彩开了先河，为研究唐三彩的形成和发展提供了较重要的实物资料。

其二，唐墓M3出土的3号男俑、9号女俑缺头，4、5号莲花器座分别残3瓣和1瓣花叶，只有1件器盖完整，不像M5那样器座、罐和器盖成套出土。该墓从上至下未发现盗洞，随葬器物未被人为扰动，排列基本有序，也没有一块残碎品。可见下葬时这些遗物已残损或不配套。墓室顶也与其他墓葬不同，呈高低两层平顶，东高西低，这种墓室顶以前发现很少。

其三，盛唐前后的墓葬，随葬品较为丰富，如M6，虽经历了两次盗劫，仍出土大量随葬品。该墓出土的武士俑、乐俑、瓷双龙柄壶等，都客观地反映了当时的工艺水平和社会经济文化状况。中唐以后，特别是晚唐时期，墓内随葬品寥寥无几，无论质量或数量都大不如前。这正是唐代晚期动荡的政治形势和衰落的社会经济在丧葬方面的反映。"洛口"其地的政治经济地位也明显下降，巩县县治所在地迁移，漕运断流，洛口仓从此一蹶不振，昔日繁华喧闹之地变成偏鄙之乡了。

566.河南巩义市白河瓷窑遗址调查

作　者：郑州市文物考古研究所、巩义市文物保护管理所　刘彦锋、赵海星、
　　　　席延昭、张　倩

出　处：《华夏考古》2001年第4期

1998年10～11月，考古人员对巩义市白河瓷窑遗址进行了调查。简报分为：一、

瓷窑遗址的分布与现状，二、遗迹，三、遗物，四、烧制工艺浅析，五、关于白河瓷窑遗址的时代，共五个部分予以介绍，有手绘图。

据介绍，白河村又名白冶河，可能因烧白瓷而得名，白冶河位于西泗河上游，沿河下行 7.5 公里到洛河入黄河处，交通便利。白河水源于村南水地河的石泉。瓷窑遗址分布于沿河两岸，绵延十余里。发现有瓷窑 2 处，保存不好。白河瓷窑主要生产的瓷器种类有碗、盆、盂、盏、罐、注子、粉盒、盘、瓶等，以碗、盏、盘占大宗。从调查的情况看，唐代烧制瓷器有一定的分工，有的作坊专门生产碗、盘，有的以生产粉盒、盘、盂等见长，而有的以生产三彩为主。简报推断白河瓷窑遗址的始烧时代应在隋或更早，隋代之前以烧制青瓷为主，至隋代已向白瓷过渡。巩义市白河瓷窑址的兴盛年代应为唐中期以后，此时主要烧制白瓷。从五代以后至北宋虽然仍在烧制，但产量已大不如以前，在窑址内采集到宋代的瓷片已很少。

567.河南新密曲梁遗址 1988 年春发掘报告

作　者：北京大学考古文博学院　李维明等
出　处：《考古学报》2003 年第 1 期

曲梁遗址位于河南省新密市曲梁乡曲梁村北，曲梁村西距原密县旧县城约 20 公里，郑州市在其北，新郑市位其东，禹州市居其南。这里曾是连接郑州和禹州、许昌交通要道上的一座重镇，现依然可见一段宽约 15 米的土道呈南北向贯穿遗址中部。在土道两旁断崖上暴露的古代文化堆积层厚达 2 米，其中包括河南龙山文化、二里头文化、商代文化、汉代文化，以二里头文化堆积最为丰富。曲梁遗址发现于 20 世纪 50 年代末。1966 年当地人取土时挖出商代早期的铜觚、柄形玉器和陶鬲。1972 年，密县文化馆对该遗址进行了调查。1976 年 3 月，当地人在曲梁遗址西边约 1 公里的河西村挖出铜爵、铜斝各 1 件。1988 年 3 月，县文管所在此征集到商代青铜刀 1 把。同时，北京大学考古系商周实习组和郑州市文物工作队联合在这里进行首次发掘。发掘工作自 1988 年 3 月 18 日开始，至 5 月 6 日结束，历时 49 天。布方 12 个，清理断崖一处。

简报分为：一、地层堆积，二、遗迹，三、遗物，四、结语，共四个部分介绍了其中 11 个探方的资料（T4399 因故未包括在内），有手绘图等。

据介绍，发现有灰坑、深窖、水井、墓葬等遗迹，主要为二里头文化遗迹，少部为商文化遗迹，个别为汉代遗迹。二里头文化遗迹可分三期：第一期距今约 4400±100 年，相当二里头文化二期；第二期距今约 3685±90 年，相当二里头文化三期偏早；第三期距今 3410±100 年，相当二里头文化三期偏晚。商代文化可分二期，第一期相当二里岗文化上层偏晚；第二期年代再晚些。

简报指出：与偃师二里头遗址比较，曲梁二里头文化遗存具有一些特点：

第一，从陶器总体特征而言，曲梁二里头文化陶器的器类不如二里头遗址丰富。二里头遗址已出土的方鼎、鸭形尊、鬻、平底盆、单耳杯、罕等，在此均未见到。从陶器制作工艺上看，曲梁二里头文化陶器制作较二里头遗址陶器显得粗糙，缺少精美的陶器。就功用而论，则多为炊器、食器和盛器，酒器极少见。曲梁二里头文化遗存中更未见精美的玉器和青铜容器。这些差别表明曲梁遗址的发展阶段低于二里头遗址。

第二，在曲梁二里头文化器物群中有一些造型较为独特的器物。如 B 型鬲、Bb 型盆、贯耳盆、盆、C 型罐、C 型器盖，以及有内石镰。这些器物的出土补充了二里头文化的内涵。同时，它们产生的背景值得思考。

第三，曲梁二里头文化遗存中所见石材，其正反两面相对磨制沟槽为了解夏时期石器制作工艺提供了珍贵的考古学材料。同时，也表明曲梁遗址曾经是一处石器制作加工地。

简报指出，曲梁遗址的发掘对于夏商文化研究具有如下几点意义：

其一，曲梁遗址的发掘是继郑州地区洛达庙、董寨、上街、荥阳西史村、闫河、密县新砦等夏商文化遗址发掘之后，在郑州市南部开展的又一次较大规模的考古工作。本次发掘对于了解郑州地区夏商文化的分布及对以往所获有关材料的补充具有重要的作用。

其二，曲梁夏商文化遗址文化堆积厚，跨越年代较长。因此，以本次发掘所获夏商时期考古学材料，运用地层学、类型学和计量分析的方法建立起来的夏商文化考古学编年，是目前郑州地区所见较为细致的一支，为郑州地区夏商文化探讨提供了新的时代标尺。

其三，曲梁二里头文化遗存从早到晚文化特征一脉相承，再一次证明二里头文化二、三期文化性质的同一性和不可分性。其中少量其他考古学文化因素，正是二里头文化与周边考古学文化相互交流的反映。

其四，曲梁商代早期文化遗存与二里头文化遗存在文化面貌上存在很大的差别，并且两者之间年代上不相衔接，尚缺相当于二里冈下层和二里冈上层这样阶段的遗存，这种现象的出现是由于发掘工作所限还是另有原因，期待以后的考古发现。

事实上，新密市发现的类似遗址不止曲梁一处。据《华夏考古》2009 年第 2 期《河南新密市黄帝宫新石器时代遗址调查》一文，新密市东刘寨乡武定湖畔黄帝宫附近，发现有 5 个灰坑，出土有陶器、石器、骨器等。专家认为时代从仰韶文化晚期一直到商文化时期，延续 2000 多年。相传黄帝宫是黄帝讲武练兵之地，此地应是一处历史久远、积淀深厚的人类活动场所。

568.登封白坪钧瓷窑址调查简报

作　　者：嵩山钧瓷研究学会　李景洲
出　　处：《中原文物》2007 年第 4 期

白坪地区的瓷窑遗址以程窑为中心，包括程窑、栗子沟、赵家门、牛园、碗窑岭、东白坪、南拐、沙锅窑、北魏窑、南魏窑、卧羊坪等十余处遗址，总面积十几平方千米。尤其是这些瓷窑址基本上都以专业烧制钧瓷为主，构成了一处钧瓷窑遗址群。时代从北宋早期一直到金、元时期。

简报分为：一、遗址概况，二、文化遗存，三、结语，共三个部分予以介绍，有照片、手绘图。

据介绍，登封市白坪乡位于颍河支流的白江河两岸，西南距汝瓷之乡汝州、东南距钧瓷之乡禹州均仅一岭之隔，三地恰成鼎立之状。目前，在登封境内已发现多处瓷窑遗址，其中告成镇的曲河遗址，徐庄的李家门、郑庄遗址分别于 1962 年和 1985 年文物普查时被发现。一直以来，白坪地区的瓷窑遗址不见记载。自 20 世纪 90 年代起，白坪地区的瓷窑遗址逐渐暴露天日。根据考古人员初步调查掌握的情况以及对近年发现的大量窑具及瓷片标本的分析，白坪地区的瓷窑遗址以程窑为中心，包括程窑、栗子沟、赵家门、牛园、碗窑岭、东白坪、南拐、沙锅窑、北魏窑、南魏窑、卧羊坪等 10 余处遗址，总面积十几平方千米。尤其是这些瓷窑址基本上都以专业烧制钧瓷为主，构成了一处钧瓷窑遗址群。程窑遗址生产规模较大，历史跨度较长，我们初步认定其烧造年代从宋经金到元，有 400 多年历史。所产的瓷器品种较全，釉色成熟，造型考究，制作精良，是白坪古瓷窑群典型的代表，可与官钧媲美。事实上，程窑早期的出品，有可能就是作为贡品供皇宫使用。

569.登封宣化唐宋时期瓷窑遗址调查简报

作　　者：河南省古代建筑保护研究所、河南博物院、嵩山钧瓷研究学会　赵会军、
　　　　　张俊儒、李景洲
出　　处：《中原文物》2008 年第 2 期

宣化镇位于登封市区东南 33 公里，地处伏牛山丘陵地带，南与禹州市交界，东北与新密市毗邻，北接登封大冶镇，西临登封告成镇。2006 年 6 月，在修筑许（昌）少（林寺）高速公路时发现了大量的瓷片和窑具。考古人员专程到实地对相关遗迹进行了调查，并对采集到的标本作了初步分析研究。

简报分为：一、遗址概况，二、遗物，三、结语，共三个部分予以介绍，有手绘图。

据介绍，调查发现了瓷窑遗址。这些遗址主要分布在颍河、马峪河两条河流的交汇处，涉及宣化镇的前庄、磨脐、朱洞、东玉翠、西玉翠、窑湾等 6 个村，徐庄乡的马峪口、韭菜沟两个村及告成镇的田家沟村等，总面积达 12 平方公里。由于这批遗物均为采集所得，缺乏明确的层位和共生关系，简报也未对这批器物进行具有时间早晚意义上的划分，只依据目前的考古学研究成果，对一些时代特征比较明显的器物进行了时代推断：执壶，遗物中数量较多的一类，前庄的 A 型釉执壶可能早至中唐，其他类型的执壶应该为晚唐至五代时期之物；高足盘，时代均大致在隋至唐代早期，碗，少量为北宋时期，其他为中唐至五代时期；花瓷，唐代出现的新品种，罐、瓶、盏托等器物在晚唐至五代时期。

简报认为真正的"神前窑"可能是以前庄为中心的唐宋时期瓷窑。

570.河南荥阳市关帝庙遗址唐、金墓葬发掘简报

作　者：河南省文物考古研究所　李素婷、刘晓红、李一丕、丁新功、刘岐山、陈国乾、牛惠珍

出　处：《华夏考古》2008 年第 4 期

关帝庙遗址位于河南省荥阳市豫龙镇关帝庙村西南。为配合南水北调工程，2006 ~ 2008 年，考古人员进行了发掘，发现有唐、金代墓葬。

简报分为：一、文化堆积，二、唐代墓葬及出土物，三、金代墓葬及出土物，四、小结，共四个部分予以介绍，有照片、手绘图。

据介绍，发现唐墓 3 座。均为长方形或梯形，竖穴墓道土坑洞室墓，为唐早期墓。金墓 4 座，有瓷器、铜钱等遗物。简报推断为北宋末或更晚时的金墓。

571.河南荥阳晋墓、唐墓发掘简报

作　者：郑州市文物考古研究院　张文霞、张家强等

出　处：《文物》2009 年第 9 期

2004 年 4 月，考古人员对荥阳市西新区 310 国道北侧的 4 座墓进行发掘。简报分为：一、唐墓（M1），二、晋墓（M3），三、晋墓（M4），四、结语，共四个部分先行介绍了三座墓，有照片、手绘图。M2 被严重盗毁只得略去。

据介绍，唐墓为斜坡墓道土洞墓，由墓道和墓室组成。年代简报推断为唐代中期。两座晋墓的年代，简报推断为西晋中晚期。

572.郑州高新区贾庄宋金墓葬发掘简报

作　　者：郑州市文物考古研究院

出　　处：《中原文物》2009 年第 4 期

2006 年 10 月至 12 月，考古人员为配合郑州航天电子技术有限公司建设进行考古发掘，所清理的遗址中以宋金墓葬为大宗。根据墓中出土文物，推测其年代上限不早于北宋晚期，下限为金代。

简报称，这批墓葬的发掘和墓中出土的陶瓷器以及唐、宋金时期的铜钱，为研究宋金时期的墓葬形式、社会经济和古代民俗文化提供了实物佐证。简报分为：一、墓葬分布情况及其层位，二、墓葬形制，三、出土器物，四、小结，共四个部分予以介绍，有手绘图。

据介绍，发掘地点位于郑州市西北部的高新区贾庄村东，共清理宋、金墓 64 座。这批墓葬以墓道、墓室的不同形制可分四类，即台阶式墓道砖室墓、竖井式墓道土洞墓、竖井斜坡式墓道土洞墓及瓮棺葬。出土遗物有瓷器、陶器、铜环、铜笄、铜钱、铁犁铧等。

573.河南新郑市唐户遗址裴李岗文化遗存 2007 年发掘简报

作　　者：郑州市文物考古研究院、河南省文物管理局南水北调文物保护办公室
　　　　　信应君、胡亚毅、张永清、刘青彬等

出　　处：《考古》2010 年第 5 期

唐户遗址位于河南省新郑市观音寺镇唐户村西部和南部，东北距新郑市区约13.5 公里，该遗址是第六批全国重点文物保护单位。唐户遗址原为高低起伏的岗地，由于 20 世纪 70 年代的大规模土地平整，文化堆积遭到严重破坏，现今地势起伏变化已经不大。当时，为配合平整土地，考古人员对唐户遗址进行过调查和发掘，确认该遗址是一处跨时代的聚落群址，文化堆积丰富，包含裴李岗文化、仰韶文化、龙山文化、二里头文化及商、周时期文化遗存。

2006 年 6 月起，考古人员对渠道占压唐户遗址部分进行发掘，发现了裴李岗时期的聚落居址。发现各类遗迹近 240 个。其中，裴李岗文化时期房址 41 座、灰坑 169 个、墓葬 1 座、灰沟 2 条，龙山文化灰坑 2 个，汉代灰坑 4 个、墓葬 1 座、道路 1 条、宋代灰坑 2 个、墓葬 8 座、水井 1 眼，清代墓葬 7 座。出土了一批重要的文化遗迹，成果丰硕。

简报分为：一、遗址概况及发掘经过，二、地层堆积，三、文化遗迹，四、遗物，五、

结语，共五个部分，对 2007 年裴李岗文化遗存的发掘情况加以介绍，有彩照、手绘图。

简报指出，裴李岗文化发现后，河南省内已调查已发现裴李岗文化遗址 160 余处，但聚落面积均较小。而唐户遗址经调查、勘探，确认裴李岗文化遗存面积在 30 万平方米，是迄今为止我国发现的面积最大的裴李岗文化遗址。唐户遗址发现裴李岗文化时期房址 63 座，也是我国目前发现的裴李岗文化时期房址最多的一处遗址。简报称，西安半坡、临潼姜寨等仰韶文化遗址聚落布局为典型的内向凝聚式布局，聚落以广场为中心，房址分布在周边，门向均朝向广场，这种布局方式与唐户遗址裴李岗文化时期的房址布局相似。所以，唐户遗址裴李岗文化聚落中出现的内向凝聚式布局或与仰韶时代半坡、姜寨等遗址的内向凝聚式布局有相同的渊源。此次发掘发现的居住区内的排水系统，表明当时人们已充分考虑到人地关系，懂得利用自然地热来建造排水设施，保持居住区的干爽。

另外，此次还发现了石器加工场所，可以看出农业生产工具专业化倾向增强，如舌形石铲用来翻地，石镰或石刀用来收割，石磨盘、石磨棒用来碾磨粮食等，足见当时农业生产技术已达一定高度。

简报最后强调，唐户遗址裴李岗文化时期大面积居址的发现进一步丰富了郑州地区裴李岗文化的内涵，对深入研究新石器时代早期裴李岗文化的聚落形态、房屋建筑方式、家庭社会组织结构及裴李岗文化的性质、分期等均具有重要的学术价值。

574.河南巩义市白河窑遗址发掘简报

作　者：河南省文物考古研究所、中国文化遗产研究院　赵志文、刘兰华
出　处：《华夏考古》2011 年第 1 期

2005 年 4 月至 2008 年 3 月，考古人员对巩义白河窑进行了考古发掘，清理窑炉 6 座，灰坑、灶、沟等 110 余个。该窑址首次发现了烧制白瓷和青瓷的北魏窑炉及其产品，以及唐青花瓷器和唐三彩马俑等，取得了重要的考古收获。简报分为：一、概述，二、地层堆积，三、汉代遗存，四、唐代遗存，五、结语，共五个部分予以介绍，有照片、手绘图。

据介绍，巩义白河窑遗址位于巩义市北山口镇白河村，西距市区约 7 公里。遗址主要分布在水地河村和白河村一带沿西泗河两岸的台地上，总面积约 100 万平方米。2005 年 4 月至 2008 年 3 月，考古人员对巩义白河窑址进行了考古发掘。发掘面积 2400 平方米，清理窑炉 6 座，灰坑、灶等遗迹 110 余个。通过发掘，在该窑址首次发现了烧制白瓷和青瓷的北魏窑炉及其产品，出土了唐代青花瓷器和唐三彩马俑，获得了重考古新发现，为探讨白釉瓷器的起源与演变，为研究唐青花瓷的起源及产地，

均提供了不可多得的实物资料，也使我们对巩义白河窑有了一个更加全面的了解和认识。

575.郑州西山河南艺术职业学院秦汉墓葬发掘简报

作　者：河南省文物考古研究所　周立刚
出　处：《华夏考古》2011 年第 3 期

河南艺术职业学院新校址位于郑州市惠济区（原邙山区）古荥镇田坡村南，京广铁路线以西，2004 年 4～9 月考古人员为配合该学院新校址建设进行了发掘。

简报分为：一、墓葬形制，二、出土遗物，三、墓葬分期与年代，四、结语，共四个部分予以介绍，有手绘图。

据介绍，此次共发掘秦汉墓葬 27 座，包括洞室墓 20 座，竖穴墓 7 座。墓葬盗扰情况严重，绝大部分墓葬已被破坏，其中有出土遗物的共计 17 座，出土遗物共计 68 件，包括陶器、铜器、铁器等。时代从战国末到秦统一，再到西汉早期、西汉中期、新莽时期。

简报称，郑州地区战国时属韩国，公元前 230 年，秦灭韩，秦军进入该地区，因此这批有明显秦文化特征的墓应为进入中原以后的秦人墓葬。此次发掘对研究秦文化与中原文化的交流有重要意义。

576.河南新郑市华阳城遗址的调查简报

作　者：郑州市文物考古研究院、新郑市旅游文物局　索金星、姜　楠等
出　处：《中原文化》2013 年第 3 期

2010 年 7～11 月，郑新快速通道从华阳故城西墙外侧通过，为配合该项工程建设，考古人员进行了考古发掘，对华阳城遗址进行初步的调查。据调查所知，华阳城遗址文化内涵丰富，不仅有东周时期遗存，还包含仰韶文化、商代二里岗时期、晚商时期等多个文化遗存。考古发掘的东周遗存另文发表。

本简报分为：一、遗址简介及现状，二、发掘区的仰韶时期遗物，三、郭店仰韶时期遗存，四、城南沟商代遗存，五、海寨殷墟文化遗存，六、相关遗存的初步认识，共六个部分。对调查发掘的仰韶文化、商代二里岗文化、晚商文化等遗存进行介绍，配有手绘图。

据《国语·郑语》等文献记载，郑武公东迁灭掉虢、郐、华等，建立郑国。特别是仰韶、商代的遗存面积大且较为丰富，处于遗址的城南沟两岸及郭店村东北部，

为探寻"古华国"提供了新线索。

一般认为"华"地紧邻夏族旧居。华族所处的地理位置，表明了它与夏族的亲近关系。华族、夏族是嵩山一带最有影响的两个古老的氏族或部落，先后形成早期的文明社会，经过河南龙山时期进一步的融合发展，夏族代"华"而起，建立我国历史上第一个夏王朝。有学者甚至认为："所以华即是夏，中华民族起于此"，嵩山地区被称为"华夏文明之根"。

开封市

577.河南杞县鹿台岗遗址发掘简报

作　者：郑州大学考古专业、开封市文物工作队、杞县文物管理所
出　处：《考古》1994 年第 8 期

《河南文博通讯》1978 年第 1 期报道，早在 20 世纪 70 年代，杞县孟岗就曾发现古代遗存遗物中有矮足宽裆鬲、大口尊、瓮、杯等，以绳纹、篮纹为主，还有附加堆纹、弦纹、方格纹，以及陶盆、碗、罐、豆、鼎、纺轮和石器、骨器等，以素面为主，也有少量绳纹、方格纹，应属龙山文化、商代晚期或西周遗存。到了 1989 年，考古人员在杞县裴村店乡鹿台岗村又有重大发现。

简报分为：一、地层堆积，二、龙山文化遗存，三、岳石文化遗存，四、先商文化遗存，五、商文化遗存，六、东周文化遗存，七、结语，共七个部分予以介绍，有手绘图。

据介绍，共计发现灰坑 102 个、房基 17 座、祭祀遗迹 3 处，出土有陶器、骨器、蚌器、石器及少量铜器。龙山文化陶器多属自然夹砂，Ⅰ、Ⅱ号自然崇拜遗迹在别处也少见。岳石文化遗存有自己特点，或可单独命名为"鹿台岗亚型"。先商文化遗存在黄河以南、郑州以东系首次发现。商文化遗存延续时间约从二里岗上层至殷墟三期偏晚或四期偏早。东周文化遗存与王湾遗址所出相近。

简报称，此处发掘，对研究东夷集团与华夏集团的交流、商文化的起源、中原地区原始宗教等重大问题，均有价值。

洛阳市

578.洛阳涧滨古文化遗址及汉墓

作　者：中国科学院考古研究所洛阳发掘队　郭宝钧等

出　处：《考古学报》1956 年第 1 期

1954 年春，考古人员在洛阳涧滨发掘了 4 座墓葬及古代文化遗址。此处古代文化遗址的发掘表明，洛阳古文化的开发已远在四五千年以前，不止始于周汉。至于大型汉墓，均集中在汉河南县城西郊外，生者住址与亡者葬地截然分区。汉河南县城下只有周墓或汉代儿童墓，而汉墓却葬在殷、周废墟之中。由汉墓中随葬物的丰富以及其富豪大墓的密集（20 多座）看来，似在周亡后光武未都洛阳城以前，汉河南县城中尚有一部分故家豪富的存留，这也是研究当时社会情况的一种资料。

简报分为："引言"，一、仰韶文化遗址，二、龙山文化遗址，三、殷代文化遗址，四、汉代墓葬，"结语"，共六个部分予以介绍，有照片。

据介绍，涧滨发现的仰韶文化遗存有灰坑等，应属仰韶文化晚期。龙山文化遗存有陶器等。商代遗存时间颇长，然后才被周文化占有。4 座汉墓中 M4 最晚不过东汉中叶，M2、M3 为西汉末年，M1 不好判断。

579.河南偃师灰嘴遗址发掘简报

作　者：河南省文化局文物工作队

出　处：《文物》1959 年第 12 期

灰嘴村位于偃师县城南约四十里（缑氏镇东南约八里），遗址紧靠灰嘴村东部，地势南高北低。发掘证明，地层包括商代，新石器时代的龙山期和仰韶期。与遗址隔沟相对的西北沟岸上，发现大面积的商代遗址，东边又有仰韶遗址，所以灰嘴附近古文化遗址分布相当广泛，文物埋藏也相当丰富。

据介绍，1959 年 4 月，为了配合灰嘴附近的农业建设，考古人员到这里进行考古调查，了解到该遗址面积约达 3 万平方米，随即决定在遗址的东南部进行重点试掘。一个多月的时间内，在 300 平方米面积中，就发现窖穴 25 个（商代 13 个，龙山期 11 个，仰韶期 1 个）；房基 5 个（商代 3 个，龙山期 2 个）；墓葬 2 个（商代 1 个、仰韶期瓦罐葬 1 个），出土较完整的器物 480 余件。

简报称，包含商和新石器时代龙山期、仰韶期的古遗址，1949 年前在安阳后岗和浚县大赉店都发现过（大赉店的上层稍晚于小屯文化），而灰嘴遗址三层叠压的堆积情况，是黄河以南的首次发现，对研究商代、龙山与仰韶文化的关系是很重要的材料，特别是以遗址所提供的实物来研究上述三层文化的承袭关系，具有相当重要的意义。

580.一九五五年洛阳涧西区北朝及隋唐墓葬发掘报告

作　者：河南省文化局文物工作队　蒋若是等

出　处：《考古学报》1959 年第 2 期

考古人员将 1955 年在洛阳涧西区发掘的 40 座北朝及隋唐墓单列为本简报，晋墓资料已于《考古学报》1957 年第 1 期发表。简报分为：一、墓葬形制，二、出土遗物，三、结语，共三个部分，有照片。

据介绍，这 40 座墓，砖室墓 13 座，土圹竖穴墓 5 座，土圹洞室墓 22 座，出土陶器 66 件，铜器 6 件、铁器 43 件以及铜钱等。随葬品的贫乏表明这里是一处贫民墓葬区。这批墓葬的年代，上限不及西晋，下限止于隋、唐。

581.洛阳涧滨仰韶、殷文化遗址和宋墓清理

作　者：考古研究所洛阳发掘队　冯承泽

出　处：《考古》1960 年第 10 期

1955 年春，考古人员在洛阳西郊进行发掘工作。发掘共分东、西、中三区进行。在东、中二区发现了汉代房基、方仓、圆囷、井、石子路等重要遗迹；西区发现了 3 道古城残基、6 个灰坑、11 座墓葬。关于东、中二区的汉代遗迹及西区的三道古城残基，郭宝钧先生已有专文报道（见 1956 年《考古通讯》第一期《洛阳西郊汉代居住遗迹》一文）。本简报发布的只是该文中所未述及的西区发现的灰坑和墓葬。简报分为：一、灰坑；二、墓葬；三、结语，共三个部分予以介绍，有照片。

据介绍，计发现仰韶灰坑 1 个、商代灰坑 5 个、北宋墓葬 11 座。简报称，今涧河下游两岸附近，正是隋唐时代西苑所在，后经变乱，宫苑遭到了极大的毁坏，至北宋时期洛阳宫苑荒废已久，成为人们居住村落和葬地。涧西大批北宋墓葬的出现，证明了这一历史事实。

简报指出，从北宋初年至元明之际，火葬非常盛行，主要是与宗教信仰有密切关系，受到佛教影响，同时，可能与宋代土地的高度集中和庄园制有关系。涧西火葬瓦罐墓的发现为研究北宋时代的火葬提供了新的资料。

582.汉魏洛阳城出土的有文字的瓦

作　　者：黄士斌

出　　处：《考古》1962 年第 9 期

　　1949 年前，汉魏洛阳城出土过不少有文字的瓦，可惜多已散失；文素松先生曾在 1920 年搜集了一部分，并编成《瓦削文字谱》公诸于世。但它仅是出土文字瓦中的一小部分，并且是收买来的，对于出土地点没有交代清楚，因而这批材料未能受到应有的重视。1949 年后，考古人员加强了对汉魏洛阳城的保护工作，对过去散失的有文字的瓦也进行了搜集，并去出土地点进行了产地调查，采集了一些标本。简报分为四个部分予以介绍，有拓片等。

　　据介绍，出土的瓦计分筒瓦和板瓦两种。文字有印文和刻文，均是在未干的瓦坯上刻划，未见烧成后刻印的痕迹。1949 年后，收集的有文字的瓦，均无年号，收集在《瓦削文字谱》中的也无年号。但洛阳城在东汉末年、西晋末年两次遭到大破坏，曹魏、北魏两次大规模修复，出土的瓦也多属这两个时期，尤其是北魏的瓦，应属官窑烧制。从瓦上所刻的姓名来看，当时生产规模相当大，做工也很细致。

　　简报指出，洛魏洛阳城宫殿位置未能确定，从《洛阳伽蓝记》的位置来看，出土有文字的瓦的西岗，约近太庙、太社、护军府一带，因再往南即为平地，接近洛河，以地形而论，不可能有较大的建筑物。出有文字瓦的土岗，究为何种建筑遗迹，尚待今后发掘证明。

583.河南偃师"滑城"考古调查简报

作　　者：中国科学院考古研究所洛阳发掘队　赵芝荃

出　　处：《考古》1964 年第 1 期

　　1962 年的夏天，考古人员曾两次赴偃师县府店公社滑城村调查。第一次是 4 月 7 日，用了 1 天的时间踏查了当地的 1 座古代城址，采集一些标本，并清理了古城北垣下暴露的 1 座龙山墓葬。第二次是在 6 月 20 日到达滑城村，工作至 26 日结束。这次比较仔细地勘探了城址的轮廓，清理了 5 座龙山和商代的灰坑，又在地面采集一些标本。

　　两次调查的主要收获简报分为：一、古城遗址，二、龙山文化遗存，共两个部分予以介绍，有照片、手绘图。

　　据介绍，古城现仅存断断续续的夯土，南北长约 2000 米，东西宽北部约 1000 米，中部约 700 米，南部约 500 米。古城附近的文化遗物极为丰富，有仰韶、龙山文化及商殷、东周、两汉和唐等时期的遗物，而以汉代遗物分布最为普遍，堆积最厚，其次是东周时代的遗物，仰韶、龙山文化和商殷时代的遗物最少。简报推断此城为古滑国故城及汉代滑城。滑国始见于《春秋》庄公十六年"冬十有二月，会陈侯、卫侯、郑伯、许男、滑伯、滕子，同盟于幽"，亡于僖公三十三年，《左传》云秦师伐郑"灭滑而还"。残城基一部分建于汉代以前，另一部分增补于汉代或汉代以后，城内又以周汉两代遗物为主，所以按时代推定古城为滑城亦近是。

简报还介绍了位于古城北部的龙山文化的灰坑、墓葬，出土有陶器等，应属早期龙山文化遗存。

584.河南偃师仰韶及商代遗址

作　者：杨育彬

出　处：《考古》1964年第3期

1963年春季，考古人员曾到偃师县进行重点遗址调查，发现了三处比较重要的遗址。简报配图予以介绍。

据介绍，这三处遗址为：一、宫家瑶村遗址。位于县城西南20公里，在沙河东岸的台地上。遗址在村南，南北长500，东西宽200米。为仰韶文化遗址。二、南蔡庄遗址。南蔡庄位于偃师西9公里，与二里头遗址隔洛河相望，相距不到3公里。遗址位于该村西北部和中部的坡地附近，属商代早期遗址。三、夏后寺遗址。距县城南20公里，西距灰咀遗址5公里。遗址面积很大，南北近1000米，东西约500米。遗存主要为商及东周遗物。

585.河南偃师伊河南岸考古调查试掘报告

作　者：北京大学历史系洛阳考古实习队　李仰松

出　处：《考古》1964年第11期

1960年6月，考古人员在偃师县伊河南岸大口人民公社高崖村及附近的苗湾、灰咀、掘山、酒流沟等地进行调查，共发现新石器时代遗址5处、早商遗址2处、汉代窑址1处。简报分为三个部分予以介绍，有手绘图等。

简报称，此次调查及试掘主要收获有二：

一是发现的高崖、西台地新石器时代遗址、仰韶→过渡→龙山（一期、二期、三期）文化叠压关系与王湾遗址完全一致，证明了豫西地区仰韶文化向龙山文化发展的连续性。

二是东台地早商遗址的试掘，发现了1把残缺的小铜刀，为研究我国青铜时代早期历史，提供了实物资料。

586.汉魏洛阳城一号房址和出土的瓦文

作　者：中国科学院考古研究所洛阳工作队
出　处：《考古》1973年第4期

一号房址位于汉魏洛阳城南部的今龙虎滩村西北，东距该村果圃约百米。这一带地势隆阜，当地人称为"西岗"。1958年修筑水渠时，曾出土不少带文字的瓦片，并发现有夯土层。1963年进行勘探时，在水渠东侧发现房址四处，均已残破。同年秋季，考古人员对渠东的一处房址进行了发掘，编号为一号房址。简报分为：一、房址，二、瓦文，共两部分予以介绍，有拓片、照片。

据介绍，一号房基是在早期的夯土旧址上垒建的。房基平面近方形，东西长，南北短，南墙内壁有两处向外曲折，西墙已破坏无存。三墙内壁均抹三层石灰墙皮，外层墙皮为朱红色，色彩鲜艳；里面二层色已褪，现残存部分多为里层淡红色墙皮。一号房址出土遗物的种类很少，主要是砖瓦和瓦当等建筑材料。一号房址出土带文字的瓦共911块，其中刻文瓦868块，印文瓦43块。据一号房址出土瓦文初步统计，瓦文中所见瓦工姓名共230余人。从瓦上刻文观察，所见月数从四月至九月，而以六、七、八月最多，当系制瓦日期。此类瓦文，在1920年以前即曾发现于汉魏洛阳城内，1931年选编为《瓦削文字谱》，但当时并不知道它的具体出土地点。1949年后，又陆续有所发现。此次所获，都是经过发掘后出土于一号房址内的。在瓦文的内容方面，首次发现了刻有"隰主"铭记的瓦，为我们研究北魏时期手工业的历史，特别是制瓦手工业的生产关系和组织等情况，提供了很好的实物资料。

587.汉魏洛阳城初步勘查

作　者：中国科学院考古研究所洛阳工作队
出　处：《考古》1973年第4期

汉魏故城在洛阳市东15公里，大城处在邙山与洛河之间，南望伊洛平川，倚山临河，地势险要，自周汉、魏晋及至北魏各朝，先后在此建都。1962年夏，进行了田野勘查工作，1972年又对它们进行了发掘。

简报分为：一、城垣，二、城内街道，三、宫城和宫殿，四、永宁寺，五、大城东北隅的两组建筑，六、金墉城，共六个部分予以介绍，有手绘图。

据介绍，现在汉魏故城东、北、西三面城垣尚断断续续可见，残高 5～7 米不等。呈不规则的南北长方形，实测周长约合 14 公里，与文献所载基本相符。发现了城门阙口 10 处及护城河、墙垛（当地人叫"炮台"）、街道遗址（东西 4 条，南北 4 条）。宫城位于汉魏故城中北部，呈矩形，南北长约 1398 米，东西宽约 660 米，约占故城面积的十分之一。四面垣墙残存 1.3 米至 2 米，其中发现有房基、宫门遗址。宫城南门基址西南约 1 公里处，为北魏时洛阳城最大一座寺院永宁寺遗址，今存墙基、塔基等遗迹。故城东北角有汉晋时太仓遗址等，西北角有金墉城遗址。

588.新安古窑址的新发现

作　者：赵青云、王典章
出　处：《河南文博通讯》1978 年第 1 期

简报配以手绘图等，介绍了新安古窑址的发掘情况。新安县城关古窑址是豫西重要的窑址之一。产品有汝瓷、影青、白地黑花、珍珠地刻花、剔花、纹釉、宋加彩及天目瓷，至元代仍有仿钧窑作品。

589.洛阳西高崖遗址试掘简报

作　者：洛阳博物馆　曾意丹、朱　亮等
出　处：《文物》1981 年第 7 期

西高崖、高崖寨和东高崖是洛河北岸的 3 个自然村，位于洛阳市西南 12 公里处，北距周山约 3 公里，东北距孙旗屯遗址 6 公里半，西北距涧河岸边的王湾遗址 11 公里半，同属辛店公社徐家营大队三村呈三角形连成一片，皆为新石器、早商、西周末及东周诸时代的古文化遗址。试掘点选在西高崖村西 50 米处的一块台地上。清理窑址 1 座，灰坑 32 个（包括窖穴、堆积坑和井），墓葬 2 座。钻探发掘从 1976 年 3 月 15 日开始，至 6 月 12 日结束。

简报分为：一、地层堆积与文化分期，二、西高崖一期文化遗存，三、西高崖二期文化遗存，四、商代早期遗存，五、西周末至春秋初文化的遗存，六、东周文化遗存，七、结语，共七个部分予以介绍，有手绘图、照片。

据介绍，西高崖一、二期文化，上承庙底沟一期，下接大河村三期、王湾二期早期，且有不少独特因素，是否为一种新文化类型，尚待研究。先民应已进入父系社会。商早期遗存应与二里头晚期、二里岗下层为同一性质。在西周末至春秋初及

东周文化遗存中，有两个重要收获：一是发现了西周末至春秋初的一件铜针，它与后来满城汉墓中出土的金针的针端相似；另一是发现了几件东周的钢、铁器，其中一件钢削，应是除长沙发现的春秋末钢剑和易县燕下都出土的钢兵器之外，我国最早的钢用具。

590.洛阳近几年来搜集的珍贵历史文物

作　者： 洛阳市文物工作队　张　剑

出　处：《中原文物》1984 年第 3 期

简报配以照片等，介绍了 1980 年以来搜集的珍贵文物，大多有明确出土地点。

据介绍，这些文物计有西周分裆铜鼎（有铭文）、西周提梁卣（有铭文）、西周铜铲币、西周铜车辕饰、东汉神兽画像铜镜、西晋狮形瓷盂、北朝石狮、北齐扁壶、唐鎏金铜菩萨、唐代陶辟雍砚、唐代白瓷唾盂、唐三彩兽头壶、宋代瓷枕、宋代青釉汝瓷碗、黑釉剔花梅瓶、宋代白釉墨绘龙凤罐等 24 件。

591.洛阳汉魏故城北垣一号马面的发掘

作　者： 中国社会科学院考古研究所汉魏故城工作队　段鹏琦、杜玉生、肖淮雁、
　　　　　钱国祥

出　处：《考古》1986 年第 8 期

1962 年考古人员对洛阳汉魏故城进行初步勘察，在该城西垣北段、北垣东段及金墉城外侧均发现有马面（原报告称"墙垛"）遗址。为进一步弄清该城马面的建筑年代及历史沿革，1984 年春发掘了北城垣一号马面。简报配以手绘图等予以介绍。

据介绍，北垣一号马面，位于洛阳汉魏故城内金村的东北，地当北魏广莫门西侧约 170 米处。这里，城外地面比城内高得多，地面上看不到任何马面遗迹，而是一片平坦的耕地。发掘工作于 3 月 21 日开始，4 月 9 日结束，历时 20 天。发掘证实，洛阳汉魏故城建造马面的时间，不仅在内地历代都城中是最早的，而且在我国内地已知古城址中也是较早的实例。简报回顾了"马面"在文献中、考古中及壁画中的反映，认为"马面"的出现应该很早。1974 年内蒙古赤峰发掘的一处夏家店下层遗址，已有外形颇似后世的"马面"。

今有文物出版社 2020 年版《汉魏洛阳故城》一书，可参阅。

592.洛阳市一九八四年古文化遗址调查简报

作　者：方孝廉
出　处：《中原文物》1987 年第 3 期

1984 年 5 月至 11 月，洛阳市文物普查队对孟津县、新安县、偃师县及郊区（含市属五个区）进行了文物普查。共复查古文化遗址 143 处，新发现遗址 16 处。就文化内涵简报分为：一、新石器时代早期文化遗存，二、仰韶文化王湾一期遗存，三、仰韶文化王家湾第二期遗存，四、庙底沟二期文化遗存，五、河南龙山文化王湾三期遗存，六、河南龙山文化煤山期遗存，结语，共七个部分予以介绍，有手绘图。

据介绍，洛阳是中华民族古代文化发祥地之一。1949 年后，洛阳的考古工作者曾先后对本地区古文化遗址进行多次考古、调查和科学发掘，先后发现了仰韶文化遗址、河南龙山文化遗址、二里头文化遗址以及商周遗址、汉代遗址等。洛阳地区从仰韶文化到河南龙山文化、二里头文化乃至商文化的发展序列已基本清楚，但是要进一步了解、研究它们的横向关系，材料还是不足的。这次对偃师、孟津、新安和市郊区进行的文物调查，就弥补了这一不足，为今后进行全面的科学研究工作提供了宝贵的资料。

593.河南偃师灰嘴遗址发掘报告

作　者：河南省文物研究所　罗桃香、陈焕玉、王绍英、李淑珍
出　处：《华夏考古》1990 年第 1 期

灰嘴遗址位于偃师县城西南约 20 公里的灰嘴村西边的黄土台地上，南依青罗山，浏河从遗址的正北流过。整个遗址南高北低，东西长 240 米、南北宽 230 米，总面积约 55200 平方米。早在 1937 年已发现了 1 把石斧，1959 年进行了发掘。

简报分为：一、地层堆积，二、仰韶文化遗存，三、龙山文化遗存，四、商代文化遗存，五、结语，共五个部分予以介绍，有照片、手绘图。

据介绍，灰嘴遗址包含有商代文化、龙山文化、仰韶文化三个时期的文化遗存。商代文化与龙山文化间的延续、发展关系比较明显。

594.洛阳市偃师县高崖遗址发掘报告

作　者：洛阳市第二文物工作队、偃师县文物管理委员会　方孝廉
出　处：《华夏考古》1996 年第 4 期

高崖遗址位于河南省偃师县高龙乡高崖村，距著名的二里头遗址仅 3 公里。20

世纪 60 年代初及 1984 年初，考古人员均在此做过试掘。1988 年为配合 207 国道建设进行了发掘。

简报分为：一、地层堆积，二、裴李岗文化遗存，三、仰韶文化遗存，四、河南龙山文化遗存，五、二里头文化遗存，六、结语，共六个部分予以介绍，有手绘图。

据介绍，高崖遗址的裴李岗文化遗存的发现是这次考古发掘工作的重大收获，它填补了洛阳地区新石器时代文化阶段的空白。由于发掘面积有限，裴李岗文化遗存不算丰富，但作为裴李岗文化的代表器如陶深腹罐、双耳壶和三足钵以及石磨盘等典型器物都可以见到。仰韶文化遗存比较丰富，出土的陶祖 1 件值得重视。龙山文化、二里头文化遗存，则说明先民自史前至夏在此生活了很长一个时期。

595.汉魏洛阳故城城垣试掘

作　者：中国社会科学院考古研究所洛阳汉魏城队　钱国祥等

出　处：《考古学报》1998 年第 3 期

汉魏洛阳故城遗址是我国著名的古代都城遗址之一。根据文献的考证及多年的考古勘察和研究，其作为东汉、曹魏、西晋和北魏等朝代的都城遗址是无可置疑的。但对该城址的始建及早期城址的沿革变化情况，由于以往考古材料的匮乏，一直没有得到解决。1984 年，考古人员为了解该城址城垣的构造技术与结构，对城址的城垣遗迹进行了解剖试掘。

简报分为：一、各段城墙的堆积断面与时代，二、结语，共两个部分予以介绍，有照片。

据介绍，本次试掘取得的突出成果是从遗址本身查明了该城的沿革历史，尤其重要者有以下三点：

第一，在洛阳地区首次发现西周城址；

第二，弄清了东周成周城的形成及其规模；

第三，秦代在东周城的基础上再次扩大其城，从而奠定了汉魏洛阳城的基本规模。

简报指出，作为东汉、曹魏及北魏等时代的都城，洛阳故城是历经各代的修缮和增筑，才逐渐形成的。作为中国古代早、中期都城的典型代表，其经历朝代众多，年代悠久，城市形制变化纷繁复杂，对后代都城的发展产生了极其深远的影响。如此独特的地位为中国古代都城发展史所绝无仅有，其历史作用是其他城址所无法替代的。

596.河南新安县太涧遗址发掘简报——黄河小浪底水库淹没区考古发掘简报之一

作　者：洛阳市文物工作队、新安县文物保护管理所
出　处：《考古与文物》1998 年第 1 期

太涧遗址位于河南省新安县黄河小浪底水库淹没区内。简报分为六个部分予以介绍，有手绘图。

据介绍，该遗址文化遗存可分四期。第一期应属仰韶文化庙底沟类型；第二期属庙底沟类型二期；第三期相当于二里头文化三、四期；第四期相当于二里头文化第五期。简报又称，该遗址第四期即相当于二里头文化第五期的遗存，应为二里岗时期。而该遗址第三期未发现有二里岗时期的遗物，也就是说，第三期文化遗存应早于二里岗时期，与二里头文化三、四期即二里头晚期相当。时代横跨史前及夏商等历史时期。

597.河南偃师商城Ⅳ区 1996 年发掘简报

作　者：中国社会科学院考古研究所河南第二工作队　张良仁、谷　飞、岳洪彬
出　处：《考古》1999 年第 2 期

偃师商城遗址中部有一条东西向横贯商城的古河道，现已淤平，乡人世传为尸乡沟，过去因此将此城址称为尸乡沟商城。这条沟的年代，是学术界一直关注的问题。1996 年夏季，为配合基建对尸乡沟作了钻探和发掘，在沟以北发现了密集的商代居住遗迹。

简报分为：一、地层关系，二、遗迹，三、遗物，四、结语，共四个部分予以介绍，有手绘图、拓片。

据介绍，尸乡沟内积满淤土，所出遗物大部分为布纹瓦片。据鉴定，这些布纹瓦片大约属于魏晋时期，最早不过东汉晚期。据了解，乡民俗传的"尸乡沟"是一条东西向的古河道，现在探明部分已有几公里长。联系古文献的有关记载，简报初步推测它可能是汉魏时期的一条漕运河道，或者就是汉魏洛阳城东的"阳渠"。

简报称，结合偃师商城其他地点的发掘资料，可以构成偃师商城商代早期商文化三期 7 段的分期框架。关于偃师商城商文化的具体分期，简报拟日后专门论述。

598.汉魏洛阳故城金墉城址发掘简报

作　者：中国社会科学院考古研究所洛阳汉魏故城队　钱国祥、肖淮雁
出　处：《考古》1999 年第 3 期

金墉城位于汉魏洛阳城西北角，史载始建于曹魏，西晋、十六国、北魏、北周、隋及唐初一直沿用。它既是当时帝王非常理想的离宫暂住之所，又是位置极为重要的军事要地。自曹魏嘉平六年（254 年）司马师废其主齐王芳迁之于金墉及咸熙二年（265 年）魏帝禅位于晋出舍金墉城始，该城也成了废主弃后幽居的场所。关于该城址，考古人员曾于 20 世纪 60 年代初期对汉魏洛阳城进行了详细勘探，并得到初步认识。推测汉魏洛阳大城西北角内外甲、乙、丙 3 个小城为一组完整的建筑，它们可能就是魏晋时期的金墉城遗址。至于该城址的确切情况，当时未做发掘解剖，因此无法准确定论。70 年代末至 90 年代初，农村规划宅基地大面积侵蚀占压该遗址，于 1995 年和 1997 年对该城址重点进行了抢救性发掘，并获得重要收获。

简报分为：一、工作概述，二、发掘情况，三、出土遗物，四、结语，共四个部分予以介绍，有手绘图、拓片。

据介绍，这次发掘，对魏晋时期金墉城的范围有了新的认识，否定了以往认为同是魏晋时期金墉城的一组 3 个小城中的甲、乙 2 个小城，它们的建筑时代皆不早于北魏。简报断定了汉晋洛阳大城西北角内丙城的建筑时代不晚于东汉晚期至曹魏初期，并证实它即魏明帝所创建的魏晋时期的金墉城；通过发掘并结合文献对金墉城的沿革历史及增补和修筑情况有了进一步的了解；发掘工作的结果，进一步印证了有关文献对金墉城记载的可靠与准确程度。

简报称，汉魏洛阳城金墉城址建筑时代与范围的确定，不仅对认识该城址的形制布局与沿革历史十分重要，而且对于汉魏洛阳城整个城址形制演变方面的研究也有着极为重要的意义。

599.河南洛阳唐宫路北唐宋遗迹发掘简报

作　者：中国社会科学院考古研究所洛阳唐城工作队　陈良伟
出　处：《考古》1999 年第 12 期

1996 年 5 至 8 月，为配合洛玻集团浮法一线改造工程，考古人员在洛阳市唐宫路中段北侧发掘了 1 处唐宋遗址。基本建设占地约 1.2 万平方米。在基建范围内，共发掘出 1 座宋代殿址（残）、3 条宋代水沟、1 座唐代角楼、1 条唐代水渠和 2 处唐代淤土堆积。遗迹破坏严重。此外，还发掘出 2 段唐代隔城城垣。发掘工作始于 1996 年 5

月8日，至1996年8月22日结束，前后共工作107天。

简报分为：一、地层堆积，二、唐代遗迹，三、宋代遗迹，四、出土遗物，五、结语，共五个部分予以介绍，有手绘图、拓片。

据介绍，由于场地所限，唐代遗址未能全部揭露，但还是发掘出一座角楼，这个遗址的发现，为寻找上述遗址提供了重要线索；宋代殿址虽然没有全部揭露，但就现有资料看，其规模相当大，文献记载，此处原有宋枢密院、崇文院等建筑，此遗址或与其有关；在基建范围内，发现两道南北向宫垣，即文献所载西隔城东西两垣，为了解洛阳隋唐城宫城平面布局演变和隋唐至宋宫苑分布提供了相当重要的新线索。

简报称，宋代地层中出土一批兽面纹瓦当，为研究洛阳宋代西京瓦当的类型增添了新资料。

600.黄河八里胡同栈道的勘测

作　者：洛阳市第二文物工作队　史家珍等
出　处：《文物》2002年第11期

1997年秋冬，为配合黄河小浪底水利枢纽工程建设，考古人员对小浪底水利枢纽淹没区黄河两岸的漕运遗迹进行了勘测，对栈道遗迹进行了全面的测绘。在从新安县与孟津县交界处的郭洼西行直至新安县与渑池县交界的峪家沟全长36公里的地段内，发现有仓库建筑遗址、栈道等漕运遗迹。

简报分为：一、地理位置，二、八里胡同北岸栈道，三、八里胡同南岸栈道，四、结语，共四个部分予以介绍，有照片、拓片、手绘图。

据介绍，八里胡同峡位于小浪底水利枢纽工程上游25公里处，在峡谷两岸的悬崖陡壁上，均开凿有栈道。经勘察，栈道保存有壁孔、地孔、捉手、脚窝等，在栈道壁上还发现线刻观世音像及题记多处。八里胡同栈道的开凿年代简报推断为东汉时期，规模形成于三国时期，唐宋时期使用频繁并有修葺。直至清嘉庆年间，仍有个人参与栈道维修事宜。

601.洛阳东车站两周墓发掘简报

作　者：洛阳市文物工作队　曹岳森等
出　处：《文物》2003年第12期

2003年7月，在配合东车站综合服务楼建设项目的发掘中，考古人员清理了两周时期的墓葬 5 座（C3M566 ～ M570）。5 座墓葬保存完好，出土铜器、陶器及玉石器等 30 余件。

简报分为：一、墓葬形制，二、随葬器物，三、结语，共三个部分予以介绍，有手绘图。

据介绍，5 座墓葬均为长方形竖穴土坑墓，墓壁较直。葬具有单棺和一棺一椁。葬式有仰身曲肢和仰身直肢。限于篇幅，简报重点介绍了 5 座墓中的 M567、M568 和 M570 三座墓。

M566、M567、M568 的年代简报推断为西周早期。M569、M570 的年代简报推断为春秋早期。M567、M568 的墓主人，简报认为是殷遗民。M567 出土的一组精美且带铭文的青铜器，以及以往只有大型墓才有的圭，在出土遗物中值得重视。

602.东周王城战国至汉代陶窑遗址发掘简报

作　者：洛阳市文物工作队　安亚伟等
出　处：《文物》2004 年第 7 期

2002 年 1 月，为配合洛阳市有线电视台的基建工程，考古人员发现并清理了一处战国至汉代的陶窑遗址。发掘面积 470 平方米，清理出陶窑 8 座（编号为Y1 ～ Y8)，灰坑 45 个。

简报分为：一、遗址位置及地层堆积，二、遗迹，三、出土遗物，四、结语，共四个部分予以介绍，有照片、手绘图。

据介绍，遗址位于东周王城内九都路南洛阳电视台院内。目前已知该遗址东西长 59 米，南北宽 46 米。在这个范围以内，也曾发现过陶窑，所以窑址的实际范围要超过这个面积。

陶窑 8 座，均由操作坑、窑门、窑室、排烟系统四部分组成。使用时间从战国晚期一直延续到东汉。出土遗物有瓦、当等建筑材料，也有盆、罐等生活用品。产品多品种、大批量，简报认为应是一处个体私营陶窑。

简报指出，在战国至西汉初年这一时期窑室平面有圆形、椭圆形、马蹄形、长方形、方形等，烟道主要有单烟道、双烟道和三烟道。战国至秦汉时期，窑室平面大多数为圆形或椭圆形、单烟道。汉代中期前后，窑室平面大多数为方形、长方形、两个烟道。汉代中期以后，窑室平面绝大多数为长方形，三个烟道。窑呈马蹄形平面则在西汉较晚期出现。这种变化趋势在此次发掘中已得到证实。

603.定鼎门遗址发掘报告

作　者：中国社会科学院考古研究所洛阳唐城队、洛阳市文物工作队　陈良伟、
　　　　李永强、石自社、谢新建等

出　处：《考古学报》2004 年第 1 期

定鼎门是隋唐东都和五代至宋西京郭城南面正门，遗址位于洛阳市郊区关林镇曹屯村和安乐镇赵村之间。1954～1961 年，考古人员对这座门址进行了初探和试掘，初步搞清了门址范围。此后，又于 1975 年和 1997 年先后两次对其进行细探，基本上确定了定鼎门遗址的范围。20 世纪 80 年代中期以来，随着乡镇企业数量增多和郊区农业用水量的增大，定鼎门遗址面临全面被毁的局面。1992～1996 年，考古人员对定鼎门遗址做了抢救性发掘。1997 年秋，考古人员进驻定鼎门遗址，1999 年 2 月才告结束。

简报分为：一、地理位置及探方分布，二、盛唐前期的定鼎门遗址，三、盛唐后期定鼎门遗址，四、唐宋之交定鼎门遗址，五、北宋时期定鼎门遗址，六、定鼎门街与郭城南垣，七、其他遗址，八、出土遗物，九、结语，共九个部分予以介绍，有照片、手绘图。

据介绍，定鼎门是隋唐洛阳城郭城南垣正门。隋唐洛阳城始筑于隋大业元年，由著名建筑学家宇文恺规划并主持施工，称东京。唐朝继续沿用为都，或称东都、东京、洛阳宫、神都等。五代至宋，虽然东京汴梁是当时的政治中心，然隋唐洛阳城继续沿用，称洛都、洛京或西京。隋、唐、五代和北宋时期，洛阳隋唐城的平面布局没有发生根本变化，即主要由宫城、皇城和郭城组成。宫城偏于城池的西北隅，皇城位于宫城正南，郭城位于宫城和皇城东面和南面。通过历时三年的发掘，对定鼎门形成以下认识：

其一，隋唐东都和五代至宋西京郭城南垣正中的定鼎门遗址由平面呈长方形的墩台、三个门道（北宋晚年除外）、两道隔墙、东西飞廊、东西两阙和左右马道所组成。定鼎门可以分为四期（即盛唐前期、盛唐后期、唐宋之交和北宋时期），每期的平面布局各有自己的特点，并非完全相同。盛唐前期的定鼎门由含沙量较大的黄褐色土夯筑而成，有墩台、三个门道、东西飞廊、东西阙台、东西涵道。墩台四周包砌壁砖，各个门道的东西两壁漫抹草泥为底，其上依次粉白灰墙皮红色颜料。盛唐后期的定鼎门基本沿用了盛唐前期定鼎门中未曾遭到破坏的部分，仅对三个门道进行了重修。与盛唐前期定鼎门相比，盛唐后期定鼎门门道稍窄，墩台外壁改用平头砖，马道改用直升式马道；东西两侧石砌涵道已废，但仍通水。唐宋之交时期的定鼎门破坏殆尽，仅就现有资料，该期门址墩台、门道没有发生根本变化。东西飞廊基础变宽，东西阙台变小，墩台、飞廊、阙台外壁改用草泥漫抹，马道加宽变长，

坡度变小，北壁改为砖壁，东西两阙两侧的涵道彻底断流。北宋时期定鼎门远远高出当时地面，同时也高出现今地面，故而其遗迹难以保留下来。从现有遗迹看，北宋时期定鼎门的墩台更为宽大，受隔墙变窄和门道变窄的影响，东西两个门道皆内移，东西飞廊基础继续加宽；东西两阙平面开始演变为倒"凸"字形；马道更长更宽，坡度更小；郭城南垣继续加宽。

其二，在各期定鼎门遗址中普遍发现淤土，偶见炭灰，说明定鼎门或遭火焚，或遭水浸。这与文献记载基本吻合。

其三，隋唐至宋时期，定鼎门街乃系隋唐东都和五代至宋西京非常重要的街道之一，向有天门街、天津街、天街之称。按当时文献，自端门至定鼎门，南北总长7里137步。隋时种有樱桃、石榴、榆、柳诸树。正中为御道，两侧有辅道，街道两侧修渠，渠中长年流水。清时，樱桃树和石榴树已经无存，然槐树和柳树尚各存两行。通过考古发掘得知，定鼎门待可以分为三期，各期宽度不一。然与文献记载基本相同，正中为御道，两侧有辅道，辅道两侧有渠，渠道两侧有树。另外，有关定鼎门东西两侧水渠唐时有水，北宋前期无水，而到北宋盛时复又有水，文献同样也有记载。

其五，北宋时期定鼎门的东西两个门道普遍发现压有一层夯土，这种现象应当引起充分注意。从现象观察，这些夯土应为封堵门道的夯土。由此推测，北宋后期，定鼎门很可能只开正中一个门道。在隋唐宋时期，随着政治地位降低、城内人口减少。许多城门都有过城门门道数量减少的经历。北宋后期定鼎门由三个门道改为一个门道，预兆着北宋西京政治地位的降低，而且隐喻着北宋西京的人口锐减，这些都为北宋西京的衰败埋下了伏笔。

604.河南洛阳盆地 2001 ~ 2003 年考古调查简报

作　　者：中国社会科学院考古研究所二里头工作队　许　宏、陈国梁、赵海涛等
出　　处：《考古》2005 年第 5 期

洛阳盆地地处黄河中游的河南省西部，属中原腹地，含今洛阳市、偃师市之大部和孟津县、巩义市之一部分。盆地四面环山，其北、西分别以秦岭山系崤山支脉的邙山和周山为屏，东南、南临嵩山及其余脉万安山。其中邙山是黄河与洛河的分水岭，嵩山是洛河与汝河、颍河等淮河水系的分水岭。洛阳盆地在地质学上属凹陷盆地，盆地内有伊、洛、瀍、涧诸河流纵横其间。考古工作者 2001 ~ 2003 年，对该盆地进行了考古调查，进行了钻探，收获颇丰。

简报分为：一、区域概况，二、既往田野工作与调查之缘起，三、调查范围，四、调查方法，五、主要收获，六、存在问题与相关讨论，共六个部分予以介绍，有彩照、

手绘图。

据介绍，这次对以二里头遗址为中心的洛阳盆地中东部进行了系统踏查，踏查面积约638平方公里。调查的遗存时代跨度限定为裴李岗文化至战国。调查新发现遗址174处，复查和核实遗址48处。其中，史前超大遗址的发现、60处商文化遗址、157处两周文化遗址的发现引人注目。此外，考古人员还考察了调查区域内的古河渠遗迹以及地貌与人类遗存分布的关系。

简报指出，人类活动对古代遗址、遗物影响甚大。在人类长时间频繁集中活动的平原地区，地表散布陶片等遗物的范围并不一定能直接反映聚落本来的规模，其成因较为复杂，遗物向周围散出的比率也不是均等的，无法通过一定的模式去换算。将系统踏查、钻探与发掘相结合，对区域内的古代遗存作全方位的探究，是使相关研究不断深化的必由之路。

605.河南伊川县槐庄墓地晋唐墓发掘简报

作　者：河南省文物考古研究所、伊川县文物管理委员会　李占杨、裴　涛
出　处：《华夏考古》2005 年第 3 期

2003 年 4 ～ 7 月，考古人员对洛阳至少林寺高速公路工程中受到影响的槐庄墓地进行发掘。发掘古墓葬15座，其中晋墓1座，唐墓1座，宋墓2座，明清墓11座。

简报分为：一、槐庄6号墓，二、槐庄1号墓，三、结语，共三个部分，先行介绍了其中的两座墓。

据介绍，6号墓编号为2003YHM6（简为M6），位于焦枝铁路东约600米，西距洛阳至界首高速公路约400米，东侧紧靠洛阳至少林寺高速公路35号涵洞。此墓为南北向土洞墓，由墓道、封门、砖券门、前室、后砖券门及后室组成。出土有陶器13件、铜镜1件、铜钱50枚、银器3件。简报推断为西晋中晚期墓。

槐庄1号墓编号为2003YHM1（简为M1）。位于M6东300米，为一土洞墓，墓道向南，由墓道、甬道和墓室组成。因多次被盗，破坏严重。追缴回来的文物有三彩七星盘1件、陶砚1件、陶羊1件等。为唐代前期墓。

606.洛阳邙山陵墓群的文物普查

作　者：洛阳市第二文物工作队　严　辉、王咸秋等
出　处：《文物》2007 年第 10 期

考古人员自 2002 年起对邙山各时期古代陵墓进行调查、勘测，至 2007 年基本

完成。

简报分为：一、陵墓群的基本概况，二、文物普查的目的、方式和工作进程，三、邙山古墓冢的数量、年代和保存状况，四、邙山帝陵陵区述要及墓冢举例，五、主要收获和存在问题，共五个部分，有照片、手绘图。后附有"邙山陵墓群已发掘封土墓一览表"。

据介绍，邙山陵墓群涉及洛阳市西工区、老城区、涧西区、瀍河区、洛龙区、偃师市、孟津市共7个区县360多个村庄，涉及从东周、东汉、曹魏、西晋、北魏直至五代时的后唐乃至明清各个历史时期，其中包括6代24座帝王陵，包括东汉光武帝陵、北魏孝文帝陵等。各代古墓冢972座，从朝代讲，东汉最多。明清墓多为名人墓，如清王铎墓等。还有白马寺周围一些僧侣墓，明清时所建杜甫墓、颜真卿墓、狄仁杰墓等，基本是纪念性墓冢。

调查发现，邙山区墓冢破坏严重，近三分之二古墓已遭破坏。这一延续时间堪称中国之最的古墓所在地亟待全面保护。

607.河南郾城县庙岗遗址调查简报

作　者：河南省文物考古研究所、漯河市文化局、郾城县文化局
出　处：《华夏考古》2010年第4期

2004年漯平高速公路施工时，发现有一古代遗址，考古人员进行了调查与清理。简报分为：一、遗址现状，二、地层堆积，三、文化遗物，四、结语，共四个部分予以介绍，有拓片、手绘图。

据介绍，庙岗遗址南北长约350米，东西宽约250米，总面积8.75万平方米。已因施工受到一定破坏。此次采集的标本有石器和陶器两大类。绝大部分为陶器，石器仅3件。另外还有卜骨2件，蚌壳10余件，螺壳1件，兽牙2颗。该遗址以龙山文化为主，二里头文化的堆积和遗物也都比较丰富，其后还有西周、东周文化，先后延续约2000余年，不但文化堆积较厚，而且内涵也较丰富，这在漯河地区是一处少见的古文化遗址。

简报称，这一地区扼守着中原地区向南方的重要孔道。所以庙岗遗址龙山文化晚期和二里头早期文化的发现，对于了解夏代早期文化的分布和地域特征，以及中华文明探源研究等具有重要的意义。

平顶山市

608.河南鲁山段店窑

作　者：李辉柄、李知宴

出　处：《文物》1980 年第 5 期

河南鲁山段店窑是 1950 年 1 月在调查临汝窑时发现的。过去均把该窑列为宋代"磁州窑"系，而文献记载，鲁山在唐代就以产"花瓷"著名。鲁山窑究竟是在什么时候开始生产瓷器，主要的产品是什么，各个时代的产品和特征怎样，与周围瓷区的关系怎样？这些都有必要详细调查和深入研究。因此又进行了一次实地调查。窑址距鲁山县城十公里地，在城北梁洼公社的段店村。有唐代黑瓷、黑釉花斑瓷，宋、金、元时期的白瓷、黑瓷、酱釉瓷、三彩陶器等品种，质地优良。像这样规模巨大，连续生产千余年的窑址，是不多见的。

据介绍，鲁山段店窑的产品有黑釉花斑瓷器、钧釉瓷器、青釉瓷器、白釉瓷器、黑釉瓷器、酱釉瓷器、三彩陶器等。简报认为，鲁山段店窑是从唐代中期开始生产的，晚期唐五代发展迅速，宋代是最兴盛的时代，金代仍继续生产，元代品种单调，已走向衰落。

609.宝丰县出土铜质造像

作　者：邓城宝

出　处：《中原文物》1988 年第 4 期

简报配以照片，介绍了宝丰县出土的自南北朝至唐代铜质造像。

据介绍，计有北齐河清二年（563 年）铜造像、隋代开皇五年（585 年）铜造像等。应属窖藏。这批铜造像的铸造工艺，都是经过浇铸成形后，再经锉、凿、雕刻、抛光等多种工序，在像座和外形上锉擦迹印纵横，其细部如面孔、背光、花饰、衣纹等，均留有明显的刻、凿、刀痕。

简报称，从宝丰出土的这些铜质造像看，种类繁多，时间延续较长，内容比较丰富。特别是除了佛和菩萨造型外，又出现了僧侣和道士造像，这为研究铜造像的种类、分期、铸造工艺诸问题提供了重要的实物资料，为补充我国佛、道二教的发展关系，增加了新的内容。

610.河南鲁山段店窑的新发现

作 者：河南省文物研究所、鲁山县人民文化馆 赵青云、王忠民、赵文军
出 处：《华夏考古》1988 年第 1 期

鲁山县位于河南省的西南部，焦（作）枝（江）铁路纵穿县境。沙河由西向东流向白龟山水库。段店窑位于县城北 10 公里的梁洼乡，它是故宫博物院于 1950 年发现的，之后，对这处窑址进行了复查。采集的腰鼓残片，不仅证明该窑属磁州窑系，而且证实了唐代南卓《羯鼓录》中所谓腰鼓"不是青州石末，即是鲁山花瓷"的论断是正确的。鲁山段店窑出土的黑釉带花斑的腰鼓器，先后也发现于禹县小白峪和山西交城，段店窑的新发现为唐代花瓷腰鼓增添了新的产地。

简报分为：一、鲁山窑的复查与新发现，二、段店窑的烧造品种与产品特征，三、段店窑的工艺特征，四、鲁山段店窑的烧造历史，共四个部分予以介绍。

据介绍，简报认为通过这次复查，对段店窑的创烧有了新的认识，花釉短流平底注子、黑釉鼓腹平底罐、花釉丰肩双耳平底罐及花釉敞口平底碗的胎壁较厚，造型丰满，与洛阳、三门峡一带唐代早期墓葬出土的同类器物风格相似，因此其创烧期简报推断可能早到唐初。特别是成批花瓷腰鼓器的造型和彩斑装饰技法已臻于成熟。

简报称，当金人占据北方后，段店窑继续生产黑釉凸线纹罐和钧瓷。到了元代，段店窑烧造日用瓷，如白地黑花和铁锈花瓷罐、白釉碗、褐釉、酱釉瓶、坛之类及少量仿钧瓷。从这次调查所得的标本看，此时的窑业已很不景气，处于没落时期。

611.宝丰清凉寺汝窑址的调查与试掘

作 者：河南省文物研究所 赵青云、毛宝亮、赵文军等
出 处：《文物》1989 年第 11 期

清凉寺窑址位于河南省宝丰县大营镇清凉寺村南的河旁台地上。根据调查、钻探与试掘获得的大量实物标本，可以判断这里是为北宋宫廷烧制御用汝瓷，同时兼烧民用瓷器的窑场遗址。

简报分为：一、清凉寺汝窑遗址的调查与试掘，二、遗址的文化层遗迹，三、出土遗物，四、清凉寺汝窑的烧造历史及其性质，共四个部分，配以彩照予以介绍。

据介绍，文献记载汝窑是我国北宋时期的五大名窑之一，与官、均、哥、定窑齐名，这次出土遗物主要为瓷器和窑具。瓷器数量大，种类多。试掘出土了 300 多件完整或较完整可复原的瓷器；窑具和制造工具包括匣钵、支架钉、垫圈、垫饼、碾碨、挺子、

印模、支烧、研磨器等。简报称，由于试掘面积太小、局限很大，此窑的始烧年代及烧造历史一时尚难断定。

简报指出，清凉寺窑是一处规模较大、瓷艺精良、产品丰富的民间综合窑场，除奉命为北宋宫廷烧制御用汝瓷外，主要是大量生产民用瓷。这个窑口从北宋初年创烧，历经宋、金、元各代；但为宫廷烧御用器的时间颇短暂，后因京师（汴梁）自置官窑而被取代。由于烧制时间短，生产的御用汝瓷数量有限，这是其流传甚少的主要原因。

又，据《华夏考古》1992年第3期《宝丰清凉寺汝窑址第二、三次发掘简报》一文，早在20世纪50年代初期，著名古陶瓷专家陈万里先生即发现了这处窑址。1977年、1986年曾进行过调查与发掘。1988～1989年，又进行了第二、第三次发掘。计发现作坊和房基5座、水井4眼、澄泥池1处和灰坑8个，出土各类完整或可复原的瓷器和窑具2100余件，瓷片上千包。证实宝丰清凉寺窑址是一处烧制时间较长，文化内涵丰富的重要遗址，尤其是出土了天青釉汝瓷器而为世瞩目。通过这两次发掘可以看出，宝丰清凉寺窑址创烧于宋初，北宋晚期发展到鼎盛时期，金、元继续烧造，约停烧于元末。

612.河南汝州市区古代遗址发掘简报

作　者：河南省文物考古研究所、汝州市汝瓷博物馆　郭木森、赵文军
出　处：《华夏考古》2000年第3期

为配合汝州市基建工程，考古人员于1999年7月7日至8月5日对汝州市公安局的建设工地进行了考古发掘。该地位于汝州市老二门街南段西侧，南临汝州市城区法庭，东距宋代州衙约200米。受地形的限制，只发掘探方2个，面积为37平方米，获取了一批较有学术价值的考古资料。

这批资料简报分为：一、地层堆积，二、文化遗存，三、结语，共三个部分予以介绍，有手绘图。

据介绍，本次发掘出土完整或可复原各类遗物120件，瓷片多达4500余片，能确认为汝官窑的瓷器有4件。未发现与窑址有关的任何窑具。在所有的瓷片中宋代的占80%，属于金元的为15%，明清约占5%。

简报指出，汝州市公安局所在地距宋代汝州州府仅200米左右，因此，宋代在紧邻州府处设立民窑是不大可能的。简报认为此处应是当时瓷器的集散地更为确切。

宝丰清凉寺窑址经过多次调查和先后5次发掘工作，使汝官窑窑址得到了证实；简报称，目前把汝官窑定位在今汝州市区为时过早。

613.河南汝州市东沟瓷窑址发掘简报

作　　者：河南省文物考古研究所　郭木森
出　　处：《华夏考古》2009 年第 2 期

2005 年夏，考古人员对汝州市东沟窑址进行了抢救性发掘。

简报分为：一、地层堆积，二、遗迹，三、出土遗物，四、结语，共四个部分予以介绍，有照片、手绘图。

据介绍，共发现窑炉 3 座（对其中保存较好的 1 座进行了清理）、水井 1 眼、灰坑 4 个。东沟瓷窑址出土的遗物以瓷器为主，占 90% 以上，窑具不足 10%。此外，还出土有少量的模具和钱币等。简报称，青瓷和钧瓷是东沟窑的主要产品，白瓷、白地黑花瓷极少。器形主要有碗、盘、洗、盏、盏托、碟、盆、盒、罐等。在这些器物中，青瓷、钧瓷在不同时期所占比例有所差别，早期以青釉瓷为主，随着时间的推移，钧釉瓷逐渐增多，到了元代后期青瓷、钧瓷各占二分之一。该窑的使用时间为北宋晚期至金元时期。

614.河南鲁山县薛寨遗址发掘简报

作　　者：平顶山市文物管理局
出　　处：《华夏考古》2011 年第 3 期

2006 年 5 月至 12 月，为配合南水北调中线工程建设，考古人员对鲁山薛寨遗址进行了文物调查和考古发掘，发掘面积 3200 平方米。发现了宋、元、明、清时代文化遗存，尤以元代文化遗存最为丰富，出土遗物有陶、瓷、骨、铜、石、铁器、琉璃、兽骨等。

简报分为：一、地层堆积，二、宋代文化遗存，三、元代文化遗存，四、明代及以后文化遗存，五、结语，共五个部分予以介绍，有照片、拓片、手绘图。

据介绍，清理各类遗迹 222 处，其中灰坑 201 座（编号 H1 ~ H201）、灰沟 13 条（编号 HG1 ~ HG13）、灶 6 个（编号 Z1 ~ Z6）、墓葬 1 座（编号 M1）、路 1 条（编号 L1），出土各类可复原器物 242 件及大量陶瓷片。该遗址以元代文化遗存为主，含有宋、元、明、清遗迹和遗物。其中元代灰坑 201 座，出土大量建材及生活遗物，尤以瓷器为大宗，主要应为磁州窑系、定窑系，也有少量钧窑系产品。简报认为薛寨遗址是一处以元代文化性质为主的古代村落遗址，一直延续到明中期以后。

615.河南宝丰史营遗址战国至汉代墓葬

作　者：郑州大学历史学院考古系、河南省文物局南水北调文物保护办公室
张国硕、孙　明、赵俊杰等

出　处：《文物》2012年第4期、

史营遗址位于河南省宝丰县肖旗乡史营村东地，总面积约72万平方米。2010年6～9月，为配合南水北调工程中线干渠建设，考古人员对遗址M8、M28、M29、M34、M37、M41等6座墓进行了发掘，清理墓葬42座。

简报分为：一、竖穴土坑墓，二、砖室墓，三、结语，共三个部分予以介绍。

据介绍，在遗址的干渠占压范围内进行了考古发掘，发现了灰坑、灰沟、墓葬等遗迹，出土了丰富的陶、铜、铁、瓷、骨器等遗物。此次发掘共清理墓葬42座，年代从战国延续到明清时期。发掘的6座战国晚期至两汉时期的墓葬，简报认为最为重要，按照墓葬形制可分为竖穴土坑墓和砖室墓两大类。

焦作市

616.武陟县保安庄遗址调查简报

作　者：河南省文物研究所　宋国定

出　处：《中原文物》1988年第3期

安庄遗址位于武陟县城西南21公里处的一道岗陵之上。这里位于黄、沁两河之间的冲积平原之上，土地肥美，水源充足，气候适宜。遗址位于保安庄、孟门和孔村三个自然村之间，北距孔村600米左右，向南1000米为孟门，西700米为保安庄村。从近年来在遗址中取土发现的文化遗物看，这一带堆积相当丰富。遗址中部凸起的岗陵，可能就是人类活动留下的遗存。简报配以手绘图予以介绍。

据介绍，遗址面积约10万平方米以上，可分二期。保安庄一期文化，即典型的龙山文化期，采集的遗物主要有石质生产工具和陶质生活用具两种。该期文化的时代应相当于河南龙山文化中晚期，再晚应为龙山文化与商文化之间的、相当于陶寺类型发展阶段的文化遗存。商文化的因素似可分为两个发展阶段，即殷墟文化三、四期。该遗址先后延续了很长时间，包涵有丰富的文化遗物。

617.河南焦作地区的考古调查

作　　者：中国社会科学院考古研究所河南一队、焦作市文物工作队　陈星灿、
　　　　　傅宪国

出　　处：《考古》1996 年第 11 期

焦作市位于河南省西北部，下辖 7 个县、市，总面积 6014 平方公里。其南临黄河，北依太行山，西接中条山，除北部和西部为山前丘陵、西南部为黄土丘陵外，余皆为平川，地形大体呈西高东低之势。境内有漭河、沁河自西北向东南流过，在武陟县境注入黄河。这里气候适宜，平川地区水源充沛，土地肥沃，自然资源丰富，为古代人类的生息、繁衍提供了良好的自然条件。1995 年春，考古人员对焦作市及其所辖的沁阳、博爱、修武、孟县、温县、武陟等 7 县（市），进行了以史前遗址为重点的考古调查，历时月余。共调查遗址 28 处，其中包含西周以前遗存的遗址有 23 处。简报分为十二个部分予以介绍，有手绘图。

据介绍，仰韶文化遗物主要发现在圪垱坡遗址、酒奉遗址、隈城寨遗址和郭范街遗址。它们大体上代表了仰韶文化的晚期和仰韶文化向龙山文化的过渡阶段。其总体文化面貌与郑、洛地区同时期的仰韶文化大体相似，龙山文化遗物主要发现在金城遗址、义井遗址、西后津遗址、禹寺遗址、大司马遗址和郇封遗址，基本上属于龙山文化的晚期阶段。二里头文化遗物主要发现在禹寺遗址、大司马遗址、郇封遗址和小尚遗址。其年代大体上相当于二里头文化的第三期，有的器物可能属于二里头文化二期的范畴。

简报后附表格，介绍了 23 处西周以前遗址的名称、位置、遗物、时代及保存情况等。

鹤壁市

618.河南鹤壁市古煤矿遗址调查简报

作　　者：河南省文化局文物工作队　杨宝顺

出　　处：《考古》1960 年第 3 期

1959 年 9 月至 11 月，鹤壁市中新煤矿的职工在井下开凿新巷道工程中发现许多古代瓷器。考古人员得悉后，于 1960 年 1 月即前往该地进行了解。除在距地面 46 米下的新巷道附近又发现古代瓷器外，更重要的是发现了古代煤矿的巷道和当时的井口、灯龛、排水井、生产工具、运输工具，以及规模较大的古代采煤区域。

这次调查简报分为：一、古煤矿遗迹，二、遗物，三、小结，共三个部分予以介绍，有手绘图、照片。

简报介绍，在遗址的井底，共发现遗物30余件，同时就巷道和各采煤区遗迹的规模看，与目前鹤壁市中新煤矿开采的范围基本相等，可知当时这里采煤者亦应有数百人之多，为宋、元时代较大煤矿之一。河南北部当时的采煤技术已经掌握了先由地面开凿竖井，并依地下自然煤层的变化开掘巷道，然后将需采煤田凿成若干小区，运用"跳格式"的先内后外的方法逐步后撤。同时在井下的排水技术上，亦掌握了一套比较成熟的方法。简报认为鹤壁市采煤生产可能早于宋代，矿井的时代，应和鹤壁附近诸瓷窑所出土瓷器同时，简报推断年代应属宋、元时期。

619.河南省鹤壁集瓷窑遗址发掘简报

作　者：河南省文物局文物工作队　赵青云、李德保
出　处：《文物》1964年第8期

鹤壁集瓷窑遗址是1954年文物普查中发现的。1955年故宫博物院陈万里先生亦曾作进一步的勘查。1963年进行了一次周密的调查，这次调查收获较大，仅在汤、淇两河的沿岸即发现瓷窑十余处，在这些窑址中规模最大的一处即是鹤壁集的窑址，窑址位于鹤山区鹤壁集西边。窑址的总面积约为84万平方米。1963年11月23日至12月25日，发掘了这处窑址。在这次发掘工作中，共得残、整瓷器3700余件。

简报分为：一、调查和发掘经过，二、地层堆积和重要遗迹，三、出土遗物，四、结语，共四个部分予以介绍，有照片、手绘图。

据介绍，鹤壁集古瓷窑的烧制年代可分6段。初步的判断是：第一段似属唐末；第二段似属五代；第三段似属北宋早期；第四段应属北宋中期；第五段应属北宋晚期；第六段为元代初期。这处窑址所出的瓷器有白釉绿彩的，也有白地黑花的。常见的花纹有刻花、绘花、剔花等。少数的为印花，其内容多绘花、鸟、鹅、鱼，也有绘人物风景的，笔法流利，生动逼真。有一些瓷器上还书有款识，如"赵""杨""张""文""李""宋"等姓氏，书商品标记的"赵一盘"三字的瓷盘等。简报认为此窑为一处民窑。

620.淇县现存的石窟和造像碑

作　者：吕　品、耿青岩
出　处：《中原文物》1986年第1期

淇县在河南省的北部，西依巍巍太行，东临潺潺淇水，历史悠久，文物荟萃。

殷代曾是纣王的别都，周时称朝歌邑，汉置朝歌县，隋改卫县，元代为淇州，是古代经济文化较为发达的地区。全县经过细致的文物普查，在太行山东麓发现小型石窟3处和数十件石刻造像。淇县文物保管所于1984年将大部分散存各地的石刻造像运至县城摘心台（商代夯土台，传为比干摘心处）集中保管。

简报分为：一、小型石窟，二、造像碑，三、小结，共三个部分予以介绍，有照片。

据介绍，简报着重介绍了东魏武公祠石窟、北宋青岩山石窟、宋代石里井石窟3处小型石窟及原位于县城西北12.5公里灵山寺内唐贞观四面造像碑等。

简报称，太行山东麓的石窟，除淇县的三处外，由河北省峰峰矿区的南北响堂山向南有安阳县的灵泉寺石窟、小南海石窟、林县的千佛洞石窟、鹤壁的五岩寺石窟、汲县的千佛洞石窟、博爱县的石佛滩摩崖造像、沁阳县的玄谷山摩崖造像等共10余处。这些石窟除南北响堂山为北齐文宣帝高洋所造规模较大外，一般仅1～3个小洞窟，灵泉寺因延续时间较长除造两个窟外，沿山还凿有200余个窣堵坡式的和尚塔龛。这些石窟时代最早的为东魏兴和二年（540年），最晚的延续到宋代。

简报指出，太行山东麓石窟开凿得较晚，造窟之风虽盛于北魏，然而北魏早期重点在云冈，中后期则在伊洛河流域的洛阳龙门和巩县。迨至东魏孝静帝元善见迁都邺城后，由于政治、经济、文化中心的转移，太行山东麓才开始凿窟造像。继东魏而起的北齐，在文宣帝高洋的倡导下佛教更加兴盛。太行山东麓的北朝石窟大都开凿于东魏至北齐的40余年间。隋唐的石窟虽有营造，只不过是此风的延续，至宋已成强弩之末。北朝后期，由于东魏与西魏的对峙，北齐与北周的战争，以及社会的动荡和财富的消耗，不许可也不可能再开凿如云冈和龙门那样的大窟，这就是太行山东麓小型石窟多而大窟少的重要原因。这些石窟虽然规模较小，但因营造的少，尤其东魏的窟更罕见，所以，仍不失为研究北魏佛教艺术向隋唐过渡的重要实物资料。简报还指出，四面造像碑是北齐（北周）到隋代佛教造像的一种独特形式，在佛教艺术史上虽是昙花一现，但对佛教艺术的发展仍产生了一定的影响，十分珍贵。

621.鹤壁市后营古墓群发掘简报

作　者：河南省文物研究所、鹤壁市博物馆　郭建邦、王胜利
出　处：《中原文物》1986年第3期

鹤壁市后营村位于市区东南3公里处。1985年4月，鹤壁市木材公司要在后营村西修建货场和加工厂，考古人员配合该项工程进行了钻探，在4万平方米的范围

内共探出古代墓葬 56 座。1985 年 7 ～ 9 月进行了发掘，因盗掘严重，有价值的仅 30 座。其中战国墓 1 座，西汉墓 9 座，东汉墓 19 座，狗墓 1 座，共计出土物 345 件。

简报分为：一、战国墓葬，二、西汉墓葬，三、东汉墓葬，四、狗墓及"结语"，共五个部分予以介绍，有照片、手绘图。

据介绍，战国墓属战国晚期，西汉墓墓室较小，属西汉早期墓；东汉墓属东汉初或新莽时期。关于狗墓的问题，过去湖北曾侯乙墓中发现有将狗放入棺木内进行殉葬的情况。但专门埋葬狗的墓甚为罕见。这座墓不但修筑有多室的砖室墓，而且还有棺木，并放在主室的中部，随葬器物达 30 多件陶器及铜钱等，可见这只狗生前为主人的安全保卫立下了汗马功劳。其时代应属东汉初期。

622.鹤壁市故县战国和汉代冶铁遗址出土的铁农具和农具范

作　者：河南省文物研究所　王文强、李京华
出　处：《农业考古》1991 年第 3 期

鹤壁铸造铁农具的冶铁遗址，位于故县村的西北约 0.5 公里的小河南岸，由煤矿到电厂的铁路从中穿过。1960 年 7 月间在此进行了首次调查，并命名为鹿楼汉代冶铁遗址，出土 28 件铁农具。1988 年秋，为配合铁路工程，在遗址中部进行了发掘。简报配以照片予以介绍。

据介绍，此次发掘的遗物中，为数最多的是铁农具与农具范，容器范甚少。农具范中有镬、锛、斧、锸、锄等，铁农具有镬、锛、斧、锸、锄、铲、犁铧和镰等，时代可分战国、汉两个时期。从出土农具的器形看，战国铁农具和汉代铁农具大同小异，说明先后有发展。例如铁锄，战国是长方形，而汉代是上窄下宽的梯形；再如铁铲，战国是正、背两面有突筋，但汉代铲背面则无。

新乡市

623.河南辉县古窑址调查简报

作　者：河南省文化局文化工作队　李德保
出　处：《文物》1965 年第 11 期

1962 年冬季，考古人员在辉县城东北 7.5 公里的沿村，发现了 1 处古代瓷窑址，在复查过程中，又在沿村附近发现庙院岗、杨圪垱、宰坡 3 处瓷窑址。从采集的遗物

来看，都是唐、宋时期的遗物。

简报分为：一、沿村窑址，二、庙院岗窑址，三、杨圪垱窑址，四、宰坡窑址，五、结语，共五个部分予以介绍，有照片、手绘图。

据介绍，这次在辉县发现的四处窑址的产品以白瓷居多，黄釉及黑釉较少，不见青瓷，陈万里先生曾提到辉县有出产青瓷的窑址。因此，简报怀疑辉县地区除沿村等4处瓷窑址以外，可能尚有烧造青瓷的窑址尚未发现。由于这4处窑址的地理位置与汲县相距很近，在辉、汲交界处的汲县境内韩窑村附近也发现有少量的瓷片标本。因时间限制，在韩窑村附近没有能做详细的调查。

624.新乡地区文物普查的主要收获

作　　者：新乡地区博物馆
出　　处：《河南文博通讯》1979 年第 3 期

新乡地区文物普查于 1978 年 12 月 25 日顺利结束。对新乡地区所属 14 个县中的 101 个公社进行了调查，共调查文物单位 315 处，其中革命文物 40 处，古文化遗址 80 处，古墓葬和墓葬群 25 处，古代建筑 51 处，石刻造像 113 处，古化石产地 6 处，征集重要文物 14 件，新发现一批有价值的重要文物，获得了一批珍贵的文物资料。

据介绍，古代遗址中较重要的有子易仰韶文化遗址和易井龙山文化遗址，为新石器时代考古的研究提供了新的线索。还重点调查了济源县原城遗址。据《济源县志》载，济源县城西北有夏代都邑原城。此次在离县城 2.5 公里的庙街遗址发现有龙山文化、二里头文化遗存，对探索夏文化有重要意义。古城很多，在 14 个县中就有10 个县分布有古城遗址。其中较早的有沁阳县古邘国城址（周代），辉县共国城址（春秋），济源县轵城遗址（战国），另外有获嘉的齐州古城（南北朝）。济源县战国轵城遗址保存较好，现有东、南、北三面城墙，东、南城墙各长 2000 米，最高处现存 9 米。获嘉县的齐州故城虽年代稍晚，但城址保存完整，东、西城墙各长 370 米，南北城墙各长 450 米，最高处达 5 米，此城为新乡地区现存最完整的一座城址。

考古人员还调查了 3 处瓷窑遗址、2 处古墓葬群、23 处有记载的古墓葬。两处墓葬群多为汉代空心砖墓和券顶墓。古墓葬 23 处中较有名的有汲县殷代的比干墓，原阳县西汉丞相张苍墓和周亚夫墓，唐代墓葬有孟县的韩愈墓和原阳县唐武则天时丞相娄师德墓等。这些墓大多有文献记载，现存也大多有封土，有的尚有建筑和碑碣可证。还对原来了解的 45 处古建筑进行了调查，新发现 6 处，计 51 处，其中砖石结构的古塔 10 座，木结构建筑 41 处。古塔中最早的是创建于五代时的武陟县妙乐寺塔，较重要的是建于金大定十一年（1171 年）的沁阳县天宁寺三圣塔。

木结构建筑中较早的是济源县济渎庙寝殿（宋代风格）。较珍贵的是济源县奉仙观金初建三清大殿，还有 113 处石刻造像，其中新发现 19 处，较重要的有清代"捻军过境碑"等。

625.河南新乡杨岗战国两汉墓发掘简报

作　者：新乡市博物馆　王春玲、赵争鸣
出　处：《考古》1987 年第 4 期

1985 年 2 月，在配合新乡市内燃机厂的基建工程中，发现了 7 座墓葬，考古人员对之进行了发掘清理。

简报分为：一、墓葬形制，二、出土遗物，三、结束语，共三个部分予以介绍，有手绘图。

据介绍，墓地位于新乡市东北方向的杨岗高台地上（现系新乡市内燃机厂），高台地面积约 6 万平方米，20 世纪 50 年代比周围地面高出 7 ～ 8 米，现仍高出四五米。这次发掘的 7 座墓葬，编号为 M1 ～ M7，分属战国、西汉、东汉三个时期。7 座墓葬，在形制和随葬器物的配置及其风格等方面都带有较浓厚的中原地区特色。M1、M3、M5 形制为竖穴土坑，屈肢葬，器物组合为鼎、豆、壶、盘、匜、细把豆，这些都是战国时期小型墓葬器物组合的基本特征，应属战国晚期。M4、M6、M7 形制为竖穴土洞，葬式为仰身直肢，器物的基本组合为鼎、盒、壶、钫、小壶等，从形制、葬式、器物组合和器物演变的规律来看，这 3 座墓应晚于 M5，属西汉早期的墓葬。M2 从墓葬形制，出土的陶仓碎片，长铁棺钉和五铢钱来看，年代应为东汉时期。

626.河南新乡五陵村战国两汉墓

作　者：新乡市博物馆　赵争鸣等
出　处：《考古学报》1990 年第 1 期

1965 年新乡火电厂在市东北郊五陵村西建厂，考古人员配合施工，发掘 50 余座墓葬。1985 年，又配合发掘 137 座，这批墓葬，分布在火电厂所属的电建工地（M1 ～ M137）范围内，皆为战国两汉墓。

简报分为：一、墓葬形制，二、随葬器物，三、分期与年代，四、结语，共四个部分介绍了这 137 座墓的全部资料，有照片、手绘图。

据介绍，137 座墓葬中，竖穴墓 7 座，土洞墓 106 座，砖室墓 24 座。竖穴墓和土洞墓较小，砖室墓多为大、中型。竖穴墓均为土坑墓室，有的有二层台，个别的经夯筑。土洞墓均有墓道，多为竖井式，个别的为斜坡式。砖室墓均为斜坡式墓道，但此类墓破坏严重，墓葬形制多不完整。为了便于叙述，简报把墓葬分为 A 型（竖穴墓）、B 型（土洞墓）、C 型（砖室墓）三类。A 型墓分布在电建工地，B、C 型墓多分布在凉水塔、仓库、烟囱工地，除电建工地有一座 B 型墓打破 A 型墓外，其他均无打破关系。

简报指出，墓的大小及随葬器物的多少反映着等级差别，这批墓葬的主人多为平民和一些中、小地主。这次发掘的墓葬数量之多是新乡一带不多见的。墓葬分布密集，但区域性很明显。战国墓葬区位于整个墓区的西南部，西汉早期墓则位于墓区的东北部，西汉中、晚期和东汉墓位于墓区的中部。战国墓区无西汉早期的墓葬，但有少量的西汉中、晚期墓葬。西汉早期、东汉时期的墓地则无战国墓。随葬器物有陶器 926 件，铜器 43 件，铁器 14 件以及骨器、钱币等。时代简报推断为战国中晚期、西汉末、东汉初。

简报指出，新乡一带的战国、两汉墓既具有中原地区战国、两汉墓葬的共性，又有因地域、风俗、文化等因素所形成的特性。

627.河南新乡市宋金墓

作　者： 张新斌

出　处：《考古》1996 年第 1 期

近年来，新乡市文管会为配合基建工程，陆续在市区清理发掘了一批古代墓葬。1987 年在南干桥东侧与和平路姜圪垱清理的 3 座古代墓葬简报分为：一、M1、M2；二、M11；三、结语，共三个部分予以介绍，有照片、手绘图。

据介绍，1987 年 12 月，城关村在市区南干桥东侧进行基建施工时，清理了两座长方形竖穴土圹墓。两墓均南北向，东西并列，M1 居东，M2 在西，相距仅 40 厘米，墓口亦破坏。两墓墓底均有棺钉、板灰及白灰泥痕迹。随葬器物有瓷罐 2 件、铜钱 5 枚。1987 年 12 月，市统建办在和平路姜圪垱施工时，发掘了 1 座砖墓，编号 M11。该墓南北向，外观呈龟背状，墓内未发现人骨及棺木痕迹，随葬石砚、陶鼎、陶盆、瓷瓶、铜镜各 1 件及铁器等。墓葬年代简报推断：M1 和 M2 应为金代墓葬；M11 的年代上限为北宋末年，下限可定为金初，墓葬年代应在 1111～1158 年之间。

简报指出，M1 和 M2 两墓应为金代中原地区平民夫妇并穴合葬墓，反映了宋金时期中原平民埋葬习俗大同小异，为研究金代中原地区社会与文化状况提供了新资料。M11 明显具有浓郁的宗教色彩，故有可能为宗教徒的火葬墓，因年代久远，骨灰无存。这一发现对研究宋金时期的文化习俗具有重要的参考价值。

628.河南新乡李大召遗址战国两汉墓发掘简报

作　者：郑州大学考古专业、新乡地区文物管理委员会、新乡县文物保护管理所
　　　　韩国河、赵海洲、张继华
出　处：《考古与文物》2005 年第 4 期

李大召遗址位于河南省新乡市西南约 7 公里的大召营镇李大召村北，是一处包含从仰韶文化到汉代遗存在内的重要文化遗址，其主要遗存集中于龙山与夏商时期。2002 年秋，对该遗址进行了发掘，发现了包括居住遗址与汉代墓葬在内的一批重要遗存，获得了大量具有重要价值的文化遗物。2003 年，又先后对该遗址进行了两次发掘，发现了商代、战国及两汉时期的墓葬。

简报仅将该遗址发掘的战国至两汉墓葬材料分为：一、战国墓，二、西汉墓，三、东汉墓，四、结语，共四个部分予以介绍，有手绘图。

据介绍，李大召遗址发现的战国两汉墓葬均遭到过不同程度的破坏，特别是汉墓，大多数已被盗扰，形制结构不详，随葬器物不明。发掘的 4 座战国墓均为竖穴土坑墓，从随葬器和器形演变，简报推断其时代为战国中期和战国中期偏晚。西汉墓依据墓葬形制及墓葬间出土器物的共存关系将这批墓分为三组，简报推断：第一组 M29、M37 等 9 座时代大致为西汉早期；第二组 M7、M18、M42 等 10 座，时代应该一致，为西汉中期偏早；第三组 M40、M41 等 7 座，时代为西汉晚期；东汉墓 M4 的时代为东汉中期偏早阶段。

629.河南新乡县后高庄遗址发掘报告

作　者：新乡市文物考古研究所、新乡县文物管理所
出　处：《中原文物》2007 年第 3 期

2003 年 5 月，考古人员在新乡县后高庄进行了发掘。

简报分为：一、地理环境和地层堆积，二、龙山文化遗存，三、先商文化遗存，四、结语，共四个部分予以介绍。有手绘图。

据介绍，龙山文化有灰坑 9 个，属龙山文化早期后段至龙山文化中期前段。先商文化有灰坑 1 个，距今约 3700 年以上。遗物有陶器、石器、蚌器、角器等，其中罐类器物颇有特色。

630.2003 年河南新乡市火电厂墓地发掘简报

作　　者：新乡市文物考古研究所
出　　处：《华夏考古》2008 年第 2 期

2003～2004 年，新乡市火电厂在位于河南省新乡市区北 15 公里的凤泉区原厂内扩建两台 30 万千瓦的火力发电机组。经文物钻探，在主厂房和凉水塔工地共发现战国、西汉墓葬 251 座。考古人员进行了发掘。

简报挑选 13 座典型墓葬予以介绍，分为：一、墓葬形制和随葬品，二、墓葬形制演变和器物组合，三、分期和年代，四、余论，共四个部分，有照片、手绘图。

据介绍，这 13 座墓葬中，有 2 座为竖穴土坑墓，1 座为半土坑半土洞墓，10 座为土洞墓，年代从战国晚期至西汉晚期不等，出土一批精美的彩绘陶器、大型铁制生活用品、铜器等。简报指出，此次发掘的 251 座战国两汉墓葬，其中西汉墓在 200 座以上，约占 80%。这批西汉墓彼此未见打破关系。在一个小的区域内，方向更是一致，排列甚为整齐，可见此地应为一处大型公共墓地。简报怀疑是汉代时汲县城内人们的墓葬区。

安阳市

631.河南安阳西郊唐、宋墓的发掘

作　　者：考古所安阳工作队　武奇琦
出　　处：《考古》1959 年第 5 期

1958 年夏，考古人员为配合基建工程，在安阳发掘了两座古墓。

简报分为：一、唐墓，二、宋墓，共两个部分予以介绍，有照片、手绘图。

据介绍，唐墓位于梅园庄，为一券顶土洞墓，编号 58A.M.M.6，葬具已朽，有仰身直肢残骨。从出土的瓷人、瓷羊、瓷马、瓷猫、瓷犬等看，似为小孩墓，年代简报推断为晚唐。宋墓由建筑公司在孝民屯施工时发现，因工程紧急，考古人员仅发掘了一半，随葬的瓷器十分精美，可能出自景德镇。简报推断此墓年代为北宋末或金初。

632.林县峡谷千佛洞造像调查记

作　者：张增午
出　处：《中原文物》1983年第4期

峡谷，一名峡峪，俗称峡山，位于林县城西南15公里南庵沟村北。千佛洞即开凿于北山半腰，坐北朝南，前临深涧，后依山崖，洞口下有明万历年间所修"谢公渠"水穿过。东去里许的峡口北崖有东魏所开支提龛一个，龛北面南而立"三尊真容支提龛铭"碑一通，为唐开元十九年（731年）蔡景所撰。由此东行20余步东崖有唐贞观二十二年（648年）所凿大缘禅师摩崖石塔。碑与石塔已公布为河南省重点文物保护单位。由千佛洞而西500余米有北齐天保年间所创宝岩院废址，其东有一方形密檐式砖塔。南为谢公祠、金代县丞李弼所建五松亭旧址。简报配以照片介绍了调查情况。

据介绍，千佛洞口有青料石砌墙，洞的内外共雕像128个，大者高2.78米，小的仅16厘米高。千佛洞内无确切凿窟纪年，唯窟外《赞佛偈语》有纪年，但也没有谈及造窟情况。简报认为该窟应是北齐武平五年（574年）左右凿造而成的。

633.豫北洹水两岸古代遗址调查简报

作　者：安阳市博物馆　孟宪武
出　处：《中原文物》1986年第3期

洹水源起太行山麓，由西至东横穿安阳市区。洹水两岸土地肥沃，资源丰富，自古以来就是人们理想的劳动生息区域。洹水两岸分布有大量的古代原始文化遗存。1977年至1979年，考古人员对安阳市所辖的洹水两岸区段，进行了两次文物调查。其中对南士旺永安寨遗址、秋口同乐遗址、范家庄连环寨遗址、柴库遗址，以及秋口高井台子遗址、鲍家堂遗址等作了重点调查和文物采集。

简报分为：一、南士旺永安寨遗址，二、柴库遗址，三、同乐寨遗址，四、东漳涧遗址，五、范家庄遗址，六、活水遗址，七、黄张村遗址，八、鲍家堂遗址，九、高井台子遗址，"小结"，共十个部分予以介绍，有照片、手绘图。

据介绍，遗迹有灰坑、房基、墓葬，遗物有石器、陶器。这些遗址的文化内涵是以龙山文化为主体的。其中柴库、高井台子、鲍家堂等遗址含有仰韶文化的因素。柴库、同乐寨、南士旺永安寨等遗址则含有商文化及战国文化的内容。简报称，这些遗址的发现，为寻找这一区域的先商文化，提供了新的内容。

634.安阳县古瓷窑遗址考察

作　者： 卫本峰

出　处：《中原文物》1986 年第 3 期

安阳县古瓷窑遗址主要分布在县西南 25 公里处的善应乡一带。这里盛产瓷土，制瓷业由来已久，古代瓷窑遗址密布。经考查辨析，这是两个窑系的汇集地。南受鹤壁窑系的影响（后烧制钧瓷），北受观台窑系的影响。两个窑系虽相互影响融合，但也各具特点，因此这里又是两个瓷系的分水岭。瓷器专家冯先铭、陈万里先生都十分关注此处。1984 年文物普查时，又有所发现，简报介绍了这一次调查的收获。

据介绍，简报着重介绍了天喜镇瓷窑遗址、北岸瓷窑遗址、北齐（地名）瓷窑遗址及楼上坡、南善应、北善应、西善应、珍珠瓷窑、石板瓷窑、三仓瓷窑的情况。简报指出，善应这一区域的古瓷窑遗址，均为民间瓷窑，全烧制民间生活用具，有碗、盘、碟、罐、壶、钵、药盒、玩具等。这里的瓷器采用轮制，制作规整，瓷胎硕厚，釉色浓重，施釉不到底。在此次文物普查中，发现了不少完整的瓷器，经鉴定均系本地烧造。

简报称，此窑址时代为唐、宋、金、元，相继五六百年。

635.河南林州市出土古代铜镜

作　者： 林州市文物管理所　张增午

出　处：《考古》1997 年第 7 期

河南省林州市（原林县）文物管理所 1974 年以来收集到一批古代铜镜。据了解，这批铜镜均为林州市境内出土，简报配以拓片选其部分予以介绍。

据介绍，这批铜镜有：

鸟纹规矩镜　东汉。1984 年征集于河顺乡东寨村。

五瑞兽葡萄镜　唐代。1974 年拣选于合涧镇小屯供销社废品收购站。

云龙纹镜　唐代。1980 年姚村镇北陵阳村出土。

双鸾方胜千秋镜　唐代。1980 年姚村镇上陶村出土，有铭文。

双犀花枝镜　唐代。1974 年河顺乡庞村出土。

八花枝镜　唐代。1983 年征集。

花月纹镜　宋代。1988 年出土于林州城东石油库北地，有铭文。

菱花铭文镜　金代。1977 年征集于城关乡白家庄村，有铭文。

双龙纹镜　金代。1986年征集，有铭文。

许由巢父故事镜　元代。1985年合涧镇东山底村出土。

636.安阳古城勘察记

作　者：安阳市文物工作队　刘彦军
出　处：《华夏考古》2000年第3期

安阳位于河南省北部，是殷墟所在地，1986年被国务院公布为第二批历史文化名城。1993年5月至8月，考古人员用近4个月的时间，采用"一街一巷、挨家挨户上门"的方法，对安阳古城进行了全面的调查，取得了较完整的第一手资料。简报分为三个部分予以介绍。

据介绍，安阳是一座有3000多年历史的古城，早在殷商时代，就曾是全国的政治、经济、文化中心。历史上的安阳，主要以州、郡、路、府治所在地为主线，是一个中型的地方政治、经济、文化中心。安阳城内古有"九府十八巷、十八罗汉街、七十二胡同"之称，传统民居数量更多，这也是安阳古城内现存最主要的部分。据统计：上至元代，下到民国年间，凡是可以构成四合院的院落共461座，其中四进四合院11座，三进四合院36座，二进四合院195座，单进四合院219座。保存较好的114座，占总数的24.7%。其共同特点是：灰砖砌墙，灰瓦覆顶，硬山建筑，不带脊吻和脊饰。城内另存的一些庙宇和零散建筑，也都具备上述特点，反映了安阳古城在明、清时代，除是一个地方政治中心外，主要是一个满足居住功能的城市。城内街道布局未变，气氛依然，是一座典型的府城代表。

简报称，安阳古城自建至今已有1600年了，几经增拆和整修，其优越的布局仍然为今天的建筑所借鉴。

637.河南安阳殷墟刘家庄北地殷墓与西周墓

作　者：中国社会科学院考古研究所安阳工作队　杨锡璋、唐际根等
出　处：《考古》2005年第1期

1988年，为配合安阳市抗震大楼建筑工程，考古人员在安阳市殷都区原西郊乡刘家庄村北进行了钻探发掘。该地带与安阳大学相邻，东距中州路约200米，北距安钢大道约500米，属殷墟一般保护区。此次发掘共清理墓葬96座（编号88ALNM61～88ALNM156），其中包括殷墓41座、西周墓26座、唐宋墓29座。

简报分为：一、殷墓，二、西周墓，三、结语，共三个部分，先行介绍其中的

殷墓和西周墓，有照片、手绘图。

据介绍，在殷墟刘家庄北地发掘清理 41 座殷墓和 26 座西周墓。殷墓葬具均为木棺，有 29 座墓带腰坑。随葬品以陶器为主，还有铜器、玉器、骨器等。西周墓均为长方形竖穴土坑墓，随葬品以陶器为主，还出土少量的铜器、玉器等，年代从西周早期到西周中期偏早阶段。简报认为，这批西周墓葬不是殷遗民墓，而是灭殷后进入这一带的周人墓葬。简报称："刘家庄西周墓的出现时间，当与辛村西周墓地的出现时间相近。因此我们推测刘家庄西周墓可能是周公二次东征之后，进驻殷墟腹地的周人墓葬。"

638.林州慈源寺建筑基础清理简报

作　者：河南省古代建筑保护研究所　赵明星
出　处：《中原文物》2007 年第 1 期

2005 年 12 月至 2006 年 2 月，河南省古代建筑保护研究所对林州慈源寺的大雄宝殿、三教堂和文昌阁三座建筑的基础进行了考古发掘清理，出土了一批佛像、瓷器、经幢、建筑构件等遗物，时代自隋一直延续至清代。

简报分为：一、慈源寺简介，二、文化遗存，三、建筑构件，四、瓷器，五、结语，共五个部分予以介绍，有拓片、手绘图。

据介绍，慈源寺位于林州市横水镇马店村，北部临 5301 公路。慈源寺始建于唐贞观年间，宋、元、明、清各代数次修葺，现存有三进院落，仍保留着明代重修时的核心部分和布局特点。寺院坐北面南，长 75 米，宽 30 米，主要建筑有天王殿、大雄宝殿、三教堂、文昌阁等，是一处融释、儒、道三教于一体的重要历史建筑群，2006 年 6 月被公布为河南省重点文物保护单位。

简报称，此寺大雄宝殿面阔三间，进深三间，单檐庑殿顶，是寺内结构最复杂的建筑。三教堂为中轴线上最后一座建筑，面阔五间，进深三间，单檐硬山顶，是寺内现存建筑中时代较早的一座。文昌阁位于前院东侧，是一座二层楼阁式建筑，面阔进深均一间。此次发掘所获遗物绝大部分出土于三教堂（编号 06LCS）和文昌阁（编号 06LCW）基础填土内，大雄宝殿基础内未见。佛教造像全部出土于三教堂基础内，瓷器及建筑构件在三教堂和文昌阁基础内均有发现。其中建材共 11 件，瓦当 2 件，砖 4 件，柱础、板瓦、滴水、铜门钉及三彩器各 1 件。此次发掘，共出土瓷片百余片，可辨器型有碗、盘、罐、香炉等，包括白瓷、青瓷、白地黑花以及少量黑瓷、青花瓷等，部分器物底有款识。其中，可复原者 12 件。还有经幢构件 3 件，其中 1 件上有北宋大观四年（1110 年）纪年。

简报称，慈源寺是一处比较完整的融佛、道、儒三教于一体的古建筑群，此次发掘所获进一步证实了慈源寺三教合流的文化特性，与文献结合，印证了慈源寺的古老历史，同时也为我们研究中国古代宗教提供了新的资料，具有一定的学术价值。

639.安阳市西高平遗址晋、唐宋遗存发掘报告

作　者：河南省文物考古研究所　李素婷、孙　蕾、丁新功
出　处：《中原文物》2008 年第 5 期

安阳市西高平遗址位于安阳市西 17 公里的龙安区彰武镇西高平村西北部。2004 年 9 ~ 11 月，为配合安阳至林州的高速公路建设，考古人员对安阳市西高平遗址进行了发掘，发现晋、唐宋时期文化遗存，出土较丰富的瓷、铜、陶器等遗物。

简报分为：一、晋代文化遗存，二、唐代文化遗存，三、宋代文化遗存，四、结语，共四个部分予以介绍，有照片、手绘图。

据介绍，晋代遗存只有一座梯形洞室墓，出土有陶罐等。唐代遗存有灰坑 19 个，出土有瓷器、陶器等。宋代遗存有灰坑 2 个、灶 1 座等，出土有瓷器、银器、骨器、银耳饰等。年代为北宋末年。

640.河南安阳市黄张遗址两周时期文化遗存发掘简报

作　者：中国社会科学院考古研究所黄张发掘队、河南省文物管理局南水北调
　　　　文物保护办公室　牛世山、陈国梁、李志鹏、付仲杨等
出　处：《考古》2009 年第 4 期

黄张遗址位于河南省安阳市龙安区东风乡黄张村，南水北调中线干渠 705 公里处。据河南省文物局南水北调文物保护办公室提供的资料，黄张遗址面积为 3 万平方米，过去调查时在地表发现绳纹陶片，平整土地时也发现有带绳纹的墓砖。2004 年 9 月，安阳市文物钻探队对南水北调中线干渠经过遗址的部分地带进行钻探时，在个别地方发现有灰坑遗迹。2005 年 7 月，对黄张遗址进行了调查、钻探和发掘。以遗址中部的南北向断崖为界，将村北遗址分为东、西两区，共清理灰坑 102 座，墓葬 30 座。遗址内有后冈二期、西周、东周、隋等多个时期的文化遗存，其中以两周时期的文化遗存为主。

简报分为：一、地层堆积，二、西周时期遗存，三、春秋时期遗存，四、战国时期遗存，五、结语，共五个部分先行介绍其中两周时期的发掘情况，有彩照、手绘图。

据介绍，两周时期文化遗存有灰坑和墓葬。出土遗物以陶器为主，另有少量铜器、

石器、骨器和蚌器。此次发掘对研究豫北、冀中南地区周文化的构成、演进等均有重要意义。

濮阳市

641.濮阳市郊区考古调查简报

作　者：马连成、廖永民
出　处：《中原文物》1986 年第 4 期

濮阳市位于河南省东北部，文化积累深厚。1963～1979 年，考古人员在市境范围内曾多次进行过考古调查。1985 年又在此基础上开展了文物普查工作。先后发现古遗址 20 余处（包括 3 处古城址），古墓群 3 处，采集了大量的文物标本。最丰富的是河南龙山文化遗存，其次有仰韶文化、二里头文化以及商、周、汉、唐等时期的文化遗存，一些遗址往往分布或直接叠压着两种以上不同的文化遗存。其中比较重要的有戚城、铁丘、马庄、蒯聩台、文寨、咸城、台上、瑕丘、高城等遗址。

简报分为：一、几处重要遗址，二、遗物，三、结语，共三个部分予以介绍，有手绘图。

据介绍，濮阳地区龙山文化遗存正处于河南、山东两种龙山文化交界处，说明在我国新石器时代晚期，黄河下游的东方文化，由东向西已发展到豫北地区，并给这里的原始文化以较大影响。二里头文化遗存的分布也相当普遍。

据文献记载，濮阳市正在夏族活动的地域之内。夏的属国昆吾，就在市区东南部。市境内还分布着商代遗存。文献记载，豫北、鲁西一带曾是商族先公活动的地区。这里的商代遗存可以与文献相互印证，说明商代这里已处于商人直接控制之下，属于商文化的分布范围。市境内普遍散布着周代、汉代遗存。特别是春秋时代的卫国重镇——戚，地面仍有城墙遗迹。城垣范围内大量周、汉遗物的存在，证明这座城邑从西周开始直到西汉初，始终是一处物产丰富、交通发达、人口稠密的地方。

642.1988 年河南濮阳西水坡遗址发掘简报

作　者：濮阳西水坡遗址考古队
出　处：《考古》1989 年第 12 期

濮阳西水坡遗址，是濮阳市文物部门在配合引黄供水指挥部修建调节池时发现的。1987 年 5 ~ 11 月，考古人员对该遗址进行了第一次发掘，8 月在 T137 发现第一组蚌图，随后又发现了第二组和第三组用蚌壳摆塑的动物图案。为了弄清三组蚌图的关系，1988 年 3 月 11 日至 9 月 25 日对该遗址进行了大面积的发掘。1988 年共清理出房基 4 座，窖穴 227 个，陶窑 5 座，墓葬 148 座，瓮棺葬 38 个，东周时期的大型排葬坑 28 个。

简报分为：一、地层堆积，二、仰韶文化第一阶段的文化遗存，三、仰韶文化第二阶段文化遗存，四、龙山文化的遗存，五、东周时期文化遗存，六、汉代的遗迹、七、结语，共七个部分予以介绍，有手绘图、彩照。

据介绍，西水坡遗址包含仰韶、龙山、东周和汉代等几个时期的文化遗存，其中以仰韶文化最为丰富，龙山文化的遗迹较少，遗物也比较贫乏，东周时期仅发现一些墓葬和士卒的排葬坑，汉代的遗迹仅发现几座陶窑。三组蚌壳摆成的动物图案，是与仰韶文化第 45 号墓有关。第 45 号墓有殉人 3 个，墓主人地位非同一般。

许昌市

643.河南省禹县古窑址调查记略

作　者：叶喆民

出　处：《文物》1964 年第 8 期

河南省禹县是我国陶瓷史上有名的钧窑遗址所在地，历来相传该县西南 60 里的神垕镇是出产钧瓷的中心，且近些年来，又发现该县西北的扒村也曾是产瓷的盛地。1950 年陈万里先生曾去该县进行了实地调查，对这两处窑址的情况有过一些概括的介绍。然而关于钧窑的烧造历史，因为过去文献记载不详，见解互异，所以至今依然众说纷纭，莫衷一是。1964 年考古人员又赴当地调查。

简报分为：一、前言，二、神垕镇钧窑遗址，三、扒村钧窑遗址，四、结束语，共四个部分予以介绍，有照片、手绘图。

据介绍，简报认为，神垕镇遗址应为钧窑系代表，但被宋朝朝廷看中后，主要烧制盆、奁、尊、炉等流通量少的产品，元代以后日渐绝迹。扒村则受磁州窑影响，上限约在宋、元数百年间，善于粗料细作，产品为北方农民所喜用。

又，据《中原文物》1983 年第 2 期，1980 年 3 月，禹县朱阁公社董庄大队董庄村民，在该村西北平整土地时，在距地表约 1 米深处发现一个白底黑花瓷坛（取出过程中瓷坛破碎，碎片已被抛掉）内藏瓷器64件，全部是餐具。考古人员到出土地点调查，发现现场已遭严重破坏，无法了解其出土层位关系。仅将这批器物初步加以整理。

据介绍，64件器物有：白地黑花盘44件，白心黑釉盘3件，素面白盘5件，素面小白碗3件，钧瓷盘6件，钧瓷小碗1件，戳刺三角窝点白盘2件。这处窖藏中的大部分器物，从造型艺术风格和胎骨瓷土特色看，均具有禹县扒村白地黑花民用瓷的某些特征。窖藏出土地点距宋代扒村瓷窑遗址仅10公里，取董庄白地黑花瓷盘与扒村瓷窑遗址中同类瓷片标本鉴别，有较大的共性，故专家推断：其多数器物当为当时扒村瓷窑所烧制；钧瓷器物时代下限不晚于南宋末和元初之间。

644.河南许昌市仓库路战国和汉代墓葬发掘简报

作　者：许昌市文物工作队　姚军英、杨俊伟、赵广杰
出　处：《华夏考古》2009年第4期

2000年8月，考古人员在许昌市仓库路发掘战国、汉代墓葬56座，出土陶、铜、铁器等199件。简报分为：一、墓葬形制，二、随葬器物，三、结语，共三个部分，有手绘图。

据介绍，这批墓葬可分为两期：第一期26座墓。这期墓葬的墓主头向均有壁龛，绝大多数壁龛内都随葬有陶鼎、豆、壶、盘（钵）、匜等器物。墓主葬式大多数为仰身直肢，少数仰身屈肢和侧身屈肢。第二期共计32座。这期墓葬陶器的基本组合为鼎、壶、盆或鼎、罐、釜、樽等，与汉代墓葬陶器的基本组合相同，墓中所出的随葬品陶罐、陶钫、陶鼎等又具汉代器物之特征，简报将这批墓葬的年代断在汉代。

645.河南省禹州市神垕镇刘家门钧窑遗址发掘简报

作　者：北京大学中国考古学研究中心、河南省文物考古研究所　秦大树、赵文军、李　静等
出　处：《文物》2003年第11期

钧窑瓷器是中国北方地区宋元时期一类十分重要的瓷器产品。古代文献从明代就开始对其进行记述，并将其称为宋代的名窑，近代人更将其列为宋代的"五大名窑"。在钧窑最兴盛的时期，北方广大地区的众多窑场普遍生产钧瓷，其影响甚至远达浙江衢州等地。20世纪70年代末出版的《中国陶瓷史》一书，将以河南禹县为中心的一批生产天青釉钧瓷的窑场列为宋代的六大瓷系之一。钧窑瓷器以其广泛的生产地

域和巨大的产量占有举足轻重的地位。艺术和工艺上讲，钧窑以雅致的乳浊状天青色釉和多彩的窑变而备受人们的喜爱，特别是有效控制的铜红釉和铜红彩的应用，是钧窑对中国制瓷工艺的一大贡献。20 世纪 60 年代，故宫博物院曾对禹州市的古窑址进行过考古调查，指出位于大刘山下的神垕镇刘家门窑址的产品最精，时代最早。田野考古工作自 2001 年 9 月至 2002 年 1 月进行。

简报分为：一、发掘的缘起和经过，二、窑址环境及地层，三、主要遗迹，四、出土遗物，五、结语，共五个部分予以介绍，有彩照、手绘图。

2001 年 9 月～2002 年 1 月的发掘，共清理窑炉 4 座，澄泥池 3 座，出土了大量瓷器标本。发掘证明，钧窑是北宋末期兴起的以生产高档瓷器为主的窑场，部分产品仿制汝窑，但其生产的青釉、红釉瓷也极具特色。钧窑在早期阶段有相当一段时间是与天青釉汝窑的生产并行的，至于钧窑是否也是一处用于贡御的所谓官窑，尚有待进一步积累资料和深入研究。元代后期，南方瓷器大量输入北方，钧窑走向衰落。尽管文献记载明代钧州还有较大规模的瓷器生产，但从发掘情况看，神垕镇西南的窑区已基本停止了生产。

今有王洪伟先生《钧窑通史》（海燕出版社 2017 年版）一函三册，可参阅。

646.许昌长葛山孔遗址发掘简报

作　者：河南省文物局南水北调文物保护办公室、河南省文物考古研究所、许昌市文物工作队、长葛市文物管理所、许昌春秋楼文物管理处　张广东、姚军英、杨建欣、杨肇清、段志强、程清芬、杨万红

出　处：《中原文物》2012 年第 5 期

为配合南水北调工程，考古人员于 2006 年 4 月至 11 月对长葛山孔遗址进行发掘，发现战国时期的井、灰坑等，汉代的残房基、井和墓等，唐代的沟、窑和墓葬，宋代的路、沟、灰坑、墓等遗迹。

简报分为：一、战国文化遗存，二、汉代文化遗存，三、唐代文化遗存，四、宋代文化遗存，五、结语，共五个部分予以介绍，有照片、手绘图。

据介绍，战国晚期遗迹有井 3 眼、灰坑 64 个。东汉遗迹有残房基 1 处、井 1 眼、灰坑 16 个、墓葬 1 座。唐代晚期遗迹有沟 3 条、窑 1 条、灰坑 1 个、墓 1 座。宋代中晚期遗迹有路 1 条、灰坑 3 个、沟 1 条、墓 11 座。共计出土文物 157 件、标本约 400 余件。

漯河市

647.河南舞阳出土的周、汉兵器

作　者：朱　帜、振　甫
出　处：《考古》1994 年第 3 期

东周时期舞阳位于楚长城北部边缘地带，由于当时这里战争频繁，为兵家常争之地，所以兵器在这里出土较多。舞阳县博物馆收藏了一批青铜兵器，其中有青铜剑、四穿戟、四穿戈、矛、铜镞等。另有部分铁兵器，时代可能较晚，大部分出自汉墓中。此外还见有铸剑陶范。简报配以照片予以介绍。

据介绍，舞阳出土的这批铜、铁兵器多为周、汉遗物。铜剑的数量最多，从出土铜剑的形制看，除匕首状短剑外，大部分与洛阳中州路所出铜剑相同。其质地由于铜、铅、锡的比例配合适当，硬度较高，不少至今还光泽夺目，刃口锋利如初。铜剑出土地点以舞阳城北沙河之滨的东不羹城（汉定陵城）遗址为最多，到目前为止已在这里收集 4 把，遗失 1 把，百姓存 3 把，总计在这里已出土 11 把，而且又有铸剑范的发现，足以证明这里是古代一个重要的兵器制作基地。从戟的形制和铭文，简报推断此戟的铸造时间上限在宣惠王十一年（前 666 年）以后，下限不会晚于韩王安九年灭国。而其铸造地点，根据舞阳出土的铜剑范，可能也是舞阳当地铸造的。

简报称，据文献记载，在春秋晚期，东不羹国为楚所灭，这里成为楚国向北扩张，争霸中原的重要军事基地。另外，舞阳的南部一度为韩国疆域，曾作为韩国兵器生产基地。简报据《战国策·为楚合纵说韩国》记，认为棠溪在四平、舞阳之交的酒店乡，此地目前有棠溪河，河南岸的赵庄遗址尚可见完好的炉体，炉基为长方形黑色耐火材料夯筑，炉内有炼渣堆积，炉壁上有木炭痕迹。在舞钢区（原舞阳县南部）已发现冶铁遗址 8 处。简报称，这些兵器的出土和征集，为研究舞阳的古代历史提供了一批实物资料。

648.河南临颖小商桥出土的古建筑构件

作　者：王国奇、牛　宁
出　处：《中原文物》1998 年第 4 期

小商桥是一座历史悠久、造型优美、结构合理且具有重要艺术价值与科技价值的古代桥梁。它位于河南省临颖县南 13 公里、107 国道西侧约 300 米商桥村内。十几年来，考古人员对小商桥做了大量的调查与研究工作。由于桥下淤积深厚等原因，不仅使多次调查所获数据差别较大，更未见到桥下部构造，致使研究工作无法深入。为了搞好小商桥的维修工程，于1990年4月和1993年3～4月两次对小商桥下及近桥上下游河道进行清理，清理面积621平方米。通过清理，不仅弄清了桥的下部结构，为维修设计提供了确切的技术数据，还出土了丰富的文物，包括建筑构件、陶瓷器、生产工具、兵器和铜钱等物。这些遗物对研究小商桥的建造年代、历代维修及该地区古代社会经济都是重要的资料。尤其是出土的建筑构件，均为小商桥自身不同时代、不同位置的构件，包括栏板、望柱、抱鼓石、拱石、腰铁等10种。

简报分为：一、概述，二、小商桥下河道中清理出的建筑构件，三、结语，共三个部分。

据文献记载，小商桥创建于隋开皇四年（584年），但现存的小商桥明显具有宋、金时期的建筑特征，且历经后世多次重修，其中元大德年间（1297～1307年，未确记哪一年）、明正德三年（1508年）、清康熙十四年（1675年）的大规模重修却未记载。这次清理出的栏板、望柱，说明文献记载是可信的。同时，发现了元大德三年（1299年）和明正德三年（1508年）重修实物，也补充了文献资料的不足。从考古调查材料和清理出的建筑构件可以看出，现存小商桥的建筑时代属宋、金时期，自宋、金以来，它一直是该地区的一座重要的颇具名气的桥梁。它的建造与维修除政府投资外，也广泛动员了社会力量，僧俗官吏、商贾贤达尽在其中。

简报称，商桥出土建筑构件数量之多、延续之明显、题刻之丰富，在古代桥梁中是不多见的，为研究小商桥的建筑沿革及宋金以来河南桥梁的栏板与望柱特征提供了实物例证，同时也为研究该地区古代社会经济、职官、称谓、建置及村庄变迁提供了重要资料。

三门峡市

649.渑池县发现的古代窖藏铁器

作　者：渑池县文化馆、河南省博物馆　李京华
出　处：《文物》1976年第8期

1974年4月，渑池火车站在站南扩建路面时发现一个古代铁器窖藏，考古人员进行了现场调查，共出土60多种器形的4000多件窖藏铁器，总重达3500公斤。调查时，根据窖藏内出有烧结铁和炼渣等现象，推测附近可能曾有铸造铁器的古代作坊。作坊遗址位于渑池火车站东南250米处。

简报分为：一、窖藏坑发掘情况，二、窖藏铁器，三、结束语，共三个部分予以介绍，

有照片。

据介绍，窖藏铁器 4195 件（块），包括铁范、铁器、铁材和烧结铁等。比较完整的约 1300 件。器形有 60 多种。铸有铭文的达 400 多件，其中可以辨认出字形的 292 件，铭文约 30 多种。从铭文内容看，铁器出自 10 个铸铁作坊。年代从战国延续到六朝以后。经专家检测，渑池窖藏铁器包括了除合金铸铁以外的今天所有生铁品种，其中有堪称铸铁史上奇迹的低硅灰口铁，还有首次发现的铸铁脱碳钢和类似现代球墨铸铁的球墨组织。

650.上村岭秦墓和汉墓

作　者：黄士斌
出　处：《中原文物》1981 年特刊

简报配以手绘图等，介绍了上村岭的秦墓和汉墓。

据介绍，1972 年，考古人员在三门峡上村岭清理了一批秦墓。墓葬有竖穴墓和土洞墓两种，葬式有仰身直肢、屈肢葬两种，还有一座二次葬墓。随葬器物有铜鼎、铜釜、铜壶、铜洗、铜瓢、铁釜、陶釜、陶盆、陶甑、陶小口罐、陶大口罐、陶鼎，还有铜带钩、铜镜、铜铃、铜璜及印章、钱币、铜环、铜饰、铁带钩、铁刀、铁削、水晶珠、料珠、蚌壳和石、骨饰等，与关中秦墓基本相同。据《史记》，从秦攻占陕算起至秦灭亡，秦统治陕的时间约为 118 年，三门峡这批秦墓，已属这一时期。

651.陕县西崖村遗址的发掘

作　者：河南省文物研究所　翟继才
出　处：《华夏考古》1989 年第 12 期

西崖村位于陕县张茅乡西 1 公里处，1983 年发掘、清理，发现有多个历史时期遗存。简报分为：一、前言，二、地层堆积，三、二里头文化遗存，四、春秋晚期遗存，五、结语，共五个部分，有手绘图、照片。

据介绍，发现的二里头文化遗存，对探讨夏文化有一定价值。

652.三门峡市崤山西路发现三座古墓

作　者：三门峡市文物工作队　杨海青
出　处：《华夏考古》1993 年第 4 期

1992 年秋，三门峡市文物工作队在配合三门峡市崤山西路立交桥基建中，发掘清理了 3 座古墓，分别编号为 M1、M2、M3。简报分为：一、M3，二、M2，三、M1，四、结语，共四个部分予以介绍，有照片、手绘图。

简报称，这 3 座古墓尤其是 M3 受损严重，但仍可初步断定该处为一北宋晚至金代的僧人墓地。M1 为金"大定七年"，M3 为北宋"崇宁二年"，M2 虽无纪年，但根据墓中所出器物的形制及墓葬的结构，将其断在北宋晚期至金代应该是没有疑义的。三墓中均葬有烧骨碎块，推测为火葬后的遗骨，且 M1 室内壁上刻有 14 个名号，应为僧人的法号。M3 出土的石刻是关于长兴禅院僧人德润为其先师栖崇建塔供养的记载，所以推测 M3 应为舍利塔下的地宫。石刻中所提及的长兴禅院虽不见经传，但墓葬附近出土的大批量碎砖瓦似乎可证该禅院即在附近。这 3 座墓葬的发现与发掘，为研究豫陕地区宋金宗教史及僧徒的丧葬习俗弥补了资料的匮乏。

653.三门峡市李家窑遗址发掘简报

作　者：三门峡市文物工作队　宁景通、王光有
出　处：《华夏考古》1993 年第 4 期

1992 年春，考古人员为配合三门峡市郊崖底村修建学校，在崖底村东侧和虢国路以南进行了考古发掘，这一带是李家窑遗址重点保护区的西部边缘。由于基建工程施工紧迫，未能进行大面积揭露。在考古发掘中，发现一些唐代遗迹和一批周代陶窑。

简报分为：一、地层堆积，二、唐代文化遗存，三、周代文化遗存，四、结语，共四个部分予以介绍，有照片、手绘图。

据介绍，有周代陶窑 6 座及灰坑等。唐代房基 2 处，出土遗物有板瓦、筒瓦及铜钱等。周代窑址与上村岭仅相距 4 公里，简报认为李家窑遗址与上村岭虢国墓地有着极为密切的关系。而唐代完整的带有圆形灶坑的房基形制较为特殊，这种外带灶坑的房基的用途和性质尚待进一步研究。

654.河南三门峡市南家庄遗址的调查与试掘

作　者：河南省文物考古研究所　李素婷、武志江、丁新功等
出　处：《华夏考古》2007 年第 4 期

三门峡市南家庄遗址位于河南省三门峡市湖滨区崖底乡梁家渠村南家庄东南部。距庙底沟、三里桥遗址不远。2005 年施工中发现，并进行了发掘，发现并清理了灰

坑 20 余座，窑址 1 座，残房基 2 座，灰沟 1 条，墓葬 1 座。

简报分为：一、遗址分布范围及试掘经过，二、地层堆积，三、仰韶文化遗存，三、二里头文化遗存，四、宋代文化遗存，五、结语，共五个部分予以介绍，有照片、手绘图。

据介绍，该遗址仰韶文化遗存不多，时代大体在仰韶文化早期晚段。二里头文化发现有灰坑 22 个，应在二里头文化第三期及四期偏早时期。出土有陶、石、骨、蚌、玉器，一批手制红陶器引人注目，显系外来，来源不详。宋代遗存为一座土坑洞室墓，葬具、葬式不详，仅见随葬品为 1 枚铜钱。

655.河南三门峡市北朝和隋代墓葬清理简报

作　者：三门峡市文物考古研究所　宁文阁、史智民、张绍哲
出　处：《华夏考古》2009 年第 4 期

1985 ～ 1995 年间，考古人员先后在三门峡市区西北部发掘了北朝和隋代墓葬 13 座，其中 7 座墓出有墓志和砖铭，其他器物有少量陶器和铜、铁器。

简报分为：一、发墓葬形制，二、随葬品，三、结语，共三个部分予以介绍，有手绘图、照片。

据介绍，这批墓葬共 13 座，分别分布在甘棠市场、三门峡技术学校和氧化铝厂三家单位。其中甘棠市场只有 1 座，墓葬编号是 95GM132，三门峡市技术学校有 3 座，墓号是 90JM10、M11、M13；氧化铝厂有 9 座，墓号分别是 85YM1、M2、M5、M8、M12、M32、M40、M51、M64。13 座墓皆为狭长墓道，土洞墓室，墓门朝南。底部多为斜坡状，仅 1 座为阶梯式。规模较大的墓在墓道与墓室之间还设有过洞和天井。墓室平面多为方形、近方形，少数为不规则形。室内都设有生土台棺床，棺床上安葬 1 ～ 6 人，除 2 座规模较大的墓用有葬具木棺外，其他墓内无葬具。在发掘的 13 座墓中，除 7 座墓内出土有石墓志和墓志砖外，其余墓葬的随葬器物极为贫乏。2 座规模较大的墓均已被盗，无随葬器物。有的仅有 1 ～ 3 件陶器，3 枚铜钱和 1 个串珠，有的墓内无一器物。出土的文字材料计有石墓志 1 块（GM132）、买地券 1 块（YM64）、墓志砖 9 块（YM31 两块、YM51 一块、JM10 两块、M10 两块、JM11 一块、JM13 两块）。其中提到的年代均为北朝，年代最早的是 85YM51 中的北魏建义元年（528 年）铭，年代最晚的是 90JM11，墓志砖的纪年是北周大象元年（579 年）。其他无纪年的墓简报推断为隋墓。

简报称，这些墓志砖，多用残砖做成，虽刻字草率，内容极简，但已反映出墓志砖在当时民间的平民百姓墓中开始流行。

656.河南渑池石佛寺石窟调查

作　者：龙门石窟研究院　杨超杰
出　处：《中原文物》2010 年第 5 期

渑池石佛寺石窟位于豫西地区渑池县坡头乡庙下村，一般认为开凿于北齐时期，考古人员通过对石窟造像的艺术分析，以及对石窟所存的明代碑刻的分析，认定当开凿于北周，属河南境内唯一的一处北周时期开凿的石窟。

简报分为：一、石窟概况，二、石窟其他遗迹，三、结语，共三个部分，有照片、手绘图。

据介绍，石佛寺石窟位于河南省渑池县西北坡头乡西，距县城约 20 公里。石佛寺石窟背靠红砂岩崖壁，面对山涧水，山涧大致呈南北向，当地人们称该地为"佛爷沟"。现存窟龛 4 个，3 个在山涧西侧，1 个在东侧，简报录有清乾隆十年（1745年）重修时铭文、明成化碑碑文等相关文献。指出关于该石窟开凿年代三种说法中，唐代说、元代说均不可靠，而应是北周时期开凿。

南阳市

657.河南南召发现古代冶铁遗址

作　者：河南省文物工作队
出　处：《文物》1959 年第 1 期

河南省文化局文物工作队 1957 年 3 月，配合鸭河口水库工程进行文物调查时，在南召县鸭河上游草店西部及西南部发现了古代的冶铁遗址。简报配以照片予以介绍。

据介绍，在这个遗址上共发现 12 座冶铁炉，12 炉中以庙后村、下村两处保存较完好。

简报称，传说冶铁炉是汉武帝时修建的，但调查时在遗址附近没有发现汉代遗物，只在遗址的东部 100 余米的田地里，发现极少量的汉瓦。此外，还在朱砂铺的西部一小山岗上发现矿坑一处，山下散布着有许多铁矿石。据当地人说，几年以前在庙后南边地里发现过一坑铁，约有几十斤。

从以上材料看，这里是冶铁遗址无疑，从开采、选矿、冶铁一直到炼成，可以进行完整的生产。但是遗址的时代，从现在调查材料看，简报认为尚难确定。

658.河南南阳发现一批秦汉铜钱

作　者：魏仁华

出　处：《考古》1964 年第 11 期

1964 年 5 月中旬，南阳县明家营公社杨新庄大队第八生产队在挖土积肥时，发现一批秦汉铜钱。这批铜钱发现于杨新庄村西 0.5 公里的一处遗址上。据发现者谈："向下挖到 50 厘米时，发现一个完整陶罐，口朝上放置，无盖，罐高 31 厘米，口径 17 厘米，灰陶，模制，鼓腹，圜底有双耳。饰绳纹。内装散乱的铜钱 20 余公斤。"计有秦半两、吕后二年铸制的八铢半两、汉初半两、汉文帝的四铢半两、榆荚半两以及小半两等。除汉初半两铸制较粗糙外，其他正面文字皆秀丽匀称，背为素面，内外无郭。从陶罐的形制特点看应是西汉遗物，当为西汉时人埋藏。

659.河南淅川下王岗遗址的试掘

作　者：河南省博物馆、长江流域规划办公室、文物考古队河南分队

出　处：《文物》1972 年第 10 期

淅川县位于河南省西南部，与湖北的均县、郧阳，陕西的商南接壤。境内群山环抱，丹江流贯其间。在原始社会时期，丹江沿岸就分布着不少的部落，这些部落的居民在这块土地上进行生产劳动，并留下丰富的文化遗存。1971 年考古人员对淅川下王岗遗址进行了发掘。这处遗址位于淅川县城南约 35 公里下王岗村北的红石岗上，面积 4000 余平方米。它包含着西周、先商和新石器时代龙山文化、屈家岭文化与仰韶文化等不同时期的文化层次。在这次发掘中，除发现有房基、窖穴、烧陶窑和墓葬外，并出土很多的石器、骨制生产工具和陶器等生活用具。

简报分为：一、新石器时代文化遗存，二、先商文化遗存，三、西周文化遗存，四、结束语，共四个部分予以介绍，有手绘图等。

据介绍，下王岗遗址发掘的最大收获是它的多层次的文化。这里的"龙山"层叠压着"屈家岭"层，"屈家岭"层叠压着"仰韶"层的现象，证实了"仰韶"早于"屈家岭""屈家岭"又早于"龙山"晚期的年代关系，从而初步结束了过去我国考古界关于"龙山"和"屈家岭"文化的年代早晚关系的争论。

660.南阳地区的文物普查工作

作　者：南阳地区文管会
出　处：《河南文博通讯》1977 年第 1 期

简报配以手绘图等，介绍了 1976 年 2 月至 9 月，南阳地区普查出革命遗址和革命纪念建筑物 35 处，古文化遗址 116 处，古墓葬 60 余处，古建筑 44 处，古石刻 45 处，化石产地 6 处。

661.内乡县大窑店瓷窑遗址的调查

作　者：刘建洲、王与刚
出　处：《河南文博通讯》1978 年第 4 期

简报配以手绘图等，介绍了考古人员赴内乡县调查窑址的情况。调查中采集不少窑具和瓷片等遗物，纹饰多为花卉、水生物之类。依据对这些瓷片的釉色、纹饰及烧造工艺的分析，简报认为，此窑烧造于唐末，盛于北宋，到金、元时衰落。在唐代瓷片中已开始有窑变现象，为研究宋代钧瓷窑变起源，提供了重要资料。

662.南阳发现一批窖藏铜钱

作　者：南阳市博物馆　崔庆明
出　处：《河南文博通讯》1979 年第 2 期

1978 年 5 月，南阳地区饮食服务公司技校在院内挖土时，发现两缸窖藏铜钱，考古人员前往现场进行清理。简报配以照片予以介绍。

据介绍，铜钱出土地点位于南阳市西南约 2 公里处，窖口向上，离地表深约 0.7 米。窖内埋有两个形制大小完全相同的灰陶缸，均为圆唇束颈鼓肩平底素面缸，高 1.52 米，口 0.46 米，底径 0.32 米，缸口向上，用四块灰色方砖封闭，缸内装有铜钱 350 余公斤，大小混杂或成串放置，尚可看到穿铜钱的绳索痕迹。缸的四周全是黄砂土，并有青瓷碗、罐各 1 件。这批铜钱，经过初步整理，发现有 40 余种。

简报指出，南阳这一窖藏铜钱，年代最早的是西汉五铢"半两"，最晚的为金世宗时的"大定通宝"，共经历了 1000 多年，从铜钱品种之多、数量之大、封闭严密、排列有序等情况看，可能是某个官僚或地主的窖藏。

663.淅川丹江水库区的文物调查与发掘

作　者：张　剑

出　处：《河南文博通讯》1979 年第 3 期

1978 年，丹江水库水位下降，在水库西岸下寺土岭（属淅川县仓房公社东沟生产队）发现了一处春秋时期的楚国贵族墓葬群。这批墓葬群在 1979 年五六月丹江水库水位保持正常情况下，有长期被库水淹没的危险。为了抢救这批暴露于外而又即将被淹没的重要文物，于 3 月 8 日发掘工作正式开始。

据介绍，调查发掘首先在下寺土岭共发现古墓 37 座，除 8 座汉墓外，其余 29座都属春秋墓葬。此外，又调查了丹江水库四周沿岸，在库区西岸 5 个地点发现古墓 54 座，春秋战国时期的竖穴土坑墓 44 座。在库区东岸九女冢发现一处大规模的古墓群和一个古遗址。这里古墓群包括春秋墓和汉墓 200 余座（大型汉墓 5 座，春秋战国墓 100 余座）。在遗址内发现一座长 74 米、宽 6 米的房屋居址。从采集的陶器标本看，当属龙山屈家岭时期文化。在下寺东约 20 华里、接近库区东岸的库水中发现一座古城遗址，当地人称为"龙城"。夯土内发现有春秋时期的陶罐、陶盆、板瓦和汉代的青砖。简报推断，此城可能创建于春秋时期，到汉代仍然继续使用，下寺古墓群和库区沿岸古墓群当与龙城有关。

664.河南邓县房山新石器时代遗址及秦汉墓调查

作　者：南阳地区文物工作队、邓县文化馆　王建中

出　处：《考古》1984 年第 1 期

1980 年 5 月中旬，考古人员在邓县东 9 公里腰店公社大房营大队，邓（县）新（野）公路两侧，调查了一处古文化遗址和一批古墓葬，发掘并搜集了一批珍贵历史文物。其中计有新石器时代石、陶器，秦汉铜器，汉代空心画像砖及铜印等。简报配以手绘图予以介绍。

据介绍，新石器时代遗址位于房营村西房山南部，是一处新石器时代仰韶晚至龙山遗址；秦汉墓位于房营村北，公路南侧出土有铺首壶、蒜头壶、鍪、洗、璜、铃等六种铜器。空心画像砖，据收藏者介绍，发现于房山果园内。技法为剔地浅浮雕。此两块画像砖为一模翻作，由于烧制原因，出现形制微变。该墓破坏严重，出土物已无处可觅。从画像砖的形制，题材及雕刻技法考证，简报认为此砖具有东汉早中期风格；"军假司马"印，发现于房山果园，由百姓献交。一枚，铜质，桥钮，阴刻，篆书"军假司马"四字。据《后汉书·百官志》所载，军假司马当为大将军之属官，

为常备武装设置，比六百石。此印时代简报推断为东汉至三国时期。

简报称，房山地下现存大量墓葬，不少墓葬打破新石器时代遗址。墓的形制不仅有土坑竖穴墓、小砖室墓，还有空心砖墓及空心画像砖墓。这些墓葬的发现及器物的不断出土，对于研究这一地区秦汉历史，以及与南阳汉画像石墓的关系等提供了新的实物材料。

665.南阳市十里庙遗址调查

作　者：南阳市文物工作队　张卓远、贾付军
出　处：《江汉考古》1994 年第 2 期

南阳市十里庙遗址位于南阳市东北约 5 公里的独山脚下，处于白河西侧的二级阶地上。遗址东西长约 350 米，南北宽为 300 米。1959 年春，为配合生产基本建设，考古人员曾对该遗址作过一次发掘，出土了一批商代和两周时期的遗迹和遗物，并有简报发表。20 世纪 60 年代以来，由于窑场生产以及其他一些人为因素的影响，该遗址遭到严重破坏。1991 年夏至 1992 年底，考古人员先后数次对十里庙遗址进行了调查，采集了一批丰富的残陶器和石器，其中绝大部分出自遗址中部鱼塘的东壁一灰坑之中，调查遗物简报配以手绘图予以介绍。

据介绍，南阳市十里庙遗址是南阳市附近面积较大、文化层较厚的一处古代文化遗存，时代跨度从商一直延续到春秋战国乃至汉。这次调查所采集的陶片，绝大部分出自同一个遗迹单位。这次调查的采集物虽然是该灰坑的部分遗物，但是它所表现出的文化属性无论从全部还是其典型器物的特征看，都反映出在南阳地区同时期考古文化的基本内涵。该灰坑的使用年代简报推断大致在商末至西周初年。

666.河南邓州市八里岗遗址 1992 年的发掘与收获

作　者：北京大学考古学系、南阳地区文物研究所　樊　力、金志伟
出　处：《考古》1997 年第 12 期

八里岗遗址位于邓州市城东约 4 公里处的白庄村北，坐落在河旁阶地上，现为坡状高冈，高出周围地面约 3 米，遗址现存面积约 6 万平方米。

继 1991 年秋季试掘之后，考古人员于 1992 年春、秋两季又进行了两次较大规模的发掘，发掘面积约 600 平方米。清理房屋遗迹 24 处，灰坑 162 个，墓葬 91 座，获得了大量文化遗物，为研究南阳盆地新石器时代晚期至铜石并用时代的文化面貌、特征、谱系及其同江汉平原、关中和中原地区的文化往来关系增添了丰富的新资料。

1992 年发掘的主要收获简报分为：一、地层堆积，二、仰韶文化遗存，三、屈家岭文化遗存，四、石家河文化遗存，五、八里岗四期遗存，六、结语，共六个部分予以介绍，有手绘图。

据介绍，八里岗遗址地处南阳盆地中南部，文化堆积厚，延续时间长，内涵丰富。从此次发掘的资料看，包括仰韶文化、屈家岭文化、石家河文化和八里岗四期文化等 4 个不同阶段的史前文化遗存及少量周汉时期的文化遗存。简报称，八里岗遗址的发掘表明，豫西南地区处在长江中游和黄河中游两大史前文化系统的中介地带，两者势力的消长在这里留下了深刻的印记。

667.河南唐河发现汉、宋墓葬

作　者：张恒泽、吕建玉
出　处：《中原文物》1999 年第 3 期

1993 年 12 月，唐河县公路段在夸子营村西起土时，发现汉、宋墓葬各 1 座。汉墓在北，宋墓在南，两墓相距约 50 米，均为单室砖砌墓，且毁坏严重。

据介绍，汉墓由甬道和墓室两部分组成。墓室中出土有陶猪圈、陶鸡、陶灶、银指环和钱币等随葬器物。宋墓为一仿木结构砖墓。由墓门、甬道和墓室三部分组成。出土有白瓷碗、小瓷盂、仿唐瑞兽葡萄镜、铜簪、钱币等。

668.南阳市烟草专卖局春秋、西汉墓葬的发掘

作　者：南阳市古代建筑保护研究所　张卓远、张　方
出　处：《华夏考古》1999 年第 3 期

1993 年底，考古人员在配合原南阳市烟草专卖局的基建工程中，清理东周至西汉墓葬 7 座，其中春秋墓 1 座，西汉墓 6 座。该地点位于南阳市工业北路西侧，八一路以北，北与西关煤场为邻。这里原为一面积较大、地势稍高的台地，旧称"五顷四"，近几年来的考古发现证明，这里是一处古代墓葬相对集中的地区。这次清理的 7 座墓葬相对集中于 200 平方米的范围之内。

简报分为：一、春秋墓葬，二、西汉墓葬，三、结语，共三个部分予以介绍，有拓片、手绘图。

据介绍，春秋时期仅 1 座（M2），为竖穴土坑墓。墓室南北长 2.5 米，东西宽 1.1 米，墓口距地表深约 1.2 米。随葬品有铜鼎、铜盉、玉玦各 1 件，均置于墓室南端。时代简报推断为春秋晚期。西汉墓有价值的仅 4 座，为长方形竖穴土坑墓。随葬品以陶器为主，另有少量铜器、铁器、铜钱。时代简报推断为西汉文帝到武帝时期。

669.河南省镇平县楸树湾古铜矿冶遗址的调查

作　者：河南省文物考古研究所、南阳市文物研究所、镇平县彭雪枫纪念馆
　　　　董全生、苏长军、吴连芳、李京华
出　处：《华夏考古》2001 年第 2 期

河南省镇平县楸树湾的古铜矿冶遗址，是在 20 世纪 60 年代由河南省有色金属地质勘探三队发现的。1982 年由镇平县人民政府公布为镇平县第一批重点文物保护单位。1996 年秋进行了复查。

简报分为：一、矿冶遗址的位置与地理环境，二、铜矿地质构造、品位及成因，三、铜矿洞的分布，四、冶铜遗址，五、结语，共五个部分予以介绍，有拓片、照片、手绘图。

据介绍，冶铜遗址，位于李发田村以北两山间较平的台地上，最近的矿洞距冶炼遗址仅有 70 米左右，最远者也不超过 1500 米。可以看出，古人是就地开采和就地冶炼的，还可以利用附近山中的山林，提供充足的薪炭燃料。这种措施，最大限度降低开采、冶炼成本，大量的炼渣就近抛弃在山沟中，既不影响开采又不影响冶炼和生活。

简报推断，楸树湾的铜矿冶遗址开采与冶炼的时间，似起始于战国晚和西汉早期，采冶的繁盛时期是汉代和唐宋时代，最晚可能延续到元明。通过对渣的分析证明，在冶炼过程中古人使用了碱性熔剂的石灰石和白云石，使熔剂使用变得多样化。碱性熔剂的使用有利于渣和铜的分离，从而获得较纯净的铜。

670.河南南阳市邢庄汉、宋墓群发掘报告

作　者：南京大学历史系、南京市文物研究所　王国奇、贺云翔、周桂龙
出　处：《华夏考古》2008 年第 3 期

2006 年 8 月，为配合南水北调工程，考古人员对位于南阳市蒲山镇李才村邢庄组的古墓群进行了发掘，计发掘汉墓 10 座、宋墓 3 座。

简报分为：一、概况，二、墓葬形制，三、随葬品，四、结语，共四个部分予以介绍。有照片、手绘图。

据介绍，计有土坑墓一座（M2），砖室墓 12 座。由于历史上已遭破坏，随葬品不多，汉墓有陶器 10 件、铜钱 13 枚、铁镞 1 件，宋墓有瓷器 3 件、铜钱 1 枚。简报认为，10 座汉墓中包括西汉早期墓 1 座（M2）、西汉中晚期墓 6 座（M1、M4、M5、M6、M7、M11）、东汉墓 3 座（M3、M9、M10）。出土的 3 座宋墓（M8、M12、M13）均为北宋晚期。

671.桐柏县几处古文化遗址调查简报

作　者：武汉大学历史地理研究所、南阳市文物考古研究所　徐少华、田成方、
　　　　尹弘兵

出　处：《江汉考古》2009 年第 3 期

孤峰山遗址地处桐柏县西部，属汉水流域，是一处商周至汉代的遗址，其周代遗存以灰陶为主，文化面貌与随枣走廊和鄂东北地区较为接近，和襄樊地区同期遗存相比则有一定差异。古台寺遗址地处桐柏县东部，属淮河流域，是一处东周遗址，距月河养国墓地不远，可能与春秋时期的养国有关。

简报分为：一、孤峰山遗址，二、古台寺遗址，三、几点认识，共三个部分予以介绍，有手绘图。

据介绍，两处遗址中，孤峰山遗址包含了商周和汉代遗物，延续时间较长。遗址所在台地突起于周边，似为一处古代城邑。古台寺遗址位于月河西岸，与对岸的左庄养国墓地距离不远，两者在年代上亦有共存关系。

简报指出，古台寺遗址现存面积仅有 1.5 万平米左右，较之同期的列国都城规模相差甚远，如息国、都国故城面积约 35 万平米，邓国故城规模更在 50 万平米以上，但都邑中亦有规模较小者，如赖国故城含城壕仅 2.5 万平米。由此推测，古台寺遗址可能是养国都邑的一部分，或仅是其中的宫殿基址。

672.河南淅川县马川遗址发掘简报

作　者：郑州大学历史学院、河南省文物考古研究所、河南省文物局南水北调
　　　　文物保护办公室　李　锋、郜向平、孙　危、孙　锦、金海旺、周润山、
　　　　马　哲、王振寰等

出　处：《中原文物》2013 年第 2 期

2008 年 10～12 月，为配合南水北调中线工程建设，考古人员对马川遗址进行了勘探和发掘，清理出灰坑 42 个，墓葬 52 座，灰沟 6 条，瓮棺 5 座。

简报分为：一、地层堆积，二、战国时期遗存，三、汉代，四、唐宋时期，五、结语，共五个部分进行了介绍，有手绘图。

据介绍，此次发掘唐宋时期文化遗存主要为小型砖墓。其中，M10 出土的开元通宝和至道元宝均为剪轮钱，显系利用当朝或前朝的流通钱币磨制而成，值得注意。简报认为剪轮的目的应该是有祈福、装饰、辟邪。

673.河南淅川仓房新四队战国、秦墓发掘简报

作　者：河南省文物管理局南水北调文物保护办公室、南开大学考古学与博物
　　　　馆学系　袁胜文、贾洪波

出　处：《中原文物》2014 年第 1 期

2010 年 7～9 月，为配合南水北调中线水利工程，考古人员对淅川新四队墓群进行了发掘。

简报分为：一、M16，二、M24，三、结语，共三个部分予以介绍，有手绘图。

据介绍，M16、M24 均为长方形竖穴墓，葬具为一棺一椁，出土陶、铜、铁等质地随葬品 38 件。简报推断 M24 年代为战国晚期，M16 年代可至秦代。

简报称，这两座墓葬的发掘为中原与楚交界地区战国及秦代墓葬的研究提供了新资料。

商丘市

674.1977 年豫东考古纪要

作　者：中国社会科学院考古研究所河南二队、商丘地区文物管理委员会
　　　　赵芝荃、王子超、缪雅娟

出　处：《考古》1981 年第 5 期

考古人员于 1976 年底到 1977 年末，先后三次在商丘地区各县调查古代文化遗址。调查结果表明当地古代文化遗址相当丰富，三次调查发现龙山文化遗址 17 处，殷商遗址 15 处，周代遗址 15 处，其他时代遗址和墓葬 14 处，另在睢县周龙岗采集彩陶片 2 块。在调查工作的基础上，于 1977 年春、秋两季对永城的王油坊、黑堌堆、柘城的孟庄（心闷寺）、商丘的坞墙等遗址进行试掘或发掘。1978 年春季对睢县的周龙岗遗址也进行了试掘。简报配以手绘图将调查和黑堌堆、周龙岗的试掘材料作一简单介绍，其他材料另行发表。

据介绍，龙山文化遗存为河南龙山文化晚期，有的可能到中期。在龙山文化与殷商文化之间，尚有缺环。这次调查的 15 处殷商文化遗址，属于二里岗期的不多，只有柘城孟庄（心闷寺）和民权的吴岗两处，其他均属小屯期，出土遗物与常见的相同。

675.夏邑县杨楼春秋两汉墓发掘简报

作　　者：商丘地区文管会、夏邑县图书馆　阎根齐
出　　处：《中原文物》1986 年第 1 期

1983 年 5 月，夏邑县郭店乡杨楼村农民在村南起土中，发现一处面积为 150 米 ×100 米的古墓群。考古人员进行了抢救性发掘，共发掘出包括春秋、西汉、东汉不同时代的墓葬 10 座。

简报分为：一、春秋墓，二、西汉空心砖墓，三、东汉砖石墓，"几点认识"，共四个部分予以介绍，有照片、手绘图。

据介绍，这次共清理春秋时期的墓葬 3 座（M4、M9、M10）。其中 M9、M10 被东汉墓（M1）所扰乱，只存人骨架，唯 M4 保存完整。出土遗物为陶器。西汉空心砖墓 5 座（编号 M2、M3、M5、M7、M8），其中 M2、M3、M8 被 M5 扰乱，M5、M7 保存基本完整，遗物有空心画像、陶罐、铁刀、铜带钩等。东汉砖石墓仅 1 座（编号 M1），由墓道、墓门、前室、南北两后室组成，曾被盗。随葬品有陶器、铜镜、铁刀、铁剑、铜带钩、五铢钱、口含（蚌壳磨制而成，舌形表面涂朱漆，放入死者口中）等。

简报称，该地春秋时属宋国腹地，此次发现的春秋墓葬以往不多见。西汉墓年代在西汉初期、西汉中期以后不等。东汉墓当为东汉后期墓。

676.豫东商丘地区考古调查简报

作　　者：郑州大学历史学院考古系　靳松安、朱光华、张家强
出　　处：《华夏考古》2005 年第 2 期

2002 年 11～12 月，考古人员对以往商丘地区调查或试掘过且面积较大、有调查价值的 24 处新石器至夏商时期遗址进行了重点复查。调查结果表明，24 处遗址中包含有仰韶文化遗存者 3 处，大汶口文化遗存 5 处，龙山文化遗存 23 处，岳石文化遗存 9 处，先商文化遗存 5 处，早商晚期（指白家庄期）遗存 6 处，晚商遗存 18 处以及东周至汉代遗存 22 处。在调查的基础上，又选择民权县李岗遗址进行了小规模试掘。

简报分为：一、调查资料，二、李岗遗址，三、结语，共三个部分予以介绍，有手绘图。

据介绍，仰韶文化、大汶口文化遗存都很少，龙山文化遗存较丰富，岳石文化更已遍及商丘地区全境。此外试掘的李岗遗址也大体属这一文化时期。晚商遗存最为丰富，但迄今未见早商早期即二里岗期的遗存。

677.河南民权牛牧岗遗址战国西汉墓葬发掘简报

作　者：郑州大学历史学院考古系、商丘市文物局、民权县文化局　刘良超、
　　　　李根枝、于宏伟等

出　处：《文物》2010 年第 12 期

牛牧岗遗址位于河南省民权县西部偏北 23 公里的双塔乡牛牧岗村北，北距陇海铁路约 5 公里，南距连霍高速公路约 2 公里，距民权吴岗遗址约 15 公里，距杞县鹿台岗遗址约 22 公里；西南距惠济河 25 公里。20 世纪八九十年代，郑州大学考古专业曾对杞县鹿台岗遗址进行考古发掘，发现了丰富的新石器时代至春秋时期的文化遗存。2007 年 10 ～ 12 月，对牛牧岗遗址进行了考古发掘，发现有仰韶、龙山、先商、早商、晚商、东周、西汉及唐宋明清时期的文化遗迹、遗物。其中发现 8 座战国、西汉时期的墓葬，出土了较为丰富的随葬器物。

简报分为：一、战国墓葬，二、西汉墓葬，三、结语，共三个部分先行介绍这 8 座墓，有照片、拓片、手绘图。

据介绍，这 6 座战国墓均未被盗，年代简报推断为战国晚期。2 座西汉墓年代简报推断为西汉中期。战国墓中 M3 出土陶羽人、错金铜带钩等较精美也很少见，M2 所出陶杯也极少见。简报指出，此次发掘，填补了豫东地区战国墓和西汉中期墓考古发掘的空白。

信阳市

678.河南信阳三里店遗址发掘报告

作　者：河南省文化局文物工作队　安金槐等
出　处：《考古学报》1959 年第 1 期

1953 年春，在信阳城南三里店鲍家山一带的建筑工程中，发现古代文化遗址一处。考古人员进行了抢救性发掘。发掘工作自 3 月 19 日开始至 4 月 3 日结束，清理窖穴 17 个。虽然发掘范围较小，所出土陶片多而能够复原的极少，但是材料还是相当重要的。

简报分为遗址附近的地形、文化层的堆积、结语三个部分予以介绍，有照片、手绘图。

据介绍，遗址包括上、下两层文化。鲍家山上层应属西周文化，下层应属龙山文化。北丘上层应属商代早期或龙山晚期，下层应属新石器时代仰韶文化晚期或龙山文化

早期。简报指出，此次发掘，证明淮河流域新石器文化比中原一带要晚，器形也有自身特点。

679.信阳孙砦遗址发掘简报

作　者：河南省文物研究所
出　处：《华夏考古》1989 年第 2 期

孙砦位于信阳市北约 20 公里的淮河北岸，是一处人类活动时间很长的古代遗址。早在 20 世纪 50 年代，考古人员就进行过发掘，1960 年又进行过发掘。

简报分为：一、前言，二、发掘经过，三、地层关系，四、新石器时代龙山文化遗存，五、西周遗迹，六、文化遗物，七、结语，共七个部分介绍了这两次发掘的情况，有照片、手绘图。

据介绍，此处遗址是一处面积较大、内涵丰富的古代遗址。龙山文化遗存较少，陶片残碎，似难反映当地龙山文化全貌。西周文化遗存较多，陶器与湖北蕲春毛家嘴遗址、陕西长安沣西遗址、普渡村遗址、张家坡遗址、河南三门峡上村岭遗址、安徽屯溪遗址等均有相似之处。此外，商城、潢川等地，也曾发现与孙砦西周遗存相近的遗物。简报说，孙砦西周遗址的年代，从西周早期至西周晚期都有。遗迹中以怀疑是养殖鱼苗的小坑比较少见。竹、草编织物也较少见。原始瓷豆风格接近皖南，也值得注意。

680.1991 年河南罗山考古主要收获

作　者：河南省文物研究所、信阳地区文物管理委员会、罗山县文物管理委员会
　　　　张志清、赵新平、刘开国
出　处：《华夏考古》1992 年第 3 期

1991 年，考古人员对淮河上游信阳地区信阳、罗山、我山、潢川、息县、淮滨、固始等 7 县的古代文化遗址进行了调查，同时对罗山天湖商周墓地、李上湾、擂台子遗址进行了小面积的发掘。

简报以罗山县为重点，将此次调查与发掘的主要收获分为八个部分：一、草袋子遗址（代号 LGC），二、王台子遗址（代号 LGW），三、梨园堆遗址（代号 LZL），四、方湾遗址（代号 LZF），五、董堆遗址（代号 LZD），六、龙井遗址（代号 CPC），七、钓鱼台遗址（LYD），结语，有照片、手绘图。

据介绍，此次调查、发掘的遗址和墓葬，包含了新石器时代中晚期、商代、西周几个文化时期。该地区新石器时代文化遗存有着自己较为独特的面貌特征，同时

又受到南北文化的影响。在不同的历史阶段各种文化因素彼此消长，使其原始文化的渊源、特征及发展道路等均有一定个性。

681.河南固始平寨古城遗址发掘报告

作　　者：北京大学、信阳地区文物管理委员会　李维明、左　超、牛玉梅等
出　　处：《考古学报》2000年第3期

平寨古城遗址位于河南固始县城东北20公里豫皖交界处的泉河铺乡。1978年3月，固始县文物部门在文物普查中发现该遗址，1982年列为河南省重点文物保护单位。1993年秋，考古人员对该遗址进行了小规模发掘，获得一批新石器时代、商代和西周时期的材料。

简报分为：一、地层堆积，二、新石器时代晚期文化遗存，三、商文化遗存，四、西周时期遗存，五、结语，共五个部分予以介绍，有照片、手绘图。

据介绍，新石器时代遗存的年代约为距今4000年至3700年之间，总体特征属河南龙山文化。商文化遗址中陶器中以黑皮陶较多，也算是地方特色。西周时期遗存的年代，简报推断为西周早期至西周中期，有较为丰富的陶、石器、骨器、蚌器等遗物。

简报指出，大量的螺蛳壳、蚌壳的出现，表明西周时这里水源丰沛，与此前不同。

682.河南罗山县擂台子遗址发掘简报

作　　者：河南省文物考古研究所、信阳市文物管理委员会　赵新平、张志清
出　　处：《华夏考古》2003年第2期

擂台子遗址位于河南省罗山县城西偏北16公里的高店乡三河村刘小寨自然村东北的200米处。北距淮河不足10公里，东距淮河支流——浉河约2公里，与李上湾遗址相距仅500米。遗址为一处高出周围地面近4米的土台，因台子俗称而得名，面积近10000平方米，断崖上文化层、遗迹随处可见。

简报分为：一、文化堆积及其分期，二、擂台子第一期文化遗存，三、擂台子第二期文化遗存，四、擂台子第三期文化遗存，五、结语，共五个部分予以介绍，有手绘图。

据介绍，一期遗存有灰坑3座；二期未见遗迹，遗物有陶器、石器；三期遗迹有灰坑4座，遗物有陶器、石器、铜器。此遗址的时代，简报推断一期相当于仰韶文化晚期，二期相当于龙山文化晚期，三期相当于商末周初。

683.河南淮滨县黄土城地区区域考古调查简报

作　者：河南省文物考古研究所、武汉大学考古学系　任新雨、张志清、余西云、
　　　　王炎溪

出　处：《华夏考古》2010 年第 4 期

淮滨县地处大别山北麓，河南省信阳市东南部，东、北靠洪河并与安徽阜阳、临泉接壤，南依白露河与固始、潢川毗邻，西临闾河与息县为界，淮河从其南部穿过。位于淮宾县西南的黄土城遗址是第二次文物普查中发现的，2007 年被定为省级文物保护单位，遗址面积为 10 万平方米。遗物年代跨度为新石器时代到明清，遗物种类丰富，保存较好，是淮滨县已发现的最大遗址。本次调查正是以该遗址为中心。

简报分为：一、方法，二、遗物，三、聚落形态，四、讨论，五、小结，共五个部分予以介绍，有手绘图。

据介绍，2006 年 10 月～ 2007 年 2 月，中美两国考古人员在黄土城遗址及周边地区进行了详细的考古调查，发现有大量陶器、石器及少量骨器、蚌壳等。发现遗址 76 处，其中以往未发现的 71 处。

简报称，调查显示，黄土城遗址在仰韶晚期已达到相当的规模，面积达 28.1 万平方米。在龙山早期开始，黄土城遗址四周开始出现小型遗址，龙山晚期更甚，到商周时期黄土城四周已遍布小型遗址，到汉代，遗址的位置就大致与现代的聚落接近，虽然密度上还不如现代村落。

简报怀疑，这一地区文明的衰落或与战争、淮河水患等因素有关。

周口市

684.寿圣寺塔调查

作　者：周口地区群艺馆、商水县文化馆

出　处：《河南文博通讯》1978 年第 4 期

简报配以手绘图介绍了调查情况。寿圣寺塔位于商水县西北 35 公里常社店村西北隅。该塔为北宋年间所建，元代遭兵燹，明正统年间复建。为九级楼阁式砖塔，高 40 余米，平面呈六角形，塔室内砌有盘旋踏道，可逐层登临塔顶遥望。

685.河南鹿邑栾台遗址发掘简报

作　　者：河南省文物研究所　张文军、张志清、樊温泉、王胜利
出　　处：《华夏考古》1989 年第 1 期

鹿邑县位于豫东的涡河南岸，与商丘、柘城和安徽亳县为邻。春秋时楚国在此置苦县，隋改为鹿邑，唐以后多属亳州所辖，现属周口地区。

据介绍，栾台遗址在县城东南 10 公里王皮溜乡普大庄村西北地，其上有栾香寺旧址。寺址之下的古遗址为一面积达 7000 平方米、高出地面 5 米左右的堌堆，当地居民俗称"栾台"。台子北侧 500 米是白沟河。20 世纪 60 年代初，鹿邑县人民政府将这处遗址划定为县级重点文物保护单位。1978 年中国社会科学院考古研究所河南二队与周口地区文化局文物科对此进行了调查。以往文献认定该遗址主要含龙山中期、商、周三个时期的文化遗存。

1987 年对该遗址进行正式发掘。从 1987 年 9 月 17 日起到目前为止清理断崖扩方 5 个，发掘面积共 460 平方米。发掘工作的主要收获，简报分为八个部分予以介绍，有手绘图、照片。

据介绍，根据层位关系的先后，陶器的分期，和参考碳-14 测定年代的结果分析，栾台遗址的文化内涵是从大汶口晚期到战国初期连续堆积成的，基本上无间断，这在全国尚属少见。此次对该遗址的发掘，主要收获是为这一地区战国以前诸考古学文化的编年奠定了基础，同时为下一步深入探讨这一地区诸考古学文化的纵向发展和横向联系也能起到积极的作用。

686.河南乳香台遗址的发掘

作　　者：河南省文物研究所、周口地区文化局　张志清、李占扬
出　　处：《华夏考古》1990 年第 4 期

乳香台遗址位于沈丘县城关镇南 1 公里的徐营村北，汾河从其北部流过。由于河水的长期冲刷，遗址面积已大大缩小，遗址上原建有乳香寺（现已废弃），乳香台遗址因此而得名。由于该遗址位于汾河滩地，历次水利工程都对遗址有不同程度的破坏，使这个原高出周围 3～4 米的台地，变成与河滩一样的平地，古文化堆积也所剩无几。1978 年，考古人员进行了抢救性发掘。

简报分为：一、地层堆积，二、第一期文化遗存，三、第二期文化遗存，四、第三期文化遗存，五、结语，共五个部分予以介绍，有照片、手绘图。

据介绍，该遗址第一期受外来文化因素影响较大。第二期既有第一期文化的发展，又有外来影响。第三期属西周中晚期文化遗存。

驻马店市

687.河南上蔡县卧龙岗战国西汉墓发掘简报

作　者：驻马店市文物考古管理所　余新红、齐雪义、刘　群、刘文阁
出　处：《华夏考古》2005 年第 1 期

2001 年 4 月至 8 月，为配合公路建设，考古人员对开龚公路上蔡段沿线进行了调查和发掘，重点在上蔡县城西北处卧龙岗，共清理战国、西汉、东汉及宋、清各个朝代墓葬 50 余座，出土遗物 200 余件。

因大多数墓葬曾被盗，简报分为：一、墓葬的分区与分布概况，二、战国墓葬，三、西汉墓葬，四、结语，共四个部分，先行介绍资料相对较多的战国、西汉墓葬，有照片、拓片、手绘图。

据介绍，战国墓共 7 座，西汉墓共 26 座。时代分别为战国晚期、西汉早期、西汉晚期，墓主人应为社会下层一般平民。出土遗物中陶器及画像砖尤为珍贵。

简报说，蔡国是公元前 531 年为楚国所灭，都城沦为楚国县级行政区。楚国对其城墙进行了加固，使其成为楚国北伐中原的一个据点。此次发掘，为我们了解这一历史变故提供了新的实物资料。

688.河南泌阳县下河湾冶铁遗址调查报告

作　者：河南省文物考古研究所　宋国定
出　处：《华夏考古》2009 年第 4 期

2004 年 10 月，为配合上武高速公路南段建设，考古人员发现并调查了泌阳下河湾冶铁遗址，发现各类冶铁遗存，其时代从战国中晚期开始，一直延续到东汉时期，是一处大型冶铁与铸造并存的"大铁官"作坊遗址。这一发现对中国冶金史研究具有重要意义。

简报分为：一、遗址的发现，二、地理位置与环境风貌，三、区域历史沿革，四、文化堆积与遗存，五、遗物，六、结语，共六个部分予以介绍，有照片、手绘图。

据介绍，下河湾冶铁遗址位于河南省泌阳县马谷田镇东南10 公里的下河湾村

东。东部、南部有小河环绕，东南距坡头山2.50公里，西南距条山约2公里，南部紧邻蝎子山（又名铁山）。遗址总面积23万余平方米，遗物有建材、石范、熔炉残块等，是一处比较完好、规格较高的官营手工业作坊。它的发现具有十分重要的学术价值，因此，对该遗址的发掘和研究，对中国冶金史的研究将具有重要意义。

济源市

湖北省

689.长江中游湖北地区考古调查

作　者：杨锡璋
出　处：《考古》1960 年第 10 期

中国科学院考古研究所长江工作队在 1958 年 10、11 月在湖北宜昌、秭归、兴山及巴东四县共调查到新石器时代遗址 4 处，周代遗址 1 处及遗物采集地点 25 处和明清古建、石刻等。简报配以手绘图予以介绍。

据介绍，遗址分布情况以南津关到庙河及香溪到秭归两岸较密集，秭归以西和香溪两岸则很少发现。其中位于宜昌西约 32.5 公里的渡河口遗址、宜昌西三斗坪与黄陵庙之间的杨家湾遗址，均为新石器时代遗址。长江北岸的柳林溪遗址与香溪镇西约 5 公里的鲢鱼山遗址，均包括了新石器时代、东周两个时代。

690.记我省首次发现的两处古瓷窑址

作　者：田海峰
出　处：《江汉考古》1980 年第 1 期

湖北省鄂城县博物馆和武昌县文化馆的考古人员，从 1974 年开始，先后在两地发现古代瓷窑遗址。又分别对两地古瓷窑进行多次调查，在现场发现大量的瓷窑遗物，取得了丰富的实证材料。简报配以照片予以介绍。

据介绍，鄂城县的窑址位于该县城关西南 60 余公里的梁子公社。梁子公社在梁子湖水中的梁子岛上，古窑址就在该岛的西侧，当地群众称此地为"瓦窑澥"。简报根据所见材料证实，该瓷窑属于唐末五代的遗址，经现场试掘，有较完整的烧瓷窑炉露出地面，在遗物堆积中，有大量的匣钵和垫圈支钉等烧瓷窑具。

武昌县的窑址位于该县城关东南约 45 公里的湖泗公社。湖泗公社的宋代瓷窑群遗址，从调查的几处遗址的遗物来看，烧瓷延续的时间是比较长的，从北宋一直到南宋晚期，而且还可以见到元代的瓷器遗物。简报称，对湖泗瓷窑只是从堆积中进行了初步清理，没有发掘，对于烧瓷窑炉的情况尚不清楚，有待今后进一步工作。

691.湖北发现战国西汉的骆驼图像

作　　者：湖北省考古研究所（筹）　陈振裕
出　　处：《农业考古》1987 年第 1 期

考古人员在湖北省的楚墓发掘中，曾先后两次发现有战国中期的骆驼图像。第一次是在 1966 年 1 月，江陵望山二号楚国贵族墓出土 1 件人骑骆驼的铜灯。它为一只双峰的骆驼；昂首垂尾，四足站立于一块长方形的铜座上，驼峰中坐一人，双脚夹于骆驼的身上，手捧住灯座，细长的灯把插于灯座中，造型别致，制作十分精巧。第二次是 1972 年在荆门后港的一座楚墓中发现的 1 件人骑骆驼的铜灯，其形制与望山二号墓出土的人骑骆驼铜灯如出一范，应是批量生产。1978 年秋，在湖北省云梦县睡虎地发掘中，有一座西汉初年（或秦汉之际）墓里也出土了 1 个铜镶壶，壶嘴作骆驼的头状，其眼、鼻、嘴与骆驼极为相似。这些考古材料，都加深了我们对骆驼的认识。

武汉市

692.汉阳县发现陈子墩古文化遗址

作　　者：武汉市文化局　蓝　蔚
出　　处：《江汉考古》1980 年第 1 期

1979 年 10 月至 11 月，考古人员于汉阳县永安公社长征大队四小队的竹林咀地方，探查 1966 年出土的商代晚期青铜方彝等 6 件铜器和出土地点时，为了搞清楚周围一带是否有遗址存在，结合探掘进行了调查。在调查当中于附近红星大队的陈子墩发现新石器时代遗址，文化遗存很丰富，保存比较完整。陈子墩位于金鸡寨湖尾的北岸，是个隆起的长条形台地。东西长 271 米、南北宽 82 米，在台地中段偏东的地方原有一个突出地面 2 米多的方形高出地面台，台土是经过夯打处理的，面积大约有 400 平方米。简报配以照片予以介绍。

据介绍，地面调查采集的标本制作方法大部分都是轮制，也有少量的手制。除陶器外还发现有猪骨碎块。从陶片纹饰特征来看，简报认为与湖北省京山屈家岭和天门石家河文化有一定的联系。从高台剩余的夯土层观察，简报推断夯土台应晚于遗址。由于台基里出现铜器，初步证实可能是商周时期的遗迹。

简报称，这个遗址的发现及其丰富的内涵，对探索楚文化的形成有着一定的意义。

693.湖北黄陂鲁台山两周遗址与墓葬

作　　者： 黄陂县文化馆、孝感地区博物馆、湖北省博物馆　陈贤一、涂高潮等

出　　处： 《江汉考古》1982 年第 2 期

鲁台山在湖北黄陂县城关镇东，它由望鲁台而得名。望鲁台在鲁台山的北部，县志记载：宋代著名理学家程颐、程颢兄弟，信奉儒学，追念孔子，在此讲学期间，特筑台以望鲁，故名。望鲁台上有座祠亭，县志又载：明代天顺年间为纪念二程而造，故又名双凤亭。鲁台山坐落于长江北岸的滠水河畔，为一处高出现今地面约10米的椭圆形台地。地势由东北向西南倾斜，台地东濒流矢湖，南连丘陵地。汉麻公路由西向东穿过台地中部，滠水紧靠鲁台山北缘，自东北流向西南，沿岸为一片冲积平原。经考古调查，在滠水左岸的鲁台山范围内，分布着许多两周古文化遗迹。范围为：东北起自任家大湾，西南至伍家港，西部始于滠水大桥，东部抵达刘细湾。南北长1625 米，东西宽约775 米，总面积约1259375 平方米。1977 年10 月～1978 年1 月，考古人员为配合水利工程进行了发掘，共清理古墓35 座及灰坑1 处。

简报分为前言；一、遗迹，二、西周墓葬，三、东周墓葬，"结语"，共五个部分予以介绍，有手绘图。

据介绍，西周墓葬5 座，时代均在西周前期。东周墓葬时代从春秋中期、春秋战国之际到战国中期、战国晚期不等。其中 M12 出土铜戈上有铭文。简报推断为魏惠王二十五年（前 345 年）之器物。

694.汉阳东城垸纱帽山遗址调查

作　　者： 湖北省博物馆　陈贤一

出　　处： 《江汉考古》1987 年第 3 期

汉阳县东城垸纱帽山遗址，位于县城蔡甸之南约 30 公里许，东面濒临长江。1961 年 1 月，东城垸粮管所因兴建房屋而发现这一遗址。当年 8 月，考古人员进行了考古调查与探掘。

简报分为：一、新石器时代遗物，二、殷周时期遗存，结语，共三个部分予以介绍，

有照片、手绘图。

据介绍,遗物有陶器、石器、卜骨、卜甲、铜尊等。整个遗址的时代,上限迄自新石器时代的龙山期,中经殷、西周,直至东周。从出土一定数量的铜、石、骨等生产工具,尤其是较多的网坠和铜鱼钩,铜镞,同出有大量的牛、马、羊、猪、鹿、鳖、鱼、龟、螺、蚌外壳等说明,西周时期居住在这里的先民,其经济生活除以农业为主外,渔猎生产仍占有相当的地位。

695.武昌青山瓷窑遗址发掘简报

作　者:湖北省文物考古研究所　田海峰等
出　处:《江汉考古》1991年第4期

青山瓷窑遗址位于武昌县土地堂乡青山村林场的范围内,东南距县城21公里左右,坐落在梁子湖西岸一个湖汊的台地上,是梁子湖周围众多瓷窑遗址中的一个,该窑址于1987年村民取土修路时遭到破坏,1988年初考古人员进行了抢救性发掘。发掘工作在春、秋两季分两期进行,实际田野工作历时约3个月。发掘面积1400平方米。简报分为窑址堆积和窑炉结构、结语等几个部分,有照片、手绘图。

据介绍,此窑址时代大体上可分为五代末、北宋早期至晚期。到北宋靖康以后由于战乱的原因,此处窑场停止了生产。停烧时如果排除后期人为的破坏,窑炉还保存得相当完整。窑床的第二层中还遗留着多起成叠的成品瓷碗。简报称,青山窑址的发掘,其意义远远超过了发掘所得材料的本身。地处长江中游的湖北首次发掘出瓷窑,陶瓷考古史上长江中游地区的空白带也就随之消失了。

696.武昌县金口汉晋墓发掘简报

作　者:武汉市考古队、武昌县文管所　方　勤、祁金刚
出　处:《江汉考古》1994年第3期

金口镇位于武汉市武昌县西南部,南濒长江,处于金水河流入长江的入水口。1991年5月金口镇火焰村砖瓦厂在镇东北隅武嘉公路旁的一座土丘上取土时,发现了几座砖室墓。考古人员赶赴现场,经调查,确认该地为一墓葬群。1992年4月,对该墓地进行了抢救性发掘,清理土坑墓1座,砖室墓4座。

简报分为:一、墓葬形制与结构,二、随葬器物,三、结语,共三个部分予以介绍,有手绘图、照片、拓片。

据介绍,根据出土器物简报推断,M3年代在东晋初期;从M4的形制及砖纹分析,

M4 的年代应与 M3 相近；M5 为土坑墓，仅随葬一灰陶罐，为西汉时期墓葬。

简报称，此次发掘为研究六朝时代武汉地区的历史提供了实物资料，具有一定价值。

697.武汉市东西湖柏泉农场古墓群清理简报

作　　者：武汉市博物馆、东西湖区文化局　蔡华初

出　　处：《江汉考古》1998 年第 1 期

1991 年 2 月，武汉市东西湖区柏泉农场园林队在大面积开挖柑橘沟槽时发现了一处古墓群，墓地坐落在距农场场部东北面约 1 公里处的凤凰山南坡。考古人员对该墓群进行了清理。

简报分为：一、地理位置，二、西晋墓，三、隋唐五代墓，四、宋墓，五、明代墓葬，六、结语，共六个部分予以介绍。有手绘图。

据介绍，该墓群计有西晋早期墓 3 座（M1、M6、M7）、隋唐五代墓 2 座（M3、M4）、宋墓 1 座（M2）、明墓 1 座（M5）。出土地点位于汉阳、黄陂、孝感三县交界之处，是一水乡泽国中的高冈地带，自古以来经济发达，渔业兴旺。据黄陂县和汉阳县志记载：三国时期的著名军事重镇石阳便在此处。结合地理位置与该地区的历史遗物分析，古镇石阳很有可能便是今与柏泉隔河相望的黄花涝古镇。另据记载：黄陂县的前称为"黄城镇"，因三国名将黄祖曾经镇守此镇而得名。而黄城镇又在今县治所在地西南 20 公里处，这正好是黄花涝所在地。简报指出：这绝不是某种巧合与误会。由于此处水路便利，曾是汉口的北大门，自古以来十分繁华。这批墓葬的发掘，也证实了这一点。

简报称，柏泉古墓群虽屡经破坏，出土物并不多，但仍给我们留下了一些可贵的资料，特别是墓的结构，几乎每座墓都有其自身的特点，如 M1 完好如初的砖室，M2 的船形结构与无铺底等特点，M4 借生土支撑在两壁上直接起券，M6、M7 两墓墓门外侧人为放置石块的葬俗等。此外，两座不同时期的合葬墓为同穴异室的合葬墓的研究提供了不少值得借鉴的资料。

698.洪山放鹰台遗址 97 年度发掘报告

作　　者：武汉市博物馆

出　　处：《江汉考古》1998 年第 3 期

放鹰台古文化遗址位于今湖北省武汉市武昌区水果湖街境内，现在是一处高出

周围地区 5 ~ 7 米的椭圆形台地，发现于 1956 年，1959 年公布为武汉市文物保护单位，1965 年进行了第一次发掘，1997 年进行了第二次发掘。

简报分为：一、前言，二、文化遗存堆积及分期，三、新石器时代文化遗存，四、周代文化遗存，五、宋代文化遗存，六、结语，共六个部分介绍了第二次发掘的情况，有手绘图。

据介绍，新石器时代包含有大溪文化晚期或屈家岭文化早期、屈家岭文化晚期遗存。周代遗存包含西周中期偏早到西周晚期偏早遗存，部分青铜器应属高级贵族所有。宋代墓葬应属北宋中、晚期一处平民墓地。

699.武汉市梁子湖古瓷窑址调查

作　　者：武汉市博物馆　雷兴军
出　　处：《江汉考古》1998 年第 4 期

武汉市江夏区东部，有一座南北绵延的梁子湖，周围地区有优质瓷土等多种制瓷原料和松柴燃料。1992 年秋季，市、区联合调查，共发现登记窑堆85 处，龙窑窑膛105 条，产品包括青瓷和青白瓷两个系列，其中以青白瓷系为主，青瓷系列仅发现堆积4 处，龙窑窑膛4 条。梁子湖窑盛产青白瓷，器形以碗、盏、碟、盘、执壶、盂为大宗，间产粉盒、瓷枕、香熏等工艺制品。制法以轮制为主，造型规范，瓷釉细腻光滑，积釉处有翡翠质感。釉色多淡青、灰青，也有米黄、青褐等。

简报分为：一、遗迹，二、遗物，三、年代，共三个部分，有手绘图和分布情况附表。

据介绍，梁子湖窑集中分布在湖泗、保福、土地堂、舒安、龙泉、贺站等6 个乡的沿湖地及湖汊周围。部分窑堆地表仍可见到当时制瓷作业的遗址。简报推测梁子湖窑兴起于晚唐五代，北宋中、晚期及南宋初期为其鼎盛时期，之后逐渐废弃。

700.1996 年汉南纱帽山遗址发掘

作　　者：武汉市博物馆、汉南区文化馆　刘森淼、罗宏斌
出　　处：《江汉考古》1998 年第 4 期

纱帽山遗址位于武汉市汉南区纱帽镇纱帽山，东临长江。1961 年考古人员即进行过调查，1996 年11 月 ~ 1997 年1 月为配合当地水厂改建进行了发掘。

简报分为：一、文化堆积与遗址分期，二、第一期文化遗存，三、第二期文化遗存，四、第三期文化遗存，五、第四期文化遗存，六、结语，共六个部分，有手绘图。

据介绍，该遗址遗存共分四期：第一期为新石器时代较早遗存，第二期为商代晚期遗存，第三期为西周——春秋前期遗存，第四期为六朝以后遗存。

简报称，武汉有"九省通衢"之称，纱帽山遗址各期文化因素的复杂性，说明这一区域早在古代即已成为四战之地，南来北往各族聚居之所。

701.湖北剧场扩建工程中的墓葬和遗迹清理简报

作　者：湖北省文物考古研究所、武汉市博物馆　黄凤春
出　处：《江汉考古》2000 年第 4 期

湖北剧场位于武汉市武昌区蛇山南麓的彭刘杨路西厂口特 1 号，濒临长江南岸。2000 年 1 月动工后发现古代墓葬，2000 年 2～3 月进行了抢救性发掘，共发掘墓葬 5 座及部分遗迹。

简报分为：一、墓葬，二、遗迹，三、遗物，四、墓葬及诸遗迹单位的年代，五、结语，共五个部分予以介绍，有手绘图。

据介绍，5 座墓分为砖室、土坑墓两类，大多已遭破坏。出土遗物有铜钱、木俑、木买地券、瓷器等。另外还发现有 3 座水井、1 条灰沟。买地券简报录券文全文，上有武义元年（919 年）纪年。

简报推断：墓地年代为唐、五代；灰沟年代为宋初；水井年代为清代，民国初才废弃。

702.武汉市江夏区新窑村窑址群的调查与发掘

作　者：湖北省文物考古研究所　杨权喜
出　处：《江汉考古》2000 年第 4 期

新窑村窑址群位于武汉市江夏区的西南隅，东靠 107 国道，考古人员为配合京珠公路建设进行了调查与发掘。

简报分为：一、新窑村窑址群的调查，二、陈家窑墩的发掘，三、结语，共三个部分，有手绘图等。

据介绍，新窑村窑址群是省级重点文物保护单位——斧头湖窑址群的一部分，规模相当大。已暴露的窑址为龙窑，时代为北宋至元末明初。

简报认为：陈家窑墩的窑址时代，应为北宋、南宋至元代。新窑村窑址所烧基本为民间实用器，质量不高。陈家窑墩的发掘表明，青中透褐色釉的器物大约盛行于南宋早期，酱色釉的器物大体从北宋晚期开始流行。

黄石市

703.大冶上罗村遗址试掘简报

作　者：黄石市博物馆　张　潮

出　处：《江汉考古》1983 年第 4 期

上罗村遗址位于大冶县红卫铁矿选厂西侧的斜坡上，北距大冶县城约3 公里，西北距铜绿山矿约4 公里。由于修建选厂，遗址的大部分已被破坏，残存面积仅余500 平方米左右。该遗址1978 年发现，同年进行了试掘。

简报分为：一、文化堆积，二、新石器时代文化遗物，三、周代遗物，四、结语，共四个部分，有手绘图。

据介绍，该遗址新石器时代遗存的时代为屈家岭文化晚期偏晚，周代遗址时代为西周晚期。遗址中尚不见楚的风格，推测楚人势力尚未进入这一地区。简报称，上罗村遗址的新石器时代和西周晚期这两个时期的文化遗存，都明显具有鄂东南地区浓厚的地方特征。

简报认为，这批发掘资料对鄂东南地区的考古研究工作无疑有着重要的意义。

704.大冶县新发现一处古城遗址

作　者：冯少龙

出　处：《江汉考古》1983 年第 4 期

为配合大冶至江西沙河镇铁路建设，考古人员发现并调查了大箕铺古城遗址。简报配以手绘图予以介绍。

大箕铺古城遗址在大冶城关东南约12 公里的大箕铺公社五里界大队侯文大屋生产队境内，该城四周城墙尚存，且都高出地表 2 ~ 3 米（除局部下陷外），从城墙断面可见到清晰的夯层，每层厚12 ~ 13 厘米，据初步勘察，城墙城垣总周长约1130 米，总面积约8 万~ 9 万平方米。城址为长方形。采集的陶片分属龙山文化晚期（相当于二里头夏文化时期）、西周、春秋共三个时期。

简报认为该城建设、使用的时代在东周时期。

705.大冶县三处古遗址调查

作　者：大冶县博物馆　胡建如
出　处：《江汉考古》1986 年第 4 期

大冶县位于湖北省东南部，矿藏丰富，冶炼业历史悠久。1982 ～ 1984 年，考古人员在全县进行了一次文物普查。共调查了古文化遗址 69 处。简报分为：一、老猪林遗址，二、大谷垴遗址，三、鼓墩垴遗址，四、结语，共四个部分，有手绘图。

据介绍，此三处遗址应为新石器时代晚期至商周时代文化遗址。在这三处遗址中，均发现有大量的冶炼炉渣，充分说明三处遗址与冶炼有着紧密的关系，同时证明当时人们已经在这一地区从事大规模的冶炼工作。从三处遗址的遗迹遗物来看，它们与中原和江汉地区的文化有着较大的差别，具有浓厚的地方特色。

706.阳新枫林镇两处宋、明墓葬发掘简报

作　者：大沙铁路阳新工段考古队　王善才
出　处：《江汉考古》1991 年第 2 期

为配合大（冶）沙（河镇）铁路工程建设，考古人员对阳新工段铁路沿线地区古文化遗址和古墓葬进行了抢救性清理发掘。

简报分为：一、凤凰头明墓，二、坳上塆宋、明墓，三、小结，共三个部分，先行介绍了阳新枫林地区 1986 年 9 月和 1988 年 2 月先后两次发掘凤凰头和坳上塆等两处宋、明墓葬的情况，有照片、手绘图。

据介绍，凤凰头明墓位于阳新县枫林镇下羊乡大畈村下庄生产队凤凰山的西北面凤凰头山坡上，紧靠阳（新）瑞（昌）公路。东距枫林镇 2 公里，西北距阳新县城 36 公里。发掘明墓 4 座，皆为当地刘姓家族的祖坟，墓向均坐南朝北。其墓主从右至左是：明敕封承德郎刘梅雪墓（M1）、明赠太安人（刘梅雪祖母）胡氏墓（M2）、明敕封安人（刘梅雪夫人）陈氏墓（M3）和明故刘全（刘梅雪五弟）墓（M4）。其中刘梅雪墓在当地颇有名声。各墓尚存少许封土，多为小型墓，葬具均为漆棺，多已朽。除 M4 外，其他各墓均有少许随葬品。其中较重要的有 M3 所出墓志，简报录有全文。死者陈氏享年 81 岁，即生于景泰壬申年（1452 年）十二月二十六日，病故于嘉靖壬辰年（1532 年）六月六日，次年十二月廿八日葬于凤凰山，属明代中期墓葬。

坳上塆宋、明墓皆为花塘砖瓦窑烧砖取土时发现，共清理发掘 5 座，其中 M1 为宋墓，M2 至 M5 为明墓。M5 位于坳上塆北面的花塘砖瓦窑东南 26 米处。其他 4 座皆位于坳上塆背后山脚处，东北距花塘砖瓦窑 100 米，南距大沙铁路约 200 米，西

距枫林镇约5公里。1985年4月，窑工取土时发现了M1，出土有墓志铭、瓷碗铜钱等少许遗物，简报录有志文全文。墓主武氏享年72岁，即生于淳熙二年（1175年），死于淳祐六年（1246年），并于死后的当年下葬，属南宋晚期墓葬。至于志文上所提"五十一将仕"，从整篇志文观察与分析，应是武氏丈夫江凌（字巨渊）在其江姓家族同类人员中排列顺序的褒称。这也是唐、宋人喜欢用"行第"相称的一种习惯称法。因类似这样的称呼，在武氏墓志中亦有多处出现。如武氏排行第廿九，还有其父小十三、孙女小三娘、小八娘和小十三娘等谦称都是。

707.阳新大路铺遗址东区发掘简报

作　　者：湖北省文物考古研究所、阳新县博物馆　周国平、宋有志
出　　处：《江汉考古》1992年第3期

大路铺遗址位于阳新县白沙镇土库村大路铺，1984年发现，1984年底到1985年初第一次发掘，1990年10～12月第二次发掘。考古人员于该遗址发现了1座墓葬，26个灰坑，2座残房基，得到了一批新石器时代到东周时期的遗物。

简报分为：一、地理位置和环境，二、发掘概况，三、地层堆积，四、新石器时代中晚期文化遗存，五、商代文化遗存，六、西周文化遗存，七、东周文化遗存，八、结语，共八个部分，有手绘图、照片。

据介绍，大路铺遗址东区文化堆积丰富，包含有新石器时代中晚期、商代、西周、东周四个时期的文化遗存。新石器时代遗存同安徽薛家岗文化和江汉平原屈家岭文化有极为相近的因素，证明鄂东南早在新石器时代就已成为东西文化的交汇点。商周时期遗物，无论从陶质、陶色、纹饰还是器型分析，都有着与中原及江汉平原同时期遗物截然不同的文化内涵，但商代的一组绳纹和附加堆纹器物及后代的某些因素如器类也融进了中原地区先进的制作技术。遗址出土的以"条纹"装饰的陶器及刻槽足鬲、长方形镂孔豆、牛鼻形耳瓿为代表特征的商周文化，为研究湖北地区商周文化分区和鄂东南原始文化面貌提供了新资料。

708.湖北阳新发现一处青铜器窖藏

作　　者：王善才、费世华
出　　处：《文物》1993年第8期

1987年4月，湖北省阳新县星潭乡郭家垅村农民在清理田坎时，发现一处青铜器窖藏。考古人员前往调查和清理，并接收了全部窖藏文物。随后，省博物馆又派

员到发现地点作了复查，简报配以照片予以介绍。

据介绍，窖藏位于郭家垅村西坑羊尾田坎边上。简报推断：铜鼎的年代不会晚于西周中期，铜斧的年代，应属战国前期。

简报称，成批的窖藏铜斧在湖北尚属首次出土，特别是与西周铜鼎共出，对研究鄂东阳新地区两周时期的历史以及我国生产工具的发展和演变，增添了一批实物资料。简报列有表格，对这批青铜器详加登记。

709.大冶金湖古文化遗址调查

作　者：黄石市博物馆　黄功杨
出　处：《江汉考古》1994 年第 3 期

大冶县金湖乡位于大冶县城关西，东距城关 5 公里，在该乡辖区范围内现已查明的古文化遗址有 14 处，举世闻名的铜绿山古铜矿遗址就在这一辖区内。1989 年 7 月至 8 月和 1991 年 7 月，考古人员在原来文物普查的基础上又先后两次对这一地区进行复查，获得了一些新资料。

简报分为：一、牌坊遗址，二、摇罗山遗址，三、茅陈垴遗址，结语，共四个部分，对其中有代表性的 3 处古文化遗址的普查和复查情况予以介绍，有手绘图。

据介绍，以上 3 处遗址共同特点是陶器的陶质、陶色、器形和纹饰风格在同一时期内基本一致，陶质以夹砂陶为主，泥质陶次之。简报推断器形中的石镞、鸭嘴形鼎足、泥质红陶盆等属新石器时期遗物。硬陶溜肩罐、长方形镂孔豆应为西周时期遗物。小口瓮、柱状刻槽鬲足、细柄灰陶豆属春秋时期遗物。简报指出，茅陈垴遗址中出土的铜铲器形为我国同时期铜铲中所罕见的，近百件鞋底状凿形器形制奇特，属全国首次发现，亦为迄今所知世界冶金史资料中所罕见。

简报称，值得提出的是这 3 处遗址北距铜绿山古铜矿冶遗址不过 4 公里，经大冶有色金属公司丰山铜矿化验室化验了解，此 3 处遗址上的炼渣含铜量与铜绿山古铜矿冶遗址中遗存的炼渣基本相同。以上 3 处遗址均亦属古代冶铜的遗址。

710.湖北大冶蟹子地遗址 2009 年发掘报告

作　者：湖北省文物考古研究所、黄石市博物馆　罗运兵、曲　毅、陈　斌、
　　　　　陶　洋、杨　胜
出　处：《江汉考古》2010 年第 4 期

蟹子地遗址位于湖北省大冶市罗桥街道办事处王家庄村墩下庄 5 组，东北距黄

石新下陆区 400 米，西南距黄石火车站约 500 米。1961 年立为大冶市级保护单位，1983 年复查，2009 年发掘，发掘获取了一批重要的遗存，其新石器时代遗存整体属石家河文化系统，但区域特色突出，一期遗存可能代表了新的区域类型，二期遗存新见有少量后石家河文化因素。其商周遗存属鄂东南地区西周土著文化，与矿冶有关。简报分为五个部分予以介绍，有手绘图。

据介绍，蟹子地遗址新石器时代发掘表明，鄂东南、皖西南两地联系密切。本次发掘浮选所获炭化种子异常丰富，其中以稻谷占绝对优势，西周时期新出现有粟，这为研究鄂东南地区古代居民的饮食结构提供了确凿的实物证据。新发现了一些新石器末期有关矿冶的疑似迹象，包括粉碎矿料所用的石础和孔雀石炼渣等，为探讨这一地区早期的矿冶开发提供了宝贵线索。本次发掘还出土了西周早期的锡铅合金丝 1 件，质地较软，可能是早期焊接丝，这对探讨中国青铜文化中锡的使用以及早期焊接技术提供了十分重要的实物资料。同时，新发现了一批新石器末期的硬陶片，其器形和纹饰都与软陶相同，应代表了硬陶的最初阶段，这对探讨中国硬陶的起源过程及其与原始瓷器的关系极有意义。

711.湖北省大冶市铜绿山古铜矿冶遗址保护区调查简报

作　者：湖北省文物考古研究所、大冶市铜绿山古铜矿遗址保护管理委员会
出　处：《江汉考古》2012 年第 4 期

大冶市铜绿山古铜矿遗址不仅规模大、采冶时间长、保存好，而且价值高、影响大，是国内外学界探讨中国矿冶文化和青铜文明的重要区域。2011 年 11 ~ 12 月，首次对保护区 5.56 平方公里范围进行专题调查和勘探，新发现冶炼遗址 12 处，可惜均遭到不同程度破坏，保存状况堪忧。简报分为四个部分予以介绍，有手绘图、照片。

据介绍，2011 年 11 月至 12 月底，考古人员对铜绿山遗址保护区进行系统调查，共新发现遗址 12 处。由于多数遗址暴露遗迹和遗物太少，常见搬动过的小块炼渣等遗物，有些冶炼遗存以前不见。由于不能揭露和解剖，给判定遗存年代等带来困难。总体看来，新见遗存性质比较单一，基本为冶炼遗址。这些遗址大多为采冶结合，就地采矿，就地冶炼，多位于地势较高的岗丘坡地。12 处新发掘的遗址采集的文化遗物最早为东周，晚至清代。虽采集品中尚有时代缺环，但共时性和历时性的采冶活动形成了本地区延绵丰富的矿冶文化。尤以卢家塆遗址采集品最为丰富，该遗址是铜绿山古铜矿遗址保护区中目前保存最好者，在遗址上不仅采集有汉、六朝、唐、宋、清等时代遗物，更为重要的发现了一座用预制砖砌筑的炼炉，虽仅存下部，也弥足珍贵。

712.大冶市铜绿山卢家垴冶炼遗址发掘简报

作　　者：湖北省文物考古研究所、大冶市铜绿山古铜矿遗址保护管理委员会
　　　　　陈树祥、席奇峰、龚长根、王文平、冯海潮、李想生
出　　处：《江汉考古》2013 年第 2 期

卢家垴冶炼遗址位于大冶市铜绿山古铜矿遗址保护区西边的株林村一座矮丘上。2012 年 11 月，考古人员首次对遗址北部暴露的一处冶炼炉子等进行了抢救发掘，发现了一批汉代、晚唐至宋代、明清时期遗存，尤其是发现的汉代冶炼炉及工作场地、工棚等辅助设施和将铜绿山古矿。

简报分为：一、遗址位置与发掘概况，二、地层堆积，三、汉代遗存，四、唐五代宋代遗物，五、明清遗存，六、结语，共六个部分，有手绘图。

据介绍，卢家垴冶炼遗址位于大冶市金湖街道办事处株林村大青山曹家湾东北的一座近长方形矮丘上，2011 年发现，2012 年 11 月～2013 年 1 月进行了发掘。首次发现了汉代冶铜炉及辅助设施遗迹，出土的建材等表明这里似有高等级建筑并沿用多年。此遗址是铜绿山所见面积最大、保存最好的一处冶炼遗址，历时丰富的文化内涵，为在遗址上规划考古发掘、研究铜绿山古代冶炼发展水平和推进铜绿山保护区考古遗址公园建设提供了新资料。

713.湖北大冶铜绿山岩阴山脚遗址发掘简报

作　　者：湖北省文物考古研究所、大冶市铜绿山古铜矿遗址保护管理委员会
　　　　　陈树祥、席奇峰、龚长根、黄朝霞、王　琳等
出　　处：《江汉考古》2013 年第 3 期

岩阴山脚遗址位于湖北省大冶市金湖街道办事处泉塘村熊家湾西侧的大岩阴山东北山麓，现属于铜绿山古铜矿遗址博物馆新馆建设用地范围。遗址东距石泉公路100 米，南距铜绿山古铜矿遗址博物馆东大门的售票处 150 米，东北为古大冶湖汉改成的低洼水田。2011 年 12 月，在对铜绿山古铜矿遗址保护区专题进行考古调查时发现了岩阴山脚遗址。2012 年 6 月，为了配合铜绿山遗址博物馆新馆建设，考古人员对该遗址进行了抢救性发掘。

简报分为：一、遗址位置与发掘概况，二、地层堆积，三、春秋时期遗存，四、战国至西汉遗存，五、清代遗存，六、结语，共六个部分进行介绍，有手绘图。

据介绍，本次发掘是 1985 年铜绿山古铜矿遗址停止发掘时隔 27 年后，再次在铜绿山遗址保护区进行的考古发掘。发现上至西周，下至清代康乾之后大量遗存，

有些发现具有重要意义：如遗址南区发现的 35 枚足迹，是本区域乃至全国矿冶考古工作中的首次发现。又如遗址北部发现一口圆形探矿井，丰富了人们对古代探矿程序的认识，增添了探矿井的种类。这个探矿井的发现，再一次印证了古人在采矿之前确实有探矿程序。

当地政府对铜绿山古铜矿遗址"申遗"工作，相当重视。已出版的著述有：黄石市博物馆：《铜绿山古矿冶遗址》（文物出版社 1999 年版）；周保权：《世界文化遗产瑰宝——铜绿山古铜矿》（香港天马图书有限公司 2000 年版）；龚长根、胡新生：《大冶之火——铜绿山古铜矿遗址》（长江出版集团湖北人民出版社 2008 年版）等。

襄樊市

714.湖北宜城楚皇城战国秦汉墓

作　者：楚皇城考古发掘队　王仁湘、程欣人、郭德维、张新宁
出　处：《考古》1980 年第 2 期

在调查踏勘楚皇城的过程中，考古人员发现了城址附近的几处墓地。重要的有两处，一为雷家坡墓地，在城西近郊，距城约 400 米。一为魏岗墓地，在城西，距城约 3000 米。这两处都是战国秦汉的土坑墓。雷家坡原是一处稍高的坡地，1976 年冬农田基本建设工程中，共发现古墓葬 28 座，选择清理了 7 座。魏岗为一南北走向的高冈，生产队的窑厂在高冈中部取土制砖，暴露了一些墓葬，发掘了其中的 4 座。

简报分为：一、战国墓葬，二、秦汉墓葬，三、结语，共三个部分予以介绍，有手绘图、拓片。

据介绍，战国墓共 8 座，雷家坡 4 座（LM1、2、8、10），魏岗 4 座（WM1、2、3、4）。墓圹均长方形竖穴土坑。葬具唯 LM10 保存尚好，为一棺一椁，仅 LM8 尚存人骨架，为仰身直肢葬。随葬品有陶器、铜器等。秦汉墓 6 座，均位于雷家坡（LM3 ~ LM7、LM9）。出土有铜器、陶器、铁器、钱币等。简报认为这批秦汉墓的年代其上限不应超出秦昭襄王二十八年（前 279 年），而下限不会晚于西汉文景之际。

简报指出，两类墓葬的发掘对于楚皇城的考察有着重要的意义。它从一个侧面证明，这个古城至少从战国起就存在着，到了汉代也并未倾废，只是由楚的别都降到仅作为汉宜城的县治。当然，所发现的墓区是有限的。墓区分布情况还不太清楚，肯定还有不少重要的地点未被发现。在调查时，考古人员在城西的魏岗一带，可以看到一些大封土堆，经钻探证明是一些大土坑墓，时代当在秦汉以至战国以前，有可能是楚国驻都邑的王公贵族墓葬。

715.南漳县几处古文化遗址调查简报

作　者：武汉大学荆楚史地与考古研究室　徐少华
出　处：《江汉考古》1986 年第 2 期

南漳县位于鄂西山地东缘，东接平原。1984 年 4 月，考古人员前往调查。

简报分为：一、叶家湾遗址，二、观止遗址，三、打鼓台遗址，四、罗家营遗址，五、几点认识，共五个部分予以介绍，有手绘图。

据介绍，通过对南漳县几处古遗址文化内涵的分析，使我们得到几点认识：

一是新石器时代，这一带不仅有江汉地区屈家岭文化的分布，而且还受到北方仰韶文化的影响。仰韶文化因素在这一地区的存在，进一步说明仰韶文化向南越过了汉水，波及汉南地区。

二是就已有资料，南漳境内、蛮河中上游的周代文化不仅东周遗存丰富、完整，而且可追溯到西周晚期。从文化面貌看，这一带春秋中期至战国时期的陶器风格与江陵、当阳等地基本一致，春秋早期到西周晚期的陶器作风也有较多的共性，而与汉东随枣走廊地区同期的姬周文化差别较大，说明这一带当时也是楚人的主要活动区。这些材料的发现，同时把西周晚期、春秋早期楚文化的分布范围从沮漳河中下游向北扩展到蛮河流域、汉水中游，为进一步探索早期楚人的活动中心和文化发展提供了新的线索。

716.湖北枣阳毛狗洞遗址调查

作　者：襄樊市博物馆　叶　植
出　处：《江汉考古》1988 年第 3 期

毛狗洞遗址位于梁集区梁坡大队南郑凹生产队西约 100 米的台地上，北距枣阳县县城约 20 公里。遗址于 1958 年第一次全国文物普查时发现，1981 年复查，1988 年进行了调查和清理。

简报分为：一、新石器时代遗物，二、西周时期生活用具，三、遗迹，四、结语，共四个部分予以介绍，有照片、手绘图。

毛狗洞遗址是随枣走廊一处比较丰富的包含有新石器时代、龙山文化和西周初至成康时代两个时期的遗址。随枣走廊地处中原到江汉平原的通道上，属"汉阳诸姬"所在地。毛狗洞遗址出土的遗迹遗物都具有浓厚的关中作风，当属一处姬周文化遗址，是周王朝的势力西周初期即已进入随枣走廊的有力证据，或与随国、唐国有密切关系。

717.襄樊地区出土的几方铜印

作　者：王少泉

出　处：《江汉考古》1990 年第 1 期

简报配图介绍了襄樊市出土的 9 方古代铜印。

据介绍，这 9 方古代铜印大多有明确的出土地点。一为楚王室私人印玺"王"字画印；二为新莽时"中左偏将军"印；三为东汉"别部司马"印；四为东汉"军假司马"印；五、六为东汉"假司马印"；七为"晋蛮夷率善邑长"印；八为隋代"隋左尉印"；九为清代王族私印"肃亲王章"印。

718.谷城过山战国西汉墓葬

作　者：湖北省文物考古研究所、谷城县博物馆　熊北生

出　处：《江汉考古》1990 年第 3 期

谷城县位于鄂西北地区，过山古墓地分布在县城西北 4 公里处的过山口与北河镇之间。1989 年 6～7 月，考古人员进行了发掘，共 7 座，其中战国墓 2 座、西汉墓 4 座，M5 无随葬品，不能断定时代。简报配以照片、手绘图予以介绍。

简报称，地处汉水谷地的谷城，正当秦楚交通之要站。县城北 5 里谷山下，史载为周谷伯绥之国所在地。过山东周、汉代墓地可以为鄂西北地区先秦、汉代历史的研究，为秦楚边区关系的研究，提供较为重要的实物资料。

719.襄樊市博物馆藏铜镜选介

作　者：襄樊市博物馆　黄尚明

出　处：《考古》1994 年第 1 期

1987 年 11 月至 1988 年 5 月，博物馆陆续收藏 12 枚铜镜，出土地点清楚。简报配以照片予以介绍。

据介绍，铜镜有清白镜 1 枚。1988 年 5 月 18 日出于襄阳岘山取土场。半球形纽，连珠纹座，座外为内连弧纹，外区铭文带共 27 字。素缘。简报推断时代为西汉后期。

多乳神兽镜 1 枚。1988 年 11 月出土于襄阳羊祜山麓，出土点为一座残墓。该镜半球形纽，圆表纽座，座外为五乳相间的神兽纹，外缘饰锯齿纹和流云纹，锈蚀严重。简报推断时代为王莽前后。

湖州镜 2 枚，分二式。

Ⅰ式：出于襄阳檀溪，心形，半圆形纽已残。有铭文。简报推断时代为北宋末年。

Ⅱ式：八瓣葵花镜。出于襄阳郑家山六化建砖厂。半圆形纽。有铭文。简报推断时代为南宋时期。

六瓣葵花镜 1 枚。出土于羊祜山麓，半球形纽。有铭文。从造型风格简报推断亦为南宋时期。

720.襄樊市郑家山古墓清理简报

作　者： 襄樊市博物馆　王先福
出　处： 《江汉考古》1993 年第 2 期

郑家山位于襄阳古城南 700 米处，原名凤凰山。1990 年 6 月，市农机学校征用郑家山北部土地修建校舍，为配合基本建设，考古人员进行了文物钻探，发现一古墓群，于是组织人员进行抢救性发掘，自 1990 年 6 月至 1991 年 8 月，共发掘不同时代墓葬 54 座，保存较为完好的墓葬有 22 座，其中唐墓 1 座，宋墓 18 座，明墓 3 座。1 座墓没有随葬品，其余 21 座墓随葬器物也不丰富，共 61 件。有陶器、瓷器、铜镜和金、银、玉质饰物，另有铜钱若干。

简报分为：一、唐墓，二、宋墓，二、明墓，四、结语，共四个部分予以介绍，有手绘图、拓片。

据介绍，郑家山地势高，是一处理想的墓地，为历代所重视。简报认为这批墓分属于唐、宋、明三个朝代，但未见南宋铜钱，故其时代当限于北宋。而未见南宋墓可能与当时战火纷飞有关。简报附录有明 M24 墓志铭全文（志文楷体，凡 35 行，满行 45 字）。简报称，郑家山古墓群在襄阳城附近发现成批的不同的时代墓葬，属首次，它为研究襄阳城的历史沿革，补充了实物资料。

721.湖北襄阳刘家埂唐宋墓葬清理简报

作　者： 襄樊市博物馆　李祖才
出　处： 《江汉考古》1994 年第 3 期

1992 年 7 月，襄樊市工业用布厂在厂区建房过程中发现了一批砖室墓，考古人员对这批墓葬进行了抢救性的清理。按清理顺序编号为 M1～M5。

简报分为：一、地理位置，二、墓葬形制与葬式，三、随葬物及时代推断，共三个部分，有手绘图、照片。

据介绍，刘家埂位于襄樊市樊城华锋路中段西侧，原属樊西区高庄村，现为襄樊市郊区工业用布厂。墓室结构应为一个类型，从坑位的排列看，应为从东至西顺序，无扰乱现象，可能属豪门贵族墓地。从埋葬情况来看，M3 葬一人，M4 虽然墓室简陋，但有两具尸骨堆放在一起，应为迁葬墓；M2 内有两具尸骨，靠外一具骨骼粗大，应为男性。M5 两具骨架，头东脚西，而且有棺，所以，这两墓应为夫妻合葬墓。简报认为，墓主应属这个家族中的最高权威者。从 M5 出土的 14 种货币来看，该墓的下葬时代简报推断应在宋真宗天禧年间或略晚。简报指出，如果以上推测不误，这 4 座墓时代应为北宋中期偏早，为研究北宋时期的墓葬提供了实物资料。

722.湖北襄樊市余岗战国至东汉墓葬发掘报告

作　　者：襄樊市博物馆　李祖才等
出　　处：《考古学报》1996 年第 3 期

余岗位于襄樊市北郊，樊（襄樊）魏（河南魏庄）公路西侧。湖北省襄樊市重型机械厂从 1988 年至 1993 年先后在襄樊余岗共征土地 400 余亩，考古人员分期对新征土地进行了全面的文物勘探，共发现墓葬 60 余座。第一次由文物处钻探，没有发现墓葬；第二次钻探发现墓葬 36 座；第三次钻探发现墓葬 24 座。襄樊市博物馆组织人力先后两次对该区的墓葬进行了发掘。第二次发掘 24 座墓，简报收了其中的 20 座（M39 ～ M46、M48 ～ M53、M55 ～ M60）。M37 和 M54 为宋墓，资料过于简单，M38、M47 为清代墓葬，都未收入。

简报分为：一、墓葬形制，二、随葬器物，三、分期和年代，四、结语，共四个部分，有照片、手绘图。

据介绍，此次发掘的墓葬 20 座分属 4 个时期：战国晚期、秦汉之际、西汉、东汉。该墓地有可能是楚国晚期一般市民的墓葬区，沿用至汉。襄阳地处江汉平原与中原地区的古代交通要冲，是我国南北交通重要通道。从战国晚期后段至西汉墓葬出土器物形制来看，同中原、南方乃至甘肃发现的同类墓葬都有基本相同或相似之处，表明自秦统一中国后，地域之间的差异逐渐缩小，直至相融合。

723.湖北宜城郭家岗遗址发掘

作　　者：武汉大学历史系考古教研室、湖北省宜城市博物馆　王　然、余西云、
　　　　　李福新等
出　　处：《考古学报》1997 年第 4 期

郭家岗遗址位于宜城市西约 7 公里处，西距蛮河 2 公里，东距楚皇城遗址约 12

公里，隶属湖北省宜城市雷河镇官堰村第二村民小组。20世纪80年代初，宜城市博物馆在文物普查中发现该遗址，遗址保存状况良好，地面为农田。1989年，当地村民修水渠，水渠由东向西穿越遗址。考古人员曾结合水利工程对遗址进行试掘。1990年9～12月，考古人员对郭家岗遗址进行了正式发掘。遗址文化内涵十分丰富，年代自周代一直持续到六朝时期。

简报分为：一、地层堆积与相互关系，二、遗迹与遗物，三、分期与年代，四、结语，共四个部分，先行介绍本次发掘的周代遗存，其他诸时期文化遗存另文发表。有照片、手绘图。

据介绍，此次发掘发现灰坑、井等遗迹104处；遗物333件，包括石器、陶器、青铜器、铁器等。年代跨越西周晚期至战国晚期。

简报指出，郭家岗遗址是一处比较典型的以楚文化遗存为主的遗址。从时间上看，范围自西周晚期到战国晚期。在楚国历史发展过程中，大致包括了楚国从武王徙郢前不久到楚国灭亡这一历史阶段。大致从春秋初年开始，地处汉水中游西岸的宜城一带已是楚人活动的中心地区之一，并一直持续到楚国灭亡。宜城境内不仅发现有规模大、保存好的楚国城址、大型车马坑，还发现了较多的楚文化遗址和楚人墓葬，证明这一带为楚文化分布中心区域之一。在已发掘并见于报道的楚文化遗址中，虽不乏面积大的，但年代上往往局限于某一较短的时间内。有些遗址虽时期长，但堆积不丰富，序列不完整，难以构成完整分期的基本条件。郭家岗遗址遗存的层位关系清楚，器物组合齐全，序列完整，年代跨越了从楚徙都郢到楚灭国这一历史阶段，所见遗存间又无大的缺环。因此，郭家岗遗址的分期对于楚文化研究中陶器分期标尺的建立具有十分重要的意义。郭家岗遗址文化遗存的发展轨迹是否就是楚文化遗存发展过程中的一个缩影，目前虽不能下结论，但至少会给今后楚文化的研究提供一份有价值的资料。

724.襄阳邹湾遗址发掘简报

作　　者：焦枝复线襄樊考古队　王先福
出　　处：《江汉考古》1997年第4期

邹湾遗址位于襄阳县欧庙镇邹湾村东南约0.5公里的台地上。该台地人称"土寨坡"，似鞋底状，呈西北—东南走向，西北部较高而平，东南部稍低且呈缓坡状。潼口河绕其西部而流，除西部不远处为低矮的丘陵地带外，余三面均为汉水淤积平原。与其隔河相邻的台地上分布有较多的同时代墓葬，已发掘了部分（资料另外发表），在其西约1公里处尚存10座较大的封土堆。

简报分为：一、地层堆积，二、遗迹，三、文化遗物，四、结语，共四个部分，有手绘图。

据介绍，从出土的陶器、石斧、板瓦、铜镞、铜钱等遗物看，该遗址遗存可分三个时期：第一期为春秋中期，第二期为战国时期，第三期为汉代。一、二期为典型的楚文化遗存，三期既表现出大一统后各地文化发展的趋同性，又表现出汉文化对楚文化的承继性。

725.湖北襄樊郑家山战国秦汉墓

作　者：湖北省文物考古研究所、襄樊市博物馆　王先福、曾宪敏等
出　处：《考古学报》1999 年第 3 期

郑家山位于襄阳古城西南约 700 米处，南距岘山主峰约 2 公里，西至羊祜山约 1 公里，檀溪水傍其北麓，东流注入汉江。1990 年 6 月，襄樊市机电工程学校征用郑家山中北部新建校舍，考古人员对用地范围进行了文物勘探，发现不同时期古墓葬多座。1990 年底至 1991 年 8 月、1995 年 11 月至 1996 年 1 月，对该墓地进行了发掘，共清理战国至明代墓葬 73 座，其中唐宋明墓 29 座，战国秦汉墓 44 座。这 44 座墓可分两区，北区 16 座，处郑家山北部，排列较为零乱分散；南区 28 座，处郑家山中部，排列较有规律，分布较集中。

简报分为：一、墓葬形制，二、随葬器物，三、分期与断代，四、结语，共四个部分，介绍这 44 座战国秦汉墓的发掘情况，有照片、手绘图。

据介绍，这批墓葬可分为长方形土坑竖穴墓和长方形岩坑竖穴墓两大类，另有 7 座岩坑竖穴墓。随葬器物 234 件。有两墓可能为并穴合葬墓，其余均为单人葬。墓主人少数为一般地主或中下级官吏，大多数为庶民或军士。

简报指出，郑家山墓地是当时的一处公共墓地，值得注意的是其墓主人在战国晚期至西汉初年所葬之人当有两个族系：一是秦移民（包括随军作战的将士）或被秦所同化的楚人，二是楚遗民。这种共存现象一直保留了相当长的时间，可能自白起拔郢时始，直至西汉早期，它们仍保留着部分本族的遗风，直至被汉文化逐渐同化为止。

简报称，综观整个江汉地区，战国晚期至西汉早期墓葬的发掘已有相当数量，其分布主要集中在四个地域：一是以云梦为中心的地区；二是以江陵、宜昌为中心的楚故地；三是以襄樊、宜城为中心的襄宜平原；四是以鄂州、黄冈为中心的鄂东地区。它们之间的文化特征以共性为主，墓葬形制及器物组合基本相同。但襄樊地区与其他三大区域相比也有不同特点，如岩坑竖穴墓仅见于本地，陶方豆在其他地区也未发现，而云梦出土的陶茧形壶、大口瓮及铜舟则不见于本地，从而反映出同一文化在不同地域所存在的差异。

726.湖北襄樊刘家埂唐宋墓葬清理简报

作　者：襄樊市文物管理处　庚　华
出　处：《江汉考古》1999 年第 2 期

刘家埂位于襄樊市樊城华锋路中段西侧，原属樊西区高庄，现为襄樊市郊区工业用布厂。1992 年 7 月施工中发现一批砖墓。考古人员进行了抢救性发掘，计发现唐墓 1 座、宋墓 4 座。简报配以拓片、手绘图予以介绍。

据介绍，这些墓葬除唐墓 M1 为长方形砖室墓外，其余 4 座宋墓（M2 ～ M4）均为穹隆顶砖室仿木结构。因施工，均遭不同程度的破坏。M1 棺木已朽，仅收集到瓷盘口壶等少许遗物。宋墓应属豪门贵族墓地。M3 葬一人，M4、M2、M5 均葬两人，或为夫妻合葬墓。其中 M5 最壮观，应为家族中地位最高者的墓。

这几座宋墓的时代，简报推断为北宋中期偏早。

727.襄樊市高庄墓群发掘报告

作　者：襄樊市考古队　刘江声、释贵星
出　处：《江汉考古》1999 年第 4 期

高庄墓群位于襄樊市樊城区立业路南侧。1998 年 7 ～ 12 月，襄樊市卷烟厂、湖北拓新工业用布有限公司、襄樊市富源房地产公司先后在该区域新建住房，考古人员对用地范围进行了考古勘探，发现墓葬多座，随后又进行了发掘，共清理了墓葬18 座，编号分别为高 M7 ～ M24。

简报分为：一、汉墓，二、唐墓，三、结语，共三个部分予以介绍，有拓片、手绘图。

据介绍，汉墓共 7 座，部分遭到破坏，除个别为"刀"字形外，余者皆长方形砖墓。出土有陶礼器、陶冥器、日常用陶器、钱币等。这 7 座墓的时代上限不过西汉晚期或稍后的新莽时代，下限不过东汉早期。7 座汉墓中 M7、M9 的规模相对较大，出土器物较多且齐全，墓主人身份可能较高，为中低级官吏或豪强地主，M12、M14稍次一等级，可能为较富裕的庶民，其余 3 座当为普通平民。其中 M7、M123、M14 皆为双室并列，可能为夫妇合葬墓。

11 座唐墓上限不过北周或隋，下限不过唐肃宗时期。其中 M15 规模较大，墓主人应有一定地位，可惜被盗严重。其他各墓墓主人应为平民。

简报指出，此处是古樊城外围发现的一处较大的汉唐墓地。此次发掘为研究当地历史提供了实物资料。

728.襄樊王寨许家岗墓群发掘

作　者：襄樊市考古队　曾宪敏、释贵星
出　处：《江汉考古》1999 年第 4 期

许家岗墓群位于襄樊市高新技术产业开发区王寨办事处——许家岗村南侧，南临春园路，西近长虹北路。1997 年 7 月～1998 年 11 月，襄樊市地税局、市政养护处、房管局、铁道部第十一工程局先后在此征地建房，考古人员对征地区域进行了文物勘探，发现不同时代墓葬多座，随后又进行了发掘，共清理墓葬 42 座（分别编号 M1～M42），其中西汉墓 10 座、唐墓 26 座、宋墓 3 座、明清墓 3 座。简报分为：一、西汉墓；二、唐墓；三、宋墓；四、结语，共四个部分，先行介绍西汉、唐宋墓的情况，有拓片、手绘图。

据介绍，10 座西汉墓为长方形土坑竖穴墓，葬具、人骨架已不存。除 M7 无随葬品外，余 9 座墓共出土器物 48 件，其中陶器占绝大多数，铜器为较少数，铁、铅器仅个别墓有。唐墓中 M6 一墓墓主人地位应较高。除此一墓外，其他唐墓及汉、宋墓的墓主人，应均为平民或低级官吏、小地主。

729.襄阳东津洪山头遗址发掘简报

作　者：襄樊市考古队、襄樊县文物管理处　王先福、张　靖、邹　萍
出　处：《江汉考古》1999 年第 4 期

洪山头遗址位于襄阳县东津镇陈坡村北侧，地处汉水南岸冲积平原上。1981 年文物普查时发现，遗址面积约 12.5 万平方公里。1998 年 5～7 月，襄樊火电厂配套工程陈坡 220 千伏输变电站在此选点建站，考古人员进行了钻探、发掘，发掘灰坑 11 个，水沟 3 条，瓦（瓮）棺葬 29 座。此外还清理晚期墓葬 23 座。

简报分为：一、地层堆积，二、汉代文化遗存，三、战国文化遗存，四、结语，共四个部分，有拓片、手绘图。

据介绍，汉代遗迹有灰坑 8 个，水沟 3 条和全部 29 座瓦（瓮）棺葬。战国遗迹有灰坑 3 个。遗物有陶器、瓦当、钱币等。简报指出，本次发掘尽管遗存不多，但收获颇丰，特别是在汉代遗址中发现有大量同期瓦（瓮）棺葬，是襄阳地区该期遗址发掘中的首次发现，为我们研究该时期该地域的丧葬制度、生活习俗提供了重要实物资料。此外，较大型排水设施的出现及大量陶制筒、板瓦等建筑材料的出土，说明本地建筑业、制陶业已十分发达，结合本遗址面积大的特点分析，简报认为这里曾一度成为较大范围内的生产生活的中心，可能还有大型建筑甚至宫殿的存在。

730.襄樊檀溪隋唐宋墓清理简报

作　者：襄樊市考古队　王先福、释贵星
出　处：《江汉考古》2000 年第 2 期

檀溪墓地位于襄阳城西 1 公里，西南部不远为万山、虎头山，北部临近汉水。1997 年 10 月至 11 月，为配合市广播电视中心工程建设，襄樊市考古队组织力量对其征用地范围进行了文物勘探，发现遗迹现象百余处。同年 12 月至次年 3 月对发现的遗迹进行了发掘，共清理出残墙基 6 座，灰坑 5 座，灶址 3 处，墓葬 90 座。除 M1、M12 外均位于深达 2 米的泥沙淤积层下。这 90 座墓葬分布较为密集，排列较为零乱。除 2 座（M1、M12）清代墓葬外，余 88 座涵盖隋、唐、宋三个时期，它们均受到不同程度的破坏，仅 47 座出土有为数不多的随葬品。据出土铜钱及其他器物对比分析，这 47 座墓有隋墓 17 座，唐墓 28 座，宋墓 2 座。

简报分为：一、隋墓，二、唐墓，三、宋墓，四、结语，共四个部分，有手绘图、拓片。

据介绍，此次发掘的墓葬数量较多，分布较密，时代跨度大，墓葬尽管数量较多，但均遭到不同程度的破坏，除极少数墓葬规模较大，墓主人身份可能相对较高外，其余绝大多数应属同等地位，是为一般平民。从几座小型规模的墓葬看，既有婴儿或儿童墓，也有成人迁葬墓。简报认为，这里应为襄阳城外一片较大型的公共墓地。

731.襄樊杜甫巷东汉、唐墓

作　者：襄樊市博物馆　释贵星
出　处：《江汉考古》2000 年第 2 期

墓葬位于襄樊市中心的长虹大桥，樊城桥头以西约 800 米处的杜甫巷，南距汉江约 400 米，北距建设路约 550 米。1995 年 4 月，襄樊市肉联厂在基建施工中先后发现 3 座砖室墓葬。考古人员接到报告后，及时赶至现场清理。

清理情况简报分为：一、东汉墓，二、唐墓，三、结语，共三个部分，有手绘图、拓片。

据介绍，3 座墓均为砖室墓，分别编号为 M1、M2、M3。其中 M1、M2 为东汉墓，M3 为唐墓。这 3 座墓虽然没有出土纪年物，根据墓葬形制和出土随葬品，简报推断：M1 年代为东汉早期，墓主人可能为一仕宦或封建地主；M2 时代也应为东汉早期，墓主人生前的经济力量相当雄厚，而且可能有一定的政治地位，在当时他可能为一位门阀士族高级官吏，也可能为一豪强地主；M3 墓时代为唐朝早期，墓主人身份应属下级官吏或一般庶人。

732.老河口市付老馆遗址调查发掘简报

作　者：老河口市博物馆　符德明、艾志忠、徐昌寅
出　处：《江汉考古》2001年第1期

付老馆遗址位于老河口市区南约5公里的付老馆管理区境内，西临汉水，地势平坦。樊（城）丹（江口）公路、汉（口）丹（江口）铁路从遗址东部通过。1989年文物普查时发现，遗址分布在陈埠、亢营两个村内，以辖两村的付老馆管理区定名为付老馆遗址。1994年、1995年配合工程建设进行了发掘。

简报分为：一、遗址范围与地层堆积，二、秦汉时期遗存，三、隋唐时期遗存，四、结语，共四个部分，有手绘图。

据介绍，遗址东起汉丹铁路，南至陈埠三组，西临汉水，北达李泉河。东西长约2000米，南北宽约2000米，总面积约600万平方米。现地面主要为村民住宅、街道、道路及耕地。地面暴露有许多灰色绳纹瓦片。遗物中完整器物几乎没有。

简报认为，付老馆遗址的上限可能到战国晚期（目前尚未发现该时期的遗迹，仅见少量遗物），下限至隋唐，其中在西汉时期最为兴盛。从发掘有挖掘规整的垃圾坑、宽大的排渍沟，发现陶圈生活用井以及出土一定数量的建筑材料筒、板瓦，陶生活器皿等现象推断，这是一处面积较大、内涵丰富的聚落遗址。

733.湖北襄阳岗心与八亩坡墓地发掘简报

作　者：湖北省文物考古研究所　梁　柱、朱　红
出　处：《江汉考古》2001年第1期

2000年5～7月，为配合襄荆高速公路建设，考古人员发掘了襄阳县岗心、八亩坡、跑马岗3处墓地，共发掘宋代至明清墓葬15座。15座墓中，岗心墓地有4座，八亩坡10座，跑马岗1座。简报分为：一、宋代墓葬，二、明清墓葬，三、结语，四、附录，共四个部分，有拓片、手绘图。

据介绍，宋墓计7座，明墓2座，清墓6座，均为小型墓，随葬品少。宋墓可分为6座土圹砖墓（除1座外均被盗），土坑竖穴墓1座（此墓中有水银）。另外，考古人员在考古调查时，还发现有铜钱和石斧。

734.湖北襄阳邓城韩岗遗址发掘报告

作　者：湖北省文物考古研究所、襄樊市博物馆　冯少龙、陈千万、付守平
出　处：《江汉考古》2002 年第 2 期

襄阳邓城韩岗遗址位于襄樊市区西北郊，是省级文物保护单位邓城的一处从属遗址。此次发掘包括东周、秦汉时代的文化遗存。主要遗迹有灰坑、灰沟、水井、陶窑和汉、唐时代的墓葬。主要遗物有陶鬲、罐、盆、豆、盂等。韩岗遗址的发掘，揭示了该地区从春秋中期到西汉早期的文化面貌。通过发掘认识到，春秋中期较多地保留了中原文化的因素，反映出楚文化北部的区域特色；秦汉之际的文化面貌发生了变化，产生了许多新的文化因素。韩岗遗址的发掘为邓城城址及该地区的古代文化研究提供了重要的资料。

简报分为：一、地层堆积，二、春秋文化遗存，三、秦汉文化遗存，四、结语，共四个部分，有手绘图。

据介绍，从已发掘的情况看，韩岗遗址最早的遗存为春秋中期，此后一直延续到西汉早期，是一处连续发展的文化遗存。韩岗遗址在春秋中期的文化遗存较多地保留了中原文化风格，但从春秋中期开始，已日益楚化。既保留着许多楚文化的特征，也产生了许多新的文化因素。简报称，根据板瓦、筒瓦、瓦当、砖等建筑材料的大量出现，结合陶窑、水井、灰沟等遗迹现象，简报推测这一时期的韩岗遗址可能是一处以烧制陶器为主的遗址，一直至战国、秦汉，这里仍有人类活动。

735.湖北襄阳邓城韩岗遗址汉唐墓葬

作　者：湖北省文物考古研究所、襄樊市博物馆　冯少龙
出　处：《江汉考古》2002 年第 2 期

配合襄樊市"邓城大道"修筑工程发掘韩岗遗址的过程中，考古队先后清理了 7 座已遭破坏的残墓，包括 3 座汉墓和 4 座唐墓。

简报分为：一、汉墓，二、唐墓，共两个部分。有手绘图。

据介绍，汉墓 3 座（M3、M4、M6），有土坑竖穴墓和砖室墓两种。唐墓 4 座（M1、M5、M7、M2），M1 为唐初墓，M5、M7、M2 均为唐代中晚期墓。汉墓遗物有陶罐、铜盆、铜瓿等。唐墓遗物有铜镜、铜钱、瓷壶、铁剪、陶砚等。

736.湖北襄阳王家坡墓地考古发掘主要收获

作　者：韩楚文
出　处：《江汉考古》2002年第2期

2001年6月至2002年1月底，为配合襄（襄樊）十（十堰）高速公路与襄荆（荆州）高速公路的连接线工程，考古人员对王家坡墓地进行了全面的勘探和发掘工作。简报配以照片予以介绍。

据介绍，王家坡墓地坐落在襄阳县城西北约17公里，南临王家坡，北距李冲村约1.5公里，西北与普陀坝相邻。墓地隶属襄阳县牛首镇马棚村四组，其南距邓城（古邓国都城）约5公里，故王家坡墓地、山湾墓地和邓城在平面位置上呈三角形分布。墓地坐落在一东西走向的岗地上，岗地高出周围农田约6～8米。勘探发掘东周至秦汉墓葬140余座，其中4座为春秋时期，余为战国晚期至秦汉时期。这批墓葬均为中小型长方形竖穴土坑木椁墓或单棺墓。葬具绝大部分腐朽无存，仅见板灰痕迹，极少数残存有葬具，据残痕判断，葬具多为一椁一棺、少数为单棺。一般单棺墓多带有头龛，随葬器物置于龛内，而一椁一棺墓随葬器物绝大部分置于棺外的一侧。出土各类器物约800件（套），绝大部分保存不甚完好。保存最完美的一件铜器出自M1。整器厚重，器表呈青绿色。器表上腹部铸饰回纹，下腹部饰垂鳞纹，器内铸有铭文约40字（尚待除锈后辨识）。该墓还同出有"邓子中无期之用戈"的铭文兵器。

简报称，王家坡墓地是襄阳地区规模较大的一个墓地，也是进行考古发掘墓葬数量最多的一个墓地，且墓地延续时间较长（春秋至秦汉），随葬器物组合齐全。襄阳地区在西周时属邓，公元前678年楚灭邓，此地又属楚，该墓出有邓国青铜鼎和铜戈，对于研究邓国的历史文化以及楚邓关系具有一定的价值。

737.湖北襄阳法龙付岗墓地发掘简报

作　者：襄石复线襄樊考古队　张　靖、付　强
出　处：《江汉考古》2002年第4期

本文报道了湖北襄阳法龙村付岗墓地的9座墓葬及出土的32件陶器和7件铜器。该墓地的时代为战国晚期至西汉早期。发掘者认为，付岗墓地可能是邹湾遗址的公共平民墓地。

简报分为：一、墓葬形制，二、随葬器物，三、小结，共三个部分，有手绘图。

据介绍，付岗墓地位于湖北省襄阳县法龙乡付岗村西侧。1996年4月21日至5月1日，为配合焦枝复线工程建设，考古人员对墓地进行了抢救性发掘，共清理墓葬

9 座，分别编号 M1 ～ M9，除 2 座遭不同程度破坏外，其余 7 座保存较好。9 座墓均为长方形土坑竖穴墓，其中口大底小者 3 座，口底同大者 6 座，方向朝南者 5 座，方向朝东、北者各 2 座。墓壁多经修整，较光滑，仅 1 座墓带斜坡墓道。各墓均填褐色五花土，不见二层台。葬具、人骨已腐，仅见棺痕，随葬器物集中在棺内一边或一端。有陶器、铜器等。从这批墓葬的规模及出土物数量、类别分析，墓主人的身份不会太高，应为一般庶民。从墓葬形制和随葬器物考察，战国时期的 3 座墓楚文化特色较浓，西汉中期墓葬兼有楚、秦两种文化因素，反映大一统后的西汉王朝对楚、秦文化的继承。

738.襄樊余岗战国秦汉墓第二次发掘简报

作　　者：襄樊市博物馆　范文强
出　　处：《江汉考古》2003 年第 2 期

1996 年，考古人员在襄樊市团山镇余岗村北发掘了 32 座墓葬。墓葬分三区：墓子地、岭子上、卞营。墓子地和岭子上墓区的 30 座墓均为土坑竖穴墓，卞营墓区的 2 座墓为砖室墓，大部分随葬器物为陶器。这批墓葬可分为五期：战国晚期、秦统一至秦汉之际、西汉早期、西汉中期、东汉晚期。余岗墓地的发掘为研究襄北地区战国晚期至西汉中期墓葬的分期、年代、秦楚关系以及埋葬习俗、文化特征提供了相当丰富的实物资料。

简报分为：一、墓葬形制，二、随葬器物，三、结语，共三个部分，有手绘图、照片。

据介绍，该墓地系在襄樊市建设邓城大道时发现并进行了抢救性发掘。32 座墓除 BM1、BM2 为长方形单室砖墓、YM18 为长方形土坑洞室墓外，其余皆为长方形土坑竖穴墓，其中 12 座墓有二层台，YM10、YM11 设头龛，LM1 既有二层台又设头龛，LM10 有一级台阶。墓向以南北向者居多，东西向者其次，也有其他方向。随葬品以仿铜陶礼器、日用陶器为主。简报称，这批墓葬位于邓城北部不远处，其时代在它北部、东部丘岗地东周墓地之后，它的发掘丰富了这一地区战国至西汉中期墓葬的资料，为研究楚秦关系、楚汉关系及其相关的埋葬制度、文化特征等问题提供了新的资料。

739.湖北省襄樊市邓城遗址试掘简报

作　　者：襄樊市博物馆　黄尚明
出　　处：《江汉考古》2004 年第 2 期

邓城遗址位于襄樊市樊城西北部约 6 公里，在邓城北部韩岗、解放店一带发现，系西周晚期至汉代的文化遗址。主要遗址有灰坑、水井、渠沟，主要遗物有鬲、盂、豆、罐、盆、缸、砖、瓦等陶器，另有少量青铜器和铁器。

简报分为：一、地层堆积，二、西周晚期遗存，三、春秋早期遗存，四、汉代遗存，五、结语，共五个部分。有手绘图。

据介绍，1987 年 12 月，第二汽车制造厂修建一个引汉水利上程，经过邓城北部，南距邓城北墙约 384 米。当考古人员发现时，引水渠已经基本竣工，准备安装水泥管道。从引水渠断面观察，从邓城北部韩岗西部经解放店至卞营东部 2 公里内，遗址分布密集。从遗物看，可分为西周晚期、春秋早期、西汉时期三个阶段。邓国与周王朝很早就有密切的联系，是周天子统治南方的重要据点。公元前 678 年，被楚文王所灭，时当春秋早期。

据石泉先生考证，邓城遗址即古邓国都城及楚、秦、汉、晋、宋、齐邓县县城。本次试掘的两周之际至春秋早期早段遗存当属邓文化遗存，春秋早期晚段遗存当属楚文化遗存。从这一带保存大量汉代遗存来看，汉代邓县县城可能就设在这里，韩岗一带可能是当时官府的某一个建筑区。

740.湖北谷城县肖家营墓地

作　者：襄樊市考古队、谷城县博物馆　李广安等
出　处：《考古》2006 年第 11 期

肖家营墓地位于谷城县肖家营村西约 300 米处。1999 年 5 ～ 6 月，襄樊市供电局欲在此兴建 220 万伏变电站，考古人员对施工范围进行了考古勘探，发现多座砖室墓，随即发掘了其中的 72 座墓葬（编号为 M1 ～ M72）。这批墓葬以东汉墓为主，还有少量六朝、隋、唐、宋墓。

简报分为：一、东汉墓，二、六朝墓，三、隋唐墓，四、唐墓，五、宋墓，六、结语，共六个部分，有彩照、拓片、手绘图。

据介绍，此次发掘的 72 座墓葬均为砖室墓，包括东汉墓 59 座、六朝墓 1 座、隋墓 2 座、唐墓 8 座、宋墓 2 座。仅有的一座六朝墓，规模最大，建筑精美，以大量装饰菱形、莲花、菊花、缠枝花叶、瓶花以及青龙、白虎、朱雀、武士、仕女等图案的画像砖垒砌。墓中出土陶俑的形制具有六朝时期的特征。该墓主可能是当时的豪强地主或较高级官吏，其他各墓大部分是普通平民墓以及少量中、小地主和低级官吏的墓葬。

简报指出，此次发掘的墓葬数量多，分布密集，延续时间长。该墓地位于谷城县城外围，它的发掘对研究本地东汉至唐宋时期的历史无疑具有重要意义。

741.襄樊市高庄墓群第三次发掘

作　者： 襄樊市考古队　王先福
出　处：《江汉考古》2006 年第 1 期

高庄墓群位于襄樊市樊城区立业路南侧，1992 年、1998 年先后清理汉、唐墓葬 24 座，1999 年 11 月襄樊市富源房地产公司在此新建商住楼，发现砖室墓葬 7 座，随后进行了发掘。此次发掘的墓葬位于第一次发掘墓葬的北侧，第二次发掘墓葬的南侧。7 座墓葬分别编号 99XGM25 ～ 99XGM31。

简报分为：一、汉墓，二、唐墓，三、小结，共三个部分，有手绘图。

据介绍，此次发现的汉墓 3 座，为西汉墓；唐墓 4 座，为唐早期偏晚墓。这 7 座墓葬尽管分别属于两个时代，但墓主人身份应相差不大，一般为平民或当时的小地主或低级官吏，其中 M28 的身份在这 7 座墓葬中相对高一些。简报认为，发掘地点应是古代樊城一处公共墓地。

742.湖北襄阳马集、李食店墓葬发掘简报

作　者： 湖北省文物考古研究所、襄樊市襄阳区文物管理处　付守平、王庆华、
　　　　孟世和
出　处：《江汉考古》2006 年第 3 期

马集、李食店位于襄樊市区西北。为配合襄十高速公路建设，2000 年考古人员在该路段发掘墓葬 14 座，其中汉墓 7 座、唐墓 1 座、宋墓 6 座。

简报分为：一、西汉墓，二、东汉墓，三、唐墓，四、宋墓，五、结语，共五个部分予以介绍，有手绘图。

据介绍，西汉墓 1 座（马 M1），为土坑竖穴墓，时代简报推断为西汉晚期。东汉墓 7 座（马 M2 ～ M5、易 M1、M2），为砖室墓，时代简报推断为东汉中晚期。唐墓 1 座（魏 M1），为"凸"字形砖室墓，有墓道。宋墓 6 座（李 M1 ～ M6），为宋代家境富裕人家或下级官吏墓葬。

743.襄樊长虹南路墓地第二次发掘简报

作　者： 襄樊市考古队　王道文
出　处：《江汉考古》2007 年第 1 期

长虹南路墓地位于襄樊市樊城区长虹南路与人民东路交汇处东南侧，西距长虹南路约 50 米，北临烟厂专用铁路。1998 年 7 月曾在该墓地发掘两座西汉墓葬。2005 年 1 ～ 3

月，为配合襄樊市闽发房地产开发有限公司世纪新城项目建设，考古人员对用地范围进行文物勘探，发现并发掘墓葬16座，分别编号2005XCM1～M16，其中东汉墓2座（M15、M16）、隋唐墓11座（M1～M8、M11～M13）、清墓3座（M9、M10、M14）。

简报分为：一、东汉墓，二、隋唐墓，三、小结，共三个部分，配以手绘图，先行介绍了13座东汉、隋唐墓葬发掘情况。

据介绍，2座东汉墓中，1座（M15）为长方形宽坑单室砖墓，残甚，仅能推断为东汉墓；1座（M16）为"凸"字形单室砖墓，保存相对较好。出土有陶器、青瓷器、铜器、铜锡器、金银器、铁骨器等。简报推断为东汉中期偏晚墓。M16的墓主人应为一大地主或中高级官吏。

11座隋唐墓均为长方形单室砖墓，葬具均不明，尚可分辨葬式的均分为仰身直肢葬。出土有铜器、铜钱、铁刀、料珠等。M7、M8为隋墓，其余9座为唐墓。墓主人应均为平民。

简报称，这次发掘丰富了本地区汉唐时期墓葬资料，尤其是M16画像石门的结构填补了东汉墓葬发掘的空白。

744.湖北襄樊市韩岗南朝"辽西韩"家族墓的发掘

作　　者：襄樊市文物考古研究所　王志刚等

出　　处：《考古》2010年第12期

韩岗是汉水北岸的一处自然岗丘，南距古邓城遗址约450米，位于湖北省襄樊市高新技术产业开发区团山镇邓城村。岗地的中部有1座规模较大的古墓冢，当地称为"韩冢"。岗地的南侧有"韩家岗"自然村。韩岗遗址是古邓城城外遗址的重要组成部分。1996年，考古人员先后对韩岗遗址进行了3次考古发掘，韩岗遗址最早的文化遗存为春秋中期，此后一直延续到西汉早期，是一处连续发展的文化遗存。2009年6月，再次对遗址进行考古勘探和发掘，发现了3座南朝孝建元年韩氏家族墓（编号M47、M46、M24）。

简报分为：一、墓葬分布，二、墓葬形制，三、随葬器物，四、结语，共四个部分，有彩照、手绘图。

据介绍，韩氏家族墓均为单室墓，墓室平面为长方形，在墓室的南端设长方形斜坡墓道。墓内随葬品较少，有青瓷器、陶器、铁器和铜钱。其发掘填补了本区域南朝纪年墓的考古空白。

简报还提到，此次发现的铭文砖十分珍贵，纪年铭文砖较早见于东汉墓葬，魏晋南北朝时期十分流行，韩墓铭文砖记事内容较多，已然是向后期墓志铭过渡的一种中间形态。另外，这次发掘的铭文字体介于隶、楷之间，对研究中国书法史也有价值。

745.湖北谷城田家凹秦汉墓发掘简报

作　者：湖北省文物考古研究所、谷城县博物馆　张成明、李广安、唐　宁
出　处：《江汉考古》2011 年第 4 期

田家凹墓群位于湖北省谷城县城关镇龚家河村五组，东临汉水，东南距北河河道 2 公里，南距谷城县城 8 公里。墓群地处龚家河黄土山岗东南部。2010 年 4 ～ 6 月为配合西气东输工程进行了抢救性发掘，计发掘秦墓 1 座（M2）、汉墓 2 座（M1、M3）。

简报分为：一、秦墓，二、汉墓，三、结语，共三个部分予以介绍，有照片、手绘图。

秦墓为一棺一椁，人骨已朽，葬式不详。西汉墓平面呈"刀"字形，出土遗物有陶壶、陶罐、陶瓷、陶仓、陶灶、陶盆等。据介绍，田家凹墓群是谷城县境内一处重要的墓地，主要有秦、汉时期的墓葬。虽然仅发掘了 3 座墓葬，但仍然出土了一批较为重要的文物，特别是西汉时期的红彩陶壶，在襄樊地区汉墓中极少发现，为研究汉水流域的汉文化面貌与丧葬习俗提供了新的实物资料。

十堰市

746.湖北房县的东汉、六朝墓

作　者：湖北省博物馆
出　处：《考古》1978 年第 5 期

1973 年 3 月，房县城关镇反帝街向阳大队（距县城中心约 2.5 公里）农民平整土地时，在相距约 0.5 公里的两地，发现一些古墓，考古人员清理了 5 座：4 座东汉墓，1 座六朝墓。这几座墓坐落的土冈早已削平，墓顶与现在地面大致平齐。

清理情况简报分为：一、东汉墓，二、六朝墓，共两个部分予以介绍，有手绘图、拓片。

据介绍，4 座东汉墓都有纪年砖，提供了断代的确切依据。"阳嘉""本初"分别为东汉顺帝刘保、质帝刘缵的年号，"建宁""熹平"均为东汉灵帝刘宏的年号。"阳嘉元年"即公元 132 年，"本初元年"即公元 146 年，"建宁二年"即公元 169 年，"熹平五年"即公元 176 年。M1 出土"阳嘉"和"熹平"两种年号的纪年砖，断代当以后者为准。这 4 座墓因都有绝对年代，可用为这一地区小型墓的断代标尺。

六朝墓 1 座，靠近东汉墓，形制相同，但出土器物多与东汉墓不同，且有 1 件青瓷钵，其形状、花纹与南京西晋宁郎 M1 出土之器十分相似（见《南京出土六朝青瓷》

56页），另外，出土的剪边五铢属五型五铢磨郭钱，更可肯定比前述东汉墓要晚，因此，简报推断该墓时间似应为六朝早期。

747.丹江口市肖川区战国两汉墓葬发掘简讯

作　者：潘佳红、李　俊
出　处：《江汉考古》1988 年第 1 期

1987 年 3 月至 5 月，考古人员抢救性发掘了丹江口市肖川区黄峰乡关门岩沿丹江水库降水一线露出的战国两汉墓葬 28 座。

据介绍，墓地位于肖川区东北 2.5 公里，在肖川区以北伸入丹江水库的半岛东部。墓葬沿水库边缘自北往南分布于北泰山庙、秦家坡、付家院后、水牛坡、汤家洼、何家沟口五处平缓的山坡上。战国墓 5 座、西汉墓 17 座均为竖穴土坑墓。东汉墓 6 座为砖室墓，出土有铜器、陶器、铁器、钱币等。其中东汉墓出土的微型车马器、兵器引人注目，西汉墓出土的铜鼎也不多见。

简报称，肖川墓地位于被水库淹没的均州故城西北郊。均州春秋为一小国领地，战国属楚谓之均陵，后属韩，西汉为武当县属南阳郡。肖川墓地即在战国均陵、汉代武当县城边，墓主多为均陵故城及汉代武当县的一般官员、自由民及庶民。

748.房县桃园发掘出一批东周两汉墓

作　者：房县文化馆　武仙竹
出　处：《江汉考古》1988 年第 1 期

1986 年的上半年和 1987 年的下半年，考古人员先后两次在房县桃园村发掘 43 座东周、两汉时期的中、小型墓葬，出土青铜器、玉饰、银器、陶器 300 余件。这批墓葬分布在桃园村砖厂取土的两面小山坡上，当地人把这两面山坡分别叫作大松嘴和小松嘴。大小松嘴南与房县城北的北门河为邻，东对高枧河，处于房县盆地的边缘。

据介绍，东汉墓均为带券顶的砖室墓。多为"凸"字形或"刀"字形。随葬品以陶器、五铢钱为主，也有铜镜、漆木器等。从排列看应为家族墓地。大、小松嘴的西汉、东周的土坑竖穴墓绝大部分都带有墓道，带墓道的形制也分"凸"字形和"刀"形的两种，不带墓道的则是长方形，方向为东西向和南北向。"刀"形土坑墓的随葬器物仅有一两件陶器和一件铜带钩。西汉墓中的随葬品只以罐为主，配有灶、鼎、壶、漆木器、铁器等。东周墓中的陶器组合是鼎、敦、壶，往往成对出现。此外，还有铜矛、铜戈。并且，大部分东周墓中都发现有腐烂的一棺一椁，这些墓很有可能是楚墓。

简报称，地处鄂西北的房县盆地，以前未发掘过东周墓葬，这次发掘材料的获得填补了这一空白。如果有些东周墓可以断定是楚墓的话，那么也为我们的楚史研究提供宝贵资料。

749.丹江口市肖川战国两汉墓葬

作　　者：湖北省博物馆、丹江口市博物馆　潘佳红
出　　处：《江汉考古》1988 年第 4 期

肖川区位于丹江口市西偏北 34 公里处。昔日，此地附近为均州城，均州城四周是起伏绵亘的山脉。丹江水库建成后，均州城被完全淹没。水面以上均只露出较小的山丘。肖川区所在地是一处位置较高的丘陵地带。1987 年 3 ～ 5 月，考古人员进行了发掘，共发掘战国两汉墓 29 座，其中战国墓 5 座，西汉墓 17 座，东汉墓 7 座。

简报分为：一、战国墓葬，二、西汉墓葬，三、东汉墓葬，四、结语，共四个部分，有照片、手绘图。

据介绍，这次发掘的墓葬为研究鄂西北地区战国秦汉时期的历史，提供了较为丰富的实物资料。肖川战国墓葬，从其时代、地域、葬制、器物的基本组合、陶器的基本特征等分析，均为楚墓。这 5 座楚墓与中原地区的战国墓葬差异更为明显。中原地区在战国时期殉人之风仍然盛行。战国中期流行洞室墓，盛行土坑小龛墓。这些特征均不见于肖川。西汉时期，洛阳一带流行土洞室与空心砖墓或小砖券墓，早、中期普遍地随葬木质俑和铅质小型车马饰，这些特征均不见于肖川西汉墓葬。东汉墓从规模看应属庶民墓。肖川东汉前期墓葬中陶楼顶、陶猪圈、鸡、狗、猪的出现，反映了东汉一代，在庄园经济的形成与发展之条件下，社会地位较低的普通百姓对财富的向往。

750.湖北均县朱家台遗址

作　　者：中国社会科学院考古所长江工作队
出　　处：《考古学报》1989 年第 1 期

朱家台遗址位于鄂西北均县城南 2.5 公里，七里屯村东北的一块高地上，东临汉江与曾河交汇处之冲积地带，西傍均（县）草（店）公路。地貌为一长条形土丘，高出周围地面 3 ～ 6 米，南北长 185 米、东西宽 20 ～ 70 米，面积约 8000 平方米，遗址保存较好。该遗址于 1958 年初，由襄阳专署文化科和均县文教局文物普查时发现。同年 7 月考古人员进行复查，11 月试掘。1959 年 1 至 6 月，考古人员进行正式发掘。

由于种种原因，有 37 条探沟的仰韶文化层未能挖到底。

简报分为：一、地层情况，二、仰韶文化遗迹和墓葬，三、仰韶文化遗物，四、西周文化遗物，五、东周文化遗物，六、西汉文化遗物和结语，介绍了相关情况，有照片、手绘图。

简报称，均县朱家台遗址的发掘，使我们对汉江中上游鄂西北及豫西南地区的仰韶文化遗存有了进一步的认识，并对两周文化遗存有了初步了解。该遗址的仰韶文化遗存可分早、晚两期。早期遗存有灰坑 1 座，晚期遗存有房址 3 座、灰坑 3 座、墓葬 4 座。西周遗存主要为陶器，上限约为西周中期，下限约当西周晚期至春秋早期。东周遗存主要也是陶器，年代约为春秋中晚期至战国前期。西汉遗存主要有陶盆、双耳陶罐等，年代约为西汉前期。

751.房县桃园战国两汉墓葬第三次发掘简讯

作　者：房县博物馆　李　轶
出　处：《江汉考古》1990 年第 2 期

1988 年 5 ~ 6 月，考古人员在房县桃园村大、小松嘴和半截坡发掘了 18 座中、小型古墓葬，出土陶、铜、玉石等随葬器物 80 余件。简报配以照片予以介绍。

据介绍，这 18 座墓葬主要分布在大、小松嘴和半截坡的东麓，其中战国墓 2 座、西汉墓 4 座、东汉墓 10 座、宋墓 1 座、时代不明的空墓 1 座。墓向既有东西向也有南北向，墓内棺椁均朽，人骨架除个别外，大都仅存朽痕，但可知其均系仰身直肢葬。战国墓是长方形土坑竖穴式，只随葬陶器，其组合为鼎、敦、壶。西汉墓仍为长方形土坑竖穴，有生土二层台，随葬陶器和五铢钱等，陶器基本组合为鼎、盒、壶（或加上灶）。东汉墓均各带一条土质斜坡墓道，墓形有两种：其一是"凸"字形或刀形砖室墓；另一是"刀"形土坑墓，随葬陶器、铜钱等，陶器基本组合为罐（瓮）、灶。这次发现 1 座战国墓有椁无棺，并不见人骨架，东汉墓有 1 座三人合葬墓。东汉墓也有并穴合葬，在东汉墓的墓道中，出现有排水设施。此外，东汉墓的墓砖，就其花纹也有新的品种。

752.1986 ~ 1987 年湖北房县松嘴战国两汉墓发掘报告

作　者：湖北省文物考古研究所、郧阳地区博物馆、房县博物馆　梁　柱等
出　处：《考古学报》1992 年第 2 期

房县地处湖北省西北山区，松嘴位于县城西北约 1.5 公里，现系房县桃园村砖

瓦厂的取土场。1985 年冬，桃园砖瓦厂在这里取土，发现了古墓葬。1986 年 4 ～ 5 月和 1987 年 11 ～ 12 月，考古人员先后在这里进行两次发掘，共发掘 43 座墓。墓葬均为小型墓，未见有封土堆。木质棺椁和人骨架均已朽，大多仅存朽痕。43 座墓中有 6 座无随葬品（其中 5 座被严重破坏），其余 37 座墓出土陶、铜、铁、玉石、琉璃、漆木等质随葬品共计 1576 件。37 座有随葬品的墓中，有战国墓 6 座、西汉墓 13 座、东汉墓 18 座。简报分为战国墓、汉墓、结语等几个部分予以介绍，有照片、拓片、手绘图。

据介绍，战国墓 6 座（M24 ～ M27、M29、M30），均为长方形土坑竖穴木椁墓。东西向的 2 座，南北向的 4 座，均为小型墓，墓主估计身份较低。简报认为是战国中期楚墓。西汉墓 13 座，均为土坑竖穴木椁墓。墓主当为庶民，年代从秦汉之际、西汉早期到西汉中期不等。东汉墓 18 座，为小型土圹砖室墓，有 2 座被盗，5 座被严重破坏。年代从东汉中期、东汉中晚期、东汉末年不等。墓主身份估计为平民或小地主。

简报指出，6 座战国墓在文化面貌上属楚，但与江陵、当阳的楚墓相比较，其特殊处表现在不以白膏泥裹椁（或棺），不见四耳壶式的缶和罍及小口鼎，不葬盥器（盘、匜），兵器中亦少见剑；出现随葬 4 套陶鼎、敦、壶，这在江陵地区已掘逾千座小型墓中也是极罕见的现象。13 座西汉墓中，罕见陶钟。18 座东汉墓中不见陶仓、家禽家畜模型等。这些特殊点，构成了本地的地方风格。表明房县地处鄂西北的武当山脉南侧，马栏河蜿蜒其境再进入南河而汇于汉水，南来北往，文化交流频繁；但又因地处山区，交通条件不如平原地区便利，文化相对保守。

753.竹山县霍山遗址调查简报

作　者：郧阳地区博物馆、竹山县文化馆　祝恒富、王　毅、黄　玮
出　处：《江汉考古》1994 年第 4 期

霍山（又称护佛寺）遗址，位于竹山县城东南约 1 公里的霍山西北坡，堵河与霍河的二级台地上。遗址隶属城关镇霍山管理区莲花村，遗址面积约 5000 平方米，1984 年竹山县人民政府公布为县级文物保护单位。现竹山县造纸厂、霍山供销社、农机站和霍山中学及部分农宅均建在遗址上，霍山管理区也设在这里。

简报分为：一、发现与调查经过，二、文化遗物，三、结语，共三个部分。有手绘图。

据介绍，调查所采集的遗物有陶片 2000 余片，选出标本 200 余件；石器数十件，还有少量玉器、骨器及铜镞 1 件。可分为生产工具和生活用具两大类。简报推断，新石器时代中期文化遗物的时代为仰韶文化时期，亦为该文化范畴；晚期遗物时代归入屈家岭文化；末期文化遗存中的遗物应属龙山时代遗存；东汉及汉代遗存应为东吴无误。

754.南水北调工程丹江口水库郧县淹没区考古调查

作　者：湖北省文物考古研究所、十堰市博物馆、郧县博物馆　祝恒富、宋有志、
　　　　李桃元、刘文春、刘道军

出　处：《江汉考古》1996年第2期

1994年底，为配合南水北调丹江口水库续建工程，考古人员对郧县境内汉江两岸170米水位线以下的河谷地区进行了一次全面的文物调查．共发现两周至隋唐遗存51处，其中两周22处，两汉34处，六朝3处，唐代2处。以上数字中，分时代统计数多于总数，是因有些遗址包含有不同时期的文化遗存。

简报分为：一、两周遗存，二、两汉遗存，二、六朝遗存，四、唐代遗存，"结语"，共五个部分，有手绘图。

据介绍，本次调查共查明郧县汉江河谷地区的两周时期遗存共22处，其中遗址20处，墓地2处，两周遗存的分布点虽多，但所采集的遗物较少。在所采集的标本中，绝大部分为陶器，一般为日用陶器，也有少量铜器。文化性质有姬周文化和楚文化之分。根据遗存的分布及所采集的标本分析，这些资料为我们寻找早期楚文化及楚文化的来源提供了引人注目的信息。

郧县淹没区的两汉遗存非常丰富，不管是遗址还是墓地，面积都较大，保存较好。采集遗物也较多。郧县在汉代分属锡、长利二县，属汉中郡，东汉两县合并为长利县。历史上素有"鄂之屏障，豫之门户，陕之咽喉，蜀之外局"的称谓，为历代兵家的必争之地。这次大量发现可以见证汉代时此地的繁荣。

六朝以后的遗存不多，只有尖滩坪墓地，该墓地出土有一批精美瓷器，它是这一区域的首次发现，弥补了这一段的缺环。唐代较重要的只有李泰家族墓地一处。该墓地系淮王李泰（李世民之次子）的家族墓地。从有关资料可知该墓地沿用时间长达二百余年，也是全国迄今为止唯一可以确认为王畿之外的唐王室家族墓地。20世纪80年代曾进行过正式发掘，资料颇为丰富，这次调查资料虽少但也具有补充意义。

755."南水北调"工程丹江口水库郧西县淹没区考古调查简报

作　者：十堰市博物馆、郧西县文化馆　胡　魁、李海勇、屈胜明

出　处：《江汉考古》1996年第2期

郧西县位于鄂西北汉江北岸、秦岭南麓。为配合南水北调工程，1994年10月，考古人员在此进行文物调查，共查出地上古建1处，地下文物11处，时代从新石器

时代至两汉。简报配以手绘图予以介绍。

据介绍，简报重点介绍了泥河口、庹家湾、张家坪遗址。泥河口包含有石家河文化和周代文化。庹家湾包含有仰韶、石家河、两周、两汉遗存。张家坪包含有仰韶文化等。

简报指出：这些遗址的调查，都填补了考古学对郧西县认识的空白。

756.湖北房县松嘴战国两汉墓地第三、四次发掘报告

作　者：湖北省文物考古研究所、十堰市博物馆、房县博物馆　梁　柱、周国平、
　　　　　王　毅、陈显春等

出　处：《考古学报》1998 年第 2 期

松嘴墓地位于湖北房县城关西北约 1.5 公里，属房县桃园村砖厂取土场范围。考古人员先后进行了四次发掘：第一、二次（1986 ~ 1987 年）的发掘报告载《考古学报》1992 年 2 期；第二、四次（1988 年 5 ~ 6 月、1991 年 11 月 ~ 1992 年 1 月）又发掘 43 座墓葬，编号松 M44 ~ 松 M80、半 M1 ~ 半 M6。由于松 M46、M47 为宋代以后墓，松 M75 因遇持续数日的雨雪而未发掘完。

简报分为：一、战国墓；二、西汉墓；二、东汉墓；四、结语，共四个部分先行介绍余下的 40 座墓葬。有照片、手绘图。

据介绍，墓葬为小型墓，分布在松嘴和半截坡的东麓。墓上未见封土，墓口一般压在厚 0.2 ~ 0.6 米的表土或耕土层下，另有部分墓被推土机推去表土而暴露墓口，或因爆破、推土而残破。木质棺椁和人骨架大多仅存朽痕，只个别墓的人骨架保存较好。40 座墓中有 6 座无随葬品，余 34 座墓出土陶、铜、铁、玉石、漆木等质地的随葬品共 415 件。经初步分析，34 座墓的时代分属战国（4 座）、西汉（19 座）、东汉（11 座）。

简报称，4 座战国墓的年代均为战国晚期楚墓，均为小型墓，墓主身份较低。西汉墓均为土圹竖穴木椁墓，年代可推断为文帝至宣帝之间，也均为小型墓。一椁一棺或单棺，随葬一套或两套铜礼器或陶礼器、日用品，墓主大多身份不高。东汉墓大多被盗或遭破坏，年代简报定为东汉晚期，随葬品贫乏，墓主身份较低。

简报指出，随葬品中，西汉墓 M57 漆耳杯上书写的"房陵"二字，是汉时房县的名称。房县盛产漆树，当时本地制作漆器完全可能。这一发现为房县至迟在西汉时已有漆器作坊提供了确证。

757.房县羊鼻岭遗址再调查

作　者：十堰市博物馆、房县博物馆
出　处：《江汉考古》1998 年第 2 期

羊鼻岭遗址位于湖北省房县县城东北约 2.5 公里的白窝镇白窝村境内，它北靠五将山，东濒白窝河，西临高枧河，南与北门河、白窝河、高枧河交汇的三道河相接，是一处北高南低、三面环水、一面靠坡的椭圆形台地。遗址南北长约 300 米、东西宽约 200 米，总面积 5 万多平方米。该遗址调查发现于 1976 年，首次采集材料已经整理报告。1995 年夏，考古人员再一次对该遗址进行了调查，获得了一批新材料。

简报分为：一、生产工具，二、生活用具，三、结语，共三个部分，有手绘图。

据介绍，本次调查所见生产工具有石器和陶纺轮。石器共 15 件，均较完整，总体而言先进行打坯，再琢、磨。器型以斧为主，次为锛。生活用具有缸、盆、碗、杯等，简报认为生产工具为新石器时代遗物。生活用具的时代特征较明确，基本可看出有新石器、周、战国、汉等时代遗物。该遗址的内涵是丰富的，它不但具有新石器时代中的仰韶文化、屈家岭文化及石家河文化等原始遗存，同时还有周、汉等时期的文化遗存。

758.房县古城古墓地调查简报

作　者：房县博物馆　陈昱春、刘　斌
出　处：《江汉考古》1999 年第 1 期

1998 年 4 月，房县化龙镇古城村五组村民徐元佳在农田修田坝时发现一座砖室墓。

简报分为：一、古城 M1 墓葬形制，二、征集文物，三、结语，共三个部分予以介绍，有手绘图。

据调查，西城村位于房县西 20 公里处，为一片水田。据称曾发现过古墓葬，应为古代墓地。该墓为一券顶砖室墓，已损坏，随葬品无存，仅征集到陶器 5 件。从墓砖看，该墓为六朝时期（甚至会晚至唐宋时期）墓，征集到的陶器为西汉遗存。

759.郧县三浪滩遗址调查简报

作　者：十堰市博物馆　胡　魁、祝恒富
出　处：《江汉考古》1999 年第 3 期

1997 年秋，汉水水位下降，考古人员对郧县境内汉水沿岸古文化遗址进行再调查，先后在郧县新发现旧石器地点 3 处，采集标本 100 余件，与此同时也发现了三浪滩遗址。三浪滩遗址位于郧县安城乡大树垭村九组，三浪滩是以汉水河滩之名而来。当地砖厂取土时挖出大量人骨和瓦罐子（应是墓葬），在调查时也见到大量人骨，同时在砖厂的凉坯处发现一个新石器时代的高足杯。在砖厂的上部一块耕地里发现烧土块。

简报分为：一、文化遗物，二、结语，共两个部分，有手绘图。

据介绍，三浪滩遗址面积不大，地面所见文化遗物较少，砖厂取土处所见遗物也不是很丰富，所以这次调查所采集的标本较为有限。这批文化遗物分石器和陶器。石器主要是生产工具，可分为两类：

第一类为打制石器，主要以河滩砾石为原料，制作粗犷；

第二类为打磨兼制，器型相对规整，应为新石器时代遗物。

陶器均为生活用具，大体为新石器和周代两个时期。

简报称，第一类石器以河滩砾石为原料，制作石器的坯料亦为河滩砾石，器型相对较大，制作粗犷，采用锤击法打片，加工方法主要是正向和交互加工。应为旧石器时代晚期遗存。第二类石器及陶器为屈家岭文化及两周时期遗存。三浪滩遗址应是一处从旧石器晚期至东周的古文化遗址。

760.丹江口市玉皇庙汉晋墓发掘简报

作　　者：湖北省文物考古研究所、十堰市博物馆、丹江口市博物馆　刘志军、
　　　　　杨学安
出　　处：《江汉考古》2001 年第 1 期

玉泉庙墓地位于丹江口市土台乡戈余沟村丹江口水库东岸，1995 年 5 月发现。1998 年发掘。简报分为三个部分予以介绍，有拓片、手绘图。

据介绍，共计砖室墓 2 座、土坑墓 5 座。砖室墓随葬品几乎无存，破坏严重。其中 M2 应为东汉晚期高官或豪强墓。M4 出土有元康九年（299 年）墓砖，当为西晋某二千石以上州郡级官员墓。5 座小型土坑墓，随葬品仅有陶器，估计为西汉中期一般庶民墓。

另据《华夏考古》2003 年第 2 期，玉皇庙遗址还曾发现有新石器时代遗存和周代遗存。可见此处是一处年代跨度大、文化内涵丰富的人类活动区域。

761.湖北丹江口市金陵墓群的发掘

作　者：荆州博物馆、湖北省文物局南水北调办公室　刘德银、李　亮、朱江松等
出　处：《考古》2008 年第 4 期

金陵墓群位于丹江口市钧县镇丹江口市水产局金陵养殖场。墓地东距丹江口市约 35 公里，北距均县镇约 10 公里。墓地东部为一南北向的大冲沟，东北部有一南北向的岗地，西部、南部和东部冲沟外为丹江口水库。为配合南水北调工程，2006 年 10 月 24 日～2007 年 1 月 24 日，对金陵墓群进行了第一次考古发掘工作。由于金陵墓地面积较大，地形复杂，为了方便今后的发掘工作，将整个墓地分为两个区：以墓地中部的河汉为界，分为 A、B 两区。

简报分为：一、地理位置及环境，二、发掘经过及方法，三、地层堆积与墓葬分布，四、东周墓，五、秦墓，六、西汉墓，七、唐墓，八、结语，共八个部分。有手绘图等。

据介绍，共发掘东周、秦、西汉、唐等时期的古墓葬 89 座，其中东周墓 6 座，秦墓 5 座，西汉墓 5 座，唐墓 37 座。出土遗物有陶器、瓷器、铜器、铁器、银器和玉器等。

据介绍，金陵墓地内发掘的东周墓数量较少，其中 4 座墓出土遗物均有 2 套仿铜陶礼器鼎、敦、壶，为楚墓中的典型器物组合，墓葬的年代为战国早、中期。秦墓中出土遗物以陶绳纹圆底罐、盂、鍪为主。其中 M2 出土的陶蒜头壶为小直口，细长颈，颈部有箍，垂腹。M51 出土的"半两"铜钱形体较大，质量较重，均为典型的秦代遗物。西汉墓出土有鼎、盒、壶、钫、釜、甑、盂、仓、瓮、璧等陶器和鼎、坊等铜器，M1 甲出土的"半两"钱体小、肉薄、无郭，面文"半两"极不规范，"半"字下横与"两"字上横较长，"两"字为"双人两"，为典型的西汉前期铜钱。5 座西汉墓随葬遗物组合形制基本相同，其时代应属西汉早期。唐代墓葬均为竖穴砖室（棺）墓，砖墙均采用三顺一丁的方法错缝砌筑，多人字形铺地砖，随葬品以陶、瓷器为主，器类以碗较多，陶碗为平底，盅形。瓷碗为灰白胎，施半釉，饼形足，应为唐代早期遗物。

简报指出，金陵墓地面积约 20 万平方米，分布有战国、秦、西汉、东汉、唐和清代墓葬，墓地面积之大，墓葬分布之密集，延续时间之长，是整个丹江口库区少有的。对这一墓地的科学发掘，将为研究汉丹流域战国、秦汉、唐以及明清时期的社会、经济、文化等提供重要的资料。特别是战国至秦汉时期的墓葬出土了一批重要遗物，对研究汉丹流域战国至秦汉时期墓葬发展序列具有重要意义，大量唐代砖室墓的发掘，也为研究唐代砖室墓的形制特点、建筑方法等提供了重要的实物资料。

762.2008 年湖北省丹江口市观音坪遗址发掘报告

作　者：湖北省文物考古研究所、十堰市博物馆　黄文新、杨海莉、岑东明、
　　　　段溥涛
出　处：《江汉考古》2010 年第 2 期

观音坪遗址是鄂西北重要的新石器时代遗址之一，其文化内涵主要包含屈家岭文化、周文化和汉代三个时期遗存。从观音坪遗址发掘的情况看，屈家岭文化仍承袭仰韶文化发展而来，陶器特征个体较大，鼎足形态较丰富，器盖钮多花边，器物腹部多按鸡冠状錾，其文化面貌既有中原文化特征又有江汉地区文化因素，反映出汉水中上游文化因素与周边文化此消彼长、相互交融发展，形成的混融性地域文化特色。西周文化以包制鬲足、瘪裆鬲为特色，较多地保留了中原周文化风格，其文化因素的主体应源于中原周文化，属于周文化范畴，这充分反映出中原周文化对此地有较深的影响。东周时期出现了具有楚文化典型特征的联裆鬲和盂，反映了中原周文化对南方统治势力逐渐减弱，楚文化势力不断增强，形成了一种独特的地域文化。简报分为四个部分予以介绍，有手绘图。

简报称，通过本次发掘，进一步了解到观音坪遗址的文化面貌，对研究屈家岭文化的传承、中原周文化南渐以及楚文化的发展进程具有重要的学术价值。

763.湖北郧西张家坪遗址发掘简报

作　者：湖北省文物考古研究所、湖北省文物局南水北调办公室　郭长江
出　处：《江汉考古》2010 年第 3 期

2009 年 11 月到 2010 年 1 月，为配合南水北调工程，考古人员对郧西张家坪遗址进行了发掘。遗址文化主要以仰韶文化和东周、春秋中期至战国中晚期文化遗存为主，少量唐宋的遗存，出土了丰富的陶器、石器及少量的瓷器、铁器、铜钱等。该遗址的发掘，为研究汉水中上游同时期的区域文化以及南北文化的交流，提供了新的实物资料。简报分为六个部分予以介绍，有手绘图。

据介绍，张家坪遗址位于郧西县城东南 20 公里（直线距离）、汉江上游左岸的雨季级台地上，隶属郧西县河夹镇坪沟村 5 组。张家坪遗址地处位于长江流域和黄河流域的交会之地的汉江中上游的鄂西北地区，与陕南、豫西接壤，张家坪遗址临江靠山，但未见出土网坠、箭镞、骨器。从这三期文化遗存的文化特征分析，其第一期的文化遗存为黄河流域文化因素，第二期文化内涵为长江流域文化因素。

764.湖北丹江口市莲花池墓地战国秦汉墓

作　　者：北京市文物研究所、湖北省文物局南水北调办公室　袁永明、张治强等
出　　处：《考古》2011年第4期

莲花池墓地位于湖北省丹江口市均县镇莲花池村南约2.5公里，南距武当山约15公里，西与雷陂墓地相望。墓地位于一条西北至东南走向的山梁上，山梁呈中间高两边低的鱼脊形，顶部较宽阔，山梁两边为自然沟壑。1994年，该墓地在中国社会科学院考古研究所和丹江口市博物馆的调查中发现，并列入丹江口水库淹没区重点文物保护工程项目。2006年10月至2007年1月，对墓地淹没区的部分进行了勘探和抢救性发掘，共清理年代确定为战国晚期至西汉中期的墓葬58座、明清墓葬4座、年代不明者4座。

简报分为：一、墓地概况，二、地层堆积，三、战国晚期至西汉初期墓葬，四、西汉墓葬，五、结语，共五个部分，先行介绍战国至西汉墓葬的发掘情况，有彩照、手绘图。

据介绍，莲花池墓葬的主要年代从战国晚期到西汉中期，随葬品丰富，对研究丹江地区战国晚期楚文化、秦文化和西汉历史文化，具有重要价值。

765.湖北郧县店子河遗址发掘简报

作　　者：武汉大学考古系、湖北省文物局南水北调办公室、郧县博物馆　宋海超、
　　　　　余西云等
出　　处：《考古》2011年第5期

店子河遗址位于湖北省郧县青曲镇店子河村，东北距郧县县城16公里，东南距十堰市区15公里。遗址位于南水北调中线工程淹没区，考古人员于2008年11月至2009年5月对该遗址进行了第一次发掘，发掘面积3130平方米。

简报分为：一、遗址概况，二、地层堆积，三、后冈一期文化遗存，四、煤山文化遗存，五、二里岗文化遗存，六、东周时期遗存，七、结语，共七个部分。有照片和手绘图。

据介绍，店子河遗址后冈一期文化遗存比较丰富，发现的遗迹有墓葬、灶、灰坑等。遗物有石器、陶器、骨器等。石器主要有斧、刀，磨制、打制均有，部分加工精细。陶器以红陶为主，灰陶所占的比例较小，黑陶所占比例极小。陶质以泥质为主，夹砂次之。器表绝大多数为素面，只有极少的细绳纹。器类主要有圆锥足圆鼓腹鼎、圜底钵、平底钵、假圈足碗、盆、小口壶、器座等。其陶系、器表装饰，特别是器

类组合，均未超出豫北冀南以安阳后冈遗址为代表的后冈一期文化的范畴。时代大约相当在仰韶文化一期。

简报称，煤山文化曾大规模南侵，深刻影响了江汉平原乃至三峡地区的同期文化。店子河出土陶器以夹砂灰褐陶为主，有部分泥质灰陶，红褐陶较少。纹饰主要为篮纹。出土陶器有绳纹釜、侧装足鼎、圈足盘、高领罐、甗等。除了釜这类器物少见于煤山文化，其他器类均在煤山文化的范畴。

二里岗文化也曾长期分布于长江中游，近年在丹江库区的多个遗址发现有这一时期的遗存。店子河出土的陶器以泥质灰陶、夹砂灰褐为主，纹饰主要为绳纹、篮纹、附加堆纹，主要器类有鬲、甗、罐、大口尊、罍、簋、瓮等，为典型的二里岗文化遗存。

东周时期遗存陶器以夹砂灰陶、夹砂褐陶为主，泥质灰陶、泥质黄褐陶次之。纹饰有绳纹、弦纹等。器类有鬲、盂、罐、豆、盆、甗、壶、鼎、甑、钵等。这类遗存的鬲和盂均以平沿外侈为特色。

766.湖北郧县中台子遗址发掘报告

作　者：湖北省文物考古研究所　黄文新等
出　处：《江汉考古》2011年第1期

据介绍，中台子遗址包含有新石器时期、周文化以及唐代遗存。新石器时期遗存是该遗址的主要文化内涵，该时期出土遗物较为丰富，陶器以夹砂褐陶为主，褐胎黑皮陶次之，有少量灰陶。器表多素面，纹饰以横蓝纹为主，还有少量弦纹、附加堆纹、米字纹、按窝纹、方格纹等。器形有陶鼎、缸、罶、罐、瓮、盆、豆、红顶碗、红陶杯等。

根据地层叠压与遗迹之间的打破关系，以及器型对比，中台子遗址新石器时期遗存大致分为两个阶段：第一阶段为屈家岭文化晚期；第二阶段为石家河文化早期。另含有少量仰韶文化晚期遗存。周文化遗存可分为西周晚期、春秋中期、战国中晚期三个阶段。唐代遗存很少，其时代为晚唐时期。

简报称。中台子遗址新石器时期文化面貌既有中原文化特征又有江汉地区文化因素，说明汉水中上游文化与周边文化相互渗透、相互交融，发展成了一种具有区域文化特征的地方文化。这为研究汉水流域该时期文化的分布与发展提供了重要的实物资料。

中台子遗址周文化面貌属于楚文化范畴，其文化因素仍承袭中原周文化风格发展而来。鄂西北地区是楚文化早期形成的重要区域，随着楚文化势力的不断增强，逐渐向南扩张形成了典型的楚文化。中台子遗址的发掘，对研究早期楚文化的发展进程有着重要的考古学价值。

中台子遗址出土的陶豆柄上"君市"陶文，很有可能是楚国封君"官市"上的一件流通商品。我国古代的"市"在战国乃至汉代都较为普遍，由文字材料得知，古代的官市，不仅生产和经营陶器、漆器及冶炼铸造，而且其产品已是规范化管理的流通，楚国的官市目前不太清楚，这件"官市"陶文的发现，对探讨楚国官市职能有重要的学术价值。

郧县是唐代重要的流放地之一，濮恭王李泰就流放到这里，当时流动人口的增加，对该地区的政治、经济、文化都产生了重要的影响。中台子遗址唐代遗存的发现，对研究唐代文化具有一定的意义。

767.湖北丹江口市八腊庙墓群第二次发掘简报

作　者：湖北省文物考古研究所、湖北省文物局南水北调办公室　郭长江、
　　　　杨学安、陈方艺
出　处：《江汉考古》2012 年第 2 期

2011 年 6 ~ 7 月，为配合南水北调工程，考古人员对湖北丹江口市八腊庙墓群进行了第二次抢救性发掘，共清理墓葬 23 座，其中东周墓 18 座、唐墓 2 座、明清墓 3 座。东周墓主要为长方形竖穴土坑墓，随葬器物有以鬲、盂、罐为主的日常生活用品组合，墓葬时代约在春秋中、晚期；以鼎、敦、壶为主的仿青铜礼器组合，墓葬时代为战国中晚期。

简报分为：一、前言，二、墓葬形制与出土器物，三、墓葬类型及器物组合，四、墓葬年代与墓主身份，五、结语。

简报重点介绍了 9 座有随葬品的东周墓和 1 座有随葬品的唐墓。9 座出有随葬器物的东周墓，均为长方形竖穴土坑墓，均为仰身直肢单人葬。根据墓葬葬具痕迹，9 座墓葬可分为两类：

第一类：一棺一椁墓，共 6 座（M27、M28、M29、M30、M33、M35），墓葬长 225 ~ 290 厘米、宽 116 ~ 115 厘米。随葬品都置放在棺内南部，成一字形排列。

第二类：单棺墓，共有 3 座（M36、M40、M41）。墓葬长 190 ~ 260 厘米、宽 60 ~ 90 厘米。随葬品摆放无序，M36 的随葬品置于二层台上，M40 的随葬品置于棺内头部，M41 的随葬品置于棺内北部。M46 为甲字形砖室墓，随葬品器物组合有陶瓷、瓷碗、三彩盏。简报初步判断：M46 的大致年代应该在唐代的中晚期。M46 为带有甬道以及葬有三彩器的中小型墓葬，墓主人可能是等级较低的官吏。

简报介绍的 10 座墓葬，根据各种器物的形制演变，可以把 9 座东周时期墓葬分为四期六段，加上 1 座唐墓，共分五期七段：

第一期（一段）：春秋中期晚段。有 M35。

第一期（二段）：春秋晚期早段。有M29、M33、M36。

第二期（三段）：春秋晚期晚段。有M30、M40。

第三期（四段）：战国早期晚段。有M41。

第四期（五段）：战国中期晚段。有M27。

第四期（六段）：战国晚期早段。有M28。

第五期（七段）：唐代时期墓葬。有M46。

简报称，9座东周墓，无论是墓葬形制，埋葬习俗，随葬品组合均与其他地区楚墓几乎一致，应为楚人的墓葬。

768.湖北郧西厍家湾遗址发掘报告

作　者：湖北省文物考古研究所、湖北省文物局南水北调办公室、郧西县博物馆
　　　　梁　柱等

出　处：《考古学报》2013年第1期

厍家湾遗址位于郧西县城西南16.2公里的汉江上游左岸二级台地上，隶属郧西县观音镇垭子湾村6组（原厍家湾村）。厍家湾遗址是1959年由中国社会科学院考古研究所等单位调查发现的，后经多次复查。1994年10月，考古人员对郧西县境内沿汉江两岸文物点进行一次全面调查，也对厍家湾遗址进行了复查。为配合南水北调中线工程做好丹江口水库淹没区的文物保护工作，从2007年3月至2008年5月，对厍家湾遗址先后进行了两次钻探和三次发掘。三次发掘遗迹98处，其中灰坑88个、灰沟9条、墓葬1座。有新石器时代灰坑2个、灰沟1条，东周时期灰坑78个、灰沟6条，西汉墓葬1座，东汉灰坑4个、灰沟2条，明清灰坑4个。遗址出土了大批新石器时代至明清时期的遗物，以东周时期的为主，即春秋中期至战国早期。

简报分为：一、地层堆积，二、新石器时代文化遗存，三、东周文化遗存，四、两汉文化遗存，五、明清文化遗存，六、晚期地层出土的早期遗物，七、结语，共七个部分进行了介绍，有彩照、手绘图。

据介绍，厍家湾遗址历时新石器时代、东周、两汉、明清时期，发掘遗迹只有灰坑、灰沟、墓葬，没有房址、水井、窖藏、窑址等；遗物主要是陶、石器，其中新石器时代、东周、明清时期遗物均为生活器具，而汉代的则是大量建筑材料，少见生活器具。这些发现表明，厍家湾自新石器时代以来是一处较大的居民聚居点。但由于没有发现房址及与之紧密相关的水井、窖藏，说明我们发掘所及，只是这处居民点的废弃品堆积场，据此能说明的问题颇为有限。

简报指出，庹家湾遗址地处汉江上游，溯江而上不远便到达陕西省，楚文化的中心在江汉平原，即汉江的下游、长江的中游地带，庹家湾遗址和乔家院墓地是目前湖北省已发掘的最靠西北端的两处楚文化遗存地点。它们的发掘表明，至迟在春秋中期楚已逼近到汉江的上游。

至于庹家湾明清时期的瓷器，从其釉色、烧制技术看，属于民窑产品。

769.湖北武当山柳树沟墓群 2010 年发掘简报

作　者：湖北省文物考古研究所　黄文新、陈国祥、韩继斌、熊宏伟、舒成海等
出　处：《江汉考古》2013 年第 2 期

柳树沟墓群位于武当山旅游经济特区柳树沟村，西南距离武当山旅游经济特区约 10 公里，1994 年 11 月，考古人员在该地点进行调查并发现该墓群。1998 年 3 月，在该地点进行调查和勘探。2004 年 4 月，对该点进行复查。2008 年 4 月至 2009 年 4 月，进行了勘探与发掘。共探明墓葬 452 座，清理墓葬 134 座，其中东周墓葬 2 座，西汉墓葬 93 座，宋代墓葬 15 座，明清墓葬 24 座。

简报分为：一、发掘方法与地层堆积，二、墓葬形制，三、随葬遗物，四、结语，共四个部分进行了介绍，有手绘图。

据介绍，柳树沟墓群自战国中期开始，秦、汉、宋及明清时期一直在沿用。墓葬分布密集，出土遗物较为丰富。第一阶段陶双耳罐、圆底釜、敛口平底钵等，都具有关中地区文化特色，属于关中秦文化范畴，与秦人南侵有关。第二阶段陶假圈足壶、翻卷圆底釜、甑等，仍以关中地区秦文化面貌为主，但包含了少量南方文化因素，是秦拔郢后形成的一种混融性地域文化。秦文化由北向南逐渐发展，反映出秦拔郢后一个一个区域文化的演变过程。

简报指出，从湖北境内目前已发掘的秦墓来看，虽然在丧葬制度、随葬器物方面具有明显的秦文化特征，但同时又带有较多的楚文化因素。战国晚期至秦代的关中典型秦墓，其墓向为东西向，葬式为卷曲特甚的屈肢葬。可是，湖北秦墓“既有东西向的，又有南北向的”，葬式“可分为仰身直肢、仰身屈肢与侧身屈肢三种，其中以仰身直肢葬最多”。此次在武当山柳树沟清理的 9 座墓葬，虽然随葬品具有明显的秦文化特征，但墓向有南北向和东西向两种，葬式却为仰身直肢，与典型的秦墓有明显的区别，也反映了此地的秦文化受到了本地楚文化的浸染而带有一定的楚文化色彩。本次发掘，进一步弄清了柳树沟墓地的整体布局，增强了资料的完整性，极大地丰富了该墓地的文化内涵，为研究汉水流域秦文化的丧葬习俗增添了一批新的实物资料。

770.湖北郧县上宝盖遗址 2010 年发掘简报

作　者：复旦大学文物与博物馆学系、湖北省文物局南水北调办公室、湖北省文物
　　　　考古研究所、十堰市文物局、郧县文物局　潘碧华、高蒙河、王太一等

出　处：《江汉考古》2013 年第 4 期

上宝盖遗址位于郧县县城以西约 33 公里处，隶属于湖北省十堰市郧县五峰乡安城沟村二组，坐落在汉江南岸、安城沟入江口东侧。

上宝盖遗址于 1994 年在为配合南水北调丹江口水库续建工程的文物考古调查中发现。2006 年和 2009 年，对该遗址进行了两次发掘，发现东周、两汉、明清时期的灰坑、墓葬、陶窑、灰沟、水井、房址、散水路面以及石砌墙体等遗迹，出土了一批具有重要学术价值的文物资料。2010 年 9 月到 2011 年 1 月，对上宝盖遗址进行了第三次发掘。

简报分为：一、地层堆积，二、新石器时代遗存，二、东周时期遗存，四、汉代遗存，五、结语，共五个部分进行了介绍，配有手绘图。

据简报介绍，此次发掘的一大收获，是出土的"锡仓"封泥，为确认汉代锡县地望提供了实物依据。

由于文献记载的模糊性，关于汉代锡县的地望问题一直颇有争议。一说汉代锡县即现今湖北郧县，另一说则认为它在现今陕西白河县附近。"锡仓"封泥是目前考古发现的第一个带有"锡"字的实物，其字形与故宫所藏"锡丞之印"一致，可为讨论汉代锡县地望问题提供新线索。如果上宝盖确为汉代锡县粮仓，那么汉代锡县故址就应当在此附近。这对研究秦汉时期汉水流域的历史地理变迁、城镇建置沿革等学术问题均有十分重要的意义。

荆州市

771.江陵毛家山发掘记

作　者：纪南城文物考古发掘队

出　处：《考古》1977 年第 3 期

毛家山遗址位于湖北省江陵县楚国故都纪南城的东边，离东城墙约 200 米。西靠毛家山村，东临邓家湖，高出湖面 3～4 米，分南北两个部分。北址在村东北的土地台子，面积仅 3000 平方米左右；南址在碑坟园子，有 2 万平方米左右。现在都已辟为农田。两个遗址都有新石器时代遗存，文化特征也基本相同；南址还有东周

遗存。1975 年春进行了发掘。简报配以手绘图等予以介绍。

据介绍，这次发现的东周遗存有窑、井和灰坑等，它们构成了一个烧制陶器的手工业作坊的必要组成部分。这座窑容积量不算大，看来是专门用来烧陶豆的。使用时间不长，窑壁只烧成浅红褐色，在陶豆还没有烧成的时代就报废了。

简报称，纪南城附近，除毛家山外，还有一系列新石器时代以至商周遗址。其中同毛家山文化面貌基本相同的有城北的朱家台遗址；属于屈家岭文化的有城内龙王庙和城西南的张家山遗址；属于龙山文化晚期的有城西的太湖蔡家台遗址；张家山还有商代遗址。看来楚国之所以把都城建在这里，不仅有地理环境优越的条件，也是因为有历史文化方面的基础。

772.江陵张家山遗址的试掘与探索

作　者：陈贤一

出　处：《江汉考古》1980 年第 2 期

江陵张家山遗址，位于荆州古城之西约 1.5 公里，为一处高出周围农田约 3 ~ 4 米的岗地。遗址南濒茨湖，北有太晖观河流过，面积南北长约 450 米，东西宽约 330 米。经考古调查，岗地发现有新石器至商周时期的文化遗迹和遗物，以南部濒临茨湖的岗地文化内涵较为丰富。整个遗址，在东周时已成墓地，以北部岗地墓葬分布最密。1965 年，为配合县机制砖瓦厂的取土，考古人员在遗址南部岗地开方作了探掘。

简报分为：一、地层堆积与文化内涵，二、时代推断与楚文化发展的探索，共两个部分予以介绍，有手绘图。

简报介绍，张家山遗址第 4 层时代相当于中原地区的龙山文化，第 3 层时代相当于商代二里岗上层，第 2 层时代属西周晚期堆积。

773.江陵县纪南城摩天岭遗址试掘简报

作　者：湖北省博物馆江陵工作站　韩楚文

出　处：《江汉考古》1988 年第 2 期

摩天岭位于楚都纪南城内西北部，西北距纪南城西北城垣拐角处约 650 米，东距戴家湾约 150 米，隶属徐岗一队所辖。这一带是纪南城内地势较高处，仅次于城内的凤凰山，多为塝田。1981 年春，考古人员赴此调查、试掘。

简报分为：一、地层堆积，二、西周文化遗存，三、东周文化遗物，四、小结，共四个部分予以介绍，有照片、手绘图。

据介绍，试掘发现有西周晚期、春秋晚期至战国时遗物，主要有陶器等，应属楚文化范畴。从遗址范围较小和此次试掘出土遗物都为一般生活日用陶器，尚未出土贵族所用之物看，该遗址似为西周晚期楚人的一处居民区。摩天岭遗址是迄今为止纪南城内发现最早的一处楚人遗址。

774.荆沙铁路考古发掘取得重大收获

作　者：荆沙铁路考古队　陈跃钧、王红星
出　处：《江汉考古》1988 年第 2 期

荆沙铁路北起荆门响铃岗，与襄宜铁路接轨，南至沙市东郊，全长 89.9 公里。铁路所经地段均为古遗址、古墓葬密集区。1986～1987 年，考古人员为配合铁路建设进行了钻探、发掘，共发掘古遗址 9 处、古墓地 12 处，计墓葬 419 座。发掘的古文化遗址中，大溪文化遗址 1 处，石河文化遗址 2 处，东周遗址 5 处，六朝至隋唐古城址 1 处。发掘的古墓中，东周墓 282 座，秦汉墓 137 座。

简报称，这次发掘的原始社会遗址有彭家湖、肖家湾、何家湾 3 处，发掘面积 2325 平方米。彭家湖为大溪文化遗存，肖家湾、何家湾为石河文化遗存，以肖家湾遗址收获最大。

东周遗址有胡家岗、简家湾、铁匠湾、汉沙路立交桥、同心村 5 处，总发掘面积 1117 平方米，出土了大量东周时期陶器，计有鬲、盂、豆、罐、盆、鼎等，其中以简家湾的东周陶窑保存较好。配合工程共发掘东周墓葬 282 座，其中大型楚墓 1 座，即包山大冢。中型楚墓 6 座，余皆小型楚墓。发掘收获较大的主要有包山墓地、雨台山墓地、秦家咀墓地。

配合工程共发掘秦汉墓 137 座，收获较大的墓地有白庙山墓地、郢东墓地、二龙戏珠墓地。

发现六朝至隋唐古城一处，即位于江陵县庙湖渔场的邵家咀古城遗址。

775.江陵县郢城调查发掘简报

作　者：江陵郢城考古队　田海峰等
出　处：《江汉考古》1991 年第 4 期

郢城位于江陵县纪南乡郢城村，西北距楚故都纪南城 3 公里。1979 年、1981 年，考古人员先后两次进行了调查与发掘。

简报分为：一、城址遗迹，二、城内的地层堆积，三、出土遗物，四、城址的年代，共四个部分，有照片、手绘图。

据介绍，郢城城垣仍在，城内有 16 座夯土台基，地面可见遗迹有城垣、城门缺口（6处）和护城河。城址面积，估计在 190 多万平方米。

简报称，此城上限，应在秦将白起拔郢（前 278 年）左右，下限为东汉。是一座既有楚文化，又有秦文化遗存的古城。

776.宜黄公路仙江段考古发掘工作取得重大收获

作　者：张绪球

出　处：《江汉考古》1992 年第 3 期

宜黄公路仙江段东起仙桃市，西到江陵县荆州城北的 207 国道，全长 120 公里。其中 207 国道以东 5.38 公里内是江陵县的重点文物密集区，在此段线路的南侧，有省级保护单位郢城，北侧有国保单位雨台山古墓群和县级保护单位黄山墓区，还有省保单位樊妃冢。公路线通过的地方，则有县级文物保护单位鸡公山及杨家山两处墓区。考古人员从 1990 年冬开始负责配合仙江段工程进行考古勘探和调查工作。考古发掘的地点集中在上述的 5.38 公里线路及两侧取土场上。据初步统计，到 1992 年 6 月中旬，已在鸡公山、杨家山、雨台山、黄山及临时取土场高台、瓦坟园等地方共清理古墓1600 多座，出土文物 2 万余件。这是我国近年来在一个工程中发掘古墓数量最多的一次。

简报分为：一、发掘概况，二、文物和考古资料的发现情况，三、这次考古发掘的重要意义，共三个部分。

据介绍，宜黄公路仙江段考古是湖北省迄今在一个项目中发现和发掘古墓数量最多的一次，在全国也是罕见的，预计该段工程结束后，发掘古墓的总数将超过2000 座。从这些古墓中发现的大量文物及考古资料，无疑是湖北省文物考古工作中的一次重大收获。

简报指出，湖北是楚文化的中心，这次 500 座楚墓出土了大量文物及新资料，进一步充实和丰富了楚文化的内涵。秦代墓过去在湖北的云梦和江陵均有发现，但数量不多，这次发现的秦代墓资料非常丰富，有许多新资料为过去所未见，这就为我们全面研究长江中游秦代墓的分期、分类、特征创造了条件。

简报说，西汉墓过去已发现不少，但都不集中，尚无条件建立系统的分期标准。这次发掘西汉墓和东汉墓，总数可能已相当或超过了湖北省过去所发掘的总和，这对于长江流域汉墓的分期研究，必然会带来新的突破。六朝及以后的墓葬，发掘数量和保存情况虽比不上上述各个时期，但仍有不少新的发现。

简报指出，此次考古发掘的古墓葬，最基本的特点是数量多、延续长、衔接紧，其最重要的考古研究价值，在于古墓本身的分期研究。从现有资料看，至少可以系统而详细地解决春秋晚期到东汉末年古墓的年代分期问题。如果这一目标确实能够达到，那么它无疑将成为长江流域考古研究中的一个里程碑。

777.湖北省洪湖市小城濠、大城濠、万铺塌遗址调查

作　者： 洪湖市博物馆　余向东
出　处： 《江汉考古》1992 年第 4 期

1982 年以来，考古人员多次深入该市黄蓬山地区开展文物普查、复查工作。其间，根据以前所获得的考古材料，重点对小城濠、大城濠和万铺塌 3 处古代城址、遗址进行了调查、勘探。简报配以手绘图予以介绍。

据介绍，据调查结果，以其所处方位及习称俗名，将 3 处遗址分别定名为小城濠州国都城遗址、大城濠州陵县城遗址、万铺塌遗址。遗址的年代，除州国城址暂定为东周以外，州陵县城遗址、万铺塌遗址均定为西汉或汉代。小城濠、大城濠遗址周围还分布有大片的古墓群。相信随着本地田野工作的深入开展，考古学意义上的西周州国都城将会逐渐显现出其本来面目。

778.关沮秦汉墓清理简报

作　者： 湖北省荆州市周梁玉桥遗址博物馆　彭锦华等
出　处： 《文物》1999 年第 6 期

为配合宜黄（宜昌至黄石）公路工程建设，考古人员于1992 年11 月发掘清理了萧家草场26 号汉墓（XM26），随后又于1993 年6 月发掘清理了周家台30 号秦墓（ZM30）。两墓出土了大批器物及简牍。

简报分为：一、周家台30 号秦墓，二、萧家草场26 号汉墓，三、结语，共三个部分，有彩照、手绘图。

据介绍，周家台30 号秦墓位于荆州古城东北4.4 公里处，为一长方形竖穴土坑墓。出土有竹简，故判断为秦墓。墓主人年龄据鉴定在30 岁以内，男性，其身份可能是县署之上郡署一级机构的小官吏。萧家草场汉墓位于周家台东北不远处，墓主身份在官大夫以下。

简报指出，两座秦汉墓的发掘，为研究秦汉时期社会、经济等，提供了重要的资料。在出土的简牍上有部分秦的历谱，特别是秦始皇三十四年（前213 年）历谱中完整地记录了全年（含闰月）的日干支，对于我们进一步考察秦代和秦汉之际的历法，具有

很高的研究价值。萧家草场出土的竹简35枚，每枚写3～6字，总计139字，内容为遣策。

除了简牍，两座秦汉墓出土的漆器，制作精良，图案优美，色泽如新，有的还刻划、烙印文字符号，为我们研究这一时期的社会经济和文化艺术，提供了新的实物资料。

779.江陵岳山秦汉墓

作　者：湖北省江陵县文物局、荆州地区博物馆　王崇礼等
出　处：《考古学报》2000年第4期

岳山位于荆州城东北约2.5公里处，其北约500米为汉代郢城故址。此处原为南北向岗地，现为居民点。1986年初，江陵县食品工业公司在岳山岗地以北的平原地带建厂，并在岗地上开辟一条南北向的进厂公路。兴工动土时发现该处原为一片古代墓地，上层大部分汉墓坑口被推走，下层秦墓坑上部的封土亦被破坏。考古人员对工地急需动土的地方进行勘探，发现一批古墓葬，于同年9月4日至10月12日，发掘古墓46座（以发掘先后为序编号M1～M16）。此外，公路南端两侧的岗地上也发现大批古墓葬，但因居民尚未搬迁，未能发掘。

简报分为：一、秦墓，二、汉墓，三、余论，四、结语，共四个部分，有照片、手绘图。

据介绍，已发掘的46座古墓葬中，秦墓10座，汉墓31座，宋墓2座。汉墓一般较秦墓浅。此外，公路南端的高冈上也有一部分宋、明墓，但为数不多。出土遗物以陶器为大宗，另有铜器、铁器、漆木器、钱币等。

简报称，江陵岳山秦汉墓的发掘和一批秦汉遗物的出土，至少有以下一些值得重视之处：

一是秦墓的头向与当地楚汉墓不同，而与关中地区秦墓一样，头向绝大多数为西北向，极少向东或向北。葬式与传统的秦人不同，虽人骨未能保存，但从棺内包裹席子的现象看，所有的墓主下葬时都应为仰身直肢葬，秦人传统的屈肢葬式在此未见反映，而与楚墓葬式相同。这一现象同秦人屈肢葬式是随着秦大一统局面的形成而走向瓦解的趋势完全一致。所见秦汉墓穴多为竖穴土坑，已具楚墓的特点。并见青灰泥回填，不见二层台。墓室内多为棺椁葬具，而且椁室用材均为长方形板木，但与楚墓营造椁室用方条木有别。椁室的结构与形制又与楚墓相似，除方形棺椁之外，还设边箱、头箱，大一点的秦墓还在头箱一端横隔一块木板，以备器物分类承放。

二是出土遗物方面，与关中秦墓相比也有地方特色。岳山秦墓随葬品均置于椁室与棺室之中，椁室周围及顶部未见任何随葬品。出土物多为生活用器，并以陶器

和漆木器为大宗，仿铜陶礼器少许，不见蒜头壶、茧形壶之类的器皿，与楚墓随葬品形态相比也具有显著区别。

三是江陵岳山 M36 秦墓出土两册日书木牍，与云梦睡虎地甲、乙两种日书可作对比研究。尤其值得重视。

简报强调，江陵岳山秦汉墓的发掘不仅增添了研究秦汉文化、丧葬习俗、社会经济的新资料，而且也为研究江汉地区楚、秦、汉三代文化的沿袭与发展提供了更多的材料。

780.荆州城南垣东端发掘报告

作　者：湖北省荆州市博物馆、湖北省荆州区博物馆　陈跃钧、张世松等

出　处：《考古学报》2001 年第 4 期

荆州城南垣东端发掘地点东距望江楼（城东南角敌楼）台基 40 米，南面为护城河。发掘前砖垣全部坍塌，土垣部分坍塌。荆州城垣的考古发掘工作仅在 1987 年配合新南门破口工程进行了发掘，发掘出土五代及明清时期的砖、土城墙。为配合荆州区文物局对该段城墙的维修工程，考古人员对城垣坍塌部位进行了考古发掘工作。发掘工作自 1997 年 9 月 30 日开始，至 1998 年 3 月 16 日结束。由于该段地下水位较高，工地塌方严重，城垣发掘工作未进行到底。简报分为：一、地层堆积，二、遗迹，三、遗物，四、结语，共四个部分，有照片、手绘图。

据介绍，共出土遗物 1191 件，主要为瓷器，还有铁器、铜器、钱币等，发现有明、宋、五代等朝代砖垣。

结合文献与发掘，简报指出，据府志，荆州早在春秋战国时已是楚王行宫，但此次发掘未完成，未找到相关考古证据。此次发现最早遗迹为三国土城，宽达 10 余米，可知关羽镇守荆州时城墙十分高大。东晋至隋唐，发现有六朝墙体，或为桓温任荆州刺史时所建。上有一层隋唐时的夯土，说明在隋唐时，对荆州城进行过简单加固。发现的残存五代土垣，宽 14 米，高 7 米，说明土建工程的浩大及府志所载五代大兴土木修荆州城的记载可信。所用砌砖均为东汉至隋唐墓砖，与文献记载挖墓取砖完全相符。下部砖墙与上部砖土混合夯筑墙合为一体的砖城墙，在城墙发掘中尚属首例，是砖城墙的雏形。文献明确记载为砖城 21 里，但此次发掘出的宋代砖城仍为小砖垒砌，不见宋代的城墙砖。元末至明末，明初（1364 年），平章杨景依旧基修筑荆州城，周 18 里 381 步，高 2 丈 6 尺 5 寸。此次出土的明代砖墙基是建在宋代旧基之上的，对土垣部分也只是局部加高。清代，几次对荆州城进行了维修。

简报指出，通过对发掘资料和历史文献的研究，就墙体的演变情况而言，荆

州城是先建土城，后建砖墙，现暴露在外的砖墙是城墙最晚的部分。土城垣地上部分，时代多为五代和宋、明时期，地下部分为六朝至隋、唐时期，可能还有更早期的城墙，而现在可见到的砖墙为明、清时期。就城墙的演变规律而言，从三国时代起，现存的荆州城墙没有发生过大变迁，城址始终没有离开现存城墙的范围。但各个时代的城墙位置有小的变动，即在平面上，从早到晚，由内向外推进，推进的距离在50米范围之内；在立面上，从早到晚，由低向高堆积，早期城墙深埋在晚期城墙之下。就城墙的建造技术而言，五代和南宋时期砖垣均为小砖（大部分为墓砖）垒砌，收分大，细泥浆砌缝。明、清时期砖垣用专制城墙砖垒砌，收分小，用石灰糯米浆砌缝。三国至五代筑城用土多为居民生活用废土，包含物丰富。宋、明时期筑城用土为掘壕取土，土质黏，包含物少。各期土城垣都经夯筑，三国至五代为圆木夯，宋、明、清时期为方石夯。五代和南宋时期筑城均先加宽墙基，后筑墙体，明、清时期筑城只依旧基修建。

简报认为，荆州城墙的考古发掘工作取得了重大收获。现存荆州城墙的时代，根据可见砖墙的时代，至今仍定为明、清。此次发掘中，五代砖城的发现，使荆州城修建砖城的历史提前了400多年；三国时期土城的发现，使荆州城的修筑年代提前了1000多年。三国至清历代城墙遗迹的出土，证实了荆州城墙是中国现存延续时间最长、跨越朝代最多、由土城演变为砖城的唯一古城墙。

781.湖北松滋西斋汪家嘴遗址发掘报告

作　者：枝柳铁路复线工程考古队荆州博物馆支队　何　弩、邓启江、肖玉军
出　处：《江汉考古》2002 年第 4 期

汪家嘴遗址是江汉平原与澧水流域过渡地带的一处重要的商代遗址，时代从二里岗上层偏早延续到殷墟二、三期。文化特征与湖南澧水流域青铜文化皂市类型之土著因素保持强烈的一致性，中原商文化的因素极少或不见。

简报分为：一、引言，二、地理环境概况，三、探方分布与地层关系，四、重要遗迹及有关考古存在背景关系，五、商代遗物，六、商代遗物分期，七、商代遗址小结，八、东周时期遗物，九、东汉至三国时期遗物，十、六朝时期遗物，十一、宋代遗物，十二、结语，共十二个部分予以介绍，有照片、拓片、手绘图。

据介绍，汪家嘴遗址位于湖北省松滋市西南部，1994 年春发现，1997 年10 ~ 11 月发掘。1997 年秋季汪家嘴遗址的发掘，基本上揭示出该遗址在二里岗上层偏早至殷墟二、三期时，作为澧水流域土著青铜文化的驿站而存在。此后，东周、东汉晚期至三国、六朝、宋代，该遗址仍被利用过，其作用之大皆不及商时期的驿站。

且东周和六朝时期，汪家嘴遗址的利用率很低。然而，东汉晚期至三国时期，汪家嘴遗址相对繁盛，可能为长沙走马楼 J22 所出三国吴简所反映出来的长沙郡历史研究提供些微注脚。汪家嘴宋代的遗物，则以货币遗存为表象的商品经济的繁荣为突出表现，可见宋代商品经济对江南深远冲击之一斑。

宜昌市

782.宜昌前坪战国两汉墓

作　者：湖北省博物馆
出　处：《考古学报》1976 年第 2 期

在宜昌北郊的长江东岸黄柏河流注地区，包括江心洲和东岸二三级台地上，古墓很多，墓内遗物时有发现。1971 年 3 月到 1972 年 3 月，考古人员在前坪、葛洲坝进行了发掘，共发现战国两汉墓 43 座。现在的前坪是河床冲积，葛洲坝是江心洲，在这里发现战国墓，说明早在 2000 多年前，如同现在的这种地貌已经形成。这批墓葬前后延续四五百年，中间时断时续，六朝及其以后，这一带未见墓葬和其他文化遗存，这种现象，从一个方面提供了水文史研究的资料。宜昌地处鄂西，过去发现的战国两汉墓葬不多，成批发现这还是第一次。简报配以照片、手绘图，介绍了相关发掘情况。

据介绍，这 43 座墓葬，大体上可以划分为战国、西汉、东汉三个不同时期。其中以西汉墓为主，占 30 座，而以西汉早期墓为多。墓主简报认为是巴人。战国墓 6 座，主要属战国末期，很可能是秦占夷陵后的秦墓，它与西汉早期墓相衔接。剩下的 7 座东汉墓，年代有早有晚。6 座为砖室墓，1 座为岩坑竖穴墓，多被盗过。此次发掘，不仅丰富了这个地区的考古材料，又有助于对这个地区古墓葬的完整认识。

783.沮、漳河中游考古调查

作　者：湖北省博物馆　王红星
出　处：《江汉考古》1982 年第 2 期

沮、漳河分别发源于荆山山脉的保康、南漳二县。上游流经高岸深谷，又穿过远安狭小平原，至当阳境内地势逐渐平坦，二河汇合成沮漳河，经江陵在枝江注入长江。20 世纪 60 年代和 70 年代，在沮漳河下游的江陵地区和当阳、江陵交界地区发现大批楚墓，并发现较为重要的季家湖东周遗存。1980年3月至4月，考古人员对地处荆山山脉至江汉平原过满族地带的远安、当阳境内沮漳河两岸又进行了考古调查。调查分两个小组在远安、当阳二县同时进行。调查时间1个多月，发现大溪、屈家岭、龙山、东周等四个时期的古遗址13处，古代城址1处。在此基础上，于同年6月对当阳境内的杨木岗、冯山二遗址进行了小型试掘。

简报分为：一、大溪文化遗存，二、屈家岭文化遗存，三、龙山时期遗存，四、东周文化遗存，五、其他，六、结语，共六个部分，有照片、拓片、手绘图。

据介绍，简报重点介绍了平面山等13处不同历史时期的文化遗址。这次调查中发现的大溪文化遗址，均在漳河西岸。目前已见报道的大溪文化遗址多在长江两岸，这次发现的几处大溪文化遗址位置偏北，扩大了大溪文化的分布范围。以王家合和糜城遗址为代表的龙山时期遗物和以远安莲花堰M1为代表的龙山时期遗物有较为明显的区别。究竟是时间上的差别还是地域性差别，还有待研究。这次调查发现的东周遗址较多，且文化面貌与江陵纪南城、当阳季家湖等东周遗址有一定差异。这类遗址普遍都有饰三角镂孔的豆柄，采集的遗物多为红、褐陶，有相当数量的暗纹，时代似早于当阳季家湖东周文化层。简报认为，这类遗存的发现，为探讨楚文化提供了新的线索。

784.当阳沮河下游1972年考古调查简报

作　者：湖北省博物馆　陈振裕、杨权喜
出　处：《江汉考古》1982年第1期

1972年春，宜昌地区第二期文物考古干部训练班在当阳县境的沮河下游进行过一次文物考古调查，发现了相当丰富的古遗址和古墓葬。其中有公安公社王家台、胡场公社陆家滩、窑湾镇陈家坡、双龙公社火星、友谊等几个重要地点。

简报分为：一、王家台新石器时代遗址，二、陆家滩东周遗址，三、陈家坡东周墓地，四、火星和友谊等地的东汉遗存，共四个部分，有手绘图。

简报称，诚如古人所云："江汉沮漳，楚之望也"，沮漳河流域是楚文化发展的中心地区，也是今天进行楚文化探索的重点地区之一。过去对沮漳河以东的江陵一带，考古工作做得比较多一些，而对沮漳河以西的地区，考古工作则几乎是空白。通过这次沮河下游的考古调查，为开展沮漳河以西的考古工作，提供了重要线索。王家台新石器时代遗址内涵比较丰富，应属新石器时代晚期大溪—屈家岭文化之后的一种文化类型。在王家台、陆家滩、陈家坡一带都发现了东周遗址或墓葬，可见当时沮河下游的东周遗存的分布是较密集的，而且遗址中发现的遗物也较丰富，但都缺少商、西周时期遗存。陈家坡收集的青铜器，应在春秋战国之交至战国早期。

在双龙公社的友谊和火星大队一带，不仅有许多汉代遗址，而且还有不少东汉时期的画像石墓与画像砖（应是墓砖）的发现。其中画像石的画像雕刻内容和风格与南阳画像石近似，应同属一个系统的。需要耗费大量资财修建的画像石墓和画像砖墓，是在东汉时期才开始盛行的。它与东汉时期豪强地主肆意兼并土地，地主庄园经济的发展，以及当时实行察举"孝廉"之制，许多地主常常要"言孝"以求名，从而踏上仕途、跃升高位等情况有密切关系。此次发掘证实东汉时期鄂西地区、沮漳河流域的地主庄园经济也是相当发达的。

785.秭归龚家大沟遗址的调查试掘

作　者：湖北省博物馆考古部　陈振裕、杨权喜

出　处：《江汉考古》1984 年第 1 期

秭归县香溪公社东门头三小队的龚家大沟遗址，位于长江西陵峡西段的南岸，紧靠长江边上。其北与鲢鱼山遗址隔江相望，其西北距秭归县城约 5 公里，其东北距香溪镇约 2.5 公里。1960 年考古人员即来此地做过调查，此后多次复查。1981 年 4 ～ 5 月进行了试掘。

简报分为：一、地层堆积情况，二、文化遗物，三、结语，共三个部分，有照片、拓片、手绘图。

据介绍，这次试掘和调查，发现龚家大沟新石器时代遗物十分丰富。在发掘不足 4 平方米的范围内，除出土一批石器、陶器和骨器以外，还出土大量鱼骨和兽骨。石器以长条形或长方形、长条形的石凿为多。陶器中，以夹炭红衣磨光陶最有特点，饰线纹为主，属大溪文化遗存。还发现有少量东周战国楚文化遗存，以及两汉和汉以后各个时期遗物。这说明龚家大沟遗址及其周围一带自新石器时代开始至明清时期，基本上都有人类居住。据调查在紧靠遗址之南的山上，有座古城遗址，相传原秭归城就在这里，这里一带原也没有壑谷，后因山洪暴发，冲毁了城池，形成今龚家大沟。

786.秭归官庄坪遗址试掘简报

作　者：湖北省博物馆　胡雅丽、王红星

出　处：《江汉考古》1984 年第 3 期

官庄坪遗址，位于秭归县三闾公社卫星九队，南距香溪镇 6.5 公里，西南距秭归县城 6 公里（垂直距离）。香溪河自北向南从其正东流过，遗址坐落在河之西岸

的一级台地上。现有遗址,南北残长 100 米,东西残宽 50 米,面积约 5000 平方米。该遗址发现于 1958 年,1981 年 3 月进行了试掘。

简报分为:一、地层堆积,二、灰坑,三、文化遗物,四、结语,共四个部分,有手绘图。

据介绍,共发现灰坑 4 个,出土大量陶片和少量石器、铜器。此遗址的时代,简报推断为西周晚期至东周中期。

787.赫家洼遗址的调查简报

作　者:湖北省博物馆、宜昌地区博物馆　田海峰、卢德佩
出　处:《江汉考古》1985 年第 2 期

1983 年 3 月,考古人员赴湖北省枝江县百里洲的赫家洼古文化遗址进行了一次调查。

简报分为:一、新石器时代文化遗存,二、东周文化遗存,三、遗址上的瓷器,四、不能结束的结束语,共四个部分,有照片、手绘图。

据介绍,百里洲实际是长江中一个江中岛。赫家洼遗址经江水的累年冲击,遗址遗存和墓葬圹坑多已在河床表面清楚地暴露出来,房子遗迹的柱础和墙基,烧灶和灰坑皆纷纷呈于遗址之上。坟场墓葬,虽不见封土,却有累累墓坑。地表到处散布着磨制的石器、分裆鬲足、古瓷的碗底、陶器碎片等。遗迹、遗物分属新石器时代、东周、东晋、宋元等时期。此次调查比较大的收获是通过对遗址上大批外来古瓷器的调查采集、分析研究,发现赫洼自东晋至宋元是江汉平原的长江商业口岸。

788.1976 年清江下游沿岸考古调查简报

作　者:长江流域规划办公室考古队　林　春
出　处:《江汉考古》1985 年第 4 期

1976 年 6 月上旬,考古人员在从长阳县资丘公社至宜都县城清江口约 100 公里长的清江沿岸进行了一次考古调查,共发现古遗址 8 处。1983 年 5 月,又对其中五处进行了复查。简报配以手绘图,介绍了复查的情况。

据介绍,复查的 5 处遗址为:覃家坪、鸡嘴河、茶店、刘家河、鄢沱及烧鸡垴。烧鸡垴属新石器时代文化,其他各处分属大溪文化早期、龙山时期、商周时期和汉代文化遗物。这是清江流域第一次考古调查。

789.湖北长阳出土一批青铜器

作　者：湖北长阳县文化馆

出　处：《考古》1986 年第 4 期

湖北长阳县文化馆自 1969 年以来，陆续收集了一批青铜器，简报配以照片予以介绍。

据介绍，钲与錞于各 1 件，同出一地，从形制和纹饰，简报推断为战国遗物，甬钟 1 件，时代简报推断属东周；洗 4 件，时代简报推断属东汉；釜分二式，Ⅰ式时代简报推断属东汉，Ⅱ式应为三国时期；戈 1 件，简报推断时代应属西周。以上器物均有出土地点。

简报称，它们虽然在时代上各异，但从形态、纹饰、制作风格来看，与川东、湘西及贵州北部等地所出均相似，尤其是錞于、钲、洗、戈、釜等，具有明显的巴蜀文化特点。

790.宜昌市发现一座古代军垒

作　者：屈定富、常宝琳

出　处：《文物》1987 年第 4 期

1983 年 10 月，湖北省宜昌市三游洞管理处在长江西陵峡口北岸修建滨江长廊时，发现一段用汉代至六朝砖砌的墙体和许多周代陶器残片。经现场查看分析，这里是一处古代建筑遗址。遗址位于宜昌市西北 12 公里的长江西陵峡口北岸的二级台地上，南滨大江，东临峡口。古人称此地为"险隘之区，如郑之虎牢，秦之函谷"。据《北周·地理志》，这一带汉代曾称"下牢戍"，或称"下牢关"，为历代军事要塞和兵家必争之地。考古人员 1984 年进行了发掘，简报配以照片予以介绍。

据介绍，简报引《三国志·吴书·孙权传》《南史·梁武帝诸子列传》，推测此军垒初建于东汉晚期，沿用至六朝，直至宋代还曾进行过修复。

791.湖北宜都发掘三座汉晋墓

作　者：宜昌地区博物馆、宜都县文化馆　王家德

出　处：《考古》1988 年第 8 期

1985 年夏，文化馆在湖北省宜都县陆城镇配合基建工程时，考古人员及时地清理了 3 座汉、晋时期的墓葬。其中 2 座东汉墓，1 座西晋墓。编号为 M4、M11 和 M3。

简报分为：一、东汉墓，二、西晋墓，三、结语，共三个部分，有手绘图、照片。

据介绍，上述 3 座汉、晋墓葬，均为砖室墓。因时代、形制不同，差别较大。就两座东汉墓而言，形制和时代也有区别。M4 墓室结构为前后双室，其营建规模较大，随葬品绝大多数被盗。M11 墓室营建面积小，从形制而言有可能为夫妻合葬墓。其时代简报推断约在东汉中晚期。M11 发现的 1 件带铭文的铜鼎，简报认为此器不是宜都的产物，应当是从潜江竟陵城入宜都的。

M3 是一座西晋墓。墓砖有纪年铭文"永平十年十月十一日"即公元 291 年。简报称，该墓出土一批青瓷器、铜器，为宜都一带的西晋墓树立了断代的标尺。

792.湖北宜昌中堡岛遗址发掘简报

作　者：国家文物局三峡考古队　王晓田等
出　处：《文物》1989 年第 2 期

中堡岛位于长江西陵峡中段，东距湖北省宜昌市约 45 公里。岛屿（不包括沙滩）现长约 480 米、宽约 120 米，面积近 57600 平方米。遗址分布于岛的东部、中部和西部。自 20 世纪 50 年代该遗址被发现后，考古人员多次复查。

简报分为：一、地层堆积，二、第一期文化遗存，三、第二期文化遗存，四、第三期文化遗存，五、结语，共五个部分，配以照片、手绘图，介绍了 1985 年至 1986 年的发掘情况。

据介绍，一期遗存有沟槽和灰坑、墓葬两座，损坏严重，遗物主要为石器、陶器，为大溪文化遗存；二期遗存有房址、灰坑，以及石器、陶器，文化性质较复杂，有待进一步研究；三期应为夏商时代遗存。

793.枝城市博物馆藏青铜器

作　者：黎泽高、赵　平
出　处：《考古》1989 年第 9 期

湖北省枝城市博物馆藏有一批铜器，多有明确出土地点，简报配以手绘图予以介绍。

据介绍，有二里岗期青铜罍，以及战国至汉时虎钮錞于、铺首衔环壶、"竟陵"铜鼎，以及唐宋铜鼓等。

简报指出，这批铜器所表现的文化面貌与枝城市所处的地理位置是相吻合的。枝城市地处鄂西南部，系江汉平原向鄂西山区的过渡地带。湘西武陵山余脉由南延伸入境，川东巫山山脉蜿蜒而来；北有长江，西有清江，渔洋河自五峰渔洋关入境从西南向东北贯穿全境。这一特殊的地理位置和山川形势，造成这一地区青铜文化面貌的复杂性。

794.宜昌县朱家台遗址试掘

作　者：鄂博三峡考古队第三组　李天元
出　处：《江汉考古》1989 年第 2 期

为了配合三峡大坝工程建设，考古人员在宜昌、秭归二县峡区进行过多次考古调查和发掘工作。宜昌县朱家台遗址是 1986 年 10 月中、下旬进行试掘的。

简报分为：一、遗址概况和地层堆积，二、遗物，三、结语，共三个部分，有照片、手绘图。

据介绍，朱家台遗址隶属于宜昌县莲沱区下岸溪，西距乐天溪老镇约 1 公里。朱家台遗址破坏已相当严重，这次试掘的面积很小，复原的器物太少，难以说明很多问题。遗物的时代从新石器时代至战国时期。从遗物看，至少在春秋以前楚的势力已深入三峡地区。这批文物反映了楚的势力在这一地区的消长。

795.宜昌县艾家河古遗址群调查简报

作　者：宜昌地区博物馆　卢德佩
出　处：《江汉考古》1989 年第 3 期

艾家河位于宜昌市伍家岗斜对河（即长江南岸），隶属宜昌县桥边乡。1984 年 6 月，宜昌地区文物普查时，在此发现了林子岗、枇杷垴、沱盘溪遗址。考古人员调查了这几处遗址。

简报分为：一、林子岗遗址，二、枇杷垴遗址，三、沱盘溪遗址，共三个部分，有手绘图。

据介绍，沱盘溪遗址的地面遗物很丰富，延续时间亦较长。该遗址的时代，简报推断大致为新石器时代晚期至东周早期，简报称，这些遗址中不仅都发现有商代文化遗存，而且商代的文化堆积在这些遗址中是主要的文化遗存，它为进一步弄清鄂西峡区商代文化面貌及其发展分布情况，无疑是极为重要的一批实物史料。

796.当阳付家窑两周遗址调查简报

作　者：宜昌地区博物馆　赵德祥
出　处：《江汉考古》1989 年第 4 期

1983 年 9 月，考古人员在当阳河溶镇以东约 500 米处的付家窑砖瓦厂内调查了濒于灭迹的两周文化遗址。遗址的北、东两面地势起伏，西面平展，南倚汉宜公路北侧，面积约 2 万平方米。除随手即拾的两周遗物外，还可见到上自屈家岭，下至战国时期的文化遗物。在遗址中心区暴露出两个残灰坑（编号为 H1、H2）。

简报分为：一、一号灰坑，二、采集遗物，三、小结，共三个部分，先行介绍了清理的情况和采集的部分两周遗物，有手绘图。

据介绍，灰坑内发现很多陶片、动物的牙和骨骸及木炭灰等。陶片数量最多，其中又以黑陶较多，约占 40%，主要器形有盂、豆之类，大多经抛光；深灰陶次之，约占 30%，为壶、盂之类；灰白陶只占 10%，多系绳纹陶片（不辨器形）；红陶只有 8%，主要为粗绳纹陶片和鬲足之类。另外，还有少量橙黄陶和灰陶。其时代简报推断上限为西周晚期，下至两周之交。从灰坑和采集的遗物看，付家窑遗址延续的时间较长，这说明此地的地理、自然和生活环境是比较稳定的。它的发现为探索早期楚文化的中心，又提供了一批重要的实物资料。

797.湖北宜昌前坪包金头东汉、三国墓

作　者：长办库区处红花套考古工作站　林　春
出　处：《考古》1990 年第 9 期

1984 年 3 月，长办基建处在宜昌前坪包金头长江三峡工程设计科研基地的基建施工中发现古墓葬，考古人员进行了墓葬的清理。清理时间从 4 月初开始至 8 月中旬结束，共清理墓葬 25 座。由于现代化施工与考古发掘进度之悬殊，仍有部分墓葬被完全或者部分破坏。因此，墓葬分布图并不等于该地古墓葬的分布图。

简报分为：一、墓葬形制，二、随葬器物，三、分期年代，共三个部分，有手绘图。

据介绍，25 座墓葬中可以直接断定绝对年代的只有 M14"延光四年七月"（125 年）纪年墓。M9 出土的"大泉当千"钱币也为该墓的上限提供了证据。简报推断：前坪 M111 墓葬时代为西汉晚期，M34 墓葬应在 M111 之后不久；金包头第一期墓葬年代为东汉早期，第二期墓葬年代为东汉中期，第三期墓葬年代为东汉晚期，第四期墓葬年代为东汉末至三国前段。

798.香溪河遗址调查简报

作　者：宜昌地区博物馆　卢德佩
出　处：《江汉考古》1991 年第 1 期

香溪河发源于神农架林区的骡马店，流经兴山，在秭归的香溪镇注入长江，属长江中上游的一大支流，全长 110 公里，由高岚河、古夫河、湘坪河等 7 条小河汇合而成。此河下游（秭归地段）两岸较宽阔，并有较多的一、二级台地，气候暖

和，适宜种植柑橘、小麦、油菜等作物，亦是古代人们繁衍生息、活动的理想之地。1979年4月至1984年4月，考古工作者曾三次在香溪河下游进行过考古调查，共发现15个文物点，其中古遗址有9处。简报配以手绘图予以介绍。

据介绍，简报重点介绍了王家坝、乔家坝、张家坪、官庄坪、李家坟、土地湾等遗址。发现有石器、陶器等。时代从商周时期至汉代不等。简报称，香溪河下游古遗址分布是相当密集的，而这些古文化遗址的发现，为研究鄂西地区，特别是三峡一带古文化发展序列以及探索鄂西地区的商文化和楚文化的发展，提供了极为可靠的实物资料，为今后深入地进行工作打下了基础。

799.秭归卜庄河古墓发掘简报

作　者：宜昌地区博物馆、秭归屈原纪念馆　　卢德佩、唐洪川、余　波
出　处：《江汉考古》1991年第4期

1991年4月底，秭归县郭家坝乡页岩砖厂，在卜庄河山坡上开山取土时发现一批古墓。考古人员于1991年6月3日至13日，对这批古墓葬进行了抢救性发掘。

简报分为：一、墓葬形制，二、随葬器物，三、结语，共三个部分，有手绘图。

据介绍，卜庄河位于长江南岸，隶属秭归县郭家坝乡卜庄河村，西南距乡政府驻地约5公里，北与香溪镇隔江相望，东临长江"兵书宝剑峡"。古墓分布在卜庄河镇东南150米的山坡上。共发掘5座墓葬，计战国中期墓1座（M4），西汉前期2座（M2、M3），西汉后期1座（M5），东汉中晚期1座（M1）。随葬器物共计26件，有铜鼎、铜带钩、陶灶、陶仓、陶罐、陶杯、铁锄、铁斧、钱币1200枚、玻璃饰、玉饼等。

800.清江高坝洲工程枝城市境内周代遗址调查简报

作　者：清江高坝洲工程考古队　　黎泽高、冯少龙、朱俊英
出　处：《江汉考古》1993年第2期

清江高坝洲工程位于湖北省清江下游，坝址建在枝城市五眼泉乡毛家沱村，为狭长条形河道水库，长50公里，水库平水面积31.44平方公里，淹没陆地面积23.63平方公里。涉及枝城市和长阳县境内6个乡镇中的48个村，183个村民小组。为了做好工程用地范围内（包括淹没区、移民转点、施工区）的文物考古工作，1982年5月以来，对淹没区80米水位线以下的文物遗迹分布情况先后进行了三次普查，并于1992年10月至11月进行复查。

调查和复查的情况表明，在工程用地范围内共发现有 36 个文物点。其中，更新世的洞穴堆积 2 处，新石器至汉代遗址 12 处，六朝时期的古墓群 2 处，清代至民国的碑刻 10 处，桥 6 座，建筑 1 处，井 1 口，石柱础 2 处。在上列文物点中，尤以 5 处周代遗址保存很好，堆积较厚，文化内涵丰富，采集的文化遗物颇具地域特色。

简报分为：一、骆家河遗址，二、红岩子沱遗址，三、邵家屋场遗址，四、刘家河遗址，五、双堰子遗址，六、结语，共六个部分，有手绘图。

据介绍，清江高坝洲工程内的 5 处周代遗址的地理分布有一定的规律：一是所有遗址都分布在清江北岸的一、二级台地上，地势比较平坦，二是遗址分布比较集中。简报认为这说明两周时期，特别是春秋战国时代，清江下游的物质文化十分发达。

简报指出，从文化属性来看，5 处遗址的时代为西周、春秋、战国。无论是器物种类、陶质、陶色和制法，还是器物形态、纹饰特征都极具鄂西地区的沮漳河流域、江陵楚故都纪南城以及丹淅流域楚文化遗址和墓葬出土器物的特征，也有个别遗址的少量器物具有川东、鄂西巴文化的特点。

801.三峡的重大考古发现

作　者：杨权喜

出　处：《江汉考古》1994 年第 1 期

为配合三峡工程，考古人员在西至太平溪、东至下岸溪的西陵两岸共发现古遗址和文物采集点约 40 处，被国家文物局列为重点发掘的有朝天嘴、中堡岛、白庙子和杨家湾等 4 处遗址，其他比较重要的遗址还有窝棚墩、三斗坪、白狮湾、伍相庙、下岸、路家河、上磨垴、苏家坳、杨家嘴等。通过 30 多年的艰苦工作，取得了多方面的成果，其中有 6 项重大考古发现。

简报分为：一、湖北地区最早的新石器时代文化，二、发达的大溪文化，三、屈家岭文化的一个类型，四、具有特色的白庙子遗存，五、西来的早期巴文化，六、三峡地区的楚文化，共六个部分，有手绘图。

据介绍，通过西陵峡北岸柳林溪遗址的发掘，自新石器时代的较早阶段以来，就有一支相当发达的原始民族长期活动于三峡两岸；当中原夏、商两代王朝统治中国期间，西部四川盆地的一支民族曾来到三峡，并与当地的一部分民族结合成为早期巴人；到周初，又有荆山的楚族分支进入三峡，建立了夔国；至春秋中叶，楚国在江汉崛起，灭夔，三峡已是楚国领土的重要组成部分；公元前 278 年，秦拔郢，不久灭楚，三峡进入了中国统一的秦汉统治时期。

802.秭归下尾子遗址发掘简报

作　者：宜昌博物馆、秭归屈原纪念馆　王家德
出　处：《江汉考古》1994 年第 1 期

　　下尾子遗址位于长江西陵峡段的秭归县茅坪镇。此地面江临溪，与中堡岛一溪之隔，是秭归县与宜昌县的分水岭。下尾子遗址地处江南一级台地，与中堡岛古遗址上下相距仅 500 米，犹如一条龙尾而获名。今中堡岛和下尾子两处古遗址皆属三峡坝区。20 世纪 70 年代末以来，考古人员多次对该遗址进行调查和文物普查，发现有东周遗址和墓葬、汉至六朝砖墓。1986 年秋，在该地搜集到一把楚式青铜长剑，还征集有巴式兵器等文物。1994 年 3 月初，为配合三峡工程一期土石围堰填筑和茅坪溪改道截流施工，考古人员对三峡坝区的茅坪下尾子遗址进行了抢救性的钻探和发掘工作，初步查明该地有石家河至夏、商时期的文化遗存，以及东周、汉代、宋代遗址各一处，清理东汉砖室墓和宋代夫妇合葬砖室墓各 1 座。

　　简报分为：一、古文化遗址，二、古墓葬，三、结语，共三个部分，有手绘图。

　　据介绍，经过这次配合三峡坝区前期的围堰工程，抢救性地发掘了茅坪下尾子遗址。遗址石器品类少，制作单一，除斧、锛打制、琢磨外，其余石器制作加工粗陋简单。陶器以夹砂灰褐陶和泥质灰陶为主，也有少量灰白陶。

　　简报认为该遗址这一时期文化的年代上限可至石家河文化时期，下限则为二里头文化时期，大致相当于夏王朝时期。其文化因素既有中原文化，又有本地土著文化的特色，还有近邻的巴蜀文化因素。此地还有商周、汉宋时遗物，表明此地长期有人居住。

803.湖北宜昌杨家嘴遗址发掘简报

作　者：三峡考古队第三组　李天元、祝恒富
出　处：《江汉考古》1994 年第 1 期

　　杨家嘴遗址位于宜昌县莲沱区乐天溪西口，长江北岸的二级阶地上，距长江水面约15 米。遗址的边缘有宜昌县铁锚预制厂（原宜昌县第三船队）的楼房建筑物。遗址北边是乐天溪镇旧址，葛洲坝修建后迁至大桥边，现仍有八屋佃村民居。与遗址隔江相对的是湖北省重点文物保护单位——黄陵庙和清水滩古文化遗址。1985 年，为配合三峡二期工程建设，对峡区文物点和古文化遗址进行了全面调查。调查中，在杨家嘴坡下的江滩边发现了丰富的遗物，考古人员对杨家嘴遗址进行了抢救性发掘。

　　发掘工作从 1985 年 5 月中旬开始，到 7 月上旬结束，历时 57 天，发掘面积 122

平方米。虽然保存下来的并非遗址中心部位，遗物还是丰富的，尤其是发现分布密集的墓葬（共 10 座），提供了新的资料。

简报分为：一、文化堆积，二、遗迹和墓葬，三、文化遗物，结语，共四个部分，有手绘图。

据介绍，杨家嘴遗址石器以小型为主，均经过磨制，但有相当多的标本保留了打制痕迹。上下等宽的短身厚体石斧颇具特色，其中质地较轻软的泥岩小石斧具有典型性。陶器明显地为两大类群，即手制陶器和轮制陶器。简报从杨家嘴遗址的遗物分析推断，少数器物时代较早，可能到新石器时代晚期，在白庙遗址中就有发现，少数器物可能晚到周代，遗址的主要文化遗存应在商代前后。

804.湖北宜昌白庙遗址 1993 年发掘简报

作　者：三峡考古队　孟华平、胡文春
出　处：《江汉考古》1994 年第 1 期

白庙遗址位于长江西陵峡南岸的二级台地上，隶属于湖北省宜昌县三斗坪镇东岳庙村十组。遗址地处白庙北，宜昌—三斗坪公路横贯遗址南端，东与大坪和窝棚墩遗址一沟相隔，总面积约 14000 平方米。1958 年，考古人员曾对该遗址进行过调查。1979 年和 1981 年，两次试掘此遗址。1985 ～ 1986 年，为配合葛洲坝水电工程，考古人员又对白庙遗址作了两次发掘工作，为了配合三峡工程建设，1993 年 3 ～ 5 月，考古人员发掘了白庙遗址，发掘面积达 500 平方米。

本次发掘情况简报分为：一、地理环境及地层堆积，二、早期遗存，三、周代遗存，四、唐宋遗存，五、主要收获，共五个部分，有手绘图。

据介绍，白庙早期遗存除丰富的磨制石器外，陶器主要有泥质和夹砂两大陶系。早期遗存的层位关系和器形特点表明，它经历了一个比较长的发展时期，是一脉相承的整体。

简报推断，早期遗存的时代约在龙山时代晚期至二里头三期文化之间；周代遗存年代约在西周中期偏晚；其他遗存的年代则在东周时期。

805.宜昌三家沱遗址发掘报告

作　者：三峡考古队　周国平
出　处：《江汉考古》1994 年第 1 期

三家沱遗址位于湖北省宜昌县三斗坪镇东岳庙村一组，东距宜昌市 45 公里，西

距三斗坪镇 3.5 公里；北临长江，南依黄牛山峰。遗址处于长江南岸台地上，西与杨家湾遗址相毗邻，现为农民柑橘园或菜地。1993 年 2～6 月，为了配合三峡工程西陵大道的修筑，考古人员对其进行调查发掘，共发掘面积 536 平方米。

简报分为：一、地层堆积，二、文化遗物，三、小结，共三个部分，有手绘图。

据介绍，三家沱遗址遗物遗迹包含东周、西汉、东汉及更晚时期，但以第三层为代表的遗存应以西汉时期为主。同时也说明该遗址在形成过程中受山洪暴发和长江水冲击，形成了包含有几个时期遗存并存的地层堆积，所有文化层均为再生堆积。

简报指出，三家沱遗址出土了大量筒瓦、板瓦，陶质均为夹粗砂，更利于烧造和经久耐用，同时，在瓦外表施以粗绳纹，更加强了瓦的牢固性，而内面的布纹应是制作过程中垫轮留下的痕迹，并无装饰作用。陶瓦制作工艺水平显然比春秋战国时期楚瓦更为先进，火候也比楚时更高。

806.枝城乱葬岗古墓第二次发掘简报

作　者：宜昌市博物馆　卢德佩、李孝沛
出　处：《江汉考古》1995 年第 3 期

乱葬岗古墓群位于枝城市陆城镇城区的东南部，高 3 米左右，北距长江 1 公里。1990 年，因修建城河公路发掘了一批古墓葬。1992 年 8 月中旬至 9 月中旬，为配合枝城市中药材公司基建工程，考古人员第二次在紧靠城河公路西边发掘了 7 座墓葬。由于前后工作的连续，墓号是接着编的，为 M20～M26。这 7 座墓葬，经整理研究，可分为西汉和明代两个不同时期。西汉墓 6 座，明代墓 1 座。简报分为西汉墓葬、明代墓葬，共两个部分予以介绍，有手绘图。

据介绍，西汉墓共 6 座，均为长方形土坑竖穴墓，葬具仅见腐烂的棺木板。出土陶器 32 件及铜器、玉石器共 40 件。明代墓仅 1 座，为同穴双室墓，多次被盗，仅见陶罐、陶瓦、铜笄、钱币等 8 件随葬品。时代简报推断为明代末期。

另据《江汉考古》1996 年第 4 期，考古人员在枝城市城关镇城背溪，曾发现有早于大溪文化的新石器时代遗存和夏商时代遗存。夏商时代陶器中陶罐、灯座形器很有特色。

807.湖北宜昌县下岸遗址发掘简报

作　者：国家文物局三峡考古队　王晓田
出　处：《考古》1999 年第 1 期

下岸遗址位于长江西陵峡北岸，隶属宜昌县莲沱区瓦窑坪乡下岸村。东距宜昌市

约 30 公里，西距中堡岛遗址约 10 公里，距杨家嘴遗址 1.5 公里，南与清水滩遗址隔江相望。遗址分布范围东西长约 80 米、南北宽约 50 米。宜昌至邓庄的沿江公路贯穿其间。1985 年 8、9 月间作过试掘，同年 10～11 月，考古人员对该遗址进行了正式发掘。

简报分为六个部分：一、地理位置及工作概况，二、地层堆积，三、新石器时代文化遗存，四、商代遗物，五、宋代遗物，六、结语。

据介绍，下岸遗址主要包含新石器时代和商代两个阶段的文化。新石器时代的遗存在鄂西特别是西陵峡地区具有较为突出的代表性，虽然它与鄂西巴文化之间存在较大的差距，但也有一定的联系。商代的遗物较少，难以反映该类遗存文化特征的全貌，遗存的年代基本上相当于商代二里岗阶段，简报认为，下岸的巴文化遗存在时代上应略晚于周围的同类文化遗存。

简报称，下岸遗址的发掘，丰富了鄂西地区相当于夏代这一历史时期的考古资料，为研究古代巴人的起源提供了新的线索。

808.远安孙家岗古墓发掘简报

作　者：宜昌市博物馆、远安县文物管理所　杨　华、卢德佩
出　处：《江汉考古》1999 年第 1 期

1994 年 8 月远安县双利（孙家岗）砖瓦厂施工时发现了一批古墓，1994 年 9 月，考古人员进行了发掘，简报配以手绘图予以介绍。

据介绍，孙家岗位于远安县城关南（略偏东）4 公里处，西距沮河约 1 公里。因这里为一较高的黄土岗，此岗上曾住有较多的孙姓，故名孙家岗。暴露出的 7 座墓葬编号从 M10 到 M17，其中 5 座为空墓。简报主要介绍了保存较好的 M12 和在墓底发现有陶器的 M11 两座墓。M12 应为一棺一椁，有青膏泥，葬具、人骨已朽，当为楚墓。此次还发现了尖状器、砍砸器和石片。这在沮水上游当为首次发现。这类石制品的发现，为我们研究鄂西地区旧石器文化地点的分布提供了重要的线索。

809.1985～1986 年三峡坝区三斗坪遗址发掘简报

作　者：湖北省文物考古研究所　杨权喜
出　处：《江汉考古》1999 年第 2 期

宜昌三斗坪遗址位于长江西陵峡南岸，原三斗坪镇东侧，西北距三峡大坝坝址中堡岛约 1 公里，东距黄陵庙约 10 公里。早在 1960 年就进行过一次发掘，20 世纪 70 年代考古人员又进行了多次调查。1984 年、1985～1986 年，又进行了三次发掘。

发现大溪文化灰坑 2 个、灰沟 1 条、墓葬 8 座；商周时期的残房 1 座、灰坑 5 个。出土较多的大溪文化陶器、石器和丰富的商周文化陶器。

简报分为：一、文化堆积，二、大溪文化遗存，三、商周文化遗址，四、结语，共四个部分，有手绘图。

据介绍，三斗坪遗址与中堡岛原隔滩相对，据江水流向和沙滩分布，两遗址古代应陆地相连，也许就是一个遗址的不同区域。在西陵峡中，中堡岛是古代一个十分重要的中心遗址。中堡岛侧旁的三斗坪遗址南靠低山，不但地势优越，而且保存了较丰富的时代与中堡岛大体相同的古代遗存。三斗坪遗址是三峡大坝坝区最重要的遗址之一。三斗坪大溪文化遗存主要遗迹为墓葬，另有灰沟 1 条，灰坑 1 个；遗物主要为石斧、陶器，还有少量骨器。墓葬墓坑为不规则浅坑，大体成行排列，基本未出随葬品，葬式有蜷曲式、蹲式、仰身屈肢式。出土石器较简单，以斧为主，分长、宽两型。长型磨制较粗。陶器较丰富，以夹砂陶为主，夹炭陶占较大比例；陶色以红、红褐为主；并多涂红衣；有较大比例的绳纹、线纹，彩陶也较多。

三斗坪商周文化遗存十分重要。遗迹保存不多，但遗物较丰富。遗迹中有较多的兽骨、鱼骨、蚌壳，磨制精细的小型石器较多，反映了渔猎经济的发达。陶器中，以夹砂褐陶或红褐陶为主，方格纹占相当比例，橘皮纹为特有纹饰。三斗坪商周文化遗存自身特色，属于江汉地区商周文化的峡江类型。

810.湖北宜昌县上磨垴周代遗址的发掘

作　　者：湖北省文物考古研究所　杨权喜
出　　处：《考古》2000 年第 8 期

上磨垴遗址位于三峡大坝库区的长江北岸，地处湖北省宜昌县太平溪镇西湾村。该遗址处于长江西陵峡中段之古代遗址密集区的西北部，在文化堆积分布范围内，地势高低不平，由于江水常年冲刷，遗址遭破坏严重，局部已暴露出砂岩和大石块。

为了配合三峡工程的建设，1984 年考古人员在该遗址西北部进行过小面积发掘，发现了用石块砌筑的房屋，并出土较多的周代陶片。1998 年的长江洪峰将残存遗址的断面全部冲刷出来，并暴露出许多陶片，遂于 1999 年 5 ~ 6 月对遗址残存部分进行了全面揭露，发掘面积达 575 平方米。此次发掘，发现了与楚文化关系密切的西周中期文化遗存和春秋时期冶铸遗存。

清理情况简报分为：一、地层堆积，二、遗迹和遗物，三、结语，共三个部分，有手绘图、照片。

据介绍，上磨垴为长江西陵峡中段北岸一处重要的周代遗址，文化层基本保持了原生堆积状态。简报称，上磨垴遗址的发掘，对于楚文化渊源的探索和三峡地区商周文化研究均具有重要意义，上磨垴出土的春秋铁器也是我国早期铁器研究中的重要资料。

811.湖北宜昌市鹿角包遗址发掘简报

作　者：湖北省文物考古研究所三峡考古队　孟华平、胡文春、周国平
出　处：《考古》2002 年第 7 期

鹿角包遗址位于湖北省宜昌市三斗坪镇东岳庙村四组，地处一处高出长江水面 7～8 米的沿江二级小台地上，东隔小溪即为杨家湾遗址。此地东距宜昌市约 45 公里，距黄陵庙约 2.5 公里，葛洲坝水利枢纽工程兴建后，遗址受江水的冲刷，其北部临江部分遭到严重破坏。1993 年 11 月上旬，调查中在河漫滩上采集到城背溪文化时期的绳纹陶片和商周时期的夹砂褐陶方格纹、绳纹罐残片，遂发现该遗址。遗址面积约 3200 平方米，1993 年 11～12 月对遗址进行了抢救性发掘，发掘面积共 725 平方米。

简报分为：一、地理环境与地层堆积，二、遗迹，三、出土遗物，四、结语，共四个部分，有手绘图、拓片。

据介绍，本次发掘中见到的文化遗存主要属商周时期，遗物较为丰富，根据地层关系和器形特征，大体可划分为三期。简报推断：第一期年代大约相当于二里岗上层文化时期；第二期年代约相当于殷墟第二、三期；第三期年代为春秋中期。

简报称，目前，三峡地区商、周时期的考古发掘资料日渐丰富，有关这一地区商、周时期考古学文化的性质、谱系的探索正在进一步深入。

812.三峡库区旧州河遗址发掘报告

作　者：宜昌市博物馆、秭归屈原纪念馆　周　昊
出　处：《江汉考古》2001 年第 4 期

旧州河遗址位于三峡库区香溪宽谷地段长江右岸的一处坡地上，隶属于湖北省秭归县郭家坝镇旧州河居委会。它东临长江，南至苏溪沟，西接柑桔场，北连楚王井村，东北与秭归县老县城归州相距约 3 公里。通往旧州河新场镇的简易公路呈东西向从遗址东部穿过。现存面积约 3000 平方米。该遗址于 1979 年发现，此后多次进行过调查、复核。1998 年 10～12 月进行了抢救性发掘。

简报分为：一、地理环境及地层堆积，二、文化遗存，三、结语，共三个部分。有手绘图。

据介绍，该遗址发现有大溪文化三、四期，石家河文化中期或偏早，宋明时期共三个历史时期的遗存。从遗址中出土的大量鱼骨和生产工具来看，在峡江地区特别是在西陵峡范围内，与江汉平原相比，当时的生产力水平低下，农业不甚发达，渔猎为其主要的经济形式。

一般认为，大溪文化的年代为距今约 6900 ~ 5100 年。石家河文化的年代约为距今 4500 ~ 4200 年。

813.湖北秭归何家坪遗址发掘简报

作　者：湖北省文物考古研究所　李天智等
出　处：《江汉考古》2002 年第 3 期

何家坪遗址位于湖北省秭归县郭家坝镇楚王井村 11 组，发现于 1993 年。1996 ~ 2000 年，分三次对遗址进行了发掘。三次发掘面积 1600 平方米，清理新石器时代至明代墓葬 5 座、灰坑 3 个、窑址 1 处，出土了陶、石、瓷、银、铜、铁等不同质料的文化遗物 100 余件。该遗址年代跨度长，遗存特征比较典型，是三峡地区一处比较重要的考古发现。

简报分为：一、地层堆积，二、文化遗存，三、结语，共三个部分。有手绘图。

据介绍，发掘中发现大溪文化只埋葬鱼骨的灰坑、西汉早期一椁七棺土坑合葬墓（M5）、六朝西晋中期前后的青瓷器、北宋晚期头饰等，均值得注意。

814.湖北秭归东门头汉墓与宋墓清理简报

作　者：湖北省文物考古研究所　胡文春
出　处：《江汉考古》2002 年第 3 期

东门头墓地地处湖北秭归郭家坝镇，1996 年发现，1997 年考古人员对该墓地进行了发掘，共清理汉墓 3 座、宋墓 1 座。这 4 座墓均位于东门头古城城垣外，对研究东门头古城有一定意义。

简报分为：一、汉墓，二、宋墓，三、结语，共三个部分。有手绘图。

据介绍，3 座汉墓中 M7 未发现随葬品，M4、M6 现存的器物具有西汉特点，其时代应为汉武帝前后。宋墓 M5 年代应为北宋时期。据考古调查，东门头汉墓墓地范围较大，此次发掘的 3 座汉墓，墓葬结构有土坑、砖室和石室 3 种，为研究西陵峡地区汉代墓葬，提供了一批较为重要的资料。

815.湖北秭归望江古墓群发掘简报

作　者：宜昌博物馆　乔　峡、刘继东
出　处：《江汉考古》2002年第3期

　　湖北秭归望江墓群是三峡库区一处以晚唐北宋为主并可早到六朝前期的墓群。墓群以小型土坑墓为主，并有少量土洞墓，中型墓均为砖室或石室墓。瓷器是望江墓群的主要随葬品，器形包括碗、罐、壶等10多种，并有青、青白、黑、白等多种釉色，分别来自湖南长沙窑、武昌青山窑及四川地区的窑场，表明中唐以后迄宋代，三峡地区经济有了很大发展，与外界的经济文化交流已很频繁。

　　简报分为：一、墓群概况，二、地层堆积，三、墓葬形制，四、随葬器物，五、墓葬分期与年代，六、结语，共六个部分，有照片、拓片、手绘图。

　　望江墓群位于湖北省秭归县望江村二组，地处长江及其支流咤溪河交汇地带，东南约1公里为归州镇（原秭归县城）。为了配合三峡工程建设，1998年10月至1999年7月，考古人员先后两次对库区秭归县望江墓群进行了抢救性发掘。田野工作历时4个月，共发掘墓葬84座，其中六朝墓3座、唐墓11座、宋墓44座、明墓26座，获得一批陶瓷、铜、玉、银器等珍贵文物。其中M14所出的1件白瓷杯胎质洁白细腻，造型小巧玲珑，釉色莹润如玉，可能为唐代邢窑产品。墓葬数量之多，分布之密，为三峡地区仅见，在全国也不多见。

816.湖北秭归卜庄河古墓群考古发掘收获

作　者：宜昌市博物馆　卢德佩
出　处：《江汉考古》2002年第3期

　　为配合三峡工程，考古人员于1999年4月3日至6月15日，对库区内的秭归县卜庄河古墓群进行考古勘探和发掘工作。勘探面积达20000平方米，此次发掘是继1991年首次发掘之后的第三次发掘，共发掘出17座墓葬、3座陶窑，出土文物达百余件。其中在古陶窑中营建墓葬和夫妻墓葬的发现尤为重要，在我国考古发现中实为罕见。

　　据介绍，已发掘的墓葬中有石室墓6座、砖室墓6座、土坑墓5座，其中战国墓1座、汉墓6座、六朝墓5座、宋墓1座。石室墓和砖室墓规模大，等级高，如砖室墓中的M16券顶保存完好，内有甬道、墓室、棺台等设施。砖为方形，一端有"凹"字形母榫，另一端有"凸"字形公榫，顺砖垒砌，层层相扣。又如M20，面积近30平方米。这些规模大、墓主人身份高、分布密集的古墓葬，充分说明了位于长江西陵峡入口处的卜庄河一带，自战国（特别是汉、六朝）时期以来，是当时政治、经济、文化比较集中而发达的重要古集镇之一。随葬品中多见兵器，也说明此处为一军事要地。

简报称，这些墓葬大多数被盗，且以石室墓和砖室墓为甚，但仍出土有铜鼎、方壶、勺、壶、车舄、环、铃饰，陶鼎、壶、敦、盒、罐、纺轮，铁剑、削刀，青瓷罐、白瓷碗、瓷钵、瓷壶、滑石猪，玻璃珠、坠饰，石斧、锛等100多件重要文物。另外还发现有"五铢""货泉""直百五铢""小泉直一""半两""皇宗通宝"等数千枚铜钱。三座陶窑为东晋时期遗迹，其中每窑均建一砖室墓，十分罕见。

817.湖北秭归石门嘴遗址发掘

作　者： 吉林大学边疆考古研究中心、湖北省文物考古研究所　王立新、王凤竹、黄文新、于孟洲等

出　处：《考古学报》2004年第4期

石门嘴位于秭归老县城东南2.7公里处，系长江南岸凸向江中的一个山嘴，隶属郭家坝镇归洲河居委会。该遗址1994年在湖北省文物考古研究所进行三峡工程秭归县淹没区地下文物调查时发现并确认。1999年11月至12月，对该遗址进行了重点发掘。通过发掘了解到，该遗址存在商、周、六朝和明代四个时期的遗存。

简报分为：一、地层堆积，二、商代遗存，三、周代遗存，四、出土遗物，五、结语，共五个部分，先行介绍商、周、六朝时期遗存，有照片、手绘图。

简报称，石门嘴遗址的发掘，是近年峡江地区考古中收获较大的一次。这主要反映在以下几点：

其一，遗址的商代遗物数量较多，种类丰富，为深入研究鄂西地区的早期巴文化提供了重要的资料。戳印S纹的陶印模的发现，在峡江地区还是首次。另外，大量的鱼骨说明捕鱼业在当时的经济生活中占有很大比重。H1整坑的鱼骨被火烧过的现象，很可能还与祭祀活动有关。

其二，年代可定为西周晚期偏晚的H10属此次发掘的重要发现。此坑为较规整的椭圆形袋状坑。坑内堆积中包含大量的红烧土和烧灰，且出有鱼卜骨、卜甲、石球、石盘状器、骨簪、蚌饰、陶鬲、方格纹罐、豆等一组重要遗物，性质当与祭祀有关。此坑及附近的周代文化层中所出的鱼卜骨极富地方特色。两周之际，虽然楚文化因素已大量涌入，并引起峡江地区文化面貌的转变，但这里仍然是巴人的主要居住活动区。以鱼骨占卜很可能仍代表了巴人在占卜方面的独特风格。

其三，六朝遗存也属此次发掘中的重要收获。尤其是F5～F7这一组同时并存的干栏式建筑的发现，填补了峡江地区六朝民居建筑资料的空白，对研究峡江地区民居形式的演进，具有重要的学术价值。

荆门市

818.荆门市子陵岗古墓发掘简报

作　者：荆门市博物馆　崔仁义、李云清
出　处：《江汉考古》1990 年第 4 期

　　子陵岗位于湖北省荆门市北部丘陵地带的东宝区子陵铺镇子陵村内。子陵岗因东汉隐士严子陵（名光）曾活动于此而得名。1982 年，子陵岗遗址被列入荆门市重点文物保护单位。1987 年 11 月因市水泥厂施工取土时发现文物，考古人员进行了抢救性发掘。1987 年 12 月中旬发掘结束。共清理古墓 61 座，其中明墓 2 座，两汉墓 18 座，东周墓 41 座。

　　简报分为：一、东周墓，二、两汉墓，三、明墓，共三个部分，有照片、拓片、手绘图。

　　据介绍，东周墓地表无封土，少数有墓道、头龛。简报推断为春秋时楚墓，上限为春秋中期，下限为公元前 278 年秦国拔郢之前。两汉墓 18 座中，土坑墓 7 座，砖室墓 11 座。出土器物以陶器为大宗，共 100 余件，以灰陶为主，少数为红陶。器物的种类有鼎、盒、钫、熏炉、釜、盂、仓、灶、井、罐、瓮、甑、筒瓦、猪、鸡、狗、鸭、猪圈等，另有铜器、货币等，时代可分为西汉初期、西汉末期至东汉初期两个时期。明墓 2 座，水泥厂在施工动土前，封土堆尚存。施工中，封土堆及其墓坑被破坏。发掘时，封土堆仅 M11 甲西半部残存。据当事人反映，一件陶楼和墓志铭分别在 11 甲和 11 乙中出土，其详细位置不明。推测，两墓可能在同一封土堆下。葬具、人骨几乎均朽不存。随葬品有陶楼、瓷碗、铜镜、银耳勺、金头饰及石墓志铭 1 件。简报未录志文全文。据志文，M112 的主人为卢氏，生于天顺二年（1458 年），卒于嘉靖十八年（1539 年），享年 82 岁。M11 甲的下葬年推算应为 1487 年。此墓当为夫妇合葬墓。

819.荆门城区古建筑调查

作　者：荆门市博物馆　董贤法
出　处：《江汉考古》1990 年第 4 期

　　位于江汉平原西北部的荆门市，因城郊的两座山而得名。东为荆门山，西为虎牙山。荆门是一座具有悠久历史的文化古城，自古被誉为"荆楚门户"。它依山傍水，林木茂盛，泉水四溢，风景秀丽，名胜古迹众多。城区中部有始建于隋代的东山宝塔，清同治年间的文峰塔，清乾隆年间为纪念吕洞宾而修建的白云洞和清同治年间重建

的白云楼，道光年间修建的魁星阁等古建筑。

简报分为：一、东山宝塔，二、文峰塔，三、白云洞与白云楼，四、魁星阁，共四个部分，有照片、手绘图。

据介绍，最古老的东山宝塔屹立在荆门市城区东宝山主峰太平顶上，为一平面为八角形的楼阁式塔。抗战时塔顶被毁，1949 年后修复。现下五层仍为宋代原构，其他几处古建也都是极具地方特色的砖木或砖石结构建筑。

820.钟祥罗山遗址调查简报

作　者：武汉大学历史地理研究所、钟祥市博物馆
出　处：《江汉考古》2007 年第 3 期

2006 年 12 月，考古人员对位处钟祥汉西地区的罗山遗址进行了田野考古调查，发现这是一处保存较好的东周时期遗址，具体年代约为春秋中晚期至汉晋，战国遗物较多见。结合文献分析，认为该遗址可能为春秋中期南迁的古都国、汉晋部县所在。

简报分为：一、地理位置与遗址概况，二、遗物，三、几点认识，共三个部分，有手绘图。

据介绍，罗山遗址位于今湖北省钟祥市西北，胡集镇东约 10 公里的罗山村七组，东距转斗镇约 3 公里。仅就这次调查从地面采集的各类遗物分析、比较，罗山遗址的上限可能在春秋中晚期，下限当至汉晋，而以战国时期的遗物比较多见。

简报称，罗山遗址面积达 75 万平方米，年代为春秋至汉晋，这样规模的遗址在当时应非普通聚邑。在这一地区与之规模相当、时代相近且可资比较的，有南漳县临沮城遗址和襄樊以北的邓城遗址，面积均约 60 万平方米。据石泉先生考证，临沮城遗址当为东晋至齐梁时期的临沮县城，邓城遗址为古邓国及楚、汉邓县所在，说明罗山遗址就其面积而言，在东周至汉晋时期相当于小国、县城之类的规模。

鄂州市

821.鄂城楚墓

作　者：湖北省鄂城县博物馆　熊亚云、丁堂华等
出　处：《考古学报》1983 年第 2 期

考古人员在 1958 ～ 1978 年配合各项基本建设工程，先后在城东南郊的百子畈、七里界大队、洋澜湖电排站、西南郊鄂城钢铁厂范围内及五里墩等工地共发掘战国

时期的墓葬 30 座。这批墓葬未发掘前的地貌均为坡度较缓的梯地或台地，地面种满庄稼。发掘前未发现墓葬的封土堆，很可能是历来开垦时已平整无存。

简报分为：一、墓葬形制，二、随葬器物，三、分期，有照片、手绘图。

据介绍，此批墓均为土坑竖穴墓，出土遗物 506 件，有陶器、铜器、竹器、玉器、漆器等。年代简报推断有战国中期偏早、战国中期、战国晚期、秦汉之际或西汉初期等几个时期。

822.鄂城县发现一处冶炼遗址

作　者：徐献国

出　处：《江汉考古》1985 年第 4 期

在鄂城县汀祖公社汀祖小学屋后，有一个历来叫"铜灶"的古代冶炼场所。它的周围遍地是冶炼炉渣。"铜灶"附近（约 0.5 公里之外）有一处历来叫"铜坑"的地方，深深的积水，据说从来没有干枯过，这应该是当时为"铜灶"提供矿石的露天采矿场。

据介绍，这里和大冶铜绿山一样，传说是宋代岳飞炼铜制兵器的地方，这并非无稽之谈。据大冶现存的最早一部县志——明代嘉靖庚子年（1540 年）编修的《大冶县志》记载，当年"铜灶"采炼的规模比铜绿山宏大，因此影响就更深远。1950 年，在"铜灶"附近发掘出了一批形如薄砖的铜锭和西周乐器大编钟等文物。专家们通过对出土文物的鉴定，认为始于春秋时期或者西周。当然，"铜灶"炼铜是不是始于西周，这是一个需要经过深入调查，进行考古发掘之后才能回答的问题。

823.鄂州市吴王城古陶井发掘简报

作　者：鄂州市博物馆　徐劲松

出　处：《江汉考古》1993 年第 4 期

吴王城城址（亦称六朝武昌城城址），位于湖北省东南部、长江南岸的鄂州市鄂城区，它是三国时期孙吴建国后的第一个都城。城址北临长江，南依南湖（今洋南湖），西为樊山，东西长 1100 米，南北宽 500 米，是我国南方地区唯一保存较为完好、时代明确的都城遗址；在城的内外，散布有大量汉魏六朝时期的遗迹和遗物。1992 年 4 月，鄂州市果品公司在熊家巷旁改建办公楼及仓库，在施工中，发现古陶井三处，考古人员在配合工程施工中，清理了其中的一处，编号为 92·果品公司吴王城 J1。由于这座陶井所处位置特殊，为便于对六朝武昌城的综合研究，简报分为：

一、井的层位及结构，二、出土遗物，三、井的建造方法及用途，四、井的时代及废弃原因，共四个部分予以介绍。

据介绍，根据井内所出遗物，简报推断：古井的使用年代为东汉中期或稍晚，孙吴初年后井即废弃，废弃应是在修筑武昌城过程中，迁移此处原有居民、修建护城壕时造成的。

简报称，这处陶井的发现，为了解古城的历史和发展提供了重要的实物资料。

824.鄂州市古砖井发掘简报

作　者：鄂州市博物馆　余　俊、何建萍
出　处：《江汉考古》1994 年第 4 期

1993 年 11 月，鄂城房地产公司在明塘路与古城路交会处兴建科技大楼，在基础工程的施工中，发现古砖井两座。市博物馆闻讯后，派考古人员对其进行了清理（编号分别为：93·市科技大楼 J1 和 J2）。

这两座古砖井位于鄂州市区中心，其西约 200 米为市政府办公楼，北距六朝武昌城南城壕仅 50 米，距南城壕与西城壕交汇处仅 60 处，地理位置特殊。

简报分为：一、井的层位及结构，二、出土遗物，三、结语，共三个部分，有手绘图、拓片。

据介绍，两座古砖井的时代，根据出土遗物的分析，当属同一时期。井中出土的牛鼻耳式罐在鄂城的东汉末至三国时期的墓葬和遗址中常有发现；其 A 型 I 式牛鼻耳式罐、釉陶四系罐及铜釜与 1977 年鄂钢古井所出的同类器形制相同，釉陶双耳罐，Ⅲ式四系罐与鄂钢 M21 的同类器相比，时代又略早于后者。因此，这两座井的使用年代简报推断为东汉末年至孙吴初期。

简报称，这两座古砖井的发掘，无疑为了解这一时期的历史提供了重要的实物资料。

825.湖北鄂州市五处古窑址的调查

作　者：鄂州市博物馆　徐劲松
出　处：《江汉考古》1995 年第 2 期

鄂州市位于湖北省东南部长江南岸。1974 ～ 1983 年，考古人员对全市范围进行过多次调查，共发现古窑址 9 处，1984 年秋又组织专人进行了复查。简报分为六个部分，并配以手绘图，重点介绍了这 9 处古窑址中的王仓屋、螃蟹山、杨家山、熊泗林、

南窑咀等 5 处。

据介绍，熊泗村、南窑咀两处窑址相距仅 3 公里，时代为南朝后期至中唐前后。王仓屋窑址的时代为中唐后期至五代时期。螃蟹山窑址的时代为唐宋时期。杨家山窑址的时代为宋代。简报称，鄂州市的古窑址，在史籍中均无记载，调查发现的这些古窑址，不仅填补了史籍的空白，也为解决鄂城地区古墓区中陶瓷器皿的生产场地问题提供了重要的实物资料。这些古窑址均位于湖滨地区，说明这些窑址的产品不仅供应本地所需，还通过水运外销到其他地区。

孝感市

826.湖北云梦睡虎地秦汉墓发掘简报

作　者：云梦县文物工作组　蔡先启、张泽栋、刘玉堂
出　处：《考古》1981 年第 1 期

1975 年，云梦睡虎地出土了大批珍贵的秦代竹简和重要的历史文物，引起了国内外的重视。1976 年 5 月，考古人员对该墓地的墓葬分布情况进行了勘探，探明该墓地西部（汉丹铁路以西）保存有 47 座土坑墓。1977 年，考古人员在 1975 年发掘的睡虎地十一号秦墓的西南、西北部发掘了 8 座小型土坑墓，墓号为 M29、M30、M32、M33、M34、M35、M36、M39。1975 年 8 月和 1977 年 10 月配合基本建设先后在睡虎地南部（汉丹铁路以东）发掘了 2 座小型土坑墓，墓号为 M1、M2，这 10 座墓葬共出土了 355 件重要的历史文物。

简报分为：一、墓葬形制，二、随葬器物，三、年代与墓主人身份，共三个部分，有手绘图等。

据介绍，这批墓葬是小型土坑墓，墓坑较小，未见墓道。其中 M31、M33、M34、M35、M36 以及 M1、M2 都是单棺单椁墓，椁室很小。棺椁均用优质木材制成。这 8 座墓的随葬品以当时价格昂贵的漆器居多，也有少量的陶制生活用具和铜器。M3 随葬品达 70 余件，且大部分是华丽的漆器；M39 墓随葬品虽数量不多，但也以漆器为主。简报推测这 8 座墓墓主的生前社会地位大约相当于中小地主。而 M29、M30 为单棺墓，随葬品也寥寥无几，M29 仅见 3 件陶器，M30 只随葬 5 件陶器，简报认为这两座墓的墓主生前大约属于平民阶层。

简报认为：这批墓葬的时间，从战国时秦国到西汉初年惠帝、文帝、景帝、武帝时不等。

827.孝感、黄陂两县部分古遗址复查简报

作　者：孝感地区博物馆

出　处：《江汉考古》1983 年第 4 期

1982 年 2 月至 6 月，考古人员在全区文物普查工作结束的基础上，对孝感县的台子湖、城隍墩遗址，黄陂县的程家墩、河李湾、城隍庵、郭元咀、金盆店等 7 处古代遗址进行了复查。了解到这些遗址的文化堆积有下面四种情况：（一）龙山期文化、仰韶文化相叠压；（二）商代文化、龙山期文化相叠压；（三）周代文化、龙山期文化相叠压；（四）周代文化、商代文化相叠压。虽有两种以上的文化堆积，但其中总是以一个文化的地层堆积为主。

简报分为：一、程家墩遗址，二、河李湾遗址，三、城隍庵遗址，四、台子湖遗址，五、郭元咀遗址，六、城隍墩遗址，七、金盆店遗址和"结语"，共八个部分，有手绘图。

据介绍，这几处遗址发现有仰韶文化、龙山文化、商代、西周等时期遗存，其中西周遗存较为丰富。

828.大悟县几处古遗址的调查

作　者：孝感地区博物馆、大悟县博物馆

出　处：《江汉考古》1984 年第 1 期

大悟县地处鄂东北山区，1981 年春进行了一次文物普查，共查出古文化遗址 45 处，古墓葬 15 处，古建 2 处。古遗址中属于新石器晚期 15 处，西周 22 处，春秋战国 7 处，汉代 1 处。这些遗址大部分保存较好，遗物丰富，面积大，文化堆积厚，延续时间长。为了进一步弄清这一地区各阶段的文化内涵与性质，1982 年春，大悟县博物馆在普查的基础上，对有关重点遗址进行了复查。

简报分为：一、沈家城新石器时代遗址，二、桥头墩新石器时代遗址，三、墩子畈新石器时代遗址，四、面前墩遗址，五、雷家墩遗址，六、南店东周时期遗址，七、跑马场东周时期遗址，结语，共八个部分。有手绘图。

据介绍，复查结果表明，大悟县从新石器时代至东周时期遗址密布，遗物有陶器、石器及瓦等建材等。

829.大悟吕王城重点调查简报

作　者：孝感地区博物馆　熊卜发
出　处：《江汉考古》1985 年第 3 期

1979 年秋，大悟县吕王公社吕王大队农民在遗址北部烧窑取土时，发现了大量的古代陶片和部分完整的石器。考古人员前往调查，1982 年 2 月至 4 月底，在已破坏的地断面上作了些探掘工作。

简报分为地理环境与地层堆积情况、新石器时代文化层出土遗物、西周文化层出土遗物、春秋文化层出土遗物、战国时期文化层出土遗物、结语，共六个部分，有手绘图。

据介绍，吕王城遗址位于大悟县城东约 70 公里的吕王公社吕王镇。新石器时代遗存为屈家岭文化晚期遗存。此外还有龙山时期遗存。西周时期遗存早、中、晚期都有。春秋时期遗存有春秋、战国之际的遗存。在该遗址的西南边缘，还发现了一段近 100 米的城墙遗迹，可能是吕王城城址，未发掘。

830.湖北孝感地区古文化遗址调查

作　者：孝感地区博物馆　熊卜发
出　处：《考古》1986 年第 7 期

孝感地区位于江汉平原，古云梦泽的东北部，南临长江，西扼汉水，北依桐柏山，东连大别山。其地势南部为平原，北部是丘陵。境内有汉水、涢水、大富水、澴水、滠水等五条主要河流纵贯南北。京广铁路自北向南穿行其间。考古人员于 1979 年至 1984 年，曾先后四次对全区的古文化遗址进行了调查，共发现各时期的古文化遗址 313 处。经初步推断，在古遗址中，属于屈家岭文化时期 42 处，龙山时期 65 处，二里头至商代时期 15 处，两周时期 177 处，汉以后 14 处。其中部分存在着几个时期的文化堆积。

简报分为：一、屈家岭文化遗存，二、龙山文化遗存，三、二里头至商代遗存，四、两周遗存，五、结语，共五个部分。有照片。

据介绍，从调查资料来看，分布在滠水、澴水流域的古文化遗址，以龙山时期和商周时期文化居多，内涵甚为丰富；分布在涢水和富水流域的古文化遗址，则以屈家岭文化居多，未发现早于屈家岭文化的遗存。涢水、富水流域的屈家岭文化，早期遗存发现不多，主要是中晚期的遗存。孝感地区龙山时期的文化，是在屈家岭文化的基础上，吸收了中原龙山文化，融合当地土著文化发展起来的。澴水、滠水流域的商周文化遗存，分布广、稠密，文化内涵甚为丰富，具有浓厚的中原商文化风格，可见商人的势力已发展到鄂东北、鄂北地区。

831.1978 年云梦秦汉墓发掘报告

作　者：湖北省博物馆　陈振裕等
出　处：《考古学报》1986 年第 4 期

湖北省云梦县睡虎地秦汉墓，曾先后发表过两批资料，引起了国内外学术界的关注与重视。为全面了解睡虎地秦汉墓整个墓地的情况，自 1978 年 11 月上旬至 12 月中旬，又发掘了 25 座墓（编号 M12 ～ M28、M43 ～ M53），同时在大坟头一号墓的东南约 300 米处发掘了 2 座西汉墓（即大坟头 M2、M3）。

简报分为：一、墓葬形制，二、随葬器物，三、结语，共三个部分介绍了这次发掘的 27 座秦汉墓的全部资料。有照片、手绘图。

据介绍，这 27 座墓均为长方形竖穴土坑墓，无墓道，未见封土堆，形制基本相同，可细分为单椁单棺墓（15 座）和单棺墓（12 座），是一批小型秦汉墓。出土随葬品 523 件，漆器最多达 200 件，其次为陶器、铜器。年代简报推断可分为战国晚期、秦、西汉早期三个时期。墓主人简报认为是秦人。

简报指出，这次发掘的重要收获之一，是又出土近 200 件秦代漆器。尤其是 M44 出土的 1 件漆扁壶，一面绘一头肥壮的牛，另一面上部绘一飞鸟，鸟下绘一匹奔驰的骏马，通过对比衬托的艺术手法，构成骏马疾驰如飞的意境，反映出秦代绘画艺术已具有很高的水平。M46 出土的一件漆卮，用银箔镂刻成图案花纹，然后贴在器壁上，再用朱漆压线，使全器银光闪烁，灿烂华丽，表现了当时精湛的漆器工艺。漆器上的烙印、针刻的文字与符号中的"咸市""咸亭""许市""郑亭"等文字，表明它们是咸阳等地的产品；还有"素""上""告"等烙印文字，过去在睡虎地秦代漆器上也曾见到，是素工、上工、髹工和造工在制作时的戳印，反映了当时漆器生产有着多道工序。

简报称，秦律对物勒工名作了严格的规定，因而在许多考古发掘和传世的秦兵器上，物勒工名已是屡见不鲜。秦代对于各种器物的制作也有着严格的规定。这次出土漆器中，有些同类器大小大致相同，如同类的大漆耳杯或小耳杯，其大小、长短基本相同。

832.孝感花园发现战国秦汉墓群

作　者：周厚强、李端阳、陈明芳
出　处：《江汉考古》1987 年第 1 期

1986 年 5 月，孝感市机瓦厂在取土时挖出古墓数座，出土了一些铜器、陶器。6

月 13 日,考古人员进行了发掘清理并对附近地带作了考古调查。

据介绍,古墓群在澴水边的丘陵上,东距花园镇约 1.5 公里,隔水相望。截至目前,共清理发掘古墓 28 座,出土器物 250 余件。这批墓葬皆为中、小型土坑竖穴木椁墓,有头厢。葬具均已腐烂,随葬品大都出自头厢,个别出于脚部。出土器物有陶、铜、铁、玉、石、漆、金七类。其中陶器最多,有罐、瓮、盆、钵、壶、双耳罐等;铜器有鼎、长颈壶、蒜头壶、匜、盘、鍪、匙、匕、镜、带钩等;石器有碾磨器、刮削器、砚,玉器有璧、剑珮、球、管,铁器有鼎、瓿、削刀,漆器有耳杯、盒、卮等。值得注意的是有的墓中既有楚式鼎、长顶壶,又有秦式鼎、蒜头壶,有的墓中随葬石器生产工具。

简报认为,这些考古发现不仅丰富了孝感地区战国秦汉遗物,同时也为探讨楚、秦文化的关系,提供了新的实物资料。

833.孝感市几处古遗址调查简报

作　者：湖北省孝感地区博物馆　熊卜发、李端阳
出　处：《江汉考古》1987 年第 3 期

孝感市地处江汉平原,南接武汉,北临大悟、应山县,东与黄陂交界,北部为丘陵,南部是平原,自古以来就是南北交通要道之一,也是历代兵家必争之地。考古人员这一地区进行了大量的考古调查工作,发现了 70 余处古文化遗址,有新石器晚期、商周、汉等几个时期的文化遗存。这些遗址多数分布在河流两岸的二级合地上,分布广、面积大,延续时间长,文化内涵极为丰富。考古人员于 1981 年冬至 1982 年春,曾先后对龙头岗、碧公台、寨庙、叶家寨、园墩、李家林、余家河、大家园 8 处重要遗址进行了全面的调查。简报分为九个部分予以介绍,有手绘图。

简报称,通过对以上几处古文化遗址的调查,对这一地区各个时期的文化面貌,及其文化性质有了一个初步的认识。从采集的实物标本来看,文化内涵极为丰富,特别是商周时期的文化遗存在这里分布尤多。其次如仰韶文化、龙山文化、二里头文化遗存也均存在。

834.云梦楚王城遗址发掘简讯

作　者：王凤竹
出　处：《江汉考古》1989 年第 2 期

楚王城遗址位于湖北省云梦县城关区外,是一处由东西并列分布的大小两城所

组成的古城遗址。1988 年 12 月至 1989 年 1 月，为配合基建工程，考古人员对这一遗址进行了部分发掘。

据介绍，云梦古城除西部小城的一部分被现在的县城叠压外，整个城址保存状况基本完好。以往为配合国家公路建设曾对这一城址进行过勘测和部分发掘。这次发掘工作着重在西城的东半部进行。共清理灰坑 29 个、灰沟 6 条，土井 6 口，墓葬 10 座。初步判断有东周时期灰坑 17 个、灰沟 4 条、土井 4 个、墓葬一座；秦汉时期的灰坑 12 个、灰沟 2 条、土井 2 个、墓葬 2 座。此外还有唐宋时期小型砖室墓 6 座和 1 座近代墓。以东周至秦汉时期的遗存最为丰富，这一时期的文化层中出有大量的日用陶器残片，从陶片观察主要器形有：豆、罐、盆、釜、鬲、瓮、鼎等，还有大量的灰色绳纹板瓦、筒瓦、卷云纹瓦当和排水管等以及网坠、纺轮等生产用具和凹形锄等铁制工具。

835.孝感地区博物馆馆藏铜镜简报

作　者：孝感地区博物馆　刘志升

出　处：《江汉考古》1990 年第 2 期

孝感地区博物馆馆藏青铜镜计 29 面，均系 1980 年征调本区各县市的精品，绝大多数有明确出土地点。

简报分为：一、战国镜，二、汉镜，三、六朝镜，四、唐镜，五、宋镜等几个部分予以介绍，有照片。

据介绍，战国时期的青铜镜三面，均作圆形，小三弦钮，有圆钮座和方钮座之分，窄素缘上卷，镜面平直，质地乌黑，薄而轻巧。其中武士与猛兽搏斗图镜价值较高。汉镜 8 面，均作圆形、圆钮。六朝镜 3 面，其中神人龙虎镜较珍贵。还有唐镜 6 面及宋镜等。

836.孝感市草店坊城的调查与勘探

作　者：草店坊城联合考古勘探队

出　处：《江汉考古》1990 年第 2 期

草店坊城位于孝感市牌坊乡境内，中心村（草店）、陈林村等 4 个组分属辖地。南距武汉市约 80 公里、孝感市约 40 公里、花园镇 2.5 公里。地处二级台地上，海拔高度在 37 ~ 45 米。城址的南垣依临澴水河，北部横卧武家岗地，东靠陈林村，西 50 米有京广铁路由北向南通过，京广铁路另一边是中心村。城内无任何现代村落建筑，东、西、南部地势平坦开阔。草店坊城是 1985 年进行文物普查时发现。1989 年 3 月，为配合 107 国道建设进行了勘探。

简报分为：一、城垣、楼橹、城门遗址，二、护城河遗迹，三、城内的地层堆积与遗迹，四、城外的遗迹墓葬分布，五、采集遗物，六、城址的时代与性质，共六个部分予以介绍，有手绘图。

据介绍，从现在的地貌上看，坊城仍可见到高立的土筑城垣。整座城址呈不规则的长方形。由于历年来自然的损毁和农耕，城垣向内外两边崩垮严重，已失去往日的风貌。现在的城垣以北垣、西垣以及南垣西段保存最好，最高处达 4.3 ~ 5.5 米，最低处 2.6 ~ 3.7 米，最窄处 7.25 米，最宽处的拐角为 50 米。东垣和南垣东段上修有水渠，变得面目全非。城垣的 5 个角明显地显得宽大并高出城垣。勘探后的情况表明，城址为一个长方形加南垣中部凸出的三角形，因此又把南垣分为东西两段。城垣周长 1326 米，城址东西最长 518，南北最宽 326 米，面积 0.11 平方公里。简报认为坊城的时代上至战国晚期，下限延到秦汉或略晚。这种推断也与城外西南田家岗、武家坡、白莲村战国秦汉墓地的时代一致。坊城外还有两周时期遗址。

简报称，从城址筑构形制、设施和所在地理位置来综合分析，简报认为坊城是战国秦汉时期的一座重要军事城堡。坊城一名可能是后人的笔误和传讹，实应为防城。

837.大悟县古文化遗址调查简报

作　者：大悟县博物馆　付亚南、陈冬泉
出　处：《江汉考古》1990 年第 2 期

大悟县位于鄂东北山区，自古是南北交往重要通道，文物丰富。从 1979 年冬至 1989 年 7 月，考古人员对全县各乡、镇进行了文物调查工作。10 多年来，共查出古文化遗址 61 处，古墓葬 43 处，古建筑 13 处，古关口 4 处。简报配以手绘图予以介绍。

据调查，屈家岭文化到了中晚期已经发展到这一地区，这些遗存对于进一步研究屈家岭文化在这一地区的发展均有一定的价值。分布在这一地区龙山时期的遗址较前者是多，共 17 处。这一地区的龙山时期的文化，不仅承袭了屈家岭文化的某些因素，而且也受到了中原地区这一时期古文化的强烈影响。西周时期遗址在这一地区分布较为密集，达 35 处，应渊源于中原地区的同期文化。东周时期遗址共发现 10 处，这一时期显然是继承了西周的遗风，而楚国的势力已逐渐地向这一地区扩大。

838.云梦龙岗秦汉墓地第一次发掘简报

作　者： 湖北省文物考古研究所、孝感地区博物馆、云梦县博物馆　梁　柱、
周厚强、刘润清

出　处： 《江汉考古》1990 年第 3 期

为了配合云梦县公安局的"三所"建设工程，1989 年 10～12 月，考古人员对龙岗秦汉墓地进行了第一次发掘。共发掘墓葬 9 座（M1～M9），出土了一批珍贵的文物。

简报分为：一、墓地的地理位置及其发掘经过，二、墓葬形制，三、随葬器物，四、结语，共四个部分，有手绘图。

据介绍，云岗位于云梦县城东郊，北距楚王城遗址南垣约 450 米，其西南与珍珠坡墓地（省级重点文物保护单位）相邻。9 墓均为小型长方形土坑竖穴墓，均未被盗。随葬品有 70 多件。其中 M6 出土的竹简、木牍较为珍贵。这批墓可分为两期：第一期是 M7、M4、M5、M3、M2、M6；第二期为 M8。第一期 6 墓约当秦代，第二期 1 墓约当西汉初期，而 M1 和 M9 二墓则处在秦汉之际。从墓葬较小，随葬品较少且以日用陶器为主来看，这些墓主身份均较低，至于无棺无椁、单棺、一椁一棺之间，似表明在等级大体相当的前提下，各墓主的财富稍有差异而已，当为受楚文化影响的秦人墓。

839.湖北孝感地区两处古城遗址调查简报

作　者： 孝感地区博物馆　周厚强

出　处： 《考古》1991 年第 1 期

1984 年，考古人员对孝感市的草店坊城和云梦县的楚王城遗址作了重点调查。

简报分为：一、草店坊城遗址，二、楚王城遗址，三、结语，共三个部分，有手绘图等。

据介绍，草店坊城遗址当地俗称"瓮城"，位于孝感市牌坊乡中心村，南距孝感市花园镇约 2 公里。城址坐北朝南，地势东北西三面有岗环绕，南临滠水，京广铁路南北经由城址西边，城址整体呈不规则长方形，面积约 15 万平方米，城址东西最长处有 527 米，最宽处有 310 米。城址保存较好，四周城墙形迹可见，西、北、东边北段护城河波光映照，城内地势平坦，现均为农田。东西应各有一城门。此遗址始建年代简报推断为战国时期或偏晚。1986 年在遗址西发现的田家岗墓地，应为草店坊城居民的墓地。

云梦楚王城位于孝感以西、云梦以南的滠水北岸。简报初步认为楚王城的始建年

代不会晚于战国；中城墙的修筑，应在汉代以前，而秦时的可能性最大。早在西汉初期城址的东半部已被废弃，到了东汉，成为墓区。当秦灭楚，秦人来到江汉腹地的云梦楚王城，为了军事和政治上的需要，将原来的楚王城一分为二，这样沿用城址的西半部分，更可充分利用涢水，加强城内的军事守卫和控制。

城址四周分布的墓地，为我们认识楚王城的年代和沿用时间提供了依据。在城址的西南、西和西北部的大坟头、睡虎地及木匠坟发掘古墓50座，其中战国墓12座，秦墓30座，西汉初墓8座，在城址的南边珍珠坡墓地，先后发掘出战国墓葬20座，可以看出，珍珠坡墓地的年代与其他墓地相比时间较早，属一处战国时期的墓地，而睡虎地基本是秦代墓地，大坟头和木匠坟则是汉代的墓区，而废弃后的城址东半部分是东汉时期墓地。从楚王城四周分布的墓葬年代可知，最早者也不会早过战国。

840.湖北省云梦珍珠坡M17、M18发掘简报

作　者：湖北省文物考古研究所　周国平、田桂萍
出　处：《江汉考古》1992年第2期

为配合梦泽大道扩建工程，1991年10月，考古人员对珍珠坡M17、M18进行了抢救性发掘。

简报分为：一、墓地的地理位置及其发掘经过，二、墓葬形制，三、随葬器物，四、结语，共四个部分，有手绘图。

据介绍，珍珠坡位于云梦县城关东郊，西距云梦城关200米左右，东与龙岗秦汉墓地相邻。M17、M18位于珍珠坡墓地北侧的316国道与梦泽大道的交叉地带。两墓为小型长方形土坑竖穴墓，没有封土、墓道，葬具似为单棺。M17有铜镜、角饰，墓主似为女性，M18随葬品仅为两件陶器。两墓墓主人地位极为低下，应为平民。

841.湖北省汉川县考古调查简报

作　者：孝感地区博物馆
出　处：《考古》1993年第8期

汉川县地处辽阔富饶的江汉平原，江水横贯全县，境内河湖连绵，渠网交错，土地肥沃，物产丰富，享有"鱼米之乡"的盛名，历史文物也较为丰富。据县志记载，秦统一中国后，汉川属南郡辖地，汉代属江夏郡安陆县，南北朝梁武帝天监元年（503年）置甑山县。唐武德四年（621年）迁县治于汉山（一名汉山，今梅城），唐贞观元年（627年）改甑山县为汉川县，五代时迁县于大赤（今刘隔），宋建隆元年（960年）

改汉川县为义川县。宋太平兴国二年（977年）因避宋太宗赵匡义讳，又以汉水出刘隔，遂改名汉川县，汉川之名自此始。考古人员先后两次组织考古专业力量，对汉川县境内分布的古代文化进行了全面的考古调查工作，共发现各时期古文化遗址40余处。简报配以手绘图予以介绍。

据介绍，简报重点介绍了霍城、汪台、乌龟山、甑山等遗址。简报认为这一地区相当于龙山时期的文化，是在屈家岭文化的基础上形成发展起来的，与石家河文化完全一致，其文化属性同属石家河文化。商代时期文化在普查中仅发现了两处遗存，均分布在汉水下游地区的两岸附近的台地上。

简报认为，在商代时期汉水下游地区应属商王朝的疆土，其文化族属同属中原地区商文化。西周时期遗址遗存发现较多，分布较稠密，均分布在汉水两岸的高台地上，文化遗物甚丰富，文化特色也十分清楚。从考古资料可以看出，在西周早期，周王室的势力就已控制了汉水流域的下游地区，这也是与历史文献记载相吻合的。

842.湖北云梦龙岗秦汉墓地第二次发掘简报

作　者：湖北省文物考古研究所、孝感地区博物馆、云梦县博物馆　梁　柱、
　　　　周厚强、刘润清

出　处：《江汉考古》1993年第1期

为了配合云梦县城"梦泽大道"的东南路段扩建工程，考古人员在做好珍珠坡古墓地发掘的同时（简报载《江汉考古》1992年第2期），于1991年10月6日～11月2日，对龙岗秦汉墓地进行了第二次发掘。这次发掘区位于第一次发掘区（简报载《江汉考古》1990年3第期）的南边，共发掘墓葬6座，编号M10～M15。发掘结束后，随即进行全面的室内整理。

这批资料简报分为：一、墓葬形制，二、随葬器物，三、结语。共三个部分，有手绘图。

据介绍，6座墓的时代简报推断：战国晚期一墓：M14。秦代四墓：M11、M12、M15、M1。西汉早期一墓：M13。

6座墓均为小型墓，随葬陶器为主，无铜容器，说明墓主的身份较低。第一次发掘的M6，虽系一椁一棺并随葬多件漆木器，同出的木牍却记载墓主身份系庶人，据此，规格与之大体相当并同处一个墓地的这6座墓，其墓主的身份亦系庶人。

简报称，龙岗6墓的时代自战国晚期至西汉早期，墓葬的诸多方面因墓而异：战国晚期至秦代，表现为秦文化因时而异的渐变；秦代至西汉早期则反映了由秦文化转为汉文化的突变，这种突变并非具有如秦对楚那样的摧毁性。

843.湖北孝感市古文化遗址调查简报

作　者：李端阳、陈明芳

出　处：《考古》1994 年第 9 期

1980 年以来，孝感地区博物馆组织全区文物干部进行了三次文物调查，在孝感市境内共发现古文化遗址 80 处，采集了一批丰富的实物标本。经专家鉴定，其中包括屈家岭文化遗存 5 处、龙山时期文化遗存 33 处、商代文化遗存 8 处、西周时期文化遗存 63 处、东周时期文化遗存 10 处、汉代文化遗存 8 处、宋代文化遗存 1 处。这些古文化遗址大都分布有规律，延续时间较长，对于研究鄂东北地区古文化的面貌及其发展有着十分重要的意义。

简报分为：一、地理环境，二、文化类型，三、结语，共三个部分。有手绘图。

据介绍，孝感位于长江之北，大别山、桐柏山之南，南邻武汉，北靠大悟、应山，东邻黄陂，西接云梦、安陆。地势北部为丘陵，南部属平原，境内河流、湖、港交织。该地区古文化遗址的分布规律和文化内涵，其特点有：

1．古文化遗址集中分布在澴河沿岸及支流地区的湖、港二层台地上。

2．大部分遗址的延续时间较长，文化堆积丰富。

3．在这批古文化遗址中，含龙山文化层的占文化遗址总数的 41%，含西周文化的占遗址总数的 79%。

简报称，考古人员相继对孝感市境内的白莲寺、殷家墩、碧公台、城隍墩等 7 处新石器时代及商周时期的古文化遗址进行了调查试掘，发掘资料表明，以殷家墩遗址为代表的屈家岭文化居于下层，属屈家岭的晚期，西周文化层居于上层。以涨水庙遗址为代表，找到了三个相叠压的文化层，即龙山文化居下层，早商文化居中层，西周晚期文化居上层。从文化发展面貌上看，这里的屈家岭晚期文化似已过渡为龙山时期文化了，从其陶器特征看，可归属石家河文化，但也有与豫东南龙山时期文化相接近的因素。这里的商、西周文化，已表现出中原和江汉平原之间的鄂东北地区的地方性特色文化。关于东周时期的文化，除文化遗址外，目前境内发现春秋、战国时期的墓地 4 处、城址 2 处，其墓葬中出土了大批陶、玉、铜等楚器。此外，1959 年在野猪湖畔的北泾嘴出土了楚国货币蚁鼻钱 5000 余枚。资料表明，地处涢水和滠水之间的澴水流域，早在新石器时代的屈家岭文化晚期，物质文化就已很发达，龙山文化时期，人类活动的地域进一步扩大。进入商周时期，人口发展更为密集，活动范围已扩大到其北部地区的大山脚下的水源地带，到东周时期，这里则为楚国的势力范围。

简报指出，分布在孝感境内的这批古文化遗存，对于研究中原和江汉地区南北文化的关系、鄂西南与鄂东北古文化的发展序列以及探讨楚文化的渊源，无疑是非常重要的。

844.孝感田家岗东汉南朝及唐墓清理简报

作　者：孝感市博物馆　李端阳
出　处：《江汉考古》1996 年第 3 期

1987 年 9 月，为配合孝感市一砖厂取土，考古人员在位于城区北 52 公里处的花园田家岗墓地，抢救清理砖室墓 5 座，其中东汉时期的墓葬 2 座（M31、M33），南朝时期 1 座（M12），唐代 2 座（M88、M102）。这批墓葬都分布在秦汉墓区之内，近墓地的边缘，无封土堆，排列也无一定规律。

简报分为：一、墓葬形制，二、出土器物，三、结语，共三个部分，有拓片、手绘图。

据介绍，东汉墓的具体年代为东汉中期或稍晚。南朝墓无随葬品，且规模较小，也无棺迹，只有一堆人骨，应为迁葬。唐代墓中 M88 为石室墓，应为唐代早期墓，M102 为唐代早期偏晚墓。

845.孝昌古坟岗墓地的发掘

作　者：湖北省文物考古研究所　杨权喜
出　处：《江汉考古》1999 年第 3 期

古坟岗墓地位于京珠高速公路湖北省孝昌县小河镇地段，隶属于沙窝管理区夏庙村三组。墓地西南距花园（孝昌县城）约 13 公里。为配合京珠高速公路工程施工而对古坟岗墓地的钻探、发掘工作在 1998 年夏进行，正式发掘于 6 月 24 日开始，7 月 31 日结束，共发掘古墓 8 座。包括南朝墓葬 2 座（M4、M6）、唐至五代墓葬 5 座（M2、M3、M5、M7、M8）、明代墓葬 1 座（M1）。

简报分为：一、南朝（齐）墓葬，二、唐至五代墓葬，三、明朝墓葬，四、结语，共四个部分，有手绘图。

据介绍，南朝墓葬数量较少，仅分布于墓地西部，共发掘 2 座，均为纪年墓。两座墓的墓砖上皆有完全相同的铭文："齐永明九年造" 6 字．齐永明九年为公元 491 年，为我国六朝考古分期标立了可靠标尺。古坟岗 M4 西壁外设置象征性的"排水沟"或"道路"，为过去不见。古坟岗 M6 出土的配套青瓷器皿，较为珍贵，盘、盅上的精致模印莲花纹，表现了南朝时期青瓷制造的工艺特色和水平高度。唐至五代墓 5 座，时代为唐晚期、五代，被盗严重。明墓（M1）为明代一座小型瓦墓，其结构和出土物丰富了湖北明墓资料。初步调查，在古坟岗西侧相距约 1 公里处有古道通过，在古坟岗西南方有一座已废的石拱桥，一端暴露在外，可能为明代石桥。古坟岗及其附近存在不少明代重要遗迹，是湖北明代考古不可忽视的地点。

846.京珠高速公路孝南段考古发掘简报

作　者：京珠公路考古队孝感市考古组　熊卜发、刘志升、汪艳明、李　玮
出　处：《江汉考古》2000 年第 3 期

1998 年 6 月至 1999 年 4 月，为配合京珠高速公路建设，考古人员对孝南段沿线进行了全面调查钻探和发掘。这次探出东周至清代各类文物点共 18 处，已发掘文物点 11 处，发掘墓葬 39 座，共出土器物 151 件。

简报分为：一、严家岗墓地，二、潘家山墓地，三、白虎岗墓地，四、百步坟墓地，五、石头岗坟墓地，六、皂角坟墓地，七、潘婆婆坟墓地，八、小湾山墓地，九、大秦湾墓地，十、结语，共十个部分予以介绍，有手绘图。

据介绍，这次所发掘的 9 处墓地 37 座墓葬，包括南北朝时期、宋代、明代三个大的历史阶段，37 座墓葬虽时代不同，但从墓葬形制和随葬器的数量来看均属贫民墓葬。

847.安陆黄金山墓地发掘报告

作　者：湖北省文物考古研究所、安陆市博物馆
出　处：《江汉考古》2004 年第 4 期

黄金山墓地是鄂东北地区一处重要的家族墓地，其时代包含有南朝、隋、唐、宋、明等时期。绝大多数墓葬为一左一右或一前一后排列，它们之间有着密切的亲情关系或血缘关系。南朝时期陶人俑的服饰反映了服饰的改制和民族大融合，青瓷多数为武昌、鄂州或本地窑口的产品。

简报分为：一、南朝墓，二、隋墓，三、唐墓，四、宋墓，五、明墓，六、结语，共六个部分，有手绘图、拓片。

据介绍，发掘地点位于安陆市堂棣镇胡棚村五组，2002 年为配合公路建设进行了发掘，发现古墓 35 座。计有南朝墓两墓一组，为"甲"字形或"矩"字形土坑竖穴砖室墓，应为夫妻并穴合葬墓。隋墓破坏严重，遗物其少，也应为家族墓地中的夫妻同穴并室墓。唐墓为夫妻并穴合葬。宋墓也为夫妻合葬墓，下葬年代在北宋晚期。

848.孝感永安铺南朝及唐代墓葬清理简报

作　者：孝感市博物馆　李端阳
出　处：《江汉考古》2005 年第 2 期

曹家湾墓地，位于孝感城北郊，滚子河的东岸。1991 ～ 1993 年为配合建设工程，考古人员在此发掘清理南朝砖室墓 5 座，唐代砖室 2 座，共出土瓷器、滑石器、银器、铜器及铜钱等 30 余件。这批墓葬构筑形制讲究，时代特征明显。

简报分为：一、南朝墓葬，二、唐代墓，三、结语，共三个部分，有拓片、手绘图。

据介绍，南朝墓共 5 座（M1 ～ M5），M1 墓葬规模较大，为"凸"字形，由墓门、甬道、下水道、墓室组成。墓室结构较复杂，用砖讲究，装饰富丽，继承了汉晋以来门阀地主炫耀厚葬的遗风，反映出墓主身份不同一般，可能为统治阶层。M2 ～ M5 墓室规模较小，结构简单，随葬品甚少，但墓葬排列有序，可能为一组庶民家族墓葬。唐朝墓共 2 座（M6、M7），为唐代初期墓，其中 M6 为双室夫妻合葬墓。

849.湖北孝昌武家岗墓地第二～四次发掘报告

作　者：湖北省文物考古研究所、孝感市博物馆、孝昌县博物馆　梁　柱等
出　处：《江汉考古》2013 年第 1 期

武家岗墓地位于湖北省孝昌县城关以北约 3.5 公里处，隶属孝昌县卫店镇武河村和花园镇白莲村。

武家岗是一处东北—西南走向的岗地，地势较平缓。107 国道作南北向从其中间穿过，将武家岗分为东西两块。发掘前，当地政府在这两块地段上各设立了一座砖瓦厂，其中东边的一座是"孝昌县武河扶贫砖瓦厂"（简称"东厂"），隶属卫店镇武河村；西边的一座是"孝昌县武河白莲砖瓦厂"（简称"西厂"），隶属花园镇白莲村。由于东、西两厂在建厂及制砖过程中就地大量取土，造成一些古墓葬暴露乃至毁坏。1995 年 2 月，考古人员对"西厂"的取土区域进行了第一次勘探与发掘，共清理了古墓葬 39 座，其中东周墓葬 25 座，发掘报告已另发于《鄂东北考古报告集》（湖北科学技术出版社 1996 年版）。

由于这里古墓葬的数量较多、密度较大，两厂的取土规模又较大、工期较紧，为了更好地保护文物，考古人员于 1995 年 7 月至 1996 年底对东、西厂的取土区域先后进行第二至四次发掘，共发掘了古墓葬 142 座，编号为 M153 ～ M198。墓葬均为小型墓，分布较密集，无明显的规律，墓距疏密不等，墓向以南北向为主，未见

有封土堆。棺椁为木质，均朽，大多仅存朽痕。人骨架除个别的以外，大多已朽乃至不存。142 座墓中，有随葬品的 126 座、无随葬品的空墓 16 座。126 座有随葬品的墓中，有东周墓 119 座、东汉墓 3 座、六朝墓 3 座、唐代墓 1 座。出土各类随葬品共 991 件。

简报分为：一、东周墓，二、东汉墓，三、六朝墓，四、唐代墓，五、无随葬品墓，六、结语，共六个部分进行介绍，有手绘图及"武家岗东周墓方向、葬具、随葬品分类数量统计表"等多个表格。

简报认为，武家岗 119 座东周墓的墓葬规模都较小，属于小型墓葬。这批东周墓的墓主身份应是当时楚国的平民，或稍富有，或稍贫穷。7 座东汉至唐代墓葬，其随葬品虽因被盗而不全，但由于都属于小型墓，其墓主也只能是当时的平民。

黄冈市

850.湖北红安金盆遗址的探掘

作　者：湖北省文物管理处　王　劲等
出　处：《考古》1960 年第 4 期

1957 年 3 月，湖北省文物管理处接县文教局函告，在红安县发现古遗址，考古人员前往调查、探掘。遗址在县城西约 15 公里，属新寨乡，是一个近圆形土墩，面积有 3600 平方米，中间低于边缘 1 米多，形似盆，故得名"金盆"。考古人员选择了东面 30 多平方米破坏较少的地方，开了三个探方。又在西边大片灰层处开了四条探沟，发现了圆形建筑遗迹。

简报分为：一、地层情况，二、新石器时代遗物，三、周代文化遗物与遗迹，共三个部分，有照片。

据介绍，遗址是两个时代的文化堆积层，上面是周代，下面是新石器时代。新石器时代遗物很少，发掘中未见石器，陶器能复原的 1 件，能看出器形的 11 件；周代遗物有生产工具、生活用具类；建筑遗迹在遗址西边，近圆形，为一居住遗址。另墓 1 为长方形竖穴土坑，未发现随葬物，仰身直葬。周代文化遗存丰富，所出铜器，均为小型生产工具，造型朴实。鬲多，形制与斗鸡台、长安普渡村等墓葬中出土者相同。铜镞也具有殷、周特点。简报推断其时代应为西周。

851.湖北黄冈县禹王城出土一批铜蚁鼻钱和其他文物

作　者：吴晓松
出　处：《考古》1984 年第 12 期

　　1981 年 3 月 15 日，考古人员在湖北省重点文物保护单位黄冈县禹王城西北角挖土修路时，在一土台上挖出一小陶罐，罐内盛满铜蚁鼻钱、铜圜钱、铜箭镞。陶罐出土时已破碎，文物暴露于地面，失散在民工于中。后有关部门派人去现场观察并收集了一部分文物。简报配以照片予以介绍。

　　据介绍，土台上遗留有汉代残砖瓦和周代鬲足、豆把等遗物。小陶罐内的遗物计有 430 余枚铜蚁鼻钱、3 枚铜圜钱、16 枚铜箭镞，共 450 余件（估计还有失散在民工手中而未收集到的）。蚁鼻钱上还可见到麻布腐朽痕迹，疑钱币是先装在麻布袋内然后又置于陶罐中。蚁鼻钱一面平直，一面有阴文，均为"咒"；铜圜钱因腐蚀过甚，无法识别是否有币文。铜箭镞均为三棱形，铤残。

　　今有《蚁鼻钱发微》一文，载《湖北省钱币研究文选》，可参阅。

852.黄冈地区几处古文化遗址

作　者：黄冈地区博物馆　吴晓松
出　处：《江汉考古》1989 年第 1 期

　　黄冈地区位于湖北省鄂、豫、皖、赣四省交界处。文物普查中发现古文化遗址 219 处，后又复查了其中一部分遗址。简报配以手绘图，重点介绍了 12 处遗址。

　　据介绍，这 12 处遗址为黄冈螺蛳山、黄冈果儿山、墩子山、黄冈竿头垴、麻城栗山岗、红安张家河寨墩、英山白石坳、英山郭家湾、蕲春鳅鱼咀、蕲春金盆架、广济挂玉山、广济方家墩。遗址主要分布在长江沿岸和大别山南麓的五大水系及其支流沿岸或沿岸土墩上。多数遗址文化层堆积厚，往往包含有从新石器时代至商周几个时期的文化遗存。

　　简报指出，从遗址时代来看，长江沿岸的遗址早于北部山区、丘陵地区的遗址。不管是新石器时代还是商周时代，文化面貌上呈现出来的差异则应视为是地区性的特点。

853.湖北麻城栗山岗战国秦汉墓清理简报

作　　者：武汉大学历史系考古教研室　李龙章
出　　处：《考古》1990 年第 11 期

栗山岗遗址位于麻城市城关镇以北约 2.5 公里处。1986 年秋，武汉大学历史系考古专业 1984 级师生与黄冈地区博物馆、麻城市博物馆合作发掘了该遗址，除获取了一批新石器时代石家河文化的实物资料外，还清理了 7 座战国秦汉墓。

这 7 座墓的情况简报分为：一、墓葬形制，二、随葬器物，三、结语，共三个部分予以介绍，有手绘图、照片。

据介绍，这 7 座墓有一些共同之处，全为长方形土坑竖穴小型墓，共出土陶器 67 件。对照以往的发掘资料，栗山岗 7 座墓简报分为 3 组，就陶器的器形等方面，简报推断各组的年代为：第一组在战国末期，第二组在战国末期至秦汉之际，第三组在西汉早期。

854.蕲春县近年出土的铜镜

作　　者：蕲春县李时珍纪念馆　汪宗耀
出　　处：《江汉考古》1992 年第 2 期

1949 年后蕲春县各地出土的铜镜，共 40 余件，绝大多数有明确出土地点。简报配以照片等予以介绍。

据介绍，计有西汉铜镜 4 件、东汉铜镜 5 件、魏晋铜镜 1 件、隋唐铜镜 9 件、宋代铜镜 3 件、金代铜镜 1 件等。

简报称，这些铜镜主要分布在蕲春的中北部，从年代上说，两汉魏晋隋唐宋金各期皆有。其中以两汉、隋唐、宋代为最多。两汉时期的铜镜有一个共同的特点，是以四乳为基点将镜背均分成四区，其间布置主题纹饰。主要纹饰素朴，图案结构简单，铭文逐步成为铜镜纹饰的组成部分。隋唐时期铜镜，从外表看比较厚实，多呈银白色，亦有不少的黑褐色，题材广泛，风格各异，色调鲜明，其最大特点是艺术样式或艺术手法的多样化，有浓郁的"盛唐气象"。铜镜形式多样化是宋代铜镜的重要特征之一，常见的有圆形、葵花形、菱花形、莲花形等，一般器形较薄，纹饰的表现手法多采用细致入微的细线浅雕，图案纤巧，精致至极。

简报指出，这批出土的铜镜在其形式和纹饰方面，既有南方作风，又有浓厚的地方特色。从其流行程度、铸造技术、艺术风格几方面看，战国、西汉、唐代是三个重要的发展时期。

855.京九铁路（红安、麻城段）文物调查

作　者：湖北省文物考古研究所、麻城市博物馆、黄冈地区博物馆、红安县博
　　　　物馆　周国平、洪　刚

出　处：《江汉考古》1993 年第 3 期

为了配合京九（北京—九龙）铁路建设，1992 年 11 月，考古人员对铁路干线和汉麻（武汉—麻城）联络线沿线进行了实地文物调查，取得了一批文物资料。京九铁路汉麻联络线在红安境内为 15 公里，麻城市境内为 36 公里，共计 51 公里，通过调查，共发现文物点 9 处，其中遗址 3 处，墓葬 5 处，古城址 1 处。

简报分为：一、城址，二、遗址，三、墓葬，共三个部分予以介绍，有手绘图。

据介绍，女王城位于麻城市西南 25 公里，宋埠镇东北 7 公里的红梅山村李家湾和谢湖村红石嘴之间，城址处在万仞岩山系南边的二级台地上，1989 年文物普查时发现，1992 年 11 月又作复查。从采集遗物特征看，其时代简报推断跨西周东周及秦汉几个时期。3 处遗址均处在山城或台地上，文化内涵上包含有新石器时代晚期、西周、西汉及唐代几个时期或朝代。5 处墓地均位于坐北朝南或坐西朝东的向阳山坡上，从调查遗物分析，它们的时代简报推断均不太早，上自东汉唐代或更晚下至明清。

又，据《江汉考古》1993 年第 3 期，考古人员还曾配合合九铁路（湖北段）建设做过调查。合九铁路北起安徽省合肥市，南止于江西省九江市，铁路从安徽宿松县入湖北省境，经过黄梅县 29 个乡镇，全长约 57 公里，在孔垄镇钱家村与京九铁路汇合。为配合铁路工程建设，考古人员于 1992 年 11 月对合九铁路湖北段进行了详细的文物调查。铁路正线发现文物点 9 处，如姚松林遗址、塔船墩遗址、黄家大山遗址、蔡墩遗址等。

据介绍，黄梅县地处鄂赣皖三省交界处，为湖北省的最东端。远在新石器时代即有大量的古居民遗址，出土了各种石器、玉器、陶器，从中可以看出其特性，有较强的地域性，虽然也有长江中游新石器时代的特点，又带有较多的江浙地区新石器时代文化的因素，与崧泽文化、良渚文化、薛家岗文化有较大的共性。简报称这一地区是中原龙山文化、薛家岗、良渚等文化的交会地带。商周时期的遗址分布比较密集，其地域性更加明显，中原商王朝与江南铜绿山、瑞昌等地重大考古发现之间的关系，都需在这个文化交会地区去寻找。

856.湖北黄梅县考古调查简报

作　者：中国社会科学院考古研究所湖北工作队　陈　超、何新民、聂习国、
　　　　任式楠

出　处：《考古》1994年第6期

黄梅县位于湖北省的东部，大别山脉的南麓。遗址多分布在邻近水源的地方，北部岗丘遗址因长期经受雨水冲刷和侵蚀，保存较差，面积较小；而南部地势比较平缓，遗址相对保存较好，面积稍大。县境内先后发现古文化遗址和遗物采集点共64处，时代包括新石器、商、西周及东周。最初在1958年全县文物普查时发现6处；1983年地区文物普查工作队普查时新发现31处，有个别的遗址已发表简报；后来县博物馆又陆续发现27处。其中，有16处遗址定为县级文物保护单位。在此基础上，考古人员于1986年5月及1991年11月先后两次对部分遗址进行重点调查和复查。除已经发掘的塞墩、陆墩两处遗址以外有代表性的14处新石器时代、商、西周及东周遗址，调查资料简报配以手绘图、拓片予以介绍。

据介绍，黄梅县遗址基本上可分为土墩遗址和岗丘遗址两大类，土墩遗址有的呈漫坡状，有的比较平整；岗丘遗址多在二级或三级岗丘上，高出下面农田或河床10～20米不等，避风向阳，此类遗址多分布于北部山地。大多数遗址包含有多种文化遗存，少数为单一的文化堆积。

新石器时代遗址10处。黄梅新石器时代遗址的年代，简报推断上限相当于黄鳝嘴类型，经薛家岗文化，下限可延至龙山阶段文化晚期。

商周遗址较密集，由南部湖区至北部山地均有发现。

简报称，这里地处鄂、皖、赣三省的交汇处，从新石器时代至商周时期，既有本地区的文化特点，又受到四邻文化的影响，因而具有文化交会地带的多样性和复杂性的文化风貌。

报告附有遗址登记表。

857.黄冈蕲水流域古遗址调查

作　者：黄冈地区博物馆　刘　瑜

出　处：《江汉考古》1994年第3期

蕲水，又名蕲河、白马河，发源于大别山南麓，流经蕲春县全境，仅右岸部分支流经过浠水县，全长118公里，支流24条，在蕲春县双沟汇入长江。考古人员在蕲水流域发现了近百处古代遗址，时代从新石器时代至商周时代不等。其

中新石器时代的易家山遗址、西周时代的毛家咀遗址（有大型木构建筑）等尤为重要。

858.湖北黄冈巴水流域部分古文化遗址

作　者：黄冈地区博物馆　吴晓松、刘　焰
出　处：《考古》1995 年第 10 期

发源于大别山南麓笔架山的巴水，全长 151 公里，流经罗田、麻城、黄州、浠水四县市，在浠水县下巴河口注入长江。长约 5 公里以上的支流共 148 条，自上游分别向东南、西南纵横交错汇入干流。流域地区北屏大别山，南临长江，土地肥沃，植被丰厚，资源丰富。据文物普查资料，这一地区从新石器时代至西周时期的古文化遗址目前共发现一百余处。

简报分为：一、九资河遗址，二、丁家坳遗址，三、榨山遗址，四、龚家河遗址，五、马坳遗址，六、笼子山遗址，七、陈家墩遗址，八、襄上遗址，九、黄山遗址，十、寨山遗址，十一、霸城山遗址，十二、砚池山遗址，十三、结语，共十三个部分，有手绘图等。

据介绍，巴水流域的遗址分布密集，文化堆积最厚可达 5 米，往往从新石器时代至商周几个时期共存，有的还延续至汉代。同时遗址的分布密度较大，构成遗址群，如马坳遗址附近还有上坳、下坳等两处大体同时代的遗址，而笼子山遗址不远就有大致同时代的于家墩、陶家大塆遗址。集体群居增强了征服自然的能力，多时代文化堆积说明人们聚居相对稳定。

《考古》1994 年第 9 期所载《湖北罗田庙山岗遗址发掘报告》提及的庙山岗遗址，实际上就是一处巴水西岸的古代遗址。发现有新石器时代、西周、春秋时代遗存。

859.湖北黄冈浠水流域古文化遗址调查

作　者：黄冈地区博物馆　吴晓松、洪　刚
出　处：《江汉考古》1995 年第 1 期

浠水发源于大别山南麓安徽省岳西县境内，流经英山、罗田、浠水三县，从浠水县兰溪口注入长江，全长 157 公里，流域面积 2670 平方公里，流域内大小支流共 74 条。英山县两河口以上为上游，两河口至浠水白莲河为中游。上、中游为高低起伏的山区、丘陵，下游则为广袤丰腴的冲积平原。1982 ~ 1990 年，考古人员在这里共发现古文化遗址 60 余处，极大地丰富了有关地域的考古资料。简报配以手绘图，

选择其中较重要的 10 处遗址进行介绍。

简报重点介绍了子垅畈、大旗畈、胡家墩、窑咀、溜儿湾、大地坪、黄祖祠、李家咀、黄龙寨、片街等遗址，时代从新石器时期至商周时期不等。新石器晚期遗址可见良渚文化、石家河文化影响。商周时期遗存有别于中原文化和楚文化，有自己的地域特色。

860.武穴市新石器及商周遗址调查

作　者：武穴市博物馆　刘　凯
出　处：《江汉考古》1995 年第 1 期

武穴市（原广济县）位于湖北省东南边缘的长江北岸。1982 年至 1989 年，考古人员在此进行了一次文物普查，共查出古代文化遗址 72 处，其中新石器和商周时代遗址 66 处。

简报分为：一、新石器时代，二、商周时期，共两个部分并配以手绘图，选取典型遗址，对新石器和商周遗存作一简要叙述。

据介绍，已发现的新石器时代遗址达 31 处之多。它们大多数集中在梅川河、余川河、干仕河流域及挂玉湖、马口湖和内湖地区。已发现的商周遗址有 60 处，遗址面积大的有 8000 平方米，也颇具地方特色。

861.黄黄公路考古调查

作　者：湖北省黄黄公路考古队　刘国胜、付守平、刘　渝、刘松山
出　处：《江汉考古》1996 年第 2 期

1995 年底，为配合黄黄（黄石至黄梅）公路工程，考古人员对公路沿线进行了考古调查，黄黄公路全长 1423 公里，正线西起黄石大桥长江北岸浠水县散花镇，东至黄梅县独山乡，途经浠水、蕲春、武穴、黄梅三县一市。沿途主要是鄂东南大别山南伸余脉与长江北岸之间的低山丘陵和平原湖区。经实地踏勘，共发现古文化遗址 7 处，墓葬群 6 处。其中，新发现的文物点有 7 处；原已被列入县级重点文物保护单位的有 2 处。简报重点介绍了这次调查中发现的新石器时代至商周时期的文物点，其他汉、宋、明时文物点以表格形式反映，有手绘图。

据介绍，简报重点介绍了李木港、苏懂、四方地、意生寺、亲嘴洼、鸡公墩等 6 处遗址。发现的新石器时代中期、商周时期遗物，以往在这一带均有所发现。

862.湖北黄梅意生寺遗址发掘报告

作　者：湖北省文物考古研究所纪南城工作站　韩楚文、崔仁义
出　处：《江汉考古》2006 年第 4 期

湖北黄梅意生寺遗址是配合黄黄高速公路建设所发掘的一处重要的早商遗址，其上限可早到石家河文化时期。这次发掘揭露出了一批早商遗存，器物的演变具有连续性，它们既包含了中原商文化因素，又具有较强烈的地方特征，是研究早商时期考古学文化非常重要的考古资料。

简报分为：一、地层堆积，二、遗迹，三、遗物，四、结语，共四个部分予以介绍，有手绘图。

据介绍，意生寺遗址位于湖北省黄梅县城西南约 30 公里，东距 105 国道约 12 公里，南距濯港镇约 24 公里，其行政区域与安徽省相邻，现隶属于黄梅县濯港镇胡六桥村。遗存可分四期：一期为龙山文化晚期至二里头文化一期；二、三期为早商文化；四期为商代前期。

咸宁市

863.通山县高湖乡发现石斧

作　者：通山县博物馆　范国千
出　处：《江汉考古》1991 年第 3 期

1990 年，通山县博物馆继续开展文物普查工作，在山区之腹地高湖乡发现一件磨制石斧。石斧属礎石质地，椭圆形长身，通长 18 厘米，下宽 6 厘米，重 0.7 公斤。双面弧刃，刃部精磨，且有使用后的缺痕。斧身中段及至顶部有大量经打击形成的麻点和粗磨痕迹，可能系人为加工而成。

据介绍，这件石斧系 1985 年高湖乡林场工人在唐家山西南脚王崖垅口平整土地时发现。但今沿石斧发现地及其周围调查未见其他文化内涵。出土的单件石斧所处的时代及其文化性质有待进一步考证。

今有殷志强先生提交江苏省考研学会的会议论文《中国古代石斧的初步研究》，可参阅。

864.湖北通城高冲钱塘山二号墓发掘简报

作　者： 通城县博物馆　向　民
出　处：《江汉考古》1992 年第 2 期

1982 年 1 月 4 日，通城县高冲乡（今关刀镇所辖）国庆茶厂职工在钱塘山茶园锄茶时发现古墓砖数块，考古人员对该墓进行了发掘清理。

简报分为：一、地理位置和墓葬形制，二、随葬器物，三、结语，共三个部分，有手绘图。

据介绍，钱塘山位于通城县东南部的高冲乡境内，距县城约 15 公里。墓圹所在地为一片茶园。"文化大革命"期间，在该地辟山造茶时，曾发现类似古墓，出土器物与此相同。该墓坐北朝南，是一座带甬道的前堂双后室券顶砖室墓，未见尸骨。共出土器物 56 件，包括陶器、青瓷器、铁器、银器、铜器、琉璃器等，其中陶器占多数，以陶冥器为主。年代应在东汉晚期至西晋初这一阶段，墓主人有可能是行武之人。

865.湖北咸丰县发现的青铜器

作　者： 刘学良
出　处：《四川文物》1993 年第 6 期

咸丰县位于湘鄂川黔四省边界的鄂西山区。周初为巴子国地，后为夔子国地，战国时属楚乌郡地，秦属黔中郡，汉属武陵郡，东汉前属南郡地，三国迄晋属建平郡，属早期巴人活动的地区。自 20 世纪 50 年代开始，陆续发现了部分战国、东汉时期窖藏铜器，具有明显的巴文化特色。简报配以照片予以介绍。

据介绍，窖藏铜器有钟 3 件、洗 5 件、釜 2 件、单虎錞于 1 件，均有具体的出土地点。简报称，这些青铜器的发现，为研究巴人在这一区域的活动提供了实物资料，也有利于对巴文化的研究。

866.湖北蒲圻市赤壁山遗址调查

作　者： 王善才
出　处：《考古》195 年第 2 期

在蒲圻"三国赤壁之战遗址"所在地的赤壁山和南屏山一带，从 20 世纪 60 年代初期以来，由于基建的兴工动土，除不时发现东汉末年和三国时期的一些遗物和墓葬外，还发现一些较早的陶质生活用具和瓦类残件。考古人员于 1991 年 7 月中旬前往蒲圻赤壁进行了一次实地调查。调查后确认，这里不仅是闻名中外的"三国赤壁之战"遗址，而且还是一处面积较大的古文化遗址。

简报分为：一、遗址的地理位置及范围，二、遗址的文化堆积及暴露遗物，三、结语，共三个部分。

据介绍，遗址位于湖北省蒲圻市赤壁镇东北约 0.5 公里的赤壁山与南屏山上，两山基本相连，位于长江南岸，著名的三国赤壁摩崖石刻就在这北临长江的赤壁山西北面山壁上。遗址以赤壁山为主，整个山上都是遗址范围，尤以山顶暴露遗物较多。南屏山上只是东北部有少许遗物暴露。两山高出周围平地约 10 ~ 15 米。遗址南北长约 600 米，东西宽近 100 米。发现从新石器时代至汉代的遗物。遗址的延续时间虽长，但以两周的文化层较厚，遗物较多。商以前的遗物主要是陶质生活用具和石质生产工具，可见农耕在其经济生活中占有极其重要的地位。到了西周时期，情况就有所不同了，除了大量的陶质生活用具外，还发现较多的捕鱼工具（如网坠）以及铜、石箭镞和大量的陶纺轮，其经济生活除了农耕外，渔猎、纺织业也很发达。东周时期的遗物显示，这里已有较大的房屋建筑。出土较多的板瓦和筒瓦说明当时这里比较繁荣，建筑物较多，很可能是这一带封建统治者的主要聚居之地。到了汉代，虽仍有筒瓦的发现，但数量却很少，汉代以后，这里原有的繁荣盛况大概已有转移。简报称，这是一处不多见的、延续 2000 多年的古代遗址。

867.甘家坡遗址发掘简报

作　者：咸宁市博物馆　杜　峰、范江欧美、徐　刚
出　处：《江汉考古》2007 年第 2 期

甘家坡遗址位于湖北省兴山县小河村 1 组。2004 年 7 月至 8 月，考古人员对该遗址进行了勘探发掘，发掘面积 300 平方米，获得了一批春秋、宋、明时期的重要遗迹和遗物。清理出春秋时期的房基址 2 座、灰坑 1 个、宋代沟 1 条，出土了一批陶、瓷、铁等不同质地的文化遗物。虽然遗址保存状况差，遗存堆积薄，但这是香溪河中游地区首次发现的春秋遗存，对我们了解香溪河流域两周之际文化面貌有着重要意义。简报分为六个部分予以介绍，有照片、手绘图。

据介绍，甘家坡遗址位于兴山县高阳镇小河村一组，北距老县城 200 米，西隔香溪河与兴（山）秭（归）公路相望。从发掘情况看，楚人进入峡江地区后，与原居民族是能够和睦相处的，反映出楚国在占领和统治异国异族时，对其文化采取的是包容共荣的策略，同时也反映楚人向峡江地区扩展推进的时空关系；从遗址出土的遗物看，春秋中、晚期之际楚人已控制了香溪河中流地区。此后的宋、明遗存不多，但表明此后此处一直有人类居住。

随州市

868.湖北随县唐镇汉魏墓清理

作　者：湖北省文物管理委员会　程欣人、陈恒树
出　处：《考古》1966 年第 2 期

1964 年 11 月，考古人员在随县调查时，发现距县城西北约 47 公里的唐镇地区，近年来暴露出很多墓葬。1965 年 3 月，选择其中 3 座作了清理。

简报分为：一、墓1，二、墓2，三、墓3，四、结语，共四个部分，有照片、手绘图。

据介绍，这 3 座墓葬，都遭受过不同程度的扰乱，墓 1 以及墓 3 的右室几乎被盗一空，但是 3 座墓葬的结构大体上还可窥其全貌。墓 1 是两个并列的"凸"字形墓，共一道隔墙，虽因破坏严重看不出是否有门相通，但从一般双室墓的情况推之，似应有门洞可通。墓 2 是四个并列的长方形的石室墓，隔墙三道，均有门可通。墓 3 是两个带耳室并有过道相通的双室墓。这 3 座墓都是湖北地区已知古代双室和多室墓中的较早例子。随葬的有铜镜、铁刀、银丝、水晶石、钱币、陶器等。墓 1 的年代为东汉，墓 2 为东汉末期，墓 3 的年代为三国时期。

869.随州安居遗址初次调查简报

作　者：武汉大学荆楚史地与考古研究室　王光镐、徐少华、王克陵
出　处：《江汉考古》1984 年第 4 期

安居遗址位于湖北随州市西部 16 公里处的安居镇。安居镇坐落在桐柏山与大洪山间随枣走廊的南部，自古即属南北交通的要冲。1984 年考古人员前往调查。简报分为：一、遗物，二、遗迹，三、几点认识，共三个部分，有拓片、手绘图。

据介绍，遗迹有建筑台基、沟渠等。遗物主要为采集的陶器及瓦、瓦当等建材。从以上地面采集的遗物分析判断，安居遗址的上限不迟于两周之际，是一处贯串整个东周及两汉的遗址。从初次调查的情况来看，六朝遗存几乎不见，说明此遗址的下限很可能在汉代末年或稍晚。遗址北部台地形状较规整，属人工所为；台地表面的建筑遗物如板瓦、筒瓦、瓦当等十分易见，此台地就很可能是一处建筑基址。以其范围之大、建筑遗物之丰，认为其应系古代重要建筑群基址。如果这种推测不误，此台地所在当为一处古代城邑。因为大量事实已经证明，中国古代历史时期的城邑，

正以这种高台建筑群的存在与否为标志。在整个遗址范围内，建筑遗物皆不难寻见，而所叙台基又恰在整个遗址的中轴线上，也说明了此遗址可能是以台地为中心的城邑。简报甚至认为，此处可能是随国国都的遗址。

870.随州几处古遗址调查

　　作　　者：襄阳地区博物馆
　　出　　处：《江汉考古》1985 年第 2 期

　　襄阳地区的文物普查工作于 1982 年 9 月中旬至 11 月初基本结束，取得了很大的收获。简报配以照片、手绘图，先行介绍了 4 处遗址的调查情况。

　　简报重点介绍了莲花寺遗址、冷皮垭遗址、赵家庙遗址、点将台遗址。时代从新石器时代晚期至商周，下限可能到春秋时期。

　　简报称，随县是汉阳诸姬故地的一部分，兴盛于西周春秋时的随国，就在今天的随县境内，普查中发现的大量西周至春秋时的遗址，真实地反映了这一地区当时的兴盛情况，而且早在新石器时代晚期这里就是一个文化繁荣的地区，从普查资料看，随县新石器文化仅限于屈家岭文化和相当于龙山文化时期的两个时期，商周时期的文化面貌似和中原接近，可能是当时南北文化交往密切的反映，桐柏山脉的许多自然山口处和通向中原的几条河流便成了这种交往的通道，当时存在着"见山不是山，抱着冲里转"的说法，位于桐柏山以北淮河南岸的莲花寺遗址足以证明当时通过桐柏山的南北交往并不困难。

871.湖北随州擂鼓墩战国东汉墓发掘简报

　　作　　者：随州市博物馆　左得田
　　出　　处：《江汉考古》1992 年第 2 期

　　1978 年 4 月间，考古人员在发掘擂鼓墩曾侯乙墓的同时，又在该墓的南侧发掘了 2 座古代墓葬。

　　简报分为：一、战国墓葬，二、东汉墓葬，三、结语，共三个部分予以介绍，有照片、手绘图。

　　据介绍，战国中晚期墓 1 座（编号为随擂 M33）。位于曾侯乙墓西南约 3 米处，是解放军某部在此扩建营房平整场地时发现。据调查，该墓是土坑竖穴墓，墓底有腐烂的黑色残留物。随葬器物是民工从墓坑中取出后转交文物部门的。墓坑已被破坏，其长宽尺寸不详。墓中所出遗物仅存鼎、簋、缶等共 8 件。

东汉早期墓 1 座（编号为随擂 M34）。位于曾侯乙墓东南侧约 200 米。发掘前，该墓已被破坏，券顶及上部壁砖无存，仅剩下部。从残存的情况看，这是一座长方形土坑砖室墓，没有棺床。墓中出土有陶鼎、盒、壶、灶、井、仓以及铜钱等共 20 余件。这些陶器火候不高，均为泥质红陶。

872.1980 年湖北广水市考古调查报告

作　者：湖北省孝感地区博物馆　熊卜发
出　处：《考古》1995 年第 2 期

广水市（原应山县）位于鄂东北山区，北与河南省信阳市接壤，西与随州市交界，南连孝感、安陆市，东接大悟县。其地势北高南低，北部为高山峻岭，南部为丘陵。境内武胜关、平靖关、黄土关三座古关隘是通往中原的主要通道，历来为兵家必争之地，也是南北交通的大动脉。从大别山和桐柏山发源的大小河溪遍布全市，主要有应山河、广水河、吴店河、余河、龙泉河和小河等。除小河自南向北流入淮水外，其余均自北向南流入漂水和涢水注入长江。这一地区历史悠久，埋藏在地下的历史文物极为丰富。自 1976 年以来，陆续发现和出土不少的古代文化遗迹和遗物。1980 年进行了一次大规模的考古调查工作，共发现各时期古文化遗址 70 余处，古墓葬 50 多处。古遗址中可分为新石器时代、商、西周、春秋战国及秦汉时期，获得了一批珍贵的实物资料。简报分为三个部分予以介绍，有手绘图。

据介绍，广水地区发现的新石器时代遗址，有 25 处，以龙山文化为主，此前的屈家岭文化发现不多。西周时期文化极为丰富，表明西周王朝势力已经开始控制了这一地区。这一地区的东周时期的物质文化既具有楚文化特点，又具有中原地区东周文化因素，而地方文化特色则表现较为强烈，同时还可以看到吴越文化在这一地区的踪迹。不过，楚文化因素在这一地区春秋中期以前还难以看出，到春秋晚期以后才有一个大致的发展轮廓，仍属中原地区东周王朝的疆土，或是这一地区西周王朝后裔的势力范围。这一地区春秋晚期至战国时期的物质文化，尽管含有多种文化因素，其主体已应源于楚文化，属于楚文化范畴。

873.随州市何店镇干堰洼宋明墓葬发掘简报

作　者：随州市博物馆
出　处：《江汉考古》2005 年第 3 期

堰洼宋、明墓位于随州市何店镇巫山村。2002 年 7 ~ 8 月，为配合孝襄高速公路建设，考古人员在路基范围内发掘清理宋代墓葬 2 座，明代墓葬 4 座。随葬品以陶器和瓷器为主，铜器极少。

简报分为：一、宋代墓葬，二、明代墓葬，三、结语，共三个部分，有手绘图。

据介绍，发掘地点距随州城 26 公里，西距随洛公路约 180 米。共发掘宋墓 2 座、明墓 4 座。宋墓的时代简报推断为北宋晚期，明墓的时代，简报推断为明代晚期。M2、M6 墓室大多用半头砖砌成，且封门用材不一，M4 均用石块叠砌而成，由此看来，实属经济实力之不足。墓中没有随葬高档器皿，铜镜仅一面，从随葬品的多寡、档次的高低来看，这些墓的墓主人都应为庶民。

874.湖北随州市王家台遗址发掘简报

作　者：随州市博物馆　后加升、孙建辉、项　章
出　处：《江汉考古》2011 年第 3 期

王家台遗址位于随州市均水涢水交汇处。2006 年 10 ～ 11 月，为配合随岳高速公路工程建设，随州市博物馆对该遗址进行了抢救性发掘。遗址包含东周、西汉和唐代三个时期的文化遗存。东周文化遗存为主要收获，出土器物以鬲、豆、瓮、罐等构成主次分明的梯次组合。

简报分为：一、遗址概况与地层堆积，二、遗迹，三、遗物，四、结语，共四个部分予以介绍，有手绘图。

据介绍，该遗址的年代可分为三个时期。简报推断：第 1 期以 H11 为代表，本期遗存上限不超过春秋中晚期，下限不出战国早期；第二期以地层第 3 层和 J1 为代表，本期年代应为西汉中期，则 J1 的开凿年代应在西汉早期；第三期集中在 H1，无地层堆积，此期应属唐代。

875.湖北广水四顾台遗址发掘简报

作　者：湖北省文物考古研究所　胡文春、陈国祥
出　处：《北方文物》2012 年第 3 期

四顾台遗址位于湖北省广水市原杨寨镇刘家畈村三组四顾台小学内（该小学已废弃），2006 年 6 ～ 7 月为配合京广铁路改线工程，考古人员对四顾台遗址进行了勘探和发掘，发掘面积 50 平方米。遗址主要为新石器时代和西周遗存，遗迹主要为灰坑，出土器物主要为陶器。新石器时代遗存年代大约相当于屈家岭向石家河过渡阶段。西周遗存包含了西周早、中、晚各期文化，明显具有鄂东西周文化的特征。

简报分为：一、地层堆积，二、遗迹，三、遗物，四、结语，共四个部分予以介绍，有手绘图。

据介绍，广水位于鄂东北大别山与桐柏山之间，处于古代南方与中原的交通要道上，也是古代长江中游地区与中原地区文化交流的接触地带。20世纪七八十年代以来，经过多年的考古普查，发现这一带的古代文化具有较明显的地域特点，并与中原文化有较密切的关系。可是该地区发掘的资料还很少，对这一带古文化面貌尚缺乏全面、深入的了解。这次四顾台遗址发掘的面积虽不大，但所获得的新石器时代和西周时期的材料很重要，对进一步探讨鄂东北地区的新石器时代文化和西周文化具有重要意义。

876.湖北随州文峰塔墓地考古发掘的主要收获

作　者：湖北省文物考古研究所　黄凤春、郭长江等

出　处：《江汉考古》2013年第1期

随州文峰塔基地位于湖北省随州市文峰塔社区居委会二组义地岗的东南部，南距随州市交通大道48米、北距迎宾大道200米。现地貌局部保留了原始岗地地形，其南部已建成数栋现代高层居住楼，北部局地为岗地的坡地和低凹地，原始岗地地形的其他地表部分种植有旱地农作物。2009年，随州市在建设文峰塔社区还建房时发现了1座早年被盗的残墓，同时采集到了少量有铭曾国残编钟，遂确定这一区域应为一处墓地。2011年随州市城市规划部门将此地列为城市开发区域，引起了文物部门的高度重视。

2012年1月至2012年5月，考古人员陆续对建设区域的空地进行了考古勘探，先后勘探出4座墓（编号：M4、M5、M6、M7）并进行了抢救性发掘，初步确认了该墓地应是一处春秋晚期至明代的墓地。2012年6月，对文峰塔墓地已拆迁的民房区域再次进行了大规模的考古勘探，结果发现在原民房下有墓葬60余座。2012年9月至2013年1月，对勘探出的所有墓葬进行了考古发掘。

简报分为：一、墓地发现经过，二、墓葬形制综述，三、主要出土遗物、墓葬年代与国属，四、墓地学术价值与意义，共四个部分进行介绍，配有彩图和手绘图。

据第二部分介绍，此次共发掘墓葬66座，其中土坑墓54座、砖室墓12座、车马坑2座、马坑1座。少数墓葬有打破关系。土坑墓按墓坑规模可为分大中小三类，其中大型墓7座（长度在5米以上），中型墓8座（长度在4米左右），其余皆为小型墓葬。其中大型墓葬皆在早期被盗掘过，所存遗物不多。大多数小型土坑墓都未被盗掘，出土遗物较丰。在已发掘的这批土坑墓葬中，有3座大型墓葬发现有腰坑，坑内或葬狗，或葬陶器。在所发掘的土坑墓葬中皆有木质葬具，但大多腐朽，只有少数墓葬的葬具有保存。从保存少量的葬具及腐朽葬具痕迹，可判定有一椁三棺、

一椁二棺、一椁一棺和单棺四种，部分已朽棺椁墓的棺盖上还可辨有棺饰物，棺内大部分都有朱砂。人骨保存不好，葬式都为仰身直肢，头向东。

本次发掘最大的一座墓葬为战国中期墓（M18）。发掘前，在墓坑范围内发现有3个盗洞，墓坑。椁室吴"中"字形，分东、南、西、北、中五室；棺室居中，棺已塌陷。由于该墓早年曾遭盗掘，北、西、南、中四室仅存少量随葬品，棺内未见人骨和随葬品，葬式不明。值得庆幸的是，东室未被盗掘，出土有鼎、簋、簠、鬲、鉴、方壶等70余件铜器。本次发掘还发现了2座车马坑和1座马坑，由于离现地表不深，保存都不太完好。

发掘的12座砖室墓，均为小型墓，保存皆不好，全在早期被盗扰过。未见券顶，有的仅存底部。大多未见随葬品。除1座为东汉时期的砖室墓，残存有少量碎瓷器外，其余皆为宋明清时期的。

据第三部分介绍，本次发掘所出遗物主要出自中小型土坑墓，质地有铜、陶、漆木、骨、皮革、玉石等，共1027件套。其中铜器577件，器类主要有鼎、簋、簠、方壶、缶、瓶、鉴、盘、匜等。部分铜器上有铭文，铭文有"曾""曾子""曾公子"及"曾孙"等。陶器皆破损，主要为仿铜陶礼器，器类主要有鼎、簋、簠、盘、匜等，由器物形制可知，应属东周时期。根据器形及铭文判定，墓葬时代从春秋中期一直到战国时期。大多数春秋至战国中期土坑墓的国属应为曾，主要为春秋中晚期曾国贵族墓葬，同时还发现有少量战国晚期的楚墓。

据第四部分介绍，本次发掘的文峰塔墓地所获遗物众多，创多个首例，其学术价值在于以下几点：

其一，首次科学、完整地揭示了一批春秋中晚期的曾国墓葬，并出土了大批带有曾字铜器的铭文，对于判定墓葬国属及墓主身份具有重大的学术价值。

其二，首次在随州境内发现了曾国的车马坑，为认识和揭示春秋曾国车马殉葬制度提供了重要实物依据。

其三，首次在随州乃至湖北省发现"亚"字形墓葬，墓葬南部带有一条长方形的斜坡墓道，在墓坑外东西北三面还各有一个2米×2米的方形附葬坑。这一墓葬形制为过去所不见，刷新了湖北境内已有的东周墓葬形制。

其四，首次在随州发现了随国铜器，随字在此无疑作国名，这是新中国成立以来首次经科学发掘出土的第一件随国铜器。

简报指出，随国是春秋战国时期的一个重要姬姓古国，其中心区域位于汉东地区的今随州市，据史料记载，是汉东第一大国，但长期以来，在古随国的辖境内从不见随国铜器出土，反而全部所见的是姬姓曾国铜器，特别是1978年曾侯乙墓发现后，引起了学术界对曾、随之谜的一场大讨论。由于曾随两国的族姓相同，且又不见随国铜器，于是大多数学者认为曾即随，即使用的是一国两名。本次首次出土随国铜器，从而纠正了过去传统认为不出随国铜器的误解，对探讨曾随之谜有重大的学术价值。

简报认为，文峰塔墓地春秋至战国时期曾国墓葬是近年来在随州比较集中的一次发现，对完整揭示曾国历史有重大的学术价值。而且，曾、楚墓葬在该墓地同时发现，为确立楚灭曾的确切年代提供了重要的依据。

恩施州

877.鄂西自治州收藏的元、明铜印

作　者：邓　辉

出　处：《文物》1985年第5期

地处湖北省西南部的鄂西土家族苗族自治州，自1949年以来，陆续发现和收藏了元、明时期有关鄂西地方史的一批铜质印章。简报配以照片予以介绍。

据介绍，其中有元末农民起义军明玉珍部在川东建立大夏政权后颁发给鄂西的地方政权印，有明朝颁发给鄂西的土司政权印，以及明朝在鄂西民族地区设立千户所、百户所的印。这批印表明自明初，鄂西已被置于军事控制之下。大夏农民政权的三枚印章，为研究统治了鄂西17年的大夏政权提供了难得的实物资料。土司印则有可能是伪印。

又，据《四川文物》2000年第2期，从20世纪50年代起，恩施陆续出土了一批古代官印，对本地的历史研究提供了实物佐证。包括：一、三国、晋印；二、元末大夏政权印；三、明清土司印章；四、明代卫所印章。这批印大多有明确出土地点，比较少见的有"吴率夷中郎将"银印、"虎牙将军章"银印、"晋蛮夷归义侯"金印等三国、晋时印及"施南万户府镇抚司"铜印、"清江施南道总管军万户府印"铜印、"屯田万户府印"铜印等元末农民军印等。

878.鄂西首次发现一批青铜器

作　者：赵冬菊

出　处：《江汉考古》1992年第3期

1989年初春，鄂西自治州第一次发现了8件青铜器，地点在金龙坝乡一山洞里，应属窖藏。经鉴定，这批文物年代分别为商、周，战国和东汉。简报配以照片予以介绍。

据介绍，计有周人铜簋1件，战国甬钟2件、铜宗4件（1件已碎），东汉豆形壶1件。简报称，这批青铜器为研究巴文化提供了实物资料。

879.巴东长江段几处古遗址调查

作　者： 鄂西自治州博物馆　邓　辉
出　处：《考古》1995年第5期

1978年以来，考古人员调查了长江三峡的巴东段，发现了丰富的文化遗物。调查地点位于边域溪至秭归县牛口宽谷地带，共发现各个时期的古文化遗址二十余处。如东瀼口、雷家坪、西瀼口、旧县坪、官渡口、红庙岭、八斗、大坪、黄腊石、秦家沱、李家湾、上溪口、长沱河、杨家棚、天井屋以及龙船河内的蔡家包、平阳红庙寺、云盘等一批古遗址。简报配以手绘图予以介绍。

据介绍，简报重点介绍了东瀼口遗址、雷家坪遗址、旧县坪遗址等几个重点遗址。发现有石器、陶器、唐宋瓦当等遗物。

简报称，长江三峡巴东段发现的各类古文化遗址，为我们了解与研究三峡地区古代文化面貌提供了新的实物资料。

880.湖北巴东茅寨子湾遗址发掘报告

作　者： 国家文物局三峡文物保护领导小组湖北工作站、厦门大学历史系考古教研室　吴春明、王凤竹等
出　处：《考古学报》2001年第3期

茅寨子湾遗址位于湖北省巴东县东瀼口镇雷家坪村一组（又称李家湾村）的长江北岸一级台地及相连的缓坡上。1994年，武汉大学历史系考古教研室在三峡文物保护规划工作中调查发现，并小规模试掘。1997年9～12月，考古人员对该遗址进行了重点钻探和发掘。

简报分为：一、概况，二、分区、地层堆积及分期，三、周代前后的文化遗存，四、汉代的文化遗存，五、六朝时期的文化遗存，六、结语，共六个部分，有照片、手绘图。另有唐宋元明时期的文化堆积，未予详细介绍。

据介绍，周代前后的文化遗存不算丰富，对探讨先秦时期当地巴、楚文化的交替与冲突有一定帮助。秦汉至六朝墓葬大致可分三期：第一期，不晚于东汉；第二期，东汉末至晋初；第三期，东晋、南朝。至于此后的文化遗存，简报只简单提到唐宋元明时期的一般性遗存在以往的峡江考古中未被重视。茅寨子湾唐宋

元明时期的文化遗存不少，而且房基、墓葬均以石构为特点，对于复原峡江地区古代文化发展、变化及其与生态环境的关系提供了重要的线索，值得在今后工作中进一步关注。

881.鹤峰刘家河遗址的房屋遗迹

作　者：湖北省文物考古研究所、恩施土家族苗族自治州博物馆、鹤峰县博物馆
邓　辉、何宏理、马　鹂

出　处：《江汉考古》2001 年第 2 期

刘家河遗址位于溇水河东岸一级台地上，海拔约 205 米，河西岸属于湖南桑植县。由于湖南江垭水库的兴建，这里即将被淹没。为了抢救淹没区地下文物，考古人员于 1982 年 8 月，对该遗址进行了初步调查。1992 年至 1993 年作了进一步调查。1997 年 11 月至 1998 年 5 月间对遗址进行了第一次发掘。

简报分为：一、遗址概况，二、地层堆积，三、房屋基本特点与出土遗物，四、房屋的年代，五、结语，共五个部分，有手绘图。

据介绍，刘家河遗址位于鹤峰县城东南 140 多公里处的溇水河东岸，隶属铁炉乡江口村，共发现 5 处房址。简报主要介绍了 F4、F1、F5，F2、F3 仅发现残断墙基沟，结构不明，没有介绍。简报称，F5 为半地下式，有灶坑两个，隔墙一道，使用时代应为春秋时期。F1 是一方形建筑，是在 F5 废弃后在原地修建的，似也可分为多间居室，年代应为汉代。F4 又是在 F1 废弃后修建的长方形房屋，年代为六朝或晚些时候。

简报称，F5、F1、F4 三所不同时期的建筑重叠一处令人深思。简报认为，这里的先民们在开发生活环境之时，亦注意人与自然环境的关系，这处居址的选择，又正好是背依乌龟山，面对溇水河对岸群峰中的中心山垭口。这一特点，使我们遥想古代民族对居地环境的位置选择是早有定数，并传至今日不改。另外，溇水河上游的古代文化遗址中，发现的房屋建筑，由半地穴式门道的木柱为墙发展到地面烧烤的木骨泥墙到一般性木骨泥墙体，为我们今天了解与研究溇水上游从战国到六朝历史时期的房屋建筑风格特点，提供了翔实的实物证据，是不可多得的史实性资料。

882.巴东县西瀼口古墓葬 2000 年发掘简报

作　者：广西壮族自治区文物工作队　李　珍

出　处：《江汉考古》2002 年第 1 期

西瀼口墓群位于巴东县官渡口镇西瀼口村，地处神龙溪与长江交汇的山坡上。

1978 年以来考古人员对该墓地进行了多次发掘。2000 年的发掘共清理西汉至唐代古墓 11 座，墓葬分土坑、砖室和石室 3 种形制。随葬品以青瓷为主，其次为陶器和金属器，此外还出土了一批有特色的墓砖。

简报分为：一、西汉墓，二、东汉墓，三、六朝墓，四、唐墓，共四个部分，有手绘图。

据介绍，这 11 座古墓计有西汉墓 1 座、东汉墓 5 座、六朝墓 4 座、唐墓 1 座。所发掘的墓葬大部分都不完整，多仅存墓的后半部，且早年均被盗扰。这批墓葬的年代从西汉前期一直延续到南朝，时间跨度较长，总的来说，与以前在该地区发掘的同时期墓葬特征基本相同。但 M1 所出墓砖上以人和动物为主的纹样在以前的发掘中鲜见，这为三峡地区的考古增添了新的内容。此次发掘的 11 座墓中，约半数以上的墓内发现一个以上的人骨个体，最多的达 11 个，说明此类墓的使用时间较长，应是一种家族（或家庭）墓地。这种埋葬方式为研究该地区古代埋葬习俗提供了非常重要的资料。

883.巴东店子头遗址发掘简报

作　　者：湖北省文物考古研究所　胡雅丽、武仙竹
出　　处：《江汉考古》2004 年第 3 期

店子头遗址位于巴东县北部西南角的长江南岸，包含有新石器中晚期、夏代、东周等多个历史时期的文化遗存，而以新石器中晚期遗存为主。新石器中晚期遗存中出土的大量打制石器和动物遗骸，为探讨新石器中晚期该地区的自然环境、实物来源、经济类型提供了重要信息。

简报分为：一、地层堆积及包含物，二、第一期遗存，三、第二期遗存，四、第三期遗存，五、结语，共五个部分。有手绘图。

据介绍，店子头遗址隶属巴东县官渡口镇楠木园管理区肖家坪村三组，因邻近位于瓦担山西坡的店子头自然村落而得名。1994 年发现，1998 年发掘。遗存可分三期，遗物不多，仅见少量陶片。第一期与柳林溪新石器遗存十分相似；第二期相当于夏代遗址；第三期年代不出东周。

884.湖北省巴东县李家湾遗址发掘简报

作　　者：湖北省文物考古研究所　陈安宁、黄旭初、冯务建、向　勇
出　　处：《江汉考古》2004 年第 3 期

巴东李家湾遗址中发现有周代、屈家岭文化和大溪文化三个不同时期的大批遗

迹和丰富遗物，但最丰富和重要的是屈家岭文化时期的遗存。发现了一批屈家岭文化晚期的墓葬，从这批墓葬中出土的陶器与其他地区屈家岭文化晚期陶器特征基本上相同。这批随葬陶器以薄胎泥质黑陶和灰陶为主，多饰弦纹，有鸭嘴形足小鼎、双腹豆、盘、碗、壶形器、盂形器、蛋壳小杯和高圈足杯。李家湾遗址是屈家岭文化晚期遗存在三峡地区分布最西的一个遗址。

简报分为：一、地理位置及概况，二、地层堆积与文化分期，三、大溪文化遗存，四、屈家岭文化遗存，五、周代文化遗存，六、结语，共六个部分，有手绘图。

据介绍，李家湾遗址位于长江巫峡右岸，地处长江的二级阶地，沿长江往下游15公里至巴东县城，现隶属于湖北省巴东县官渡口镇楠木园村5组。遗址西部有一条南北向的冲沟，遗址南北长100米，东西长400米，面积约4万平方米。1993～1994年发现，2001年9～12月发掘。发现有周代、屈家岭、大溪三个不同时期的大批遗迹和丰富遗物，周代与屈家岭文化之间还存在着漫长的时代缺环。从遗物看，有其特色，这突出反映在两个方面：

一是在生产工具的制作和使用方面，始终都存在着数量可观的打制石器。从大溪文化时期的石器，可知当时的人类祖先对石器原料的选择和制作，都已积累了丰富的经验，而周代精美的铜、铁器生产工具和打制石器共存，正是这种传统特点的反映。

二是在生活用具陶器的生产和使用过程中，都始终存在着戳印纹、绳纹和弦纹这三种纹饰。

885.湖北巴东楠木园遗址2001年夏季发掘简报

作　者：武汉大学考古系、湖北省文物考古研究所、巴东县博物馆　王凤竹、
　　　　罗运兵、余西云

出　处：《江汉考古》2004年第3期

楠木园遗址是三峡库区一处重要的遗址，其东部以东汉遗存为主，有少量六朝和唐代墓葬。2001年夏季发掘出成排分布的灰坑，底部有"一"字形或"十"字形沟槽，可能是与商业储存、转运相关的"仓"，此类遗迹在三峡及周邻地区尚属首次发现，是研究三峡地区这一时期经济生活的重要材料。

简报分为：一、地层堆积，二、汉代遗存，三、西晋墓葬，四、唐代墓葬，五、结语，共五个部分予以介绍，有手绘图。

据介绍，发掘地点位于长江三峡的巫峡东段，隶属巴东县官渡口镇楠木园村，属长江南岸。汉代遗迹有灰坑、灰沟和柱洞。东汉时期遗存的陶器有筒瓦、板瓦、瓦当、盆、钵、甑、罐、瓮、壶、支垫等，一般为泥质灰陶。除瓦片饰绳纹外，其他器物

多素面。另有少量的硬陶坛、罐饰小方格纹。六朝、唐代遗存不多。简报认为此处不是一般的生活居址，而是所谓"仓"，使用时代从汉至六朝。

886.湖北巴东县雷家坪遗址第二次发掘简报

作　者：吉林大学边疆考古研究中心、国家文物局湖北省三峡考古工作站
冯恩学等

出　处：《考古》2005 年第 8 期

1997 年，对湖北省巴东县东瀼口镇雷家坪遗址进行了第一次发掘。1999 年 3～6月，对雷家坪遗址进行了第二次发掘。发掘有龙山时期、商时期、西周时期、春秋、六朝时期的文化层，遗迹有商代灰沟 1 条，战国墓 1 座，六朝墓 1 座、灰坑 2 个，唐墓 3 座，明墓 1 座，清墓 1 座。

简报分为：一、地层堆积，二、龙山时期遗存，三、商代遗存，四、西周遗存，五、春秋遗存，六、战国遗存，七、六朝遗存，八、唐代遗存，九、明代遗存，十、结语，共十个部分予以介绍，有手绘图等。

据介绍，此次发掘面积为 1257 平方米，发现龙山时期、商时期、西周时期、春秋时期、六朝时期、唐代、明代和清代的遗存。商代遗存时代应为商晚期到西周初，简报称此时土著文化因素成为主体，外来势力较弱。西周遗存时代为中晚期。雷家坪遗址出土的商代石楔、多孔石刀、兽牙凿、圆铤三棱骨镞在三峡同时期其他遗址中罕见，为研究早期巴人的生产工具增加了重要资料。西周地层中出土了 1 件小青铜盅，这是首次发现西周时期巴人的青铜饮食器。M2 出土铜壶的形制与涪陵小田溪巴王墓地二号墓出土的铜壶相同，兽面的双角外翻和扁首的轮廓均与该墓地三号墓错银铜壶相同。M2 有可能是战国时期巴人的墓葬。春秋时期出土的陶豆盘风格独特。唐墓狭长，头上的壁面有一块砖横出，券顶两端使用莲花、莲蓬、莲蕾组成的莲纹砖，这在三峡地区还是首次发现，颇具特色。通过对雷家坪遗址的发掘，我们对三峡地区的古代文化序列有了进一步的认识。

887.湖北巴东将军滩墓地发掘简报

作　者：湖北省文物局三峡办、恩施自治州博物馆　朱世学、胡家豪

出　处：《四川文物》2005 年第 5 期

从 1978 年至 2004 年，考古人员多次对湖北巴东县将军滩墓进行了考古发掘。其中 2002 年发掘石室墓 2 座，砖室墓 1 座。2004 年发掘砖室墓 2 座，出土了花纹砖、

铜镜、五铢钱、陶、瓷器等器物，特别是 M4 出土的陶礼器组合，为研究三峡地区汉代经济文化提供了材料。

简报分为：一、墓室结构，二、随葬器物，三、时代推断，四、结语，共四个部分予以介绍，有照片、手绘图。

据介绍，将军滩墓地隶属巴东县东瀼口镇焦家湾村五组，位于长江北岸。石室墓 2 座（M1、M2），简报推断为一座为东汉墓（M1），一座为六朝墓（M2）。砖室墓三座（M3、M4、M5），简报推断 M3、M5 为六朝时期墓，M4 为东晋墓。随葬品中，M1 出土的铜镜、M4 出土的一组釉陶仿铜器均十分珍贵。

888.湖北巴东任家坪遗址第一、二次发掘

作　者：湖北省文物考古研究所　林邦存、刘小华
出　处：《江汉考古》2005 年第 2 期

为配合三峡大坝工程和巴东县污水处理厂的工程建设，考古人员对任家坪遗址先后进行两次大规模考古发掘。

简报分为：一、地理位置及发掘概况，二、地层堆积，三、商周时期文化遗存，四、明清时期文化遗存，五、结语，共五个部分予以介绍。有手绘图。

据介绍，任家坪遗址位于巴东新城西北郊区长江南岸二级阶地上，现隶属巴东县信陵镇云沱村二、三组管辖。遗址南至新修沿江大道，北至江边陡坡，东西皆以冲沟为界，东西长约 400 米，南北宽约 50 ~ 125 米，总面积约 3 万平方米。2001 年 6 ~ 9 月、2002 年 5 ~ 6 月两次发掘。遗存可分商周和明清两个时期。这两个时期的遗存虽都不多，但均有鲜明的地方特色。商周时期这里仍普遍使用石器这种传统生产工具，这些生产工具多是挑选精美石料并精细磨制而成。另外，出土的一件残铜刀值得注意。明清时期无论是贫穷的土坑竖穴墓的墓主，还是较富有的砖室墓的墓主，随葬品的基本组合都以罐和碗为主，又是这里在某一时期的一种埋葬习俗。

889.2003 年巴东故县坪遗址发掘简报

作　者：湖北省文物考古、恩施自治州博物馆　朱世学、胡家豪
出　处：《江汉考古》2005 年第 4 期

故县坪遗址发现有汉至六朝时期和明清时期的大批遗迹和遗物，其中汉至六朝时期的灰坑遗迹中出土了大量的石器和陶器，器形主要有石凿、石环、石饼、陶瓮、陶罐等，是恩施自治州内陆腹地保存最好的古文化遗址。

简报分为：一、文化层堆积状况，二、汉至六朝时期的遗迹与遗物，三、明清

时期的遗迹与遗物，四、结语，共四个部分予以介绍，有手绘图、拓片。

据介绍，故县坪遗址位于湖北省巴东县野三关镇故县坪村 10 组故县河东部的台地上，2003 年 10 月为配合当地天然气工程进行了抢救性发掘。发现了汉至六朝时期的灰坑 5 个，灰沟 1 条，明清时期的房屋遗迹 1 处，灰坑 2 个，灰沟 1 条，砖室券顶墓 2 座，出土了较多的石器、陶锗、骨器及瓷器标本，为研究该地区汉代至六朝乃至明清时期的政治、经济、文化提供了宝贵的实物资料。尤其是在该遗址的明代 M1 砖室券顶墓中发现的腰坑葬俗，在鄂西南及三峡地区均属罕见。腰坑葬俗最早盛行于殷商文化的关中地区，春秋以后逐步向周边地区传播，三峡地区的腰坑葬俗本身就很少见，迟至明代还存在这种葬俗，就更罕见了。

890.湖北巴东县汪家河遗址墓葬发掘简报

作　者：武汉大学考古系、湖北省文物局三峡办　徐承泰、王　然、熊跃泉等
出　处：《考古》2006 年第 1 期

汪家河遗址位于巴东县官渡口镇五里堆村。1999 年、2000 年，考古人员进行了两次发掘，清理了 3 座大型石室墓（M2、M4、M5）和 1 座小型石室墓（M3），获取了一批战国至明清时期遗迹、遗物。

简报分为：一、M2，二、M4，三、M5，四、结语，共四个部分，有手绘图等。

据介绍，3 座大型石室墓均为多次葬，各墓所葬人骨 11 ～ 14 具不等。时代历经东汉、三国、两晋、南朝、隋唐、北宋、明清等。出土遗物 217 件，有银、铜、铁、陶、釉陶、瓷、琉璃、骨、石、漆器等。这种一家数代同葬一墓的葬俗，虽说在两汉时期也有，但延续时间如此之长，实属罕见。

891.湖北巴东高桅子遗址 2004 年发掘简报

作　者：荆州博物馆　郑忠华、田　勇
出　处：《江汉考古》2006 年第 4 期

高桅子遗址本次发掘共分 5 个地点，遗存多属明清时期，发现六朝、唐代墓葬各 1 座，清末房基 2 座。出土及采集遗物有石、陶、瓷、铜、铁器等。六朝墓为岩坑石椁券顶墓，墓内残存的青瓷钵、铜五铢钱、铁削刀等表明其年代当属晋代；唐墓以六朝墓室为墓圹，随葬的青瓷注壶采用模印贴花技法施釉下褐彩的装饰方法乃中唐时期长沙窑的特点；清末 2 座连间房基的选址、朝向、布局、结构及营造法式等，在峡江地区均有其代表性。

简报分为：一、地层堆积，二、六朝遗存，三、唐代遗存，四、明清遗存，五、

结语，共五个部分，有手绘图。

据介绍，高椅子遗址地处长江中上游南岸，位于巴东新县城的西部边缘，东距巴东长江大桥约 700 米，现隶属于巴东县信陵镇西阳坡村十组。遗址东北濒临长江，依山面水。1978 年发现，1994 年定为新石器时代遗址。2000 年试掘发现了其他时代遗存。2004 年进行了正式发掘。新石器时代遗存多处于海拔较低的阶地，明清文化遗存则地势偏高，而墓葬区往往位于海拔更高的地带，这应是长期以来当地居民适应自然环境的一种体现。

892.湖北巴东义种地墓葬发掘报告

作　　者：湖北省文物局三峡办、武汉市文物考古研究所　邓　辉
出　　处：《江汉考古》2009 年第 4 期

2001 年秋冬，考古人员对巴东义种地墓地进行了发掘，发现了几座砖、石室墓。墓葬被破坏严重，年代从六朝、隋唐到宋代。从发掘中可见，宋代墓葬明显是利用了早期的墓室。墓葬出土文物丰富，是近年来三峡考古中少见的。简报分为地层堆积与墓葬分布、地层出土遗物、结语等共五个部分予以介绍，有手绘图。

据介绍，M1 为六朝墓。M2、M4 似分两次利用，下层为隋唐，上层为宋。M3 为隋唐墓，墓主人当年应有一定身份，随葬品较多，其中瓷马形洗、瓷帷帐座等少见。M5 为东汉至两晋时墓。简报称，在义种地墓地本次发掘中发现了后期墓葬利用前期墓葬墓室的现象，这种情况以往在三峡地区时有发现，是家族使用的延续，还是其他在不知情的情况下的使用，还是该地区比较广泛存在的葬俗，有待进一步研究。

仙桃市

潜江市

893.潜江市文物考古调查

作　　者：潜江市博物馆　罗正松
出　　处：《江汉考古》1993 年第 3 期

潜江地处江汉平原中部，北面靠汉水，西部和江陵毗邻。如果说潜江地区系

古云梦泽，东部应为泽区，西部为云梦泽之滨。新石器、楚汉到六朝的文化遗存均分布在这云梦之滨的高冈地上。自 1984 年开展文物普查工作以来，共发现新石器时代文物点 6 处，两周时期遗址 10 余处，汉代遗址 4 处，楚墓葬群 2 处，东汉到六朝砖墓群 3 处。普查期间，考古人员还配合取土工程对少数两周遗址和墓葬进行了试掘和清理，在放鹰台遗址揭露出了大型楚宫基址。

简报分为：一、新石器时代文化遗物，二、楚至西汉遗存，三、东汉至六朝墓葬，四、结语，共四个部分予以介绍。

据介绍，潜江地区的文物普查工作历时 3 年，发现了一批文物点，采集到一批遗物。这批不同时期的古文化遗址和古墓葬群的发现，把潜江古代历史长河勾画出了一个大致的线条，对于研究潜江地区的历史沿革、综合考察楚文化、做好文物保护工作，无疑将有很大帮助。

天门市

894.湖北天门笑城城址发掘报告

作　者：湖北省文物考古研究所、天门市博物馆　黄文新、周　文、张益民等
出　处：《考古学报》2007 年第 4 期

笑城城址位于湖北省天门市皂市镇笑城村二、四组境内，距天门市区 36.4 公里。该城址于 1983 年文物普查时发现，为天门市文物保护单位。笑城城址位于江汉平原北缘，地理位置十分优越，南为湖泊区，后为丘陵地带，依山傍水，对稻田经济与渔猎经济的发展都十分有利。在周围 25 公里的范围内，已发现新石器时代古城 3 座。遗址以西 25 公里有天门石家河城址；往西南 22 公里有天门龙嘴城址；往东 22 公里有应城门板城址。为了配合武汉至荆门高速公路建设，2005 年 7 月 25 日至 9 月 10 日，考古人员对笑城城址进行了抢救性发掘，清理出新石器时代、周代、汉代、六朝及明代遗迹 15 个。城址坐北朝南，平面呈"L"曲尺形，东西长 250～360 米，南北宽 156～305 米，面积约 9.8 万平方米，城内面积约 6.3 万平方米。城址除城北有壕外，其余三面均为湖泊。城墙东西两面没有发现缺口，而南北城墙正中各有一残存缺口，可能为城门残迹。

简报分为：一、地理位置与工作概况，二、地层堆积，三、文化遗存，四、结语，共四个部分，先行介绍与城址年代相关的遗存部分，其他部分遗存将另文发表。有照片、手绘图。

据介绍，笑城城墙分属两个时代，早期城墙属于屈家岭文化晚期，晚期城墙为西周晚期和春秋中期。早晚城墙的修筑范围基本吻合，晚期城墙是在早期城墙的基础上加高而成。土筑城墙至今仍大部分保存在地面，由于笑城城墙修建在岗地的缓坡上，形成城墙外高内低，城墙一般高出地面 2.5～4.6 米，底部宽 20～22 米，上部宽 8～10 米。未发现夯筑痕迹，从北城墙的堆积方式分析，城墙应为堆筑而成。

神农架林区

湖南省

895.湖南衡阳、长沙、宁乡、澧县、石门等地调查记

作　者：湖南省博物馆　张中一、张欣如
出　处：《考古》1959 年第 2 期

考古人员在 1959 年 5 月到各县调查古文化遗址，共发现古遗址 6 处。简报分为：一、衡阳市郊酃湖遗址，二、长沙岳麓山槐树坪遗址，三、宁乡流沙河遗址，四、宁乡横市遗址，五、澧县古城岗遗址，六、石门维新古城堤遗址，共六个部分。有手绘图、拓片。

衡阳市郊酃湖遗址，位于衡阳市东郊，存有残缺不全的土城墙。简报认为这是一个西汉时期的城址遗址。长沙岳麓山槐树坪发现有陶片、窑坑等，应为商周时遗址。宁乡流沙河，距宁乡县城西南约 70 公里。横市，距宁乡县城西部约 39 公里。两地均发现新石器时代晚期遗址。古城岗位于澧县西北 37 公里处，也有一新石器时代遗址。维新古城堤位于石门县城西北 50 公里处，有新石器时代至春秋时期遗存。溇水南岸有一长方形土围子，简报怀疑是战国以后城址。

类似的调查后来还进行过多次，如据《考古》1980 年第 1 期，1973 年夏，考古人员对辰溪、泸溪、沅陵三县境内的沅江两岸及其支流保靖、永顺、古丈境内的酉水两岸进行了一次文物普查，路经 26 个公社，行程 750 公里，发现有新石器时代、商代、春秋战国、汉唐等时期的遗址 14 处，战国、两汉至明代墓葬 75 座，古建筑、碑刻、塔等 9 处，革命遗址 1 处。

据介绍，在沅陵、泸溪、辰溪三县境内发现新石器至商代遗址 8 处。计有辰溪县溪口、炮台、潭湾、张家溜，泸溪县浦市二中，沅陵县小龙溪口、四毫溪、朝瓦溪等遗址。另外在辰溪县球岔和泸溪县五里洲还发现有石器陶片地点。8 处古文化遗址的共同特点都是选择在靠近河旁的第一台地上，高出河床 10 米左右。石器粗糙，种类不多，陶器简单，有的属原始文化遗存，有的属龙山文化，有的相当于商代中期（即二里岗期）或略晚。

最后附有"沅江中下游古文化遗址登记表"，列举了遗址地点、面积、厚度、文化遗物、时代等基本信息。

896.湖南耒阳、永兴等地发现古代窑址

作　者：湖南省博物馆考古队
出　处：《考古》1960 年第 10 期

1959 年 10 月下旬，考古人员在耒阳、永兴等县调查中发现了古代窑址。采集的有碗、罐、坛、钵和壶等碎片及陶器的柄饰和烧托等。

简报分为：一、耒阳遥田古窑址，二、永兴县高亭司文昌阁前古窑址，共两个部分，有手绘图。

简报推断，这些窑在当时可能都是烧陶器的。不过从器形和胎色等方面来看，与湖南湘阴等地的岳州窑所发现的文化遗物有不同的风格，因此，耒阳、永兴等地的窑址，与岳州窑可能不属一个窑系，时代应为五代、宋。

长沙市

897.长沙沙湖桥一带古墓发掘报告

作　者：湖南省文物管理委员会　李正光、彭青野
出　处：《考古学报》1957 年第 4 期

沙湖桥在长沙市北郊，距城约 2.5 公里。这一带地势较市区为高。20 世纪 50 年代，因开山辟路，取土烧砖，以及其他基建工程的发展，山势便逐渐削平。而原压在下层的古墓，亦有露出地面的。一般有封土堆的较大型的墓葬，多遭盗掘，甚至被盗掘有三四次之多。1956 年，长沙建湘瓷厂、长新砖厂、玻璃厂等单位在此动工兴建厂房、宿舍，烧砖取土，不时发现古墓。考古人员前往清理。自 6 月 9 日起开工，至 12 月 28 日止，先后在沙湖桥一带（包括上大垅、甘家村、黑石渡、焦公庙、王家垅等处）进行发掘，共计清理古墓 107 座。其中有战国墓 61 座、西汉墓 34 座、东汉墓 9 座、唐墓 3 座（未列入报告中）。出土器物总计 1188 件。

简报分为：一、战国墓，二、西汉墓葬，三、东汉墓，共三个部分，有照片、手绘图。

据介绍，共发掘战国墓 61 座（土坑墓 56 座、木椁墓 4 座），出土遗物 334 件，包括陶器 264 件、铜器 55 件、铁器 6 件、漆器 6 件、玉器 1 件、玻璃器 1 件、石器 1 件。西汉墓共 34 座，其中土坑墓 32 座，木椁墓 2 座。出土器物共 697 件。内有陶器 578 件、铜器 60 件、铁器 26 件、石器 18 件、漆器 6 件、琉璃器 2 件、玉器 1 件、骨器 1 件、白蜡 3 件，其他五铢钱 2 包、陶锭、陶钱、陶字块等 42 包，不以件计。其中琉璃矛

一件十分珍贵。东汉墓共9座，其中土坑墓1座，砖室墓8座。出土器物共140件。内有陶器107件、铁器14件、铜器6件、琉璃器3件、漆器2件、石器1件、玉器1件。其他类器物6件（包括纺轮2件、铜钱4包）。

898.长沙陈家大山战国、西汉、唐、宋墓清理

作　　者：周世荣

出　　处：《考古》1959年第4期

陈家大山位于长沙东面的浏阳门外，1956年11月，考古人员在此清理了11座古墓。简报配以照片予以介绍。

据介绍，此次清理计有战国墓4座，均为土坑竖穴墓，出土有铜剑、铁剑、铜矛、铜镞、铁刀、玉器、陶器等。西汉墓2座，为长方形竖穴墓，随葬品有铜带钩、陶器等。

东汉砖券墓一座，随葬器仅有开元通宝。

宋墓4座，随葬品计有瓷碗5个、陶坛10个、陶瓶4个、陶洗2个、铁剪3把、铜镜1面、石砚1个、铅饰1件、铜钱4包（有开元通宝、淳化通宝和太平通宝等三种货币）。

899.长沙市东北郊古墓葬发掘简报

作　　者：湖南省博物馆

出　　处：《考古》1959年第12期

从1958年10月至12月，考古人员在长沙市郊新码头的沙湖桥、丝茅冲、南塘冲、五里牌、杨家山、树木岭、新开铺、猴子石等地，发现、清理了春秋时代的灰坑9个，出土有鬲和豆等陶片（另写简报发表）。此次清理战国墓11座，东、北郊都有；西汉墓5座，完全在东郊；唐墓12座、五代墓8座、宋墓21座，大部分在北郊。

简报分为：一、战国墓，二、西汉墓，三、唐墓，四、五代墓，五、宋墓，共五个部分，有照片、手绘图。

简报择要介绍了2座战国墓（即58长·杨·铁·2号墓、58长·新·铁2号墓）、4座西汉墓（其中58长·杨1号墓出土有玉衣片、铜器等遗物，值得重视）、1座唐墓、1座五代墓。

900.长沙两晋南朝隋墓发掘报告

作　者：湖南省博物馆　高至喜等
出　处：《考古学报》1959 年第 3 期

1952 ～ 1958 年，为配合基建考古人员在长沙市郊发掘了历代墓葬 4600 余座。其中两晋、南朝、隋朝墓 47 座。其中个别墓的资料发表过。

此次简报分为：一、两晋墓葬，二、南朝墓葬，三、隋代墓葬，共三个部分一并介绍。有照片、拓片。

据介绍，两晋墓27座，均为砖室墓，出土遗物399件。其中M1出土"升平五年"墓券，记载了50余种衣物名称，十分珍贵。其中有不少俗体字，对文字学也很有帮助。南朝墓13座、隋墓9座，均为砖室墓。两朝墓出土遗物139件，隋墓出土遗物159件。

901.长沙柳家大山古墓葬清理简报

作　者：湖南省博物馆
出　处：《文物》1960 年第 3 期

1959 年 5 ～ 9 月，考古人员为配合施工在长沙市东郊柳家大山清理发掘古墓葬58 座，其中战国墓 32 座，西汉墓 19 座，东汉墓 1 座，唐墓 4 座，五代、明墓各 1 座。简报分为战国墓、西汉墓、东汉墓、唐晚墓、五代墓、明墓，共六个部分。有手绘图。

据介绍，此次发现的战国墓葬形制一般是长方形土竖穴和长方形木椁墓，填土为棕红色沙泥。残葬器物几乎都有鼎、敦、壶，或附加镜、兵器等。早期墓更狭长。双耳壶中晚期从未见过。钫、镳壶、子母口敦于晚期始见。西汉多出陶盒。早期陶器主要为灰胎黑衣，晚期葬品渐渐增多。井、灶模型器及硬胎敷绿釉陶开始出现。多大型墓，封堆比前后时期都大。

902.长沙南郊的两晋南朝隋代墓葬

作　者：湖南省博物馆　高至喜
出　处：《考古》1965 年第 5 期

1964 年 1 ～ 6 月，考古人员在长沙南郊黄泥塘、烂泥冲、赤岗冲和野坡等地清理了 11 座两晋、南朝、隋代墓葬。

简报分为：一、晋墓，二、南朝墓，三、隋墓，共三个部分，有手绘图。

据介绍，晋墓 5 座，均为砖室墓。其中 4 座平面为"凸"字形，1 座为长方形。较大的黄泥塘 2 号墓曾被盗，黄泥塘 3 号墓出土遗物最多，其中黑褐釉鸡首壶及金饰品十分精美。简报推断黄泥塘 2、3 号墓的年代为东晋初或西晋末，野坡墓 3 的年代为东晋。南朝墓仅 1 座（野坡墓 1），隋墓 3 座，均为砖室墓，其中黄泥塘 4 号墓出土有砖雕。

903.长沙树木岭战国墓阿弥岭西汉墓

作　　者：湖南省博物馆　熊传新
出　　处：《考古》1984 年第 9 期

1974 年，在配合长沙新火车站建设时，考古人员在树木岭发掘战国墓 1 座，在阿弥岭发掘西汉墓 1 座。

简报分为：一、74 长树 M1，二、74 长阿 M7，共两个部分，有拓片、照片、手绘图。

据介绍，战国墓为长方形竖穴土坑墓，葬具、尸骨已不存。随葬品有铜器、玉器、漆器，未见陶器，铜器除铜镜外均保存较差，漆器也已朽。此墓应为战国时古越人之墓。西汉墓为一"凸"字形有墓道的大墓，有盗洞，但仍出土有铜器、滑石器、陶器等计 38 件，铜器上均有铭文，滑石器有的也刻有器名。该墓应为西汉晚期墓。

株洲市

湘潭市

衡阳市

904.湖南衡阳南朝至元明水井的调查与清理

作　　者：湖南省博物馆、衡阳市博物馆　周世荣、冯玉辉
出　　处：《考古》1980 年第 1 期

1973 年 6 ~ 8 月间，考古人员配合衡阳市人民防空工程建设调查发现了六朝至元明时代的水井近 30 口，仅对工程即将遭受破坏的水井进行了清理。水井集中在衡

阳市北区人民路、正殿巷、后宰门与司前街一带，而以司前街北区革委会内最多，在 1400m² 范围内的防空洞干线上就发现 23 口，干道线外究竟有多少尚不可确知。

简报分为：一、南朝水井，二、唐代水井，三、元代水井，四、明代水井，五、余论，共五个部分，有照片。

简报称，此次调查与清理证明这些水井大部分是明代以前的。人民路与后宰门不仅出土了木水桶和棕绳等，司前街水井中还冒出大股清泉，这些事实证明北区一带确系南朝至元明时代的水井遗迹。至于水井出土的药材等物，很可能另有原因，战乱时以井为窖也是有可能的。简报还推测，汉代以后，衡阳的城市中心已向湘江西岸，即今天的衡阳市区转移。

又，据《江汉考古》1997 年第 2 期报道，1994 年 3 月 18 日，湖南省衡阳市金鑫综合大楼工地挖掘基础时发现古文物，衡阳市文物管理处得知这一消息后，即刻派考古人员赶到施工现场。经实地勘探，发现古物出自一土壁古水井中（编号 J1）。1995 年 8 月 31 日，考古人员在亚龙大厦工地进行考古调查时，发现民工挖出的陶器盖、罐、青瓷壶、罐、碟等共 10 件器物。据称均出自距现地表 9.8 米深的圆形直壁式土井（编号 J2）。

据介绍，简报推断，J1 的时代为宋代，J1 的使用时代可能延至元代初年；J2 的时代始于唐代，使用至宋代；两井遗物多属衡阳本地所制。

简报称，J1、J2 及其文物的出土，为我们研究唐宋时期衡阳的制瓷工艺、产品销地、生活习俗以及水井的形制等，均提供了新的实物资料。

905.湖南古窑址调查之二——彩瓷

作　者：周世荣、郑均生
出　处：《考古》1985 年第 3 期

1982 年，湖南省博物馆与衡阳、怀化、岳阳、常德、郴州等地区的文物考古工作者对上述地区的古窑址进行了重点调查与试掘，将出土器物分为彩瓷、青瓷、青花白瓷等不同窑口陆续整理发表。

简报分为：一、衡山窑彩瓷，二、青冲窑彩瓷，三、结语，共三个部分，有照片。

据介绍，衡山彩瓷窑位于该县贺家公社湘江大队湘江北岸的渡口边与赵家堆（又名瓦子堆）一带。衡山窑出土的彩瓷，在湖南所见的三百余座宋元墓中，除坛罐类和粗陶盏略有同类出土外，壶、碗、盏、炉等几乎不见出土。碗类数量最多，全部为圆口，多圈足，还有盏类和鸡腿式坛等。关于衡山窑的相对年代，简报推断其上限大致可早至北宋末与南宋初，其下限可晚至明初。

衡南青冲窑属于衡山窑系统。主要特点为壶、坛制品中出现粉上彩釉绘花装饰，但色彩没有衡山窑鲜明。青冲窑与衡山窑一样，出有束颈小圈足式茶盏、鋬手罐与鸡腿坛。烧制方法也使用墩座承托与支珠承托迭烧法。但个别产品有碗心露胎的涩圈式样，说明青冲窑中已出现不用支珠或垫圈而采用直接放在涩圈内的迭烧法。青冲窑属于衡山窑系，简报推断其相对年代略晚，上限年代约相当于元，下限年代可晚至明。

906.湖南衡阳茶山坳东汉至南朝墓的发掘

作　者：衡阳市博物馆　冯玉辉
出　处：《考古》1986 年第 12 期

1982 年底至 1984 年初，考古人员为配合京广复线衡阳北编组站的工程建设进行了考古发掘工作。该工地长约 5 公里，宽约 1 公里，分布在市郊茶山乡的茶山村、黄泥岭、乌龟山、石村、朱家山、石冲与和平乡新华村的黄茅山、橘园等五个山头。这一带距衡阳市区约 5 公里，南面和耒水并列，与酃湖平原隔江相望，西面有湘江。在这一地段共发掘了东汉、三国、晋、六朝墓葬 46 座，出土文物 546 件。这批墓葬分土坑墓和砖墓两类。土坑墓有 M28、M31、M36 三座，其余均为长方形单室砖墓。简报配以手绘图予以介绍。

据介绍，计东汉墓 17 座、三国墓 1 座、晋墓 6 座、南朝墓 12 座。出土器物有陶器、瓷器、铜器等。

907.湖南耒阳磨形、太平窑群调查纪实

作　者：衡阳市博物馆　冯玉辉
出　处：《考古》1989 年第 8 期

衡阳市所管辖的 7 个县是湖南古代盛产瓷器的重要地区。经过考古发掘，有衡山贺家窑、衡阳市郊的蒋家祠窑、衡南的青山窑等青瓷窑址。1984 年 12 月考古人员在耒阳磨形、太平两乡发现青白瓷窑址。1985 年 1 月又进行了调查，简报配以照片予以介绍。

据介绍，磨形乡在耒阳县西南，青白瓷窑址在乡的西面。磨形乡的窑址分布在虾圹、猫形山、瓦子坳、青皮、泥鳅圹、何家皂、南圹、凤形山。这些窑址烧制的器物，除何家皂烧制青花瓷外，其余以青白瓷为主。所产青白瓷，胎质洁白坚硬，釉色晶莹润亮，色调青白似影青，有些白中微显黄，而有较规则的通体釉开片。还出现一

些纹丝细密标本。从磨形七处青白瓷采集标本看，釉色虽相同，但有分工。凤形山、瓦子坳、泥鳅圹、青皮、南圹所有的产品以碗、碟、杯的日用器为主，虾圹采集品有瓶、罐、三足炉、壶等，碗、碟次之。

简报称，耒阳磨形、太平两处窑群器皿，多数足部矮短，有些近乎平底，这与景德镇、湖田窑、江西宁都璜陂和固厚窑的南宋至元代的覆烧情况相同。耒阳磨形、太平两窑群简报推断应属于南宋至元产品。此前耒阳烧瓷未见文献记载。这些窑的发现，为研究湖南、江西景德镇青白瓷相互关系提供了实物资料，对了解我国宋、元时期青白瓷的分布情况很有帮助。

908.湖南衡阳市蒋家窑址的再调查

作　者：衡阳市文物工作队　向新民
出　处：《考古》1996 年第 6 期

湖南衡阳是我国唐、宋时期陶瓷器的一个重要产地。1984 年文物普查中发现的蒋家窑址，是该地烧制青瓷产品最具典型的代表。虽在发现时试掘了一座窑床并采集到部分标本，但对该窑址的分布、窑体结构、装烧方法和窑址及其产品的年代等问题未及做更多的工作。为此，1988 年对该窑址群又进行了较为全面的调查。

简报分为：一、窑址分布状况，二、窑体结构及装烧方法，三、遗物，四、结语，共四个部分，有照片、手绘图。

据介绍，蒋家窑址位于衡阳市郊东阳乡高山村的高山庙、蒋家祠、长冲三组，北距市区 14 公里，因其主要分布于蒋家祠组而得名。蒋家窑群密集地分布在湘江东岸沿堤一线长 650 米、宽 70 米的狭长范围内，已发现的窑址总数达 16 座。产品不论何种类的器物，施釉均不及底，釉色多青中泛绿或青中泛黄。晚期所出器物多素面，早期内常模印莲花、菊花及见器外刻几何纹和文字等图案。晚期器类较多，既有形体简单的碗、碟、盏、盘等，又有较复杂持壶、瓶等，且后者所占比例不少；早期则器类较少，主要为碗、碟、盏、盘等简单器形，而壶、瓶几乎不见。该窑的烧制年代，简报推断为晚唐至北宋。

909.湖南耒阳城关六朝唐宋墓

作　者：衡阳市文物工作队　向新民、唐先华等
出　处：《考古学报》1996 年第 2 期

1984 年 4 月至 1986 年 10 月，考古人员为配合耒阳火力发电厂及其配套工程、

市政府新办公楼及加油站等工程建设，在耒阳市城关镇进行考古发掘，共发掘战国至宋代墓葬394座。

简报分为：一、地理环境与墓区位置，二、三国墓，三、晋墓，四、南朝墓，五、唐墓，六、宋墓，共六个部分，有照片、拓片、手绘图。

据介绍，共发掘三国墓5座，均为特小型墓葬，怀疑为二次葬或儿童墓，也不排除首级墓、衣冠墓的可能，随葬器件19件。晋墓23座，随葬器物56件，有些地方特色。南朝墓9座，随葬器物24件，南朝墓在耒阳发掘不多。唐墓2座。宋墓28座，年代从北宋早期、晚期到南宋早期，其中4座早期被盗，均属中小型墓，随葬器很少，反映了北宋时耒阳经济尚欠发达的历史现实。

910.湖南耒阳白洋渡汉晋南朝墓

作　者：衡阳市文物处、耒阳市文物局　向新民、陈祝平、曹支邻、廖翠花等
出　处：《考古学报》2008年第3期

耒阳市地处衡阳盆地南界，五岭山脉北端，为典型的江南丘陵地带。墓区位于耒阳市城区北约12公里的蔡子池街道办事处白洋村的白洋渡杨家山。杨家山为高出地面10米的低矮小丘。2005年1～2月，为配合韶能集团电厂工程，考古人员进行了抢救性的考古发掘，共清理发掘东汉至清代墓葬32座。

简报分为：一、东汉墓，二、晋墓，三、南朝墓，四、结语，共四个部分，先行介绍其中的东汉、晋、南朝墓葬29座。

据介绍，东汉墓10座，分为长方形砖室墓和"凸"字形砖室墓两类，均为小型墓，随葬品一般。简报认为墓主应是平民为主，间或有个别小地主、小官吏。南朝墓为二次葬，随葬品中无陶器，几乎为清一色的青瓷。简报称耒阳六朝墓有较多二次葬，是否为当地习俗尚有待进一步的发现。

邵阳市

911.湖南省新宁县发现商至周初青铜器

作　者：邵阳市文物管理处、新宁县文管所　曾佳柱、江文新等
出　处：《文物》1997年第10期

1990年初，湖南省新宁县飞仙桥乡飞仙桥村村民在建房取土时，出土了1件较

为完整的商至周初青铜器。简报配以照片和手绘图予以介绍。

据介绍，该器口沿破损，曲颈，鼓腹，形似长瓠，有錾，圈足。通体绿色。錾呈伏龙状，龙回首张口露齿，双耳双角，曲体，尾上卷，前足附着壶颈，后足连接中腹。龙体饰菱纹和斜角云纹。器颈部有二层纹饰，上层为两组菱纹，下层为斜角云纹宽带一周。上腹素面，一腹纹饰分三层，上层为斜角云纹带一周，中层为云雷纹地的两组兽面纹；下层为蕉叶纹一周，圈足纹饰二层，上层为勾连雷纹带一周，下层为凸三角形纹一周。与此器同时出土的还有1件白玉环、白陶片和1件带有"鼎"字铭文的残铜鼎。

简报称，这件器物造型别致，制作精美，为商至周初时期青铜器中的精品。定为二级文物。

岳阳市

912.湖南古窑址调查之一——青瓷

作　者：周世荣、张中一、盛定国
出　处：《考古》1984年第10期

1982年，考古人员对岳阳、益阳地区的古窑址进行了重点调查，发现岳阳地区除了湘阴窑类型的印花青瓷外，还发现釉下粉彩青瓷多处；益阳地区除了羊舞岭窑青瓷、青白瓷外，在珠玻塘等地也发现了仿龙泉式青瓷。

简报分为：一、岳阳釉下粉彩青瓷，二、益阳窑青瓷，三、结语，共三个部分，介绍以釉下粉彩作为主要特色的岳阳窑，和仿龙泉制品作为主要特色的益阳窑及其内涵，有照片、拓片。

据介绍，岳阳地区以釉下粉彩作为主要特色的窑口最早见于湘阴乌龙咀，最近新发现的有汨罗营田、岳阳鹿角，此外衡山霞流市湘江渡口边一带也有少量出土。衡山窑与营田窑无论在烧制方法上，或铁瓷工艺的装饰手法上都有着许多共同之处。也可以说，两窑口其形虽异，实际上却是关系十分密切的"姐妹窑"。在图案装饰方面衡山窑已趋向规范化，定型化了，说明营田窑的相对年代与衡山窑相近而显得略早。简报推断大致相当于两宋之际，下限接近元。鹿角窑试掘范围不大，采集品中发现有湘阴铁角咀唐代岳州窑制品，如圆饼式平底莲花刻纹擂钵等，但数量很少。瓷制品大部分具有宋代风格，而黑釉粗陶与瓦缸胎陶器的时代则略晚。简报推断相对年代也可晚至明。

益阳窑主要指珠玻塘与羊舞岭一带烧制的青瓷（包括小量青白瓷与黑瓷）制品。它具有官窑某些特点，也兼有龙泉窑口的某些因素。宋元时期的龙泉窑是我国主要的外销瓷器，各地竞相仿效已司空见惯。故益阳窑青瓷似属于湖南青瓷中的仿龙泉制品。简报推断其时代具有南宋作风，而下限则晚至元。

913.湖南临湘陆城宋元墓清理简报

作　者：湖南省博物馆　周世荣
出　处：《考古》1988 年第 1 期

1966 年元月，临湘县陆城通济桥石桥沟出土了南宋石室墓与元代砖室墓各一座。其中石室墓结构严密细致，出土随葬品非常精美。因为当时不久就进入"文化大革命"时期，故资料未能及时报道。

简报分为：一、临湘陆城一号墓，二、临湘陆城二号墓，三、小结，共三个部分，有手绘图、拓片。

据介绍，临湘陆城一号墓，编号 1965·临·陆 M1。墓室顶部为 3 米高的小封土堆，券顶式石室夫妻合葬墓，头向 65°。外表平面呈方形，中间有一道隔墙，分为左右（南北）二室。隔墙砌有直棂窗式的三个长方形孔眼，可以相通。两个并列的墓室均作券顶形，设头龛。随葬器物有陶器、金器、银器、铜器、瓷器、石砚等。简报推断该墓的年代相当于南宋末期，其下限接近元。

临湘陆城二号墓，编号 1966·临·陆 M2。砖室券顶式，夫妇合葬墓。不设头龛，两侧毗连而不相通。左右两个墓室等大。随葬物已扰乱，墓底有印纹青砖一块，其上印有忍冬纹。墓内残存大小白瓷碗、青白瓷高足杯、青釉瓷碗、青瓷杯、莲花纹青瓷碗、紫色脂棕灰色釉陶瓷。此外还有马牙等。简报推断该墓的相对年代约相当元代。

简报称，上述青瓷碗碟和筒形瓶釉汁莹厚如玉，具有龙泉瓷特色。这种龙泉制品，在当时视为珍品，只有权贵者才能用于随葬，或因特殊事变而将它深埋珍藏。

914.湖南省岳阳市郊毛家堰——阎家山周代遗址发掘简报

作　者：岳阳市文物工作队　符　炫、张必武
出　处：《文物》1993 年第 1 期

毛家堰、阎家山位于岳阳市北郊梅溪乡延寿村，南距市区 2.5 公里，北距城陵矶 2 公里。阎家山高约 50 米，毛家堰高约 41 米，两地相隔 300 米，原均属古洞庭湖范围。1989 年 5 月，在此基建时发现古文化遗址，考古人员对此进行了抢救性发掘。简报配以照片予以介绍。

据介绍，两发掘区共发现灰坑 21 个（其中毛家堰仅 1 个），灰沟 1 条。出土的器物以陶器为主，另有部分砺石出土。陶器种类有鬲、甗、鼎、豆、盆、盂、罐、瓮等。

毛家堰、阎家山遗址按分期简报推断年代为：一期为西周晚期；二期为西周晚期至春秋早期（即两周之际）；二期为春秋早期；四期为春秋中期或早期偏早；五期大体相当于春秋晚期或更晚一些。

简报称，毛家堰、阎家山遗址具有楚文化风格。出土的生产工具从数量到种类均少而单调，在岳阳市洞庭湖东岸及芭蕉湖东岸的周代遗址中也存在类似的情况，原因有必要作进一步的研究。

常德市

915.湖南临澧古遗址普查报告

作　者：湖南省文物普查办公室、湖南省文物考古研究所　王文建、刘　茂
出　处：《考古》1988 年第 3 期

1984 年 11 月，湖南省文物普查办公室选择临澧县进行全省文物普查试点。经过省博物馆以及各地、县 40 余名专业人员 1 个月的调查，共发现先秦时期遗址 105 处，战国、两汉墓葬 67 处约 500 座，宋元窑址 12 处，明清碑刻 22 件，明清建筑 5 处。1985 年 4 月，先秦遗址的资料已经过全面整理，重点遗址也经过复查。

简报分为：一、地理环境与遗址概况，二、大坪溪文化遗存，二、屈家岭文化遗存，四、"龙山"早期阶段文化遗存，五、商时期遗存，六、楚文化遗存，七、结语，共七个部分予以介绍，有手绘图、拓片。

据介绍，临澧县位于湘北澧水中游，东、北界澧县，南接常德、桃源，西邻石门，面积 1428 平方公里，澧水及其支流道水分别在南北两部流贯。临澧地处湘西山地与洞庭平原的交接地带，境内大部分地区为丘陵，仅澧水以北和道水沿岸有面积稍大的平原。临澧的上述 6 种文化遗存大体分为两种情况：第一种是自前大溪文化至"龙山"阶段文化的发生发展过程。第二种情况是商时期文化和楚文化的发生发展过程。临澧普查所发现的 6 种古代文化遗存，在时代上大体相接。据此，我们可以大致勾画出临澧境内自距今 7000 余年起至战国时期止这五千余年间古代文化的发展脉络。在一个相对狭小的范围之内，发现如此完整的古代文化发展序列，这在湖南省还是第一次。不言而喻，这个发现对于理解整个澧水中下游乃至其他地区的文化发展道路都应有所启示。

简报称，就年代序列的角度而言，临澧六种文化遗存都还有一些关键性的环节需要填补。不过，与湖南其他地区相比，澧水流域的序列工作最为成熟。

916.湖南津市古遗址调查报告

作 者：津市文物管理所 谭远辉
出 处：《江汉考古》1993 年第 1 期

1984 年至 1988 年，津市文物管理所在全市范围（包括省驻津单位——涔澹农场）陆续发现一批古遗址，共 35 处。其中绝大部分是在 1986 ～ 1987 年的文物普查和复查过程中发现的，只有少部分是在配合"三建"工程所进行的文物调查、勘探中发现。

简报分为：一、地理环境及遗址概况，二、皂市下层文化遗存，三、商周时期遗存，四、楚文化遗存，共四个部分，有手绘图。

据介绍，35 处遗址的时代序列为：旧石器时代、新石器时代的皂市下层文化、大溪文化、屈家岭文化、石家河文化、商周时期的土著青铜文化以及西周晚期至战国时期的楚文化。35 处遗址中 5 处旧石器时代遗址及 5 处新石器时代大溪文化至石家河文化的遗址或遗存资料已有专题报道。津市的先秦古文化遗存，除新石器时代初期的彭头山文化外，包含了洞庭湖西北地区现已发现的各阶段考古学文化，基本可连接起自新石器时代早期至战国时期的发展序列。但这个序列并非是环环相扣，一脉相承，还存在若干时代上的断链和谱系上的不断。简报认为，这些都是需要在今后的考古实践和理论研究中重点攻关的课题。

917.湖南澧县出土元明地券

作 者：湖南澧县博物馆 向安强
出 处：《江汉考古》1993 年第 1 期

近年来，湖南澧县相继出土一批元明地券，现收藏在澧县博物馆。简报分为：一、元代地券，二、明代地券，三、几点浅识，共三个部分。

据介绍，元代地券三道，皆为青灰砖朱书。元至元年间地券，青灰方砖朱书；正面券文，为楷书略显行草，自右至左计 12 行，每行 8 至 30 字不等，共 309 字，简报录有全文。另二通字迹均不清。明代地券两件：一为明万历三年（1575 年）万氏地券，一为明万历丁丑年（1577 年）刘氏地券，简报均录有全文。

简报称，几通地券对考察元、明民间信仰、行政区域等均有价值。地券券文不论书写还是刻就，格式皆多种多样：有直行、横行、正一行倒一行，或作盘香式，但一般皆自右至左读，这是比较统一的。明万氏地券为直行自左至右读，这是比较特殊的现象，就目前资料而言，尚不多见。明万氏和明刘氏两道地券的书写狂潦、行文草率奔放，不像出自名家手笔，应是民间不知名的撰写者信手挥就的；地券上的简体字明显多于同代的碑志。因此，这两道地券也是研究书法演变及汉字简化的有用资料。

简报指出，地券和买地券往往混称，然二者实则有别。如元至元年地券和明万氏地券皆写明"谨用钱财买地一穴""九万九千贯文买到阴地一穴"，应为买地券，而明刘氏地券则只能称之为地券。

918.湖南桃源印家岗古墓葬

作　者：常德市博物馆、桃源县文管所　王永彪、王英党、潘能艳
出　处：《江汉考古》1994 年第 2 期

印家岗位于桃源县城南约 1.5 公里处，东距沅水约 1 公里，为一处高出地面 5 ~ 10 米的小山岗，城关粮店修建仓库时发现战国墓 31 座，宋以降各代墓葬 13 座。1991 年 9 ~ 12 月，市、县文物部门进行了发掘清理。

战国墓情况简报分为：一、墓葬形制，二、随葬器物，三、结语，共三个部分，有手绘图、照片。

据介绍，这批墓中空墓占绝大多数，根据墓葬形制和填土，简报推断年代为战国无疑，出土有陶器的墓均属楚墓，和本地区其他楚墓无明显区别。出土Ⅲ形剑的墓，除 1 座为楔形墓外，其余 4 座均为长方形宽坑墓。从整个墓群来看，简报认为无论楚墓或是出Ⅲ形铜剑的墓在整个墓群中所占比例相当，这批墓葬究竟何种文化属性处于主导地位亦难判明，一切有待新资料的发现。

919.湖南桃源县二里岗战国西汉墓葬发掘报告

作　者：常德市文物工作队　席道合、刘廉银
出　处：《江汉考古》1995 年第 2 期

1987 年桃源县修公路时发现古墓，考古人员进行了抢救性发掘，共发掘战国墓 8 座、西汉墓 11 座。墓葬因修路将山岗推平而使墓坑上部遭到不同程度的破坏，大部分墓葬残深不足 1 米，少数残深 1 至 2 米。共出土器物 131 件，修复 70 件，类型有陶器、铜器、铁器和滑石器四类。

简报分为：一、战国墓葬，二、西汉墓，三、结语，共三个部分，有手绘图。

据介绍，战国墓分两类：一类随葬品以日用陶器为主，时代为战国早期，共 6 座；一类随葬品以仿铜陶礼器为主，时代为战国中期或稍晚，共 3 座。11 座西汉墓陶器组合可分为三类：第一类为仿铜陶礼器的鼎、盒、壶、豆，或缺少其中 1 ~ 2 种器类，或增加匕、勺等，这类组合的墓 4 座（M2、M11、M14、M18），其时代应

为西汉早期。第二类组合为鼎、盒、壶、方壶，外加罐、熏炉等生活器皿，这类组合的墓有三座（M3、M4、M5），其时代应为西汉早期后段或西汉中期。第三类组合在第二类组合的基础上增加了灶、井、泥金饼等模型器，这类组合的墓有3座（M6、M10、M17），其时代应为西汉晚期。

920.湖南津市花山寺战国西汉墓清理简报

作　　者：津市文物管理所　罗敏华
出　　处：《江汉考古》2006年第1期

2000年4月，为配合津市新洲镇在花山寺进行的取土工程，考古人员进行了抢救性考古清理发掘，共清理战国到西汉早期墓葬12座，其中M1和M12已挖毁殆尽，随葬品不存。M10为空墓，无随葬品。保存随葬品的墓9座，均为竖土坑穴墓。此次发掘出土器物70余件，根据器物形态分析，有3座应属战国墓，余为西汉墓。

简报分为：一、战国墓葬，二、西汉墓葬，三、结语，共三个部分，有手绘图。

据介绍，战国墓棺椁已朽，未见膏泥，三墓共出土器物16件，均为陶器。简报推断，M4、M8两墓的时代为不晚于战国末期。M9为战国早期墓。西汉墓6座，M11、M3、M2这3座墓时代最早，应为西汉初年至西汉前期，M5、M6、M7约为西汉早期后段。

张家界市

益阳市

921.湖南益阳战国两汉墓

作　　者：湖南省博物馆、益阳县文化馆　熊传新、盛定国等
出　　处：《考古学报》1981年第4期

益阳县位于湖南省北部，洞庭湖之南，1978年在该县的新桥山和赫山庙发掘了从战国至东汉时期的墓葬共54座，其中新桥山发掘战国墓25座，赫山庙一带发掘战国墓22座，西汉墓4座，新莽墓1座，东汉墓2座。新桥山位于该县西部的新桥河镇附近，东距益阳市区15公里。1978年6月，益阳县氮肥厂在该地兴建厂房，发

现东汉砖室墓一座，考古人员进行了调查，发现在新桥山有古墓葬 60 余座，除个别的为东汉时期砖室墓外，其他都是战国墓。6 月 14 日至 7 月 16 日，对属于基建工程范围内的 25 座战国墓进行了发掘，出土文物 210 余件。赫山庙位于益阳市东南，原为益阳市郊区，后划入益阳县，属天成垸公社。1977 年 6 月至 1978 年 9 月，在赫山庙一带共发掘古墓葬 214 座，出土文物 1000 余件。由于新桥山和赫山庙两地相距仅 20 余公里，为了避免资料的重复，将两地古墓葬合写成报告，对新桥山的 25 座墓葬和赫山庙 1978 年 8 月至 9 月发掘的 29 座墓葬，进行了整理。但在同一时期的墓葬中，如战国时期，则按地点分别叙述。

简报分战国、西汉、新莽、东汉和小结共五个部分，有照片、手绘图。

据介绍，战国墓葬 47 座，其中新桥山 25 座、赫山庙 22 座。均为竖穴土坑墓，葬具与人骨已腐，大多仅有棺无椁，少部分有棺有椁，葬式不明。西汉墓 4 座，为带斜坡墓道长方形竖穴土坑墓。东汉墓 2 座，一为单室墓，一为"中"字形多室墓。据简报推断，战国墓的年代从战国早期、战国中期、战国晚期迟至秦汉之际不等。西汉墓为西汉晚期 M17 迟至新莽时期。东汉墓为东汉中期偏早。

922.湖南益阳县羊午岭古窑址调查

作　者：益阳地区文物工作队、益阳县文化馆　盛定国
出　处：《考古》1983 年第 4 期

益阳县地处湘中，居资水下游，东北部系洞庭平原，西南面为丘陵山地，公路贯穿全境，航运可达长沙及滨湖各地，水陆交通均很方便。1979 年 4 月文物调查时，在本县羊午岭公社发现了古窑遗址线索。7 月，考古人员两次到该公社对古窑址进行复查，先后在羊午岭公社所属的早禾、杨泗、牌楼、高岭等大队发现古窑址 9 处，采集各种瓷器标本和窑具 700 余件，窑址的年代最早为宋代，晚最到明初。简报分为四个部分予以介绍，有手绘图。

据介绍，羊午岭古窑址位于益阳县城东南 15 公里，南面与石笋公社交界。窑址分布在羊午岭与石笋两个公社毗邻的丘陵山地。这里树木茂密，盛产瓷土和釉料。窑址附近有一条古河道与洞庭湖水系相连，上游靠窑址一带已不能通航，现名清溪。下游通过修浚后经烂泥湖注入湘江。窑址保存尚好。

简报指出，湖南生产瓷器历史悠久，历代名窑有两晋南朝到隋唐的湘阴窑（岳州窑）和唐五代的长沙窑。宋元时期的窑址虽曾在衡阳及岳阳鹿角、湘阴乌龙嘴等处发现过，但产品质量较粗，且限于青瓷。羊午岭窑址中除了青釉瓷外，还发现有大量青白瓷和青花瓷。这些青白瓷和青花瓷窑址在湖南尚属首次发现，为鉴定湖南

出土的宋元瓷器的产地提供了新的依据。羊午岭窑址应属于一座规模较大的民间窑。产品造型朴实，多数制作较为精细。由于窑址濒临洞庭湖，水路交通方便，产品除满足当地需要外，还可以远销长沙及滨湖各地。从遗物情况看，青釉瓷和青白瓷的烧造年代应为南宋，下限可到元代。青花瓷的烧制年代为元末明初。

923.湖南益阳市大海圹唐宋墓

作　者：益阳地区博物馆　潘茂辉
出　处：《考古》1994 年第 9 期

1991 年 11 月，益阳地区轴承厂在新建职工宿舍的取土施工中暴露一批古墓，考古人员进行了调查勘探。发现战国墓 3 座，唐宋墓 6 座。墓地位于益阳县赫山庙与益阳市大海圹交界地段的山坡上，南为丘陵山地，北临长益公路，往前是一片开阔的平原，西北距资水约 3 公里。

6 座唐宋墓简报分为：一、墓葬形制，二、随葬器物，共两部分，有手绘图、拓片。

据介绍，这 6 座墓葬，规模小，无墓道，形制简单，长方形土坑竖穴墓。墓室浅窄，有的一端大一端小。除 M5 在施工中遭到破坏以外，其余保存完整。墓葬均已无封土，墓口遭到扰乱。墓内填土为原坑土回填，土色杂，部分呈灰色，土质松软。葬具和尸骨均腐朽无存，仅见锈蚀的铁棺钉散于墓底。6 座墓共出土器物 33 件。其中青瓷器 19 件、釉陶器 1 件、铜镜 2 件、铜钱 9 枚、铁剪 2 把。墓葬中出土的瓷器全系青瓷，且釉色、胎、质亦大体相同，种类有盘口壶、双系罐、璧足碗、粉盒、小盂等，是唐代小型墓葬中常见的随葬品。简报推断，M1、M2 两座墓的下葬时间可能在唐代晚期；M5 中部遭到破坏，经清理有 1 件青瓷盘口壶和 3 枚"开元通宝"铜钱。从青瓷盘口壶来看，也具有晚唐器形的风格。M8 简报推断属于北宋晚期墓葬。

郴州市

924.湖南郴州市马家坪古墓清理

作　者：张中一
出　处：《考古》1961 年第 9 期

1959 年 12 月上旬，郴县专署文物工作队在郴州市马家坪清理了楚墓 3 座，东汉六朝墓 3 座。简报配以手绘图、照片予以介绍。

据介绍，楚墓均为长方形小土坑竖穴墓，方向正南北。1 号墓随葬物分布在墓室的头部，有圆形陶罐 1 件，和长沙早期楚墓出土的壶、钵大体相同，故此墓简报推断应为早期的楚墓。2 号墓和 4 号墓两墓皆有鼎、敦、壶成组的出现，和长沙楚墓中、晚期的主要特点相同。2 号墓出土的铁剑、规矩纹铜镜、陶盘和 4 号墓出土的矮圈足陶豆，也是楚墓晚期的遗物。故此二墓应为晚期的楚墓。东汉、六朝墓皆为砖室墓，但已遭破坏。六朝墓 2 座。出土有陶器、铜器，此外有五铢钱数十枚，部分系剪轮钱。

简报称，郴州市位于湖南南部，接近广东，这次发掘的墓葬，对研究湖南和广东的文化关系，有着一定的参考价值。

925.湖南资兴隋唐五代宋墓

作　者：湖南省博物馆
出　处：《考古》1990 年第 3 期

1978 年 9 月至 1980 年 12 月，考古人员在资兴县发掘了 586 座古墓葬，其中春秋墓 47 座，战国墓 80 座，东汉墓 107 座，两晋南朝墓 29 座，已先后在《湖南考古辑刊》第一辑，《考古学报》1983 年第 1 期，1984 年第 1 期和第 3 期发表。这批墓葬为隋唐、五代、宋墓，共 18 座墓的资料。

简报分为：一、隋唐墓，二、五代墓，三、宋墓，共三个部分，有手绘图。

据介绍，隋唐墓 16 座，这批墓葬从形制和出土器物看，简报认为属于隋唐时期的墓葬，M87 墓是在墓葬形制上较多保留南朝遗风的隋初墓葬，M181 和 M456 为有纪年唐代墓葬。五代墓仅 1 座，出土器物 23 件。宋墓 2 座，简报推断为北宋墓。

926.湖南郴州先秦时期遗址调查

作　者：郴州地区文物事业管理处　龙福廷
出　处：《考古》1993 年第 11 期

1985 年至 1987 年，考古人员对郴州所辖的 11 个县（市）进行了一次全面的文物普查，取得了丰硕的成果。尤以古文化遗址收获甚大，共发现各类文化遗址 16 处，其中先秦时期遗址 77 处。

简报分为：一、地理环境，二、文化遗存，三、年代，四、结语，共四个部分，有手绘图，后附表格，列举了 77 处先秦遗址的基本信息。

据介绍，郴州地区地处湖南省的南部，面积 2 万多平方公里，位于湘江的上游，在湘、粤、赣三省交界处。河流密布，遗址大多保存不好。简报将遗址分为四类。年代为新石器时期、商代、西周、东周不等。

简报称，几何形印纹陶始于新石器时代晚期，盛于商代、西周，衰退于东周。早晚的演变、发展关系较明显。纹样种类丰富，达 30 多种。发现含有印纹陶的遗址占郴州地区现已发现遗址总数的 52%，是郴州地区先秦文化遗址的一大显著特征。创造当地土著文化的先民，应是百越民族。

永州市

927.湖南祁阳长流村出土宋元瓷瓶

作　者：杨仕衡
出　处：《考古》1988 年第 5 期

1986 年 9 月，祁阳长流村一农民在村后土坡取土时，挖出瓷瓶一对，别无共存器物，也无墓葬痕迹。这一对瓷瓶已收藏在祁阳县浯溪文物管理所。简报配以照片予以介绍。

据介绍，两只瓷瓶都是圆口、长颈、尖顶盖、深腹、平底、矮圈足。颈、腹部都有模塑的人物、动植物装饰，盖与颈内部都有几道弦纹。外表釉色白中泛青，内壁为白色。通高 40 厘米，口径 10 厘米。

这种瓷瓶流行的时间较长，简报推断大体可以确定在宋元时期。

怀化市

928.1990 年湖南溆浦大江口战国西汉墓发掘简报

作　者：怀化地区文物工作队、溆浦县文物管理所　向开旺、田云国
出　处：《考古》1994 年第 1 期

据实地调查，湖南溆浦县大江口有战国及汉墓千余座。20 世纪 70 年代初，湖南省维尼纶厂在此建厂，使相当一部分墓葬受到破坏。1978 年以来，在该厂基建工地及农民烧砖窑的场所共清理了百余座战国和汉代墓葬，大部分资料未及整理。1990

年 3 月，省维尼纶厂电石厂新建变电站用房，考古人员对其征地范围内的古墓葬进行了抢救性发掘，至 7 月底共发掘战国墓 4 座，西汉墓 9 座。

简报分为：一、战国墓，二、西汉墓，共两个部分，有手绘图、拓片、照片。

据介绍，溆浦县位于湘西边陲。西汉时为义陵县，并为武陵郡治。大江口位于县西 30 公里的沅水中游溆水流入沅水的汇合处。这次发掘的 9 座墓葬，形制均为长方形竖穴土坑墓，其中 3 座规模较大，并有墓道，坑底一般有枕木沟。随葬器物数量和种类较多，陶器组合均为鼎、盒、壶、钫或鼎、盒、壶、钫、锺，伴出罐、镳、壶、灶、釜、甑、井、吊桶等冥器。其中有 5 座墓出土的鼎、盒、壶、钫、锺成偶数，个别器物出有 3 件。印纹硬陶罐有的一墓出土多达 15 件。

从墓葬形制、规模、随葬器物组合分析，这批墓葬年代简报推断应在西汉晚期。

简报称，墓内出土滑石器 30 件，与溆浦城郊出土的上百件滑石器一起，真实地反映出湘西的地方特色。这些滑石器不仅是很好的工艺品，而且对研究湘西地区古代各族人民的生活习俗，无疑是一批重要的实物资料。

929.湖南靖州县团结村战国西汉墓

作　者：怀化地区文物管理处、靖州县文物管理所　向开旺、曾志鸿、胡　瑜
出　处：《考古》1998 年第 5 期

1985 年，考古人员在靖州苗族侗族自治县进行文物调查时，在江东乡团结村枫树脚砖瓦厂首次发现战国墓葬，并对已暴露的 4 座墓葬进行了清理。1991 年 6 月，在城区发掘宋代遗址时又清理 3 座西汉墓。1994 年又在同一地点清理了 2 座西汉墓。

简报分为：一、战国墓，二、西汉墓，三、结语，共三个部分，有手绘图、拓片。

据介绍，这次发掘的 5 座西汉墓均为长方形竖穴土坑墓，随葬品数量较多，器类有陶、铜、滑石器等。从墓葬形制、规模及随葬器物组合分析，简报推断这 5 座墓的年代在西汉中晚期。

930.湖南溆浦县茅坪坳战国西汉墓

作　者：怀化市文物事业管理处　向开旺、曾志鸿
出　处：《考古》1999 年第 8 期

溆浦县位于湖南省西部，地处沅水中游。其东临安化，南抵洞口，西毗怀化、黔阳，北邻辰溪等县，湘黔铁路东西向横贯县境。茅坪坳南距溆浦县城 5 公里。1978 年在修建变电站以及农民烧砖取土的过程中，考古人员对该地的古代墓葬进行过抢救性

发掘。1988年3月，因公路扩建又使一大批古墓葬暴露出来，对茅坪坳地段的墓葬进行了清理和发掘，共发掘战国墓20座，西汉墓12座。

简报分为：一、战国墓，二、西汉墓，三、小结，共三个部分，有手绘图、拓片。

据介绍，茅坪坳发掘的12座汉墓均受到不同程度的破坏，其中有2座墓的器物全被压碎而未能取出，有5座墓的器物不全，其余5座墓保存较完整。出土各类器物200余件，可修复的80余件。在这批墓葬中虽未发现纪年材料，但其墓葬形制以及随葬品所反映的时代特征还是十分明显的，简报推断它们的年代在西汉中期至晚期。

简报称，M20随葬器物上百件，仅陶罐就达24件，特别是还出土有成组的青铜器，这在溆浦乃至湘西地区都是少见的，反映出墓主的身份非同一般，可能其经济地位较高，抑或是统治阶级。

娄底市

湘西州

931.湖南湘西自治州境内酉水沿岸古遗址调查

作　者：湘西自治州文物工作队　刘长治
出　处：《考古》1993年第10期

酉水发源于湖北鹤峰县，流经四川，进入湖南，全长477公里。湘西境内为201公里，流域面积为11000平方公里。为配合凤滩水电站建设工程，1973年6月，考古人员对保靖县至永顺县镇溪乡新立村酉水沿岸进行了一次调查。1987年，对自治州境内酉水沿岸普查了一次。先后两次共发现古遗址73处。其中旧石器时代遗址1处，新石器时代遗址2处，商代遗址2处，商代、西周遗址16处，商代、西周、战国遗址7处，商代、西周、战国、汉代遗址1处，商代、西周、汉代遗址6处，商代、战国遗址1处，东周遗址1处，东周、汉代遗址1处，战国遗址6处，战国、汉代遗址6处，汉代遗址23处。

简报分为：一、东洛遗址，二、押马坪遗址，三、柳树坪遗址、瓦场遗址，四、溪口遗址、喜鹊溪遗址，五、庄屋遗址、沙湾遗址，小结，共六个部分，有手绘图。

据介绍，东洛遗址为旧石器时代晚期遗址；押马坪遗址有旧石器、新石器时代两种遗址；柳树坪、瓦场遗址的年代为商代早期；溪口遗址、喜鹊溪遗址分属商周及商周、战国时期；庄屋、沙湾遗址为战国时期遗址。

简报称，通过两次调查，发现湘西自治州境内酉水沿岸古遗址文化内涵丰富。东洛旧石器时代遗址，押马坪新石器时代遗址，柳树坪、瓦场商代遗址的发现为湘西土家族苗族自治州旧石器时代、新石器时代、商代考古填补了空白。

932.湖南龙山县里耶战国秦汉城址及秦代简牍

作　者：湖南省文物考古研究所　柴焕波

出　处：《考古》2003 年第 7 期

里耶古城位于湖南省湘西自治州龙山县里耶镇的酉水北岸，地处武陵山脉的腹心地带。里耶古城最初发现于 1996 年，在此之后，考古人员曾多次进行过考察。2002 年 4 ~ 11 月，为配合水电站的工程建设，进行了大规模的抢救性发掘。这次发掘基本上弄清了城址的大体布局，城墙、城壕和城内、外各种遗迹的关系，以及各个时期的文化内涵。

简报分为：一、地理位置和历史沿革，二、发掘概况，三、发掘意义，共三个部分。有手绘图。

据介绍，为保护现存的汉代城址，对战国和秦代的遗迹仅作了局部清理，从总体上看，两期古城的结构相似，北城墙在汉代经过增修，东西向、南北向大道以及水塘也是前后沿用的，但在建筑布局上变化较大。尤其在战国和秦代，发现数量较多的水井，并保存有相当规模的井台遗迹。此外，简报发现似制陶作坊 1 个。第一期城址最重要的遗迹是一号井（J1）。此井始建于战国至秦代，在秦末废弃，井内最重要的出土遗物是秦代简牍，初步统计达 36000 余枚。简文有 10 余万字，简牍的时代皆属秦始皇统一中国后的秦朝时期，纪年由秦始皇（含秦王政）二十五年（前 222 年）至秦二世二年（前 209 年），一年不少。这批简牍的数量远远超出过去所出秦简的总和。

此外，还在与古城相关的麦茶墓地发掘战国墓葬 200 余座。中心部位墓葬的年代应相对较早。均为小型竖穴土坑墓，随葬品以陶器为主，另有少量铜兵器、铜镜、琉璃器等，这些墓葬简报认为应属楚文化，年代简报推断约在战国中、晚期至战国末期。在麦茶墓地没有发现与里耶古城汉代城址相应的汉代墓葬，而在隔酉水河不远的清水坪发掘了 200 余座规模较大的汉墓，这批发掘材料将对判断里耶古城在汉代的性质提供更直接的资料。

933.湘西古丈河战国、汉墓发掘简报

作　　者：湘西自治州文物管理处、古丈县文物管理所　梁莉莉
出　　处：《江汉考古》2007年第2期

2003年7月和2004年4月，考古人员在古丈县河西镇燕子窝墓地抢救性发掘战国、西汉、东汉墓葬10座，共出土文物110件。其中M8出土的一套仿铜陶礼器，造型庄重大方，彩绘纹样繁缛精细，色泽艳丽，在本地所出的楚式器中实属罕见。M9和M10所出土的器物相似性，表明了在东汉早期竖穴土坑墓与砖室墓之间的并存关系。燕子窝墓地是一处西汉末到东汉初在当地享有名望的家族墓地，出土的部分典型器物，充分展示了这一时期典型器物的演变过程。

简报分为：一、战国墓，二、西汉墓，三、东汉墓，四、结语，共四个部分，有手绘图。

据介绍，墓地位于古丈县城北约14公里，酉水南岸坡地上，东北岸是永顺县王村镇与墓地隔河相望，西距河西镇人民政府所在地约1公里，墓地前是河南村村民住宅地。古丈至保靖公路从村前通过。战国墓3座（M3、M5、M8）的时代，简报推断为战国晚期。西汉墓4座（M1、M2、M4、M6）的时代简报推断为西汉末期。东汉墓3座（M7、M9、M10）的时代简报推断为东汉早期。

简报称，通过这次调查发掘的10座墓的资料整理，可以清楚地看到，这些墓葬中出土的陶器在同一类型的器物中演变的历程：鼎由高蹄足到人面纹矮足演变为乳钉足而消失；壶由高圈足到矮圈足演变为平底壶；井由筒形井演变为水缸而沿用至今。

广东省

934.广东北部山地区新石器时代遗存

作　者：广东省博物馆　莫　雅
出　处：《考古》1961 年第 11 期

1955 年秋，考古人员在从化县发现了 1 处遗址，1956 年又在清远和连平县发现了 28 处遗址。1956 年秋，文物普查时在连平发现遗址 5 处，1957 年四县进行文物普查，发现遗址 99 处。1959 年 3 月，在韶关和南雄发现遗址 8 处。同年秋天，韶关、南雄、乐昌、连阳和英德作文物普查，也发现遗址 16 处。此外曾先后在清远良洞和韶关市的 8 处遗址作了探掘，获得了很多新石器时代的遗物。

根据以上资料和发表过的材料，简报分为：一、地理形势和遗址状况，二、文化遗物，三、结语，共三个部分，配有手绘图、照片、拓片，对广东北部山地区新石器时代遗存作一介绍。

据介绍，广东北部山地区所发现的遗址及其出土遗物，其特点大体与广东中部低地区和东部地区所见的相似，不过这一地区除韶关附近以外，还没有发现夹砂粗陶的文化遗存，比较普遍出土的为几何印纹软陶和硬陶，不见梯形石器，只有很少的有肩石器；有段的石器制作较粗。这大体为主要特征。从调查过的 157 处遗址中看出，这一地区的文化遗存以印纹软陶为主，另有印纹硬陶的文化遗存。西山遗址的地层堆积证实，印纹软陶在下层，硬陶在上层，因而得知前者的遗存时间较早，后者较晚。印纹软陶大体与广东中部和东部地区一样，简报推断时代约相当于殷周，印纹硬陶时代约相当于春秋战国或稍后，其中以夔、雷纹和几种纹饰同印的花纹，以及以方格纹为特征的硬陶较早，而以米字纹、水波纹、篦纹和方格纹为特征的硬陶遗存更晚，约延至汉代。

从出土生产工具来看，这一地区当时的人们大致经营着以农业为主的经济生活，少量的矛、镞和网坠的发现，也表明了渔猎活动还占有一定的地位。在印纹硬陶遗址中，不见或少见石质的生产工具，也许已由其他金属工具所代替。

简报附有"广东北部山地区新石器时代遗址登记表"。

据《考古》1961 年第 12 期《广东东部地区新石器时代遗存》一文报道，1956 年、

1958 年、1960 年，考古人员又多次前往广东东部惠阳、海丰、陆丰、潮阳、汕头、梅县等 18 个县市进行调查与试掘，发现新石器时代、殷商时代、西周、春秋战国各个历史时期遗址 241 处。

935.广东出土的古代陶坛

作　者：曾广亿
出　处：《考古》1962 年第 2 期

广东省博物馆与新会县博物馆所藏文物中，有 6 件造型精美的楼亭人物大陶坛，从釉色和造型观察，可能均为唐宋时物。简报配以照片予以介绍。

这 6 件文物为：

（一）灰陶，胎呈灰白色，表饰薄黄釉。器肩塑龙和 40 多个人物，器盖上塑楼亭小塔等。20 世纪 40 年代在新会河塘乡湾云寺后山出土。

（二）灰陶无釉。形制大致同上。1958 年在新会的古墓中出土。

（三）灰胎黑釉，釉已尽脱。器肩塑龙 1 条和舞乐队 36 人。人物姿态均不相同，有挥手舞蹈的，有弹琴、吹笛的，有张手高呼的，其中有一张口大笑的小童，姿态非常生动。器盖塑楼阁，前后立有 6 个武士。20 世纪 50 年代在广州市郊出土。

（四）淡黄胎黑釉。腹部饰水波纹 2 道和龙 2 条，器肩塑由 7 人组成的舞乐队，分持琴、萧、笛、鼓等乐器。器盖上塑三层塔，塔座上设小龛 6 个。其出土时间地点均同（三）。

（五）灰胎黑釉，釉已尽脱。腹部饰四道水波纹，器身与器腹贴附坐佛 44 个。盖塑四层塔，每层均设四龛，并有 4 至 12 个坐佛。1955 年博罗县古墓出土。

（六）灰陶无釉。造型与（五）基本相同，仅器盖已残缺不全。1956 年三水县出土。

936.广东西江两岸地区古文化遗址的调查

作　者：广东省文物管理委员会　彭如策
出　处：《考古》1965 年第 9 期

1960 年 4 月，考古人员对前高要专区所属 6 个县进行文物普查，在高要、广四、新兴发现遗址及遗物地点 9 处。此外，自 1958 年以来，在该区的怀集、德封、罗定发现遗址及遗物地点 9 处。

除黄岩洞穴遗址另有专文报道外，简报分为：一、地理形势及遗址分布情况，二、遗物，三、小结，共三个部分，有手绘图，对该区的古文化遗址作一综合介绍。

据介绍，原高要专区包括高要、广四、新兴、罗定、德封、怀集等县，位于广东西北部，处于西江下游两岸。南、北、西三面为高山环抱，盆地较多，以高要、怀集和罗定盆地最广阔，只有东面的绥江下游和北江下游之间才有一个较广阔的四会平原。遗址均发现在盆地和平原中的小山岗上或洞穴中，坐落于山岗上的遗址共有 13 处。遗址都距村落很近，但所在位置却高得多。大部分遗址保存情况不好，遗物零乱分布于地表。属于洞穴遗址的共 4 处，发现于罗定、新兴二县的石灰岩洞穴中。洞穴距地表的高度一般在 8 ~ 15 米之间。罗定发现的两处遗址，在洞口附近均有松散或稍胶结的灰黑色堆积，其中含田螺壳、动物骨骼、灰屑和烧骨等，但破坏严重，遗留不多，而且也没有发现石器和陶片。新兴的 2 处虽没有发现上述的堆积，但在地表却采集到印纹硬陶和磨制石器。共有石器 46 件和石片 10 件。其中以锛、镞较多，铲、戈各只有 1 件。石质是板岩和砂岩。制法多为半磨，器身上仍保留有打制的痕迹，通体磨光的较少。简报称，过去广东发现的这类遗址往往出土有青铜器，可能是属于青铜时代的文化遗存，年代大体相当于中原地区的西周至春秋时期，最晚也不会晚于战国。以上这些遗址的发现，对认识广东早期文化遗址的分布范围及其性质特点有一定帮助。

937.广东珠海、汕头出土的元、明瓷器

作　者：广东省博物馆　曾广亿
出　处：《文物》1974 年第 10 期

1969 年 4 月珠海县南水公社渔业大队民兵，在蚊洲岛沙滩冲积层的一个凹槽中发现几件元代瓷碗半露地面，当即进行清理，发掘出青、灰、黄釉碗、碟 212 件。1971 年初，汕头市阀门厂工人，在市郊金沙农机厂前面的沙丘中挖运细沙时，又在沙层中发掘出 64 件明代青花瓷器，有碗、碟、杯、罐、器盖五种。出土瓷器均送交省博物馆保存。简报分三个部分予以调查，有手绘图、照片。

据介绍，珠海蚊洲岛位于南水公社东南约 16 公里，瓷器发现于冲积层第三层黄色细沙层，瓷器的釉色有青、灰、黄三种，从造型、釉色、胎质、花纹等特征，简报推断应该是元代的遗物。

汕头市郊金砂位于市中心东北约 2.5 公里，附近沙丘起伏，青花瓷器集中埋藏在深约 2 米的细沙层中，没有其他遗物伴随出土。出土瓷器 64 件，其中完整的 57 件。简报初步推断这批瓷器为万历年间的产品。

简报称，这些出土文物说明了当时我国海外交通的盛况。

今有王元林先生《中外交通与信仰空间研究》（中国社会科学出版社 2018 年版）一书，可参阅。

938.广东陵水、顺德、揭西出土的宋代瓷器、渔猎工具和元代钞版

作　者：曾广亿

出　处：《考古》1980 年第 1 期

1975 年 7 月，考古人员在陵水县进行文物普查时，在该县里陵村收集到 16 件完整的宋代瓷碗、瓷碟和瓷注水器，据当地人反映，这些瓷器是在里陵村的山坡挖出来的，出土时瓷器分别装在两个大缸内，共 200 多件，大部分已被击碎或散失无存了。1972 年 9 月陵水县咮号公社军普大队三十笠生产队农民在土费田南面的一个低矮土墩开荒时，在距地表一米多深的地层中又发现埋藏有一个高约 80 厘米的青黄釉带盖大瓷罐，内装一百多件宋代瓷碗和瓷碟，当时误认为是近代墓中的随葬物，大部分器物被毁。1973 年 9 月考古人员到陵水县复查重点文物保护单位时，前往生产队调查，并收集到当时出土的瓷器 26 件，随后又去现场进行挖掘清理，在同一地层中收集到当时被击碎的碗、碟碎片 300 多件，能复原的仅 30 多件。1973 年 4 月下旬，顺德县杏坛公社逢简大队第七生产队为了扩大鱼塘面积，在该队拧朦基挖掘堤基，在堤基下面距地表 1.8 米的土层中挖掘出宋代铁制渔猎工具——投枪、鱼镖、箭镞 50 件和铜针、铜刀片各 1 件。同年 5 月上旬，考古人员到现场进行调查并在遗物出土地点进行了挖掘，又采集到鱼镖、投枪各 1 件和伴随出土的宋代灰釉、酱黑釉和青釉划花瓷片一批。1975 年 6 月中旬揭西县五云公社罗洛大队农民彭定怀在该队老麻塘挖堤土时，又在土层中挖掘出 1 件元代"至元通行宝钞"钞版，当即送交公社转送给县文化局保存，8 月间考古人员到现场调查和勘探。简报配以照片介绍了相关情况。

据介绍，海南陵水县出土的两批宋代瓷器，釉色可分白釉、青釉、黄釉、黑釉和灰釉五种。至于元代钞版，为一元"贰贯钞"版。当地有"下营埠""尚书城""皇帝坑""马王坑"等地名，简报推测蒙古大军或在此驻扎过，此钞版或即在元文宗天历二年（1329 年）以后被元兵遗弃。

广州市

939.广东从化县发现古遗址

作　者：麦英豪

出　处：《考古》1961 年第 8 期

1960 年 6 月考古人员在从化县猪牯岭和围仔脑发现了两处文化遗址。简报配图

予以介绍。

猪牯岭遗址位于县西汤塘圩之西 4 公里的围镇村西边，围仔脑遗址位于四九圩东北面的留田村背后。两遗址采集到石器、陶片等。应属同一时代。

940.广州秦汉造船工场遗址试掘

作　者：广州市文物管理处、中山大学考古专业 75 年工农兵学员
出　处：《文物》1977 年第 4 期

1974 年底，在广州市文化局建筑工地挖土中，发现了 1 处秦汉时期的造船工场遗址。从试掘及初步钻探的资料了解到：这是一个规模巨大的船舶工场，有三个平行排列的造船台，还有木料加工场地。古代造船工场遗址在我国尚是第一次发现，而且年代早到秦汉，尤为难得。这个发现对于研究当时船舶规模、造船设备技术水平和交通事业的发展，以及自汉武帝以来我国大型船队从浩瀚的南海远航印度洋一带与东南亚诸国交通往返等方面，都有重要的价值。试掘工作从 1975 年 8 月开始，1976 年 1 月结束。

简报分为遗址位置与地理环境、地层堆积、工场布局和造船台的构筑方法、出土器物、初步推论等几个部分，有照片。

据介绍，造船工场遗址位于市区中心的中山四路北面，西邻儿童公园，东连旧城隍庙（古称高坡），是一块堆积而成的东西长约 300 米的台地，比中山四路高出约 3 米。相传是广州古代三山（即番山、禺山和坡山）之一的禺山所在。清代曾在此建禺山书院。这次试掘和钻探查明，船场遗址层是在地表以下 5 米深处，船场上覆盖的是西汉初年以来所形成的堆积层，并不是一座山。简报认为这个造船遗址始于秦代，汉初文、景年间废弃。

941.广州南越国宫署遗址 2000 年发掘报告

作　者：中国社会科学院考古研究所、广州市文物考古研究所、南越王宫博物馆筹建处　刘　瑞、李灶新等
出　处：《考古学报》2002 年第 2 期

广州市儿童公园位于广州中山四路西段北侧，广州市老城区中心。20 世纪70 年代以来，这一带不断发现南越国时期重要遗迹。1975 年，儿童公园东南广州市文化局大院内发掘秦代造船遗址，覆压遗址的地层上发现一段长约20 米、宽2.25 米，呈东北—西南向的南越国时期宫署走道。1988 年，儿童公园西南方新大新公

司基建工地于地面以下7米多处发掘出用砖铺地面的南越国大型建筑遗迹。1995年至1997年，考古人员于儿童公园东侧和南侧不远的广州市长话分局、市文化局内发掘出南越国大型石筑蓄水池、曲渠等园林遗迹。经国家文物局组织专家论证，认为它们同属南越国时期宫署遗址的御苑遗迹，先后评为1995、1997年度"全国十大考古新发现"。据多年考古工作积累的材料可知，广州市儿童公园内有南越国时期宫署建筑遗迹。以上述南越国时期大型石筑蓄水池、曲渠等人工园林景观等重要遗迹的发现为契机，考古人员于2000年2～5月在广州儿童公园再次进行发掘。

简报分为：一、地层堆积，二、历代遗迹、遗物，三、结语，共三个部分，有照片、手绘图。

据介绍，此次发掘发现房基25座、灰坑33个、沙井18个、墙基29条、水井8个、路6条、沟2条、渠1条、水池1个、灶1个。其中包括大型台基建筑F24、F14。F24为南越国时期建筑，可能不是南越国宫殿区的主要建筑。F14的时代为五代至宋，极有可能是南汉国宫殿建筑。具体年代尚有待进一步考古发掘。

942.广州黄花岗汉唐墓葬发掘报告

作　者：广州市文物考古研究所　朱海仁等
出　处：《考古学报》2004年第4期

黄花岗地处广州东北部，是广州较重要的古墓区之一。1949年以后，随着大规模城市基本建设的进行，广州城区范围不断扩大，这一带的地势地貌也发生了重大改变，由昔日的荒郊野岭变成今日的高楼大厦。20世纪五六十年代曾在这一带发现不少汉代墓葬。但当时的城市建筑基础较浅，不少古墓虽上部结构遭受破坏，但下部墓室仍深埋于建筑之下。80年代后期，尤其是90年代，随着高层建筑的增加，建筑基坑深度加大，致使在施工取土过程中频繁发现古墓。1997～1999年，为配合城市建设，考古人员在先烈中路黄花岗一带先后进行5次发掘，共清理汉唐时期古墓16座，出土遗物近300件。其中西汉墓1座，东汉墓7座，南朝墓3座，唐墓5座。

简报分为：一、西汉墓，二、东汉墓，三、南朝墓，四、唐墓，共四个部分，有照片、手绘图。

据介绍，西汉墓1座，为长方形竖穴单室木椁墓，出土随葬器物58件（套），其中陶器49件、铜器6件、骨饰1件及玛瑙串饰各2件。简报推断为西汉早期墓，墓主当为南越国中小官吏。东汉墓7座，为砖室墓，均遭不同程度破坏，出土随葬器物202件，为东汉后期墓。

南朝墓3座，分别为长方形券顶砖室墓、券顶砖室墓、"凸"字形券顶砖室墓，出土遗物不多。

唐代墓 5 座，分别为长方形券顶分室砖室墓（M12、M16）、长方形券顶单室砖室墓（M13、M15）和"凸"字形券顶砖室墓（M14）。

943.广州市南越国宫署遗址 2003 年发掘简报

作　者：广州市文物考古研究所、中国社会科学院考古研究所、南越王宫博物馆筹建处　胡　建、杨　勇、温敬伟等

出　处：《考古》2007 年第 3 期

南越宫署遗址位于广州市中山四路西段北侧一带。20 世纪 70 ~ 90 年代，在这里多次发现西汉南越国时期的重要遗存，广州市政府为此于 1998 年划定为文物保护区。2000 年，在原儿童公园内试掘清理出南越国大型宫署类建筑。2003 年，考古人员开始对该遗址进行大规模考古发掘。此次发掘的成果极为丰富，清理出西汉南越国和五代十国时期南汉国的宫殿，以及其他不同时期广州地方衙署的多处建筑遗迹，包括房基、道路、水井和排水设施等，同时出土了大量遗物。

简报分为：一、地层堆积，二、南越国遗址和遗物，三、南汉国遗址和遗物，四、其他时期的遗址和遗物，五、结语，共五个部分，有彩照、手绘图。

据介绍，2003 年在 2000 年试掘的基础上，对南越国一号宫殿作了进一步的清理，基本搞清楚了宫殿台基的范围和结构。这次发掘又新发现了二号宫殿、一号廊道和砖石走道等重要遗迹，由此对南越国遗迹的分布范围有了新的了解，而且对宫殿区的布局规划、宫殿的建筑特点等问题也有了一些初步的认识。首先，结合以往清理的石构水池、御苑曲渠和新大新公司地下的铺砖等南越国遗迹的情况可以推测，南越国宫殿区的主体部分可能在御苑曲渠的西部和西北部，分布范围包括今北京路新大新公司附近地区。

简报指出，南越国在宫殿的建筑和布局规划上既模仿了中原地区都城的规制，同时也具有自己的一些特点。遗址中发现了较多的给排水设施，除了地表上的散水和明渠，地下还有陶、木、石结构的地漏、暗渠等设施。联系以往发现的石构水池、御苑曲渠以及与它们相连接的地下木暗槽等分析，显然南越国宫署在营造时非常重视给排水系统的构筑。

此外，此次发现的南汉国一号宫殿规模宏大，正与文献上记载南汉国广建豪奢宫殿的文字相符。南朝、唐、宋、明、清各代建筑遗存，有不少也属首次发现，对研究中国岭南地区建筑，亦有意义。

深圳市

944.深圳市考古重要发现

作　者：莫　稚

出　处：《文物》1982 年第 7 期

深圳是广东省的边境城市，近年来开辟为经济特区。为了配合基本建设，保护地下文物，自1980 年 8 月至11 月，考古人员调查了蛇口工业区、南头、西乡公社、深圳市区、附城、福田、横冈、坪山公社、沙头角、盐田、葵涌、大鹏公社范围内的基建工地。发现了新石器时代中、晚期的遗址7 处；西周至春秋时代的遗址3 处，发掘了盐田小梅沙、南头赤湾村、蛇口鹤地山3 处遗址；清理了战国墓1 座、东晋墓1 座、南朝墓3 座、隋墓1 座、唐墓1 座、宋墓2 座、元墓1 座、明墓7 座、清墓4 座，收集了明、清代土圹墓出土的陶、瓷、玉、银、铜等质料的文物300 多件。

简报分为新石器时代遗址、先秦遗址和墓葬、东晋以后的墓葬，共三个部分，有照片。

简报称，根据考古材料分析，深圳地区从新石器时代起就有人居住了，商周时期其文化内涵与广东、福建一带的印纹硬陶文化有密切关系。东晋以后，直至明清，这里居住的人口越来越多，经济、文化的影响也越来越大。明清墓中出土的江西景德镇瓷器和福建德化窑瓷器，证明当时深圳地区贸易业已十分发达了。

945.深圳古墓中的稻谷遗存

作　者：广东深圳市博物馆　杨耀林

出　处：《农业考古》1983 年第 2 期

1980 年以来，考古人员为配合基建，清理了数以百计的古墓，唐至明清时期墓葬为多，几乎每座墓中必有稻谷。简报配以照片予以介绍。

据介绍，墓中出土稻谷虽已炭化，但保留原形，仍可鉴别其种属。明代以前的谷粒颗粒较小，有皮薄、饱满的特点，当地老农称之为"粘"，属粳稻种属。清墓中的稻谷颗粒大而长，有些还附有谷毛和尾刺，这种稻多属糯的体系。据调查，1949 年前当地居民仍有用稻谷和酒殉葬的习俗，称之为"千年酒，万年粮"。

946.深圳屋背岭遗址发掘报告

作　者：广东省文物考古研究所、深圳市博物馆、深圳市南山区文物管理办公室、
　　　　深圳市文物管理办公室　李海荣、谢　鹏、张冬煜等

出　处：《考古学报》2004 年第 3 期

屋背岭遗址位于深圳市南山区西丽镇福光村北的屋背岭上。屋背岭为一长条马鞍形山岗。1999 年 10 月，深圳市博物馆在深圳市第二次文物普查中发现屋背岭遗址。2001 年 2 月，对屋背岭遗址进行复查，在北顶发现有早期的文化层。同年 4 月至 7 月，对屋背岭遗址进行试掘，清理墓葬 10 余座、灰坑 6 座。试掘中墓葬出土和采集的遗物多为商代的，有陶罐、陶豆、陶钵、陶纺轮、玉矛、石锛、石镞、石环、石料等；另有东周墓葬 2 座，出土铜矛、铜斧、铜剑等；明墓 1 座，出土瓷罐、瓷碗、银簪、铜钱、铁剪等；灰坑中出土有玉玦、石锛、石镞、砺石、陶纺轮，有的灰坑还出土米字纹陶片、方格纹陶片等。2001 年 12 月～ 2002 年 4 月，对屋背岭遗址进行了正式发掘。

简报分为：一、分区、布方及地层堆积，二、遗迹，三、遗物，四、商代墓葬的分期，五、年代，共五个部分，有照片、手绘图。

据介绍，该遗址早期遗存应大体相当于中原地区的龙山文化至夏代的偏早阶段。商代墓葬的年代则可分三期：第一期大体在夏商之际；第二期大体在早晚商前后；第三期大体为晚商。战国时期的 6 座墓葬，简报定为战国中晚期。

珠海市

947.珠海拱北新石器与青铜器遗址的调查与试掘

作　者：广东省博物馆、珠海市图书馆　杨耀林、徐恒彬

出　处：《考古》1985 年第 8 期

根据关闸大队农民提供的线索，考古人员于 1980 年 10 月、11 月，多次到拱北地区反复调查，终于在银海新那工地及新联地产公司车队驻地附近的山坡上，发现了新石器时代和青铜器时代的古文化遗址。

简报分为：一、地层，二、遗物，三、结语，共三个部分，有手绘图、照片、拓片。

据介绍，遗址位于珠海市拱北区的滨海一带，南部与澳门相连，北部距香洲镇约 10 公里，东面隔海与香港大屿山相望。遗址分布较广，由北部的老虎沟至水涧山

的南坡，向南到西瓜铺菜地、银海新邨工地北部和拱北与澳门交界的关闸口，断断续续均有发现，南北长约 1.5 公里。其中老虎沟至水涧山南坡的石器颇为丰富，西瓜铺地面陶片比较密集，边防检查站附近地面有陶片和石器分布，在关闸口发现一件磨制精良的长条形石斧和一件青铜斧。出土遗物有石器、陶器、青铜器。从上述出土文物和地层的不同，证以广东秦以前的考古断代分期材料，简报认为上述地点所出文物，确属两个不同的时期，其中新石器时代遗址已属晚期，距今 4000 多年；青铜器时代遗物约当春秋时期，距今约 2400 年至 3000 年。

简报称，拱北地区发现新石器时代和青铜器时代遗址具有重要的意义，为研究珠江三角洲南端的历史、古地理提供了重要的资料。

948.珠海平沙棠下环遗址发掘简报

作　者：广东省文物考古研究所、珠海市平沙文化科　古远泉、邓宏文等

出　处：《文物》1998 年第 7 期

棠下环遗址位于珠海市平沙区南郊分场马头山东北翼：马尾的东南坡，西南距平沙城区约 3 公里。遗址地势低洼平坦，原是古海湾的一部分，近年围海造田辟为蔗地。遗址南面的马头山海拔 136.2 米，原是古海湾内的一个岛屿，它与东面海拔 144 米的烟墩山互为犄角，马尾则伸入两山之北的海湾中。这一带避风性能良好，地理位置优越。棠下环遗址于 1992 年发现，在地面采集到大量夹砂陶片、青釉瓷片等遗物。取沙使部分遗址遭破坏。据探查，遗址沿马尾东南坡以东北至西南向呈条带状分布，总面积逾 1.2 万平方米。1994 ～ 1996 年，考古人员在这里进行了三次发掘。

简报分为：一、分布及地层堆积，二、新石器晚期遗存，三、商时期遗存，四、结语，共四个部分，有照片、手绘图。

据介绍，新石器遗存多被商文化遗存破坏，出土有彩陶等。商文化遗存中有铸铜石范、玉器出土。遗址出土的数以百计的大、中、小型石网坠，说明当地有着发达的渔业经济。出土的石器有的可能是与珠江口西部上游先民交换而来。

汕头市

韶关市

949.广东韶关六朝隋唐墓葬清理简报

作　　者：广东省文物管理委员会　梁明燊
出　　处：《考古》1965年第5期

1961年7、8月间，考古人员在韶关市河西清理了东汉墓3座、六朝墓6座和隋唐墓9座。

简报分为：一、六朝墓，二、隋至初唐墓，三、晚唐墓，共三个部分，配以拓片、手绘图，先行介绍了六朝以后各墓清理情况。

据介绍，六朝墓共6座，隋至初唐墓3座，晚唐墓计6座。简报附有登记表，列举其编号、墓室结构、墓室尺寸、朝向、出土器物、是否扰乱、年代等。没有确切纪年的墓。

950.广东韶关市郊古墓发掘报告

作　　者：广东省博物馆　杨　豪
出　　处：《考古》1961年第8期

韶关在广东北部。1959年6、7月间，考古人员在该地区清理了东汉、东晋、南朝、唐、宋等时代墓葬17座，获得遗物308件。墓葬分布除二座在韶关市东郊莲花山脚外，余皆在韶关市西面。

简报分为：一、东汉墓，二、东晋墓葬，三、南朝墓葬，四、唐代墓葬，五、宋代墓葬，六、结语，共六个部分，有手绘图、拓片、照片。

据介绍，计东汉初期砖室墓2座、永和三年（138年）墓2座、东晋墓1座。有建元元年（343年）、永和二年（137年）砖。南朝墓9座、唐墓1座、宋墓2座。

简报称，在墓葬结构上，东汉初期墓葬结构简单，且多作长方式，但到了中期则出现有耳室和下水道等设置，变化较多；东晋墓多前室，低棺室一平放砖位，在棺室下端设有下水道；南朝墓内则设似窗的壁龛。宋墓所出二层楼的结构，则是目前广东乃至其他地区仅见。

951.广东始兴县晋、南朝、唐墓清理简报

作　者：始兴县博物馆　廖晋雄
出　处：《考古》1990 年第 2 期

1988 年 4 月，始兴县赤土岭建变电站，现场施工的推土机在推去 3～5 米深的土层后，露出一批古墓葬。考古人员即于施工中进行抢救性清理。

墓葬地位于始兴县城东约 2.5 公里的赤土岭村南百米处，一座由东向西延伸的山地西面坡，分布面积在 1000 平方米内。共清理晋、南朝、唐墓 11 座。编号为始赤电 M1～M11，其中 7 座晋墓（M1、M2、M4、M5、M6、M9、M10）、1 座南朝墓（M8）、3 座唐墓（M3、M7、M11）。

简报分为：一、晋墓，二、南朝墓，三、唐墓，四、结语，共四个部分，有手绘图。

据介绍，1974 年冬，考古人员曾在赤山岭山清理晋到唐墓几十座，后来该县又清理过几十座同一时期的墓葬。这次的简报内容主要是选择与以前同期墓葬不同的特点，加以报告。简报认为特别要说明的是，晋墓出土的罐，有些底部出现压印，拓片效果看，器底像一个"钱币"纹。过去的晋墓出土的罐亦有此印痕发现，但未引起重视，仅作"底内凹"统称而已。印痕中不见有文字或符号痕迹，是代表出产地特征？还是生产窑场的特点？或者是年号之类的印铭？铜镜和铁镜出土时压在铁剪上，可能是一种葬俗的反映。始兴这批古墓葬的发现，对研究广东晋到唐的历史文化增添了新的实物资料。

952.广东乐昌市对面山东周秦汉墓

作　者：广东省文物考古研究所、乐昌市博物馆、韶关市博物馆　邱立诚、古运泉
出　处：《考古》2000 年第 6 期

1987 年，乐昌城南郊河南乡大拱坪村对面山麻纺厂基建工地发现大批古墓。考古人员于 1987 年 6 月～1988 年 1 月进行抢救性发掘，共发掘墓葬 207 座，其中 191 座为东周至秦汉时期墓葬，11 座为晋、唐墓，5 座无随葬品，年代不明。

东周与秦汉墓葬简报分为：一、墓地概况，二、墓葬形制，三、随葬器物，四、结语，共四个部分择要介绍，有手绘图、拓片。

据介绍，根据墓葬形制的特点以及随葬器物的组合，结合一些带文字的典型器物，简报将对面山东周至两汉时期的墓葬分为三期，各期又可分前、后两段。第一期前段共 6 座墓葬，简报推断本段年代为战国时期；后段共 17 座墓葬，简报推断本段年代为战国时期。第二期前段共 53 座墓葬，简报推断本段年代在秦至西汉前期；后段

共 77 座墓葬，简报推断本段年代为西汉后期，即从汉武帝灭南越国时起，至新莽灭亡时止。

简报称，乐昌对面山是迄今为止广东发掘古代墓葬中数量最多的一处，自周秦至两汉，几乎无间断，墓葬形制清楚，出土遗物丰富，为探讨秦统一岭南前后该地区的历史文化面貌提供了极为重要的资料，也为研究这一时期考古学文化演变轨迹树立了标尺。

佛山市

953.佛山专区的几处古窑址调查简报

作　者：广东省文物管理委员会
出　处：《文物》1959 年第 12 期

佛山专区位于广东省的中部珠江三角洲一带，广东省文管会 1957 年 4 月在佛山专区的文物普查中在高明、三水、新会、南海、佛山、中山、番禺等县市发现了 7 处古窑址。简报配以照片、手绘图予以介绍。

据介绍，这 7 处古窑址为：

一、高明大岗山窑址。大岗山是一座圆形小山岗，距高明县三洲乡塘尾村东约一里，北有西江河，岗东约 300 米为灵龟岗，向西越过稻田是光头村。动过土的地方遗物俯拾皆是。采集到的遗物有碟、碗、钵、罐、壶、盆、缸等半陶瓷器、陶器以及匣钵、泥座等窑具，以罐、钵、碗、碟较多，其余只一两件。此窑的年代简报推断不会晚至唐末以后。

二、三水县洞口窑址。洞口属三水县河口区怖心乡，窑址的中心在岗的尽头处约 70 米直径的圆形小岗之南，遗物的分布遍及岗的四周。遗物釉色、胎质器形和烧制法均与高明大岗山的窑址相同，只是器类还没有高明大岗山多，没有发现壶、缸等类器物。估计窑的时代当与高明大岗山窑址相差不远。

三、新会崖门官冲窑址。窑址位于新会古井区崖东乡官冲村之西南约 2 公里的瓦片和碗山上，其西约 600 米便是宋帝赵昺投海的崖门海。瓦片岩是高 6 ~ 7 米独立的小岗，纵 93.6 米，横 78 米，四周为农田所围绕，整个岗都有遗物堆积。这里发现陶瓷器由来已久，但过去人们都认为是宋帝赵昺和其臣属的遗物，不知道这里有窑址，直到 1957 年 4 月文物普查时，这里烧砖的长锋农业社在挖土中发现了几百件较为完整的器物，才知道这里是古窑址。年代简报推断为唐代。

四、南海官窑窑址。窑址位于南海县镇龙圩北面约一公里许的文头岭。文头岭是由西北向东的连绵的山岗，直至镇龙圩为止，在将近镇龙圩处的南边突出一个圆形的约半里长的小山岗，这就是官窑址的所在。距镇龙圩不远是已废的官窑镇。在过去，官窑镇和镇龙圩一带都称为官窑，据当地老人谈，这里命名官窑已久。窑址上面被泥土覆盖着，杂草丛生，有近代墓葬，遗物多已被埋在地表之下，有两座废窑半露出来，一座坐西向东，另一座坐西南向东北，均作长条形，依山势修筑，烟囱在顶端，形式很像目前佛山石湾的陶窑，由于没有进行发掘，详细情况还不清楚。揭开表土，就可以捡到瓷片和窑具。简报推测其年代为晚唐，有可能是南唐政权的官窑。

五、佛山石湾窑址。位于佛山市石湾镇的东大戊岗脚下，简报认为此窑的年代为宋代。

六、中山碗窑迳窑址。窑址位于中山县翠亨乡石门坑村的西北碗窑迳山的西坡脚下。这里四面是山，属五桂山区。碗窑迳山则伸出于群山之外，高 20 余米，成平台状，山下有农田布于周围，前面有小河蜿蜒流过。发现的只有一部分遗物堆积和半座废窑。年代简报也定为宋代。

七、番禺沙边窑址。窑址位于番禺县南村乡市头圩之东约里许的沙边村村后山岗上。这里有五个由北向南连绵的小山岗，均是窑址所在，北面是珠江支流。窑具、瓷片等散布达方圆 0.5 公里，暴露出来的有长方形窑 2 座。简报认为年代是自宋至明。

954.广东佛山鼓颡岗宋元明墓记略

作　者：曾广亿

出　处：《考古》1964 年第 10 期

鼓颡岗是一处平面近似半月形的低矮山丘，位于佛山市澜石镇以东约 1 公里。1963 年 5 月，佛山市博物馆在这里发现古墓。6 ~ 7 月间，考古人员清理了宋墓 3 座、元墓 2 座、明墓 4 座，均分布在鼓颡岗西北面，深度距地面 69 厘米以下，均为土坑墓，遗物仅见陶器、铜钱等。

简报分为：一、宋墓，二、元墓，三、明墓，共三个部分，有照片、手绘图。

据介绍，宋墓 3 座，编号为墓 1 ~ 3，均系小型土坑墓。随葬品中出土黑釉小罐中所装稻谷值得注意。出土时稻谷呈黄色，出土后逐渐变白，手捏即碎。元墓 4 座，编号为 4 ~ 7，均系土坑墓，墓底未经夯打。墓 4、5 清理时墓壁已被毁坏。随葬物共 15 件，墓 6、7 器物均置于墓室中央。火化后的骨灰均装在黑釉小陶罐中，然后将小罐放入大罐，用石灰密封后再放进用麻石凿成的圆筒形大石盒内。墓 4 出土的黑釉大陶罐盖内墨书有至正二年（1342 年）纪年。墓 5 墨书有至正九年（1349 年）纪年。

罐内用淡黄色麻布包着骨灰，麻布保存尚好。明墓4座，编号为墓8～11，均系土坑墓。墓室平面均呈长方形，墓底未经夯打。墓10、11清理时墓壁已残毁。墓8、9随葬物置于墓室中央。四墓均为火葬，骨骸的装殓器具不同。墓8是将骨骸装在黑釉陶罐中，然后将陶罐放入黑釉陶盆内，再用相同的陶盆作盖。墓9是将骨骸装在小白陶罐中，再放入黑釉陶罐内，用石灰密封，最后在盖上复一黑釉陶盆，出土时罐底用二灰砖垫承。墓10与墓9相同，但罐上不再覆盆。墓11则与墓8大致相同，但罐上有盖，且外层的黑釉陶盆器身较大。墓9罐盖内墨书有嘉靖二十七年（1548年）纪年。墓10墨书有成化五年（1469年）纪年。墓11有成化十八年（1482年）纪年。

简报称，这些不同朝代的墓，其共同的特点是均为长方小型土坑火葬墓，死者骨灰装陶罐内，置于墓室中央。随葬器物数量很少，附近装殓骨灰的石盒、陶罐、陶盆外，宋墓仅见黑釉陶罐、稻谷和铜钱，元墓仅见麻布，均未见铜铁器、瓷器和其他较珍贵的器物随葬，可知这些墓葬均属当年的贫民墓。

955.广东佛山市郊澜石唐至明墓发掘记

作　者：广东省文物管理委员会　徐恒彬
出　处：《考古》1965年第6期

1961年考古人员在佛山市郊澜石圩发掘东汉墓的同时，清理了唐、宋、明墓12座（编号为墓7～11、15～21），其中砖室墓1座（墓20）和土坑砖椁墓1座（墓21），因破坏严重或无器物，故从略。

简报分为：一、墓葬形式，二、出土器物，三、时代及其他，配以手绘图等，介绍了其余10座墓葬。

据介绍，这10座墓随葬品极少。M15、M16各置一骨灰陶坛，无随葬品，可能是夫妇墓葬。M18、M7、M8、M10、M17只有两骨灰坛，也应为合葬墓。M9、M11、M19只葬有一坛。M9随葬一坛稻谷，此外，在M8、M11、M17、M18的骨灰坛内，分别放有开元至建炎年号的铜钱。简报称，这种用陶坛作葬具的墓在广东地区相当流行，葬法可能有两种，一是火葬，一是二次葬。这种葬法是把尸体埋葬后，过10年左右，取出骨骸装在瓦缸内或者焚化后装入瓦缸内重新选地安葬。从这次发现的材料看，至迟在唐代后期已经出现了这种葬法，一方面与广东地区雨水多，尸体易保存的自然特点有关，另一方面与佛教和火葬的影响有着密切关系，坛上的莲花纹饰，即是这种情况的反映。

这批墓葬的年代，据简报推断，M7为晚唐。M8、M11、M17、M18为北宋后期至南宋前期。M16、M15应不迟于北宋。M9、M19近于北宋。M10为明墓。

956.广东石湾古窑址调查

作　　者：佛山市博物馆　陈智亮
出　　处：《考古》1978 年第 3 期

广东省佛山市石湾镇，向以生产陶瓷著名。据屈大均《广东新语》，历史上石湾产品"遍二广，旁及海外之国"。陶瓷产量及出口量也曾仅次于江西景德镇而居全国第二位。由于石湾的陶瓷生产有一定的地位，晚清以来，不少人对它作过研究，但关于石湾从什么时候开始生产陶瓷，则众说纷纭，有人认为始于元明，有人认为始于南宋，梁照夔的《石湾陶瓷考》认为始于晋代。1976 年，石湾镇革委会组织编写"石湾镇史"，其中对石湾生产陶瓷的古代窑址，作了较为广泛的调查研究工作。石湾镇古窑址调查情况简报分为三个部分并配以手绘图、照片予以介绍。

据介绍，石湾镇在唐代已经生产陶瓷，以北宋时较为发达。石湾历代都没有设立过官窑，是比较纯粹的民营陶瓷生产基地。石湾从唐代开始生产陶瓷以后，元代稍为衰落，明清时期又有了新的发展，陶瓷生产几乎没有间断，至今还未发现过有生产传世的所谓阳江窑产品的窑址。

简报称，关于石湾窑的创建始自明代的误解，大概是由于石湾从明代才开始生产美术陶瓷，并因此受到人们注意的缘故。

957.广东南海县西樵山遗址

作　　者：广东省博物馆　何纪生
出　　处：《考古》1983 年第 12 期

广东南海县西樵山新石器时代遗址 1958 年发现以来，国内外考古界很重视，发表过一批考察和研究文章。但研究资料主要得自调查（仅第十地点和第十一地点作过小规模探掘），内容比较单纯，大都是石片和石器，陶片很少。镇头（第七地点）和太监岗的贝丘遗址没有发掘，其他生活遗迹更未发现，这就影响了研究的深度和广度。考古人员在西樵山进行了几次调查，并在三个地点作了发掘。

简报分为：一、锦岩遗址，二、镇头（第七地点）贝丘遗址，三、富贤村遗址，四、几点认识，共四个部分予以介绍，有手绘图等。

据介绍，锦岩遗址在西樵山中部云路村北面，位于铁泉峰和燕巢峰之间山坡上。发掘表明，此地在新石器时代曾被作为采石场，附近还有打制石器的制作场所。镇头又称象岗，编号第七地点，遗址在山冈西坡，遍地石片，间有打制和磨制的双肩石器、硅质岩石球、砂岩磨石等。富贤村在西樵山南面，遗址在村北冲积扇上，编号第十一地点。

简报称，西樵山遗址的年代延续较长，新石器时代中期后段是其年代上限，新石器时代晚期兴盛，可能到青铜时代早期——珠江三角洲地区是西周前后，之后的遗址就见不到西樵山出产的石器了。

958.广东南海县灶岗贝丘遗址发掘简报

作　者：广东省博物馆　何纪生
出　处：《考古》1984 年第 3 期

1978 年春，考古人员在南海县九江公社大同墟灶岗发掘了一处新石器时代晚期的贝丘遗址。在 134 平方米范围内，发现了住房遗迹、灰坑和墓葬，出土石器、骨器、陶片以及兽骨、鱼骨和鳖甲等。

简报分为：一、地理环境和地层堆积，二、遗迹，三、遗物，四、结语，共四个部分予以介绍，有拓片。

据介绍，灶岗是一座高约 20 米的土墩，位于南海县城（即佛山市）西南 16 公里。北依西樵山，东有顺德水，西有西江。灶岗附近还有些土墩，其上也往往发现贝丘遗址。

灶岗遗址共发现 69 件石器和石制品，20 余件骨器。其中敲砸器、尖状器和鱼刺可用于敲凿、挑食贝肉，矛、镞用于渔猎，石锤和砺石等用于制作工具，环和璜是装饰品，它们占总数百分之四十。数量最多的是锛、斧、铲，占总数百分之六十。灶岗遗址发现的三处住房遗迹都相当简陋，一片泥地、一个火堆或火塘以及稀疏的柱洞，估计用树枝、青草搭盖，聊避风雨而已。灶岗遗址发现一批"灰坑"，类似的洞穴也见于河者和螺岗等地。灶岗发现 6 座墓葬，与河宕、金兰寺中层的墓葬基本相同。死者都埋在贝壳层中，无墓圹或墓圹不明显。流行单人仰身直肢葬，大多数没有随葬品，有者也仅一两件。不同之处是后者有一些二次葬。

从以上灶岗和其他同类型遗址所反映的经济生活和社会习俗看，这些先民还处在原始社会晚期。简报认为它们应是先越族的遗存。从出土遗物看，灶岗遗址简报推断其年代在西周晚期至春秋。

959.广东南海市鱿鱼岗贝丘遗址的发掘

作　者：广东省文物考古研究所、北京大学考古系实习队　李子文、李　岩
出　处：《考古》1997 年第 6 期

鱿鱼岗遗址位于南海市西南约 20 公里的百西乡水边村北，东北距广州约 40 公里。遗址东南 7 公里是著名的西樵山，珠江主流西江于其西南约 3 公里处流过。

鱿鱼岗是珠江三角洲平原上的一处低矮岗丘，因岗地上暴露有大量的贝壳（俗

称蚬壳），故当地村民又称之为蚬壳洲，遗址现存面积约18000平方米。1982年春，在文物普查中发现该遗址，并采集到陶片、石器等遗物。1985年秋，考古人员对该遗址进行了发掘，发掘面积255平方米，清理了一批几何印纹陶时期的墓葬和灰坑、房址等遗迹，出土遗物较为丰富。

发掘的主要收获简报分为：一、地层堆积物，二、遗迹，三、出土遗物，四、结语，共四个部分，有手绘图、拓片。

据介绍，鱿鱼岗贝丘遗址文化内涵较为丰富，同时还清理了36座墓葬。简报推断鱿鱼岗遗址的年代约在石峡文化晚期至夏商之际，而且从釜、豆等器物的形制演变观察，其两期遗存前后大致相接，年代上无大的间隔。简报称，鱿鱼岗遗址的发掘，为建立和完善珠江三角洲史前文化编年提供了新的材料和依据。

960.广东南海市西樵山佛子庙遗址的发掘

作　者：广东省文物考古研究所、南海市博物馆　冯孟钦、卢筱洪
出　处：《考古》1999年第7期

佛子庙遗址发现于1958年，当时编为西樵山遗址群第七地点。1994年8月初，为配合南海市西樵旅游度假区西樵山环山公路的建设，考古人员对该地点进行了考古勘探和复查，发现遗址面积达4000余平方米，且地层堆积较好。同年9月至10月初，选择堆积较好地区进行了正式发掘，取得了一批重要资料。

简报分为：一、地理位置与地层堆积，二、出土遗物，三、结语共三个部分予以介绍，有手绘图、拓片。

据介绍，西樵山遗址群自1958年发现以来，曾进行过多次发掘，唯此次才发现了双肩石器的原生文化层。从发掘情况看，简报认为佛子庙遗址作为石器制作场，使用时间从新石器时代延续到青铜时代（约相当于中原商周时期）。经过初步分析，简报推断，文中报道的第6、7层出土遗物，其年代上限应在新石器时代晚期偏早阶段，而下限则约相当于中原商周时期。

961.广东三水市银洲贝丘遗址发掘简报

作　者：广东省文物考古研究所、北京大学考古学系、三水市博物馆　李子文
出　处：《考古》2000年第6期

银洲贝丘遗址位于三水市白坭镇东南约6公里处，北距市府所在地西南镇约15公里，坐落在银洲村东侧一座孤立的椭圆形岗丘上，当地村民称其为豆兵岗。岗地海拔17.7米，周围是平坦开阔的西江、北江冲积平原，相对高度约15米，西江河从其西

面约 3 公里处自北向南流过。遗址范围遍及整个岗地，并从东坡、南坡一直延伸到岗底平地，面积约 35000 平方米。由于村民平整土地和兴建房屋，文化堆积受到部分破坏。1983 年，在文物普查时发现该遗址，并采集到几何形印纹陶器、石镞、陶纺轮等遗物。1992 年 1 月至次年 1 月，对遗址先后进行了两次发掘，初步弄清其文化内涵和聚落布局。1993 年底又对遗址居住区进行第三次发掘，1995 年初在遗址西坡和东面岗底平地对贝壳堆积富集的地点做了系统的柱状取样工作，以进一步获取关于遗址的兴废变化和周围环境对居民生活的影响等方面的资料。

简报报告前两次发掘的主要收获，分为：一、地层堆积，二、文化遗迹，三、出土遗物，四、结语，共四个部分。

据介绍，通过两次发掘，在丘岗的顶部发现了埋葬死者的墓地；岗顶外围近岗坡处清理出房址、柱洞和灰坑等生活遗迹；丘岗四周的坡地以及坡底平地，是以贝壳、陶片为主要包含物的堆积，即是人们倾倒日常生活垃圾的地方。因此，简报把遗址划分为墓地、居住区和垃圾弃置区。银洲遗址的年代简报推断约在石峡文化晚期至商代早期之间，而且三组遗存在时间上前后衔接，年代上没有大的间隔。

江门市

962.广东新会官冲古代窑址

作　　者：广东省文物管理委员会、广东师范学院历史系　　曾广亿
出　　处：《考古》1963 年第 4 期

1961 年 7 月，考古人员在新会官冲瓦片岩和碗山进行古窑址复查发掘工作。发掘工作从 7 月 27 日至 8 月 10 日，共发掘探沟四条、残窑一座，出土遗物甚丰。简报配以手绘图予以介绍。

据介绍，瓦片岩和碗山在很早就有古代遗物发现，直至 1957 年 4 月省文管会在该地进行调查时才知道该地为古窑遗址（见《文物》1959 年 12 期）。近年来又先后作过数次复查。复查时所采集的遗物和这次发掘材料一并综合整理。

瓦片岩和碗山古窑址均位于新会古井官冲村之西南约 2 公里。瓦片岩又名碗碟埔，是一个独立而低矮的小山岗，海拔仅约 15 米。岗顶西北已被开垦种植，遗物主要散布在东南面一带；其正西的一角地势略高，从断层观察遗物堆积厚达 1.5 米多。遗物种类有碗、碟、豆、杯、盆、罐、网坠、范母和碗、碟外范等。碗山在瓦片岩之南，相距约 100 米。此山范围较大，地势略高，山坡平缓，海拔 5 ～ 30 米不等。遗物主

要散布在山之西北,范围约 250 米×100 米。遗物种类与瓦片岩遗物相同,惟范母和碗、碟外范数量很少。在正西北山风断崖交界处,暴露出一座古窑,可惜窑顶与窑门已受破坏。简报进一步推测此处窑址,自唐代至北宋一直继续烧造,不过到北宋时的制瓷方法还继承着唐代的传统风格而已。

湛江市

茂名市

963.高州县旧城"陈仓米"的初步调查

作　者:广东省湛江地区博物馆　阮应祺
出　处:《农业考古》1984 年第 1 期

广东省今高州县长坡公社旧城大队(原电白郡旧址内)社员冯敏元家地下发现有窖藏陈米,分布面积约 70 平方米,从地表挖下约 1 米,可见一层被烧焦的梁木桶条和部分木炭,厚约 0.3 米。下面即是已炭化的大米堆积,中心处厚约 1.5 米。米粒绝大多数完整,已全部炭化,呈黑色,握之即碎,但煮之越来越硬,如沙子不可嚼食。冯敏元祖父修理旧屋时偶然发现此物,此后祖孙三代不断挖取,至今已挖 1 万余市斤,约占堆积面积的七分之一,估计总储藏量在 8 万至 10 万斤左右。陈仓米挖出后,经洗净晒干,颗粒完好,不作食用,全部卖给中药店作药用。据冯敏元说,煎水服之,可治大热症、肺炎,对肺结核病亦有一定疗效。

据介绍,此处陈米经鉴定为灿型稻,应为明以前遗存,是否为《高州府志》所记"冼夫人陈仓米",尚待研究。

肇庆市

964.广东高要晋墓和博罗唐墓

作　者:广东省博物馆　杨　豪
出　处:《考古》1961 年第 9 期

1960 年 1 月,广东省博物馆在高要的北门披云楼城脚发掘了一座东晋墓,又在博罗白石坳屋背发掘了一座初唐墓。

简报分为：一、高要东晋墓，二、博罗初唐墓，共两部分予以介绍，有照片。

据介绍，高要东晋墓为"凸"字形券顶砖室墓，全墓分主室、前室和甬道三部分，墓内棺具与人骨皆已腐朽，残留铁棺钉8枚，随葬品多为陶器。这座墓主室高于前室，带承拱的结构，及所出土的陶砚、杯、碗、罐等随葬品的形制，均与广东韶关西河发现的"建元"至"永和"年间的东晋墓中所见的相同。前室设置砖台，在长沙东晋墓中亦有发现。因此，这座砖墓简报推断是东晋时的墓葬。

简报称，博罗初唐墓是砖室墓，用长方形和长方刀形砖砌成。这座墓是双室墓，由两座平行的长方形墓室构成。墓室形制相同，平面均为长方形。墓内葬具与人架皆已腐朽。随葬品均为陶器。这座墓有主室高于前室，前室带阶梯，后壁设壁龛，在龛里放置砖雕像等特点。这座墓出土的陶器，表施青釉，均不到底，陶碗中釉下带暗花，都是唐代所常见。但双室合葬，两室交壁间设通道，墓室内有壁龛，龛中放置陶杯等形制，则是广州唐墓较少见，而为南朝时普遍流行的，所以该墓的时代应属初唐。

惠州市

965.广东博罗银岗遗址发掘简报

作　者：广东省文物考古研究所　古运泉、李子文、邓宏文等
出　处：《文物》1998年第2期

银岗遗址位于广东省博罗县龙溪镇银岗村南，东距县城22公里，东江于其南面约2公里处自东向西流过。遗址由河谷平原上7个东西向相连的低矮岗丘组成，面积达10余万平方米。遗址四周围地势平坦，水网密布，低洼处常积水成塘，当地俗称这里为"七星伴月"。银岗遗址于20世纪80年代文物普查时发现，1996年11～12月，考古人员对该遗址进行了首次发掘。发掘地点选在遗址中部的瓦片岭和松古岭。

简报分为，一、堆积层位和分期，二、第一期遗存，三、第二期遗存，四、结语，共四个部分，配以照片、手绘图，先行介绍位于松古岭西坡Ⅱ区发掘的主要收获。

据介绍，银岗遗址第一期遗存的年代，简报推断为西周、春秋时期；第二期遗存的年代为战国时期。简报指出，银岗遗址既出土了大量的罐、碗、钵、杯、盒、鼎、豆、釜、盂、瓶等日常生活器皿，也出土了瓦类建筑材料和陶塑动物，同时还出土了一批陶拍、垫等制陶工具和铜、铁器。遗址内涵丰富，对于研究先秦时期东江流域乃

至整个岭南地区的制陶业和当时的社会、经济发展状况，探讨岭南地区先秦文化面貌、特征、谱系及其与赣江、鄱阳湖流域和东南沿海地区的关系，都提供了新资料。

梅州市

966.广东梅县大埔县考古调查

作　　者：黄玉质、杨式梃
出　　处：《考古》1965 年第 4 期

1962 年 9 月初，考古人员前往粤东地区的梅县、大埔县进行考古调查，在一个月内，先后共发现古文化遗址和遗物地点 46 处。

简报分为：一、地理形势及文化遗存分布，二、遗物，三、小结，共三个部分，有手绘图、拓片。

据介绍，梅县和大埔县位于粤东北，两县东西毗连，地理形势大致相似，都是群山环抱、丘陵连绵、河溪纵横的多山地区，平地和盆地不多。采集到的遗物有石器 100 多件、陶器以及玉饰 2 件等。后附有"登记表"。简报未提及遗址的具体年代，甚至是一种文化还是两种文化，都认为尚待研究。

967.广东梅县市唐宋窑址

作　　者：杨少祥
出　　处：《考古》1994 年第 3 期

梅县市位于广东省东北部山区，唐宋时为梅州地。近年来，在市水车区和瑶上区发现了数座唐宋窑址，考古人员曾进行过多次调查。为进一步了解窑的结构和瓷器类型，1984 年 1 月，对两地窑址有选择地进行了发掘。

简报分为：一、窑址及出土遗物，二、窑的年代，三、结语，共三个部分，有照片。

据介绍，在发掘的梅县市三座窑炉中，瑶上区宋窑平面呈长条形，依山势构筑，窑内有隔墙，除窑底坡度较大外，结构与潮州笔架山宋窑大致相同，同属于分室龙窑。值得注意的是水车区两座唐窑，结构虽然与广东潮州南郊、新会官冲等地唐窑一样，同属椭圆形馒头窑，但窑内结构却有明显的差别。如过去发现的唐代馒头窑平面前窄后宽，窑室平底，火膛较小，而水车区窑则恰好相反，平面前宽后窄，窑床底作斜坡式，火膛大且前端开有小火门。这些改进，对促进瓷器的产量和质量起到了积极的作用。水车区唐窑和瑶上区宋窑的产品，不少在造型、花纹、装烧方法上，与浙江越窑和河北定窑有相似之处。

简报称，梅县市发掘的3座瓷窑，均无史料记载。水车区两座唐窑，从出土遗物看，瓷器造形简朴，一般不饰花纹，续承了广东早、中期瓷器纯朴的作风。在制瓷技术上，瓷器胎质坚硬，施满釉，釉层厚而均匀，比唐代早、中期瓷器简单施半釉，釉层不均，多带泪痕有着明显的进步，瓷器除了有饼形足外，还出现了壁形足和宋代流行的圈足，其中Ⅲ式碗除胎质较坚硬外，器形、釉色与潮州北郊窑上埠窑同类器物完全相同，简报推断其年代应为唐代晚期。

968.广东五华县仰天狮山遗址发掘简报

作　者：广东省文物考古研究所、五华县博物馆　李子文
出　处：《考古》1998年第7期

仰天狮山位于五华县华城镇姜公村西北，东南距县城所在地水寨镇约25公里。遗址坐落在仰天狮山（当地亦称为"周公坳"）的西坡，五华河及其支流从遗址的西面、南面和东面流过。1982年秋，五华县文物普查队在调查中发现了该遗址，并采集到陶器、石器等遗物。1993年4月，为配合广梅汕铁路建设，考古人员对该遗址的施工地段进行了抢救性发掘。此次发掘面积共300平方米，获得了一批商周时期的文化遗物。

简报分为：一、地层堆积与墓葬，二、文化遗物，三、结语。

从陶系、纹饰、器形等方面观察，简报推断仰天狮山早期遗存年代约在商时期的较早阶段；仰天狮山晚期遗存文化特征与早期遗存迥然相异，其年代普遍认为属于西周至春秋时期。

简报称，仰天狮山遗址地处相对高度约60米的山坡上，本次发掘发现了3座土坑墓，而且第1层和地表采集的陶器也比较完整。结合遗址周围的环境考察，简报认为该遗址可能不是当时人们的生活居址所在。

汕尾市

969.广东海丰县发现玉琮和青铜兵器

作　者：杨少祥、郑政魁
出　处：《考古》1990年第8期

海丰县位于广东省东南部，西面是惠东县，东面与陆丰县相邻，南临大海，海岸线较长。1984年，先后在回埭镇和鲘门镇发现了一些玉器和青铜兵器。简报配以

手绘图、照片予以介绍。

据介绍，1984 年 4 月，回垅镇居民在镇东北面约 0.5 公里的三舵挖贝壳时，在 4 米多深的贝壳层中，挖出了 4 件玉器。经调查，出土地点无其他遗物。玉器包括玉琮 2 件，玉环 2 件。广东过去仅见出土过石琮，出土玉琮尚属首次。玉琮时代简报推断为新石器时代晚期。

青铜兵器是 1984 年 4 月在鲘门镇东面约 2 公里的一个古墓中由考古人员现场收集，有匕首、矛、钺各 1 件，其时代简报推断为东周时期。简报称，海丰发现的这三件青铜兵器中，钺在广东还是首次发现。

河源市

970.广东省和平县古文化遗存调查

作　者：广东省博物馆、和平县博物馆　刘建安
出　处：《考古》1991 年第 3 期

和平县位于广东省东北部，北与江西省定南县接壤，全县大部分地区为丘陵和山地，众多的溪流沿山间盆地呈网格状分布。迄今发现的古文化遗存多分布在这些溪流两侧的山岗上。这些遗存一般都包含着两个时代以上的遗迹或遗物。1986 年 6 月，考古人员对该县所发现的古遗址进行了调查和复查，其中有新石器时代晚期遗存 9 处，春秋战国时期遗存 10 处，汉文化遗存 2 处。由于山坡植被破坏和水土流失，大量遗物暴露于地表。

简报分为：一、九子岗一带的古文化遗址，二、社径山遗址，三、卢屋嘴遗址，四、杨村坳遗址，五、小结，共五个部分，有手绘图等。

据介绍，这次所发现的新石器时代晚期至春秋战国时期的陶片纹饰与的陶器纹饰基本相同。出土的原始青瓷豆与江浙同期土墩墓出土的同类型器相近。

971.广东和平县晋至五代墓葬的清理

作　者：广东省文物考古研究所、和平县博物馆　吴海贵、杨廷强、陈子昂
出　处：《考古》2000 年第 6 期

1985～1997 年，和平县附城、彭寨、大坝镇在基建中先后发现了一批晋至五代墓葬。

简报分为：一、晋墓，二、南朝墓，三、晚唐至五代墓，四、小结，共四个部分，

有手绘图、拓片。

据介绍，以上 3 座墓的随葬品组合相似。HPDM6 与 HFZM1 两墓的青绿釉瓷器是广东梅州市唐代水车窑的产品，两座墓的年代简报推断为晚唐至五代；HDZM1 所出的铁鼎与 HFZM1 的鼎相似，3 件青瓷器为青黄釉，窑口不详，但青瓷壶的形制与 HFZM1 的壶形制相同，简报推断与两座墓的年代应相近，或 HDZM1 略早。

阳江市

清远市

972.广东英德、连阳南齐和隋唐古墓的发掘

作　者：广东省文物管理委员会、华南师范学院历史系　杨　豪
出　处：《考古》1961 年第 3 期

1960 年 7 月，考古人员先后到英德县的浛洸镇，连阳县的阳山镇和韶关市郊的罗沆洞，进行古墓发掘，计有：浛洸镇郊石墩岭的南齐墓 2 座（其一是永元元年即 499 年墓）、隋至初唐墓 7 座；阳山镇郊李屋村口隋至初唐墓 1 座；罗沆洞唐开元年间右丞相张九龄墓 1 座。

简报分为：一、南齐墓，二、隋至初唐墓，三、小结，共三个部分先行介绍浛洸镇的南齐墓 2 座、阳光镇的隋唐墓 1 座。

据介绍，南齐墓为砖室，北长方形，出土遗物 22 件；隋至初唐墓，砖室单券，出土遗物共 38 件，其中波斯银币值得注意。隋唐墓出土遗物 38 件，包括釉陶罐 10 件、青釉器 26 件、金、银戒指各 1 枚。

东莞市

973.广东东莞市三处贝丘遗址调查

作　者：广东省博物馆、东莞市博物馆　李　岩、李子文
出　处：《考古》1991 年第 3 期

1987 年冬，考古人员为配合广（州）、深（圳）、珠（海）高速公路建设工程，

会同东莞市博物馆，对东莞路段施工范围地带进行了一次细致的文物普查，并在虎门镇地段发现了堆积丰富、面积较大的村头贝丘遗址；同时对石排镇龙眼岗贝丘遗址和企石镇万福庵贝丘遗址进行了调查或复查，获得了一批新的资料。

简报分为：一、村头贝丘遗址，二、石排贝丘遗址，三、企石贝丘遗址，四、结语，共四个部分，有拓片、手绘图等。

据介绍，村头遗址位于东莞市虎门镇以东约6公里，为平原上的一处小台地。相对高度5米许。遗址主要分布在台地的南坡，面积达一万余平方米，地表为现代农耕地。石排、企石均位于东莞以东，东江南岸。

简报称：企石遗址的年代经测定为距今5000年左右，与中原地区仰韶文化晚期和长江流域的大溪文化中晚期大致处于同一发展阶段。另两处遗址的年代约相当中原地区夏商之际或商周时期。

中山市

974.2004 年广东中山龙穴遗址发掘简报

作　者：广东省中山市博物馆、广东省文物考古研究所　李法军、周　剑、李光先

出　处：《四川文物》2005 年第 4 期

1990 年 12 月，考古人员对该遗址进行面积为 300 平方米的发掘。中山龙穴遗址为中山市级文物保护单位。2004 年 12 月，为配合南朗镇工业园区的开发，考古人员对南朗镇龙穴遗址进行了大面积钻探和磁力物理探测，并对该遗址南部区域进行了面积为 350 平方米的发掘，出土了陶器、石器等遗存。

简报分为：一、文化堆积，二、出土遗物，三、几点认识，共三个部分，有手绘图、拓片、彩照。

据介绍，龙穴村位于广东省中山南郎镇。遗址在该村北 0.5 公里许，是典型的河丘遗址，简报推断，从距今 6000 年至商代均有人类在此活动，该遗址可能并非当时人们长期的定居生活地点，属于季节性营地或临时性营地的可能性更大。

潮州市

975.广东潮州古瓷窑址调查

作　　者：李辉柄

出　　处：《考古》1979 年第 5 期

广东产瓷具有悠久的历史，在我国陶瓷发展史上占据着一定的位置。1949 年前关于广东地区的记载非常少，文献提到的只有阳江、石湾，概称为"广窑"。1949 年后广东地区的古代瓷窑大量被发现，潮州窑遗址的发现与调查就是其中的一个。潮州窑遗址是广东省文物管理委员会于 1954 年发现的，故宫博物院曾于 1954 年、1956 年先后两次派员进行了实地调查。遗址位于原潮州市郊东桥乡韩山，又名笔架山。由笔架山东南山脚至西北涸溪塔山脚约四五公里，均属窑址的范围。碎片与残破的匣钵广泛散布。简报分为四个部分予以介绍，有手绘图等。

据介绍，此次调查共采集标本 300 余片，从遗物看，潮州笔架山窑烧瓷的时限应为北宋到元代。

简报称，广州在唐宋两代就是我国繁华的商业都市，也是对外贸易的重要港口，当时除著名的丝绸之外，瓷器也是我国对外主要输出品之一，因此广东地区的瓷器也就相应地发展起来。据不完全统计，在广州、南雄、潮安、惠阳、南海、佛山、三水、高鹤、新会、番禺、中山、阳江、合浦、东兴、澄迈等十多个市县都发现了古代瓷窑遗址。其中唐宋时代的窑址占绝大多数，充分反映出广东地区瓷器发展的这一历史事实。潮州窑就是在这一时期发展起来的。

揭阳市

976.广东揭阳东晋、南朝、唐墓发掘简报

作　　者：广东省博物馆、汕头地区文化局、揭阳县博物馆　杨耀林、陈瑞和

出　　处：《考古》1984 年第 10 期

1972 年，揭阳县仙桥公社平林村农民在赤岭口、狗屎坡开荒时发现许多花纹砖，后经调查，发现是一处古墓区。1982 年 3 月间，考古人员对墓室已暴露于外的墓葬

作了清理，共清理 2 座东晋墓、3 座南朝墓和 1 座唐代土坑墓。

平林村位于揭阳县城南约 7 公里，背靠潮阳、普宁、揭阳三县交界的小北山脉，面临开阔的小平原，古代往来潮、普、揭的驿道经由村前。

简报分为：一、东晋墓，二、南朝墓，三、唐墓，四、小结，共四个部分，有手绘图、照片、拓片。

据介绍，赤岭口 M2 发现纪年砖，"大明四年"（460 年）为南朝宋孝武帝刘骏的年号，墓中出土器物的时代特征与纪年相符。赤岭口 M1、M3 的随葬品与大明四年砖墓所出者无异，简报推断它们的年代均属南朝时期。狗屎坡两墓（揭仙狗 M1、M2）出土器物与赤岭口南朝墓有明显区别，罐、碗、杯等盛器较扁矮，大部分釉器胎质较粗糙，釉层薄，这些特征与广东始兴"建元二年"等东晋墓出土器物相类。此外，出土铁剑、铁剪等亦是晋墓中常见的器物。张厝坟山土坑墓出土的碗，内印花瓣纹，器内印花的做法广东起于隋唐，盛行于宋代，这种印花碗见于韶关河西隋至唐初墓，盘口壶和钵的造型、釉色均具隋唐作风，简报推断该墓的时代属唐代早期。

广东发掘的南朝墓不少，似赤岭口 M3 这样结构复杂，规模较大的墓葬较为少见。关于墓主人身份问题无文可考，在墓中亦未发现其他线索，从墓冢营建规模及随葬品等情况看，简报推断墓主人可能是上层人物。

简报称，这些古墓的调查和清理，为研究揭阳县的地方史提供了宝贵的资料。

977.揭阳地都蜈蚣山遗址与油柑山墓葬的发掘

作　者：广东省博物馆、揭阳县博物馆　邱立诚、毛衣明
出　处：《考古》1988 年第 5 期

1983 年初，揭阳县博物馆对原地都公社进行文物普查时，在蜈蚣山发现了一处古遗址，在油柑山发现了一批土坑墓。10 月间，考古人员对遗址和墓葬分别进行试掘和清理。

简报分为：一、蜈蚣山遗址，二、油柑山土坑墓，三、结语，共三个部分予以介绍，有手绘图、照片。

蜈蚣山是一座高约 40 米的小山岗，位于原地都公社东北约 5 公里。山岗的东北面与桑浦山脉相连，西南面为一片开阔地，相距 5.5 公里处有榕江自西北向东南流经。遗址位于蜈蚣山的西南坡，面积约 300 平方米。

据介绍，揭阳地都蜈蚣山遗址第三层，只见夹砂陶和泥质软陶，不见硬陶，花纹种类不多，以绳纹、曲折纹为主要纹饰，这是广东新石器时代晚期的陶器花纹特点，其时代简报推断在新石器时代晚期。2B 层出现有少量硬陶，陶器花纹中的长方格纹、

菱格纹与曲江石峡遗址中层的情况较为接近，出现的釉陶及条纹、编织纹与饶平商代墓葬出土的同类器相近，时代约相当于商代。2A 层曾受到后期的侵扰，除包含有第三层和 2B 层的同类遗物外，陶片花纹中还见有重圈乳钉纹、夔纹，简报推断时代下限大体在西周至春秋之际。

油柑山墓地的墓坑一般都较小，器物组合以大口尊、壶、罐为基本特征，大口尊是饶平商代墓葬中最为典型的器物；陶器上的条纹、编织纹也是饶平墓葬出土陶器所流行的花纹特点。据此，油柑山这批土坑墓的年代，亦当属这一时期。但油柑山墓葬的遗物以夹砂陶为主，泥质陶较少，而饶平墓葬中的遗物以泥质陶为主，釉陶数量较多，饶平墓石器中多见戈矛类，而油柑山墓葬却一件不见，这是它们的不同点。简报推测油柑山墓葬在时间上要略早于饶平的同类墓葬。

云浮市

广西壮族自治区

978.广西近年来发现的四件铜鼓

作　　者：广西壮族自治区文物工作队　邱钟仑、吕智彬
出　　处：《考古》1980年第4期

广西是古代铸造和使用铜鼓历史较长的地区，保存下来的铜鼓相当丰富。据洪声《广西古代铜鼓研究》一文统计，截至1974年初，广西各地文化部门收藏铜鼓达500面以上，仅广西壮族自治区博物馆就有325面（见《考古学报》1974年1期）。此后4年多来，各地在生产建设中仍不断有铜鼓出土，先后又发现40余面。其中有几面纹饰较为突出，为以往发现的铜鼓所未见。除贵县罗泊湾汉墓和田东县锅盖岭战国墓出土的铜鼓已分别在简报中报道外，简报配以手绘图等又择要介绍了4件铜鼓。

据介绍，这4面铜鼓，都是百姓在劳动中于地表下30~50厘米掘出，除藤县一面鼓内有一陶罐外，其余3面无伴出物。计有1976年陆川县古城公社陆落大队何英生产队出土铜鼓1面、1976年9月北流县荔枝场出土铜鼓1面、1975年藤县濛江公社新城大队横村生产队出土骑士铜鼓1面、1977年6月邕宁县良庆公社那黄大队新坡村北狮子山出土图案化羽人纹铜鼓1面。

今有广西民族出版社2016年版《广西铜鼓》一书，可参阅。

979.近年来广西出土的先秦青铜器

作　　者：广西壮族自治区博物馆　蒋廷瑜、兰日勇
出　　处：《考古》1984年第9期

按目前不完全的统计数字，1949年后广西各地出土的先秦青铜器，已达五百余件。其中大部分已随墓葬发掘报告或在专题文章中发表，近几年发现的这方面的资料简报配以照片予以介绍。

据介绍，文中介绍的44件铜器，共来自13个县，可以说桂北、桂中、桂东、桂南、桂西南都有，分布的地域占广西大半境，最南的铜器发现点接近越南北部，所发现的是较晚的战国遗物，似乎从一个侧面反映了广西青铜文化有自北向南渐次发展的趋势。

简报称，这批铜器，从年代上说，商周春秋战国各期器物皆有，最早的是属晚商的武鸣铜戈，该戈直内，无胡，援部平直，上下栏突出，内后部有穿，和商末中原戈一样，自是中原输入品。

简报指出，广西的青铜文化是以输入中原青铜器作为起点的，在中原青铜文化的影响下，得以逐渐发展，以致形成在器形和纹饰等方面既有中原作风，又具浓厚地方特色，并间杂楚滇文化因素的一种特殊的土著文化。从较晚器物所表现的特征来看，这种文化的开始形成，大约在西周中晚期至春秋初期，至战国时期发展到鼎盛阶段。简报认为，这批青铜器对于研究广西青铜文化、古代社会，以及广西青铜文化和邻近省青铜文化乃至和中原青铜文化的关系，不失为一批重要的资料。

980.广西崖洞葬调查报告

作　者：广西壮族自治区文物工作队　周继勇等
出　处：《文物》1993 年第 1 期

广西岩溶地形发育良好，溶洞众多，历史上先民利用天然洞穴葬人的崖洞葬俗十分流行。不少文献对此也有所记载。为深入研究这一特殊葬俗，近几年考古人员在各地、县做了专门的调查。

简报分为：一、崖洞葬的分布及现存情况，二、葬具，三、葬制，四、随葬品，共四个部分并配以照片择要予以介绍。

据介绍，广西的崖洞葬主要分布于桂西、桂西南、桂西北的广大地区，以左、右江及红水河流域为主要分布中心，小部分分布于桂中、桂北地区。目前，全区十多个县、市共发现崖洞葬 50 多处。这些崖洞葬均遭不同程度的破坏和扰乱，有的甚至仅存残棺木和残尸骨，调查所获材料难免残缺不全。简报叙述了对位于平果县凤梧乡香美村红岩山崖洞葬、位于平果县坡造乡敬村停豆山感央岩崖洞葬、位于田东县印茶乡百城村白山崖洞葬等崖洞葬的调查。葬具多为棺木，随葬品极少。简报指出，广西崖洞葬始于南朝，流行于唐宋并延续至明清，可见这一特殊葬俗在广西是渊源流长的。

南宁市

柳州市

桂林市

981.广西桂州窑遗址

作　者：桂林博物馆　曾少立、韦卫能等
出　处：《考古学报》1994 年第 4 期

桂林既是誉名中外的风景旅游城市，又是我国南方的一座历史文化名城。从古至今，桂林文化昌明，古迹众多，尤其值得重视的是广西桂州窑遗址。它发现于1965 年，过去限于文献、考古资料的不足，对该窑的历史沿革及生产状况都不甚了解。1988 年 7 月至 9 月间，考古人员对其中破坏较甚的两处窑炉基址（含三座瓷窑），进行抢救性的发掘，初步搞清桂州窑的基本面貌及内涵。它创烧于南朝晚期，盛于隋唐，而衰于北宋，是一处与桂林佛教的兴衰密切相关的青瓷窑场。

简报分为：一、窑址概况，二、遗迹，三、遗物，四、烧制技术，五、年代判断，六、几点认识，共六个部分，有照片、拓片、手绘图。

据介绍，桂州窑因唐和北宋时期桂林称桂州，故名。窑址位于今桂林市南郊拓木镇上窑村，北距市区约 7 公里。古窑址即分布在村东北方圆 1 ~ 2 公里范围内。原有窑基十余座，瓷窑遗弃的废品、半成品、窑具俯拾皆是。因年久荒芜和历代垦植，大部分窑址遭到不同程度的破坏或深埋于地下，现存窑址 5 座。经反复调查后，考古人员选择桂林造纸厂东墙外 47 米处的两座窑基进行发掘。古时有一条大水渠，行舟可至村内，相传不远处即是古代陶瓷器交易场所和集散码头。窑址附近有十余口不规则的水塘，应是当年开采瓷土而留的废坑。上窑村昔日包括十三村，人口密集，草木繁盛，窑址附近为清澈如镜的漓江，水路运输极为便利。

简报称，1 号窑的年代为南朝晚期至初唐，一直未停过，是广西目前发掘的唯一一处青瓷窑址。2 号窑的年代为北宋中期以前。出土的 200 余件上有刻划文字的罐、坛，十分珍贵。3 号窑的年代为唐代晚期，出土的唐代各类建筑构件，是研究我国古代建筑史的宝贵材料。

简报指出，唐代是桂林佛教的鼎盛时期，也是桂林雕塑史上的黄金时代。工匠们采用写实的于法，通过造型艺术，雕塑出不同性格的人物和动物形象。如佛的造像，神态恬静、慈祥，圆雕技法用功独到，观之韵味无穷。弟子造像，以现实生活的人物形象为模特儿，着重刻划其面部特征，构思巧妙，造型别致，使观者感到亲切和善，洋溢着浓郁的人情味。金翅鸟、狻猊等动物形象的塑造，具有丰富的想象力和

高超持创作才能。以细腻、明快、生动的线条，给人以形静意动、形动意生的感觉，既实用又极富装饰性。同时，在雕刻技巧上，既能抓住整体效果，又着力于传神部位，粗细繁简得当。这些1000多年前的艺术佳作，再现我们祖先精巧的构思，丰富的想象和高超的技艺。3号窑出土的陶瓷雕塑，在我国雕塑艺术史上占有重要的一页。

梧州市

北海市

崇左市

来宾市

贺州市

玉林市

百色市

982.桂西发现的古代岩画

作　者：曾祥旺

出　处：《考古与文物》1993年第6期

近十多年来，考古人员在广西西部的田东县和靖西县进行考古调查过程中，先后共发现了9处古代的岩画。这些发现丰富了我国古代岩画的材料，对研究我国古代岩画的起源和这个地区文化艺术的发展都有重要意义。

简报分为：一、岩画的分布及其概况，二、结语，共两个部分。有手绘图。

据介绍，岩画都零星分布在广西西部左右江支流水域孤峰地貌发育的灰岩石山地区，其中8处在左江支流地区发现，一处在右江支流地区发现，有其地方特色。岩画所在地都是适宜人类居住的山洞和岩厦，附近也有适宜众人聚会的开阔场地。制作岩画的方法多样，有用红色、黑色颜料绘成的单色岩画，也有用红色和白色的颜料绘成的双色岩画。有用石质工具磨刻和钻刻成的岩刻画，也有用金属工具凿刻的岩刻画。作画的题材相当广泛，其中有反映狩猎、农耕、人类生殖崇拜、鸟兽、住房、天体、太阳、星座和记事等许多方面。其中女性神灵带领鸟神捕捉害虫等题材，与今日壮戏中剧目题材一致。各个地点的岩画个性特点突出，彼此互不雷同。成画的年代延续十分久远，从旧石器时代晚期、新石器时代初期、新石器时代中晚期直至秦汉、唐宋时代的作品都有。

河池市

983.广西南丹县里湖岩洞葬调查报告

作　　者：广西壮族自治区博物馆　张世铨、彭书琳、周石保、吴伟峰等
出　　处：《文物》1986年第11期

南丹县位于广西壮族自治区西北部山区，与贵州省接壤，地处云贵高原余脉，岩溶地形发育良好，岩洞众多。其中部分岩洞中遗留古代的木棺，是一种民族特色十分浓厚的岩洞葬。南丹县的岩洞葬主要分布在当地白裤瑶族聚居的里湖瑶族公社的怀里、化果、纪后、仁广、瑶里、董甲等六个大队内。对这里的岩洞葬，1958年曾进行过调查，并在《南丹县大瑶寨瑶族社会概况》一文中作了简单记述；20世纪80年代初又进行过一次调查，并整理成《南丹县里湖瑶族公社岩洞葬调查及初步探讨》一文（上述材料均未公开发表）。1984年3月，为了更全面地搜集、整理广西岩洞葬资料，博物馆组成调查小组，再次对里湖六个大队的岩洞葬进行详细调查，18天内调查了38个地点，对过去的调查材料有很大补充。原社队建制下的乡村名称暂未改变。

简报分为：一、概况，二、葬具，三、葬制，四、随葬品，五、人骨初析，六、汇总认识，共六个部分。

据介绍，南丹里湖岩洞葬是利用天然岩洞为葬所，这种岩洞葬广泛实行合葬，以氏族和家族集中放置为主，又把两三代人的尸体置于一棺，这在其他地方也很少见。葬具大致为架棺和木全棺两种，这次搜集到的随葬品很少，有纺织品、木枕、

残木扁担、牛角筒、瓷碗、铜镯等。简报推断，这批岩洞葬中相当一部分葬于明代，少数棺材年代上限可能早到宋代，下限有延至清末甚至民国时期可能。

简报称，里湖岩洞葬可能与现代当代白裤瑶族祖先有一定的关系。至于岩洞葬主人是否就是白裤瑶族的先民，还需要进一步调查研究。由于这一地区宋朝以来就是苗、瑶族的居住区，岩洞葬先民属于苗、瑶族则没有太大的问题。

钦州市

防城港市

984.沥尾岛考古调查

作　者：广西壮族自治区文物工作队　覃义生
出　处：《文物》1984 年第 9 期

广西防城港地区各族自治县江平公社沥尾岛是我国京族聚居的岛屿之一，地处北部湾，面积约 13.7 平方公里。1981 年 7 月，考古人员经过实地调查，在岛上发现了新石器时代晚期、东汉晚期以及明代的文化遗物。简报配以照片、拓片予以介绍。

据介绍，新石器时期遗物有砾石打磨石器，岛上没有砾石，应是从大陆带去的。东汉遗物有陶器、铜镜等。明代遗物有嘉靖年间民窑瓷器碎片。

985.广西防城潭蓬出土唐、元、明代文物

作　者：广西壮族自治区文物工作队　韦仁义
出　处：《考古》1985 年第 9 期

北部湾畔，防城港西南约 3 公里的广西壮族自治区防城港地区各族自治县江山公社潭蓬大队海湾沿岸，1982 年间百姓在平整房屋地时相继出土了数批文物。获讯后，考古人员先后到过现场进行勘察。据现场观察和调查了解，这些出土文物有的属窖藏，有的属墓葬，而有的纯属遗弃，是唐、元、明时期的文物。

简报分为：一、唐代陶瓷器，二、元代龙泉青瓷器，三、明青花瓷器，四、铜火铳，五、结语，共五个部分予以介绍，有手绘图、照片。

据介绍，防城地处广西壮族自治区西南，西与越南毗邻，自古以来是我国通往

交趾、东南亚各国的要冲。潭蓬既是一个良好的天然避风港，又是一条沟通东西海面的捷径，是我国古代海上交通的一条要道。

20余年来随着考古事业的发展，在越南、菲律宾、马来西亚等国家的许多遗址中都相继出土了许多中国唐宋、特别元明以至清代的青瓷、白瓷、青白瓷和青花瓷等瓷器及其残片。潭蓬处于这条海路航线之上，既是良好的天然避风港，又是一条安全的捷径。潭蓬沿岸出土的元代龙泉青瓷和明代青花瓷器应是运载我国外销瓷器的船只经过这里遗留下的。这些瓷器的出土为研究我们元明时期瓷器外销的海上运输航线提供了新的资料。

贵港市

986.两个不同类型的铜鼓同穴出土

作　者：广西桂平县文物管理所　陈小波
出　处：《文物》1983 年第 5 期

1975 年 10 月，广西桂平县蒙圩公社新阳大队第十三生产队在岭坡上种植甘蔗，掘获雷纹和翔鹭羽人纹铜鼓各一面。两鼓同穴埋藏，并列横陈，鼓面同向东南，相距 10 厘米。这种埋法，与常见的"鼓面向下，鼓底朝天，单独分散埋藏"不同，颇属罕见。简报配以照片予以介绍。

据介绍，此二鼓虽同穴出土，但形制、纹饰、大小和重量均不同，是明显的两种类型。雷纹铜鼓身有两道合范线，属两广系统的北流型；翔鹭羽人纹铜鼓，身有两道合范线，此鼓属滇桂系统的冷水冲型。

简报称，桂平县是出土铜鼓较多的地区之一，地处西江流域中游的黔、郁两江交汇处，是两个系统铜鼓分布的交错地带。这两个系统的铜鼓，该县以前虽有出土，但同穴出土尚属首次。这一发现，为研究两个系统铜鼓之间的关系，提供了重要的新资料。

987.广西平南县石脚山遗址发掘简报

作　者：广西壮族自治区文物工作队、平南县博物馆　陈　文
出　处：《考古》2003 年第 1 期

石脚山遗址位于广西平南县大新乡新和村石脚山自然村西南约 800 米的石脚山

上。石脚山是白沙河冲积平原上的一座石灰岩孤峰，山上有山顶洞、灯盏岩、牛鼻岩、大岩、通天岩等岩洞。除大岩、通天岩外，其余都有文化层堆积，其中文化层最厚、遗物最丰富的当属山顶洞，其次为灯盏岩。

1973 年 10 月考古人员发现该遗址，1974 年对其进行了深入调查。1976 年 10 月广西文物工作队曾派人清理过山顶洞文化层，并对灯盏岩进行了试掘，由于当地长期炸山取石，到 1991 年该山几乎被炸平。1991 年 8 月考古人员对残存的灯盏岩近 30 平方米的文化堆积进行了抢救性清理，开探方 1 个，编号为 91PST1（以下简称为 T1），实际发掘面积 15 平方米。

简报分为：一、地层堆积，二、遗物，三、结语，共三个部分，有手绘图、拓片。

据介绍，通过发掘，石脚山至少有更新世、新石器时代、春秋战国、汉代、唐代五个时期的文化堆积，其中，最重要的应是新石器时代的堆积。简报指出，石脚山遗址的新石器时代陶器制作规整，纹饰较为精美，器类较多，烧制火候高，这些情况表明广西新石器时代制陶技术已比较发达。

简报称，迄今为止，尚未见到岭南地区新石器时代晚期洞穴遗址的发掘资料公布，这次发掘为研究华南地区新石器时代的洞穴遗址提供了材料。

988.广西贵港马鞍岭梁君垌汉至南朝墓发掘报告

作 者：广西文物保护与考古研究所、贵港市博物馆 富 霞、熊昭明、蒙长旺等
出 处：《考古学报》2014 年第 1 期

梁君垌与马鞍岭相邻，位于贵港市港北区贵城镇三合村黎湛铁路沿线。1996 年 12 月～ 1997 年 1 月，曾于贵港火车站新扩建复线范围内的马鞍岭发掘东汉墓 3 座。2010 年 8 ～ 10 月，为配合南宁至广州高速铁路的修建，考古人员于梁君垌与马鞍岭沿线发掘古墓 15 座，编号 M1 ～ M6 位于马鞍岭，编号 M7 ～ M15 位于梁君垌。

除 M5 为近代墓外，简报分为：一、墓葬形制，二、出土遗物，三、结语，共三个部分介绍了茶 14 座墓葬的发掘情况，配有彩照和手绘图。

据介绍，14 座墓葬可分为土坑墓和砖室墓两类。3 座土坑墓（M7、M14、M15）保存较好，残存棺板灰痕和棺钉等，但人骨全朽，葬式不详。砖室墓悉遭盗扰，多数墓葬随葬器物所剩无几，残留的也多被扰动，遗物分布不清。出土遗物 252 件。墓葬遗留下来的随葬品不多，个别甚至无一幸存。器物大部分出自土坑墓，以陶器为主，还有铜器、铁器、银器、玉器、滑石器、玛瑙、石黛砚等。陶器大多残损，铜、铁器锈蚀较严重。

简报判断，M7 ～ M9，M14、M15 共 5 墓为东汉晚期墓；M1 属三国时期墓；

M10 ~ M13 四墓，属西晋时期墓；M2 ~ M4、M6 四墓，为南朝时期墓。

简报指出，本次发掘从 M14 出土的"咸骡丞印"可知，墓主人当为东汉咸骡县之县丞。该墓是目前国内发现为数不多、墓主身份相对明确的县丞墓，为研究汉代低品级官员的埋葬习俗提供了较为详尽的材料，是为研究汉代郡县设置和行政区域的重要实物资料。

此外，本次发掘出土的器物，除形态各异、惟妙惟肖的各种陶塑具有较高的艺术价值外，同墓葬中，出土代表水陆交通工具的陶船和牛车在广西汉墓还是首次，从侧面反映出西江这条水道在秦汉时期的重要作用。附有"贵港市港北区马鞍岭、梁君垌古墓墓葬登记表"等表格。

海南省

989.海南东方市荣村遗址试掘简报

作　者：海南省文物考古研究所　郝思德、王大新、王明忠
出　处：《考古》2003 年第 4 期

东方市位于海南省西部，地处昌化江下游，西濒北部湾。荣村遗址（原名付龙园遗址）位于东方市北约 20 公里的四更镇荣村村北，紧邻村屯，西距北部湾约 5 公里，北距昌化江入海口仅有 3.5 公里。遗址坐落在昌化江左岸的二级台地上。1986年在考古调查时发现该遗址，1991 年 12 月在复查时又采集到石斧、锛和陶器等遗物。1998 年 2 ～ 3 月，对该遗址进行了钻探和试掘。发掘面积共 200 平方米，发现部分遗迹和较多文化遗物。

此次工作的主要收获简报分为：一、遗址钻探情况与地层堆积，二、遗迹，三、遗物，四、结语，共四个部分予以介绍，有手绘图、拓片。

据介绍，根据地层叠压关系和出土遗物的特征，并参考已测定的碳-14 年代数据，简报暂将该遗址的文化堆积划分为三个阶段：第一阶段为春秋早期文化层，第二阶段为东汉早期文化层，第三阶段为南朝晚期文化层。各探沟中第二层的文化堆积与第三阶段较为相近，其年代应当相去不远。

海口市

三亚市

三沙市

990.广东省西沙群岛文物调查简报

作　者：广东省博物馆
出　处：《文物》1974 年第 10 期

1974 年 3 月至 5 月,考古人员在西沙群岛所属永乐群岛的珊瑚岛、甘泉岛、金银岛、晋卿岛、琛航岛、广金岛、全富岛,宣德群岛的永兴岛、赵述岛、北岛和五岛（东岛）等地进行了广泛的调查,并在甘泉岛和金银岛二地作了考古试掘,获得了一大批重要的历史文物和资料。简报分为岛上的调查发掘、礁盘上发现的遗物等几方面予以介绍,有照片。

据介绍,在这次文物调查中,考古人员在甘泉岛发现了一处唐宋遗址,经过初步发掘,出土了一批唐宋瓷器以及铁锅残片;当地人在永兴岛、金银岛、珊瑚岛、和五岛等地挖到了一批清代、近代的瓷器和 1 枚宋代铜钱、1 枚明代铜钱。此外,还在永兴北岛、甘泉岛、金银岛、珊瑚岛等地采集到一批明代和清代的瓷器。在北礁、金银岛、全富岛礁盘上发现有宋代、元代、明代、清代瓷器、瓷片。北礁（渔民俗称"干豆"）上发现有明代沉船,打捞出 403.2 公斤明代铜钱及铜镜、铜剑鞘等遗物。这些从岛上发现的历史文物无可辩驳地证明,至少从唐代以来的千余年时间,我国人民就一直在西沙群岛居住和生产。

991.东沙群岛发现的古代铜钱

作　者：广东省博物馆
出　处：《文物》1976 年第 9 期

东沙群岛为我国南海诸岛最北的一群,位于广东东省汕头市南面约 160 海里的南海上。地当广州往菲律宾和福建往东南亚、马六甲海峡的要冲。东沙岛是马蹄形的环礁,中抱潟湖,开口在岛的南北两侧。环礁内风浪较小,我国历来到东沙岛的船只都在里面停泊。1936 年春,东沙岛气象台的工作人员在岛外水深约 2 米的礁盘上发现一批古代铜钱。据介绍,这批铜钱沉落在大块的珊瑚石下面,推动石块即能见到。表层铜钱已有些和珊瑚石胶粘在一起,大多是散乱堆积。当时对铜钱散布的范围和现场情况没有详细观察,只是采集了一些铜钱,并从礁石上敲下 5 块铜钱珊瑚石胶结体。1974年春，当时的采集者将这批珍贵的文物献给国家，计有铜钱珊瑚石胶结体5块和散钱79枚。简报配以照片予以介绍。

据介绍，经清理，在总数约300余枚中，已经看出文字的有256枚，计唐代两种5枚，北宋23种99枚，南宋16种99枚，金代1种3枚，元代两种4枚，元末朱元璋1种1枚，明代两种45枚。其中年代最晚的是明代"永乐通宝"。从所占的比例看，也以明代的两种钱较多。简报指出，这批铜钱显然是我国古代的一艘船舶所遗落，很可能是触礁所致，年代应在明代永乐年间或稍后。关于推断沉落年代的理由，不仅因为"永乐通宝"是铜钱中最晚的一种，更主要的是胶结在珊瑚石中有一串是清一色的"永乐通宝"新币，其余的铜钱则很散乱。这绝非偶然现象，说明"永乐通宝"进入社会流通还不久。简报强调，在东沙群岛发现这批古代铜钱并非偶然，它是千百年来我国人民在东沙群岛居住、生产和航行的一种证据。

992.西沙群岛的考古调查

作　者：王恒杰

出　处：《考古》1992年第9期

1991年5～6月，考古人员赴西沙群岛进行考古调查，前后到达永兴、石岛、中建、琛航、广金、金银、甘泉、珊瑚等多个岛礁。

简报分为：一、甘泉岛遗址与出土遗物，二、中建岛采集遗物，三、金银岛采集遗物，四、珊瑚岛采集遗物，五、琛航岛及广金岛采集遗物，六、永兴岛及石岛采集遗物，共六个部分，有手绘图、拓片、照片。

据介绍，出土有新石器时代、春秋战国时代遗物，证明《左传》《逸周书》等古书有关南海西沙群岛的记载并非虚辞，证明我国人民在此生产、生活的历史，至少在2500年前。

重庆市

993.四川出土有关古代养猪的文物

作　者：四川省博物馆、四川省畜牧兽医研究所　魏达议、段诚中
出　处：《农业考古》1982 年第 2 期

1975 ~ 1976 年，考古人员发掘了巫山县新石器遗址，出土有农具、陶猪头和一件家猪左下颌齿骨。简报配以照片予以介绍。

简报称，汉代，尤其是东汉，四川多有陶猪、石猪出土，前蜀王建墓中还出土过铁猪、银猪。简报认为，从考古材料看，四川家猪至少已有 5000 年的历史。

994.四川奉节县新浦遗址发掘报告

作　者：吉林大学考古学系　滕铭予
出　处：《考古》1999 年第 1 期

新浦遗址位于四川省奉节县安坪乡新浦村。遗址地处长江南岸的二级台地上，东距更门约 25 公里。遗址总面积约 5 万平方米。在遗址西部，村民一年前挖厕所时曾出土了二把巴式青铜剑，据讲当时还伴出有人骨。另外在地表还采集到了铜镞。1993 年考古人员进行地下文物的全面调查时发现该遗址，并于 1994 年 3 月 20 日至 4 月 10 日进行了发掘。发掘面积共计 180 平方米。

简报分为：一、地层堆积与分期，二、新浦下层遗存，三、新浦上层遗存，四、结语，共四个部分予以介绍，有手绘图、拓片。

据介绍，与新浦下层相似或相同的遗存，据目前已知材料，分布范围西限可到川西平原，东边在鄂西的峡江地区也多有发现。这种文化或被称为早期巴蜀文化，或被称为早期巴文化，实际上就其文化性质、族属、渊源等，都还有争论，而新浦遗址发掘资料过少，很难对上述问题提出讨论。简报指出，新浦下层遗存中发现了大量与建筑有关的遗物——红烧土墙壁残块，表明这里当时应是一处居址。遗址中不仅发现了新浦上层时期文化层，而且还发现了出有巴式剑的墓。

简报认为，这里已成为一处兼住居和墓葬共有的聚落，时代从石器时代延续到青铜时代。

995.四川奉节老关庙遗址第一、二次发掘

作　者：吉林大学考古学系　赵宾福
出　处：《江汉考古》1999 年第 3 期

老关庙遗址位于四川省奉节境内草堂河与长江交汇处的一个三角形台地上，属白帝镇瞿塘村．遗址地处长江北岸，瞿塘峡西口，隔草堂河与白帝城相望，西距奉节县城约 5 公里。1993 年末发现并进行了第一次试掘，1994 年 3 月，又进行了第二次发掘。

简报分为：一、地层堆积与包含物，二、遗物，三、结语，共三个部分，并配以手绘图，介绍了这两次发掘的情况。

据介绍，老关庙遗址的发现、确认和发掘，是川东地区近年来在田野考古方面取得的重大突破．它不仅填补了这一地区史前考古研究的空白，而且为探索巴文化的起源寻找到了新的重要线索．特别是甲、乙、丙、丁四组遗物的划分与识别，在一定程度上也为研究本地区汉代以前诸考古学文化的基本特征及年代关系等问题奠定了基础。

甲组遗物的发现与确认，使我们首次领略到了川东地区瞿塘峡以西地段新石器时代较早阶段遗存的基本风貌．该组遗物自身特征十分鲜明，与本地区以及周边地区以往发现的其他遗存相比明显具有本质的不同。乙组、丙组遗存不多，大致相当于商末周初和东周时期。丁组则相当于东周晚期至汉初阶段。

996.四川省奉节县三峡工程库区砖室墓清理报告

作　者：吉林大学考古学系　赵宾福、滕铭予、李　言
出　处：《江汉考古》1999 年第 3 期

为配合三峡工程建设，1993 年末至 1994 年春，考古人员对四川省奉节县水库淹没区上平皋、白帝村和拖板墓群的 3 座砖室墓进行了清理。

简报分为：一、上平皋 M1，二、白帝村 M1，三、拖板 M9，四、结语，共四个部分，有手绘图。

据介绍，上平皋 M1 破坏严重，随葬品少，年代简报推断为东汉晚期。白帝村 M1 为"凸"字形券顶砖室墓，年代亦应为东汉晚期。

拖板 M9 破坏严重，墓顶已全部塌毁，未见葬具、人骨。随葬品仅为瓷器 3 件、陶器 1 件。年代简报推断为东晋时期。

综合卷 *Zong He Juan*

997.重庆市万州区上中坝遗址发掘

作　者：西北大学考古队　冉万里、刘瑞俊
出　处：《文博》2000 年第 4 期

上中坝遗址位于重庆市万州区境内的长江北岸一级台地上，行政区划隶属该区小周镇涂家村一组。为"三峡工程淹没区及迁建区地下文物抢救发掘工作项目"之一，属 B 级发掘保护遗址，1992 年被发现，1994 年南京大学做过调查和试掘工作。1997 年 12 月和 1998 年 2 ～ 5 月，考古人员先后两次对遗址进行全面调查和钻探，对上中坝遗址进行正式发掘。发掘明代墓葬 5 座。

简报分为：一、遗址概况与工作经过，二、地层堆积，三、遗迹，四、遗物，结语，共五个部分，有手绘图、照片。

据介绍，上中坝遗址发现的遗迹有明代活动面，明代墓葬 5 座，清代墓葬 2 座，清代灰坑 2 座和清代沟 1 条。由于文化堆积遭到的破坏程度较严重，发掘出土的遗物主要有石器、钱币、瓷器、砖瓦等。在明清时期的地层中出有为数不多的石器，简报推断上中坝遗址可能有商周时期遗存。在遗址范围内采集的花纹砖及民房院墙中所砌的花纹砖，简报认为上中坝遗址或附近原有汉至六朝时期墓葬。

简报称，上中坝遗址发现的 M5 是一座大型的、结构较为复杂的明代多室石室墓，墓内精美的雕刻，墓主人较为明确的性别，在该地区以往发现的明代墓葬中还不多见。M5 的发现，为研究该地区明代墓葬形制、葬俗、石雕工艺提供了重要的实物资料。与胎质细腻、青花釉色圆润的景德镇青花瓷器不同，地方特色浓厚，为研究当地明清时期瓷器烧制情况，提供了重要的实物资料。

998.重庆忠州城址调查

作　者：上海市博物馆　杭　侃
出　处：《四川文物》2001 年第 4 期

为配合三峡工程文物调查工作，考古人员于 1994 年调查淹没区内的古代城址。忠州城较具代表性。

简报分为：一、忠州城的城建概况，二、忠州城现状，三、忠州城的初步复原，四、结语，共四个部分，配以手绘图，从实地调查资料和文献记载两方面分析和复原忠州城址的建置、沿革和地理历史风貌、保存现状等。

据介绍，先秦时巴国已建忠州城，现存有部分古城门和古代街道。宋元战争中，忠州不是双方争夺热点，故以幸存。元代以忠州城设地方政权，说明了当时忠州城保存尚好。明洪武时，绘有忠州城图，今日大体可依此图复原忠州城。

· 831 ·

999.重庆市万州区中坝子遗址第三次发掘简报

作　者：西北大学文博学院　冉万里

出　处：《考古与文物》2002年第3期

中坝子遗址位于重庆市万州区（原万县市）小周镇涂家村二组，地处长江北岸的一级台地上。此地北靠丰都山，南临长江滩地，东西为流水冲沟。遗址发现于1992年，1994年南京大学进行过调查与试掘。遗址保存状况较好，属三峡地区A级发掘保护遗址。

为配合长江三峡水利工程区文物的保护和发掘，西北大学考古队于1997年12月对中坝子遗址进行了详细的勘探、测量与发掘规划。在遗址中部确立了永久性的测量总基点，确定了东西、南北向的十字总基线，并依顺时针方向将遗址划分为Ⅰ、Ⅱ、Ⅲ、Ⅳ4个发掘区；1998年2～5月对遗址进行了第一次发掘；1999年2～8月对遗址进行了第二次发掘。通过第一、二次发掘，了解到中坝子遗址的地层堆积自下而上依次为商周时期、春秋战国时期、秦汉时期、六朝时期、宋元时期、明清时期，并清理了一批商周至明清时期的灰坑、墓葬、房屋基址、水田等遗迹，出土了大量的陶、石、骨、铜器等，取得了重要收获。这些发现表明中坝子遗址是一处延续时间长、文化堆积序列完整、地层清楚、内涵丰富、保存较好的重要古遗址。

2000年2～5月对中坝子遗址进行了第三次发掘。本次发掘是在第一、二次发掘的基础上，同时结合西北大学1997级考古专业学生的田野考古发掘实习进行的，代号为2000CWZ，发掘区主要集中在遗址东南部的Ⅱ区及西部的Ⅳ区，清理了一批商周至明清时期的墓葬、灰坑等遗迹，出土了一批陶、石、骨、铜器等，取得了重要收获。

本次发掘的主要收获，简报分为：一、地层堆积，二、商周时期遗存，三、春秋战国时期遗存，四、秦汉时期遗存，五、六朝时期遗存，结语，共六个部分，有手绘图、拓片。

据介绍，本次发掘的重要收获为：

1. 清理了一座瓮棺葬即W7，简报认为当属商周时期遗存。

2. 清理了一座六朝时期的瓮棺即W6。结合遗址第一、二次发掘发现的瓮棺葬情况来看，中坝子一带的瓮棺葬年代上自商周下迄六朝，一般都是用来埋葬婴幼儿的。反映了这一地区古代居民颇富地域特色的葬俗。

3. 与第一、二次发掘相似，本次发掘在商周时期及其以后的地层中也出土了大量的打磨制石器，其中包括加工石器的工具——石锤。这说明中坝子遗址的打制石器主要是属于商周时期的，至于晚期地层中所出石器当为后期人类活动扰动所致。本次发掘再次证明了这一点。

1000.重庆云阳乔家院子遗址唐宋时期遗存

作　者：西北大学考古队　冉万里、钱耀鹏

出　处：《江汉考古》2002 年第 3 期

重庆市云阳乔家院子遗址是三峡库区需要抢救发掘的重要遗址之一。简报分为：一、地层堆积；二、唐代遗存；三、宋代遗存；四、结语，共四个部分并配以手绘图，介绍了该遗址第四次发掘的唐宋时期遗存，其中以唐代瓷器和建筑材料为主。特别是瓷器，其形制与釉色兼具当地和北方地区特色，既反映了当时该地区的制瓷水平，也反映出大一统文化面貌下的地区文化交流。大量的唐代遗存证明，乔家院子遗址在这个时期是一个较大村落，对于当时的村镇聚落考古研究有非常重要的意义。

据介绍，乔家院子遗址位于重庆市云阳县巴阳镇望丰村三组、四组，地处长江北岸一级台地之上，面积约 65000 平方米。1999 年 2 月～2001 年 1 月进行过三次发掘，2001 年 2～6 月进行了第 4 次发掘。发现了先秦至明清时期的墓葬、陶窑、灰坑等遗迹，出土了石器、陶器、瓷器、铜器等。通过本次发掘可以看出，乔家院子遗址在唐代是一个较大的村落，宋元时期有所衰落，到明清时期有一次较大的发展。明清时期的大发展，很可能与当时大移民有关。

1001.重庆云阳乔家院子遗址第三次发掘简报

作　者：西北大学考古队　冉万里

出　处：《文博》2002 年第 1 期

乔家院子遗址位于重庆市云阳县巴阳镇望丰村三组、四组，地处长江北岸的一级台地上，面积约 65000 平方米。1999～2000 年先后进行了两次发掘。2000 年 10 月～2001 年 1 月，对乔家院子遗址进行了第 3 次发掘。发现了秦汉至明清时期的墓葬、灰坑等遗迹，出土了石器、陶器、瓷器、铜器等遗物。

简报分为：一、地层堆积，二、商周时期遗存，三、秦汉时期遗存，四、六朝时期遗存，五、隋唐时期遗存，六、明清时期遗存，"结语"，共八个部分，有手绘图等。

据介绍，商周时期遗存主要为石器。其中以打制石器较多，磨制石器较少。秦汉时期遗迹有灰坑及瓮棺葬 1 座。遗物有瓦当、筒瓦等。六朝时期遗存有灰坑及墓葬 1 座。隋唐时期遗迹有葬马坑，遗物有瓷器、料器、铜器、钱、板瓦、筒瓦等。明清时期遗迹有砖瓦窑 1 座。遗物有青花瓷器、陶器、钱币等。

简报称，通过本次发掘了解到，乔家院子遗址最早可能在先秦（商周）时期就开始有人类活动，虽然未见属于这一时期的地层堆积和遗迹，但属于商周时期的打制石器的大量发现可说明这一点。而该遗址在秦汉、六朝、隋唐、明清时期就成了一处人口相对集中的村落，人们在此开始了频繁的活动，留下了属于这一时期的较为丰富的遗迹、遗物。而在宋元时期人口似乎突然减少，这主要表现在属于这一时期的遗迹、遗物仅占极少比例。

简报指出，打制石器是旧石器时代的标志，而该地区在商周时期却仍流行，这一现象值得进一步思考。可能是封闭的自然环境造成了人文环境的封闭和相对滞后，或者是由于地区之间发展不平衡造成的。

唐代葬马坑的发现是本次发掘又一重要的收获。同类发现在三峡地区尚未见报道。在唐代地层中，发现了大量的瓷片，包括青瓷和白瓷。青瓷以紫红色和铁灰色胎为主，反映了随着六朝战乱的结束，人们生活趋于稳定，南北文化交流趋于频繁的历史事实。同时，唐代地层中也出土了大量唐代建筑材料，它们主要以素面筒板瓦和莲花纹瓦当为主，无论造型还是花纹特征都与长安地区区别不大，也可以从中反映出唐王朝影响力的加强。中央权力所能影响的地区，其葬俗、葬制愈接近长安中原地区。

明清时期砖瓦窑的发现，为了解、研究该地区窑的发展演变等方面，提供了重要的实物资料，也有较重要的意义。

1002.张飞庙遗址发掘简报

作　　者：重庆市文物局、陕西省考古研究所、西安文物保护修复中心

出　　处：《文博》2003 年第 5 期

张飞庙位于重庆市原云阳县城以南的长江南岸飞凤山麓，为全国重点文物保护单位。因位于三峡库区，对其地面建筑进行整体搬迁，迁移至云阳新县城盘石镇的长江南岸。结合搬迁，2002 ~ 2003 年，考古人员进行了发掘。简报配以手绘图予以介绍。

据介绍，张飞庙又名张桓侯庙，为纪念三国时蜀汉名将张飞而建。传张飞死后首级葬于飞凤山麓，因此建庙以祀。史料记载，张飞庙建于三国蜀汉末年，以后历代有修缮。张飞庙的主体建筑分布在两层山崖上，其主体建筑占地面积约为1200平方米。主体建筑在下层山崖（下台）从东向西有杜鹃亭、碑室、接待室、望云轩、结义楼。二层山崖（上台）从西向东为大殿、偏殿、助风亭、侧廊、陈列室。隔山溪的西边山崖上有望云楼、望云亭。张飞庙遗址的主要遗迹均位于下台，共揭露出各代房址 8 座，独立的门址一处，较大型的石墙 4 处，进庙踏步一处。还发现小型石护坡等遗迹。不少建筑的梁柱上还发现了墨书题记。

1003.重庆市云阳县马粪沱墓地 2002 年发掘简报

作　者：郑州市文物考古研究所

出　处：《文物》2004 年第 11 期

该墓地 2002 年进行发掘，地点在云阳县双江镇，清理了东周、两汉、六朝墓葬 26 座，出土各类文物三百多件。

简报分为：一、东周墓葬，二、两汉墓葬，三、六朝墓葬，四、结语，共四个部分，有照片、手绘图。

据介绍，东周墓 4 座，均为长方形竖穴土坑墓，葬具、骨架几乎不存，出土有陶器、铜器、料珠。最早的 M71 为春秋战国之际墓，其余为战国墓。两汉墓计 11 座。六朝墓计 7 座，应为东晋墓，出土有陶、铁、瓷、银器等。

1004.重庆云阳县李家坝遗址 1997 年度发掘简报

作　者：四川大学历史文化学院考古系、重庆市文化局、云阳县文管所

出　处：《考古》2004 年第 6 期

重庆市云阳县李家坝遗址是长江三峡水库淹没区内的一处重要的古文化遗址，于 1987 年四川省文物普查时发现。为配合长江三峡水库工程建设，1992～1993 年考古人员对该遗址进行了复查和试掘。1994～1995 年又对该遗址进行了两次试掘。1997 年 10 月至 1998 年 1 月，首次对该遗址进行了大规模的抢救性发掘。

简报分为：一、遗址概况，二、地层堆积，三、商、西周时期的文化遗存，四、东周时期的文化遗存，五、两汉时期的文化遗存，六、六朝时期的文化遗存，七、分期与年代，八、结语，共八个部分，介绍了 1997 年度该遗址商周至六朝时期遗存的发掘情况，其中不包括东周墓葬、汉墓和唐宋明清的水田遗址，它们的情况已另文发表，有彩照、手绘图。

据介绍，李家坝遗址是三峡库区内一处重要的古文化遗址，现存面积约 60 万平方米。1997～1998 年，对该遗址进行了发掘，清理了商周至明清时期的房屋建筑、灰坑、墓葬、水沟、陶窑、火塘和水田等遗迹，出土有陶器、石器、骨器、铜器、铁器、瓷器等遗物。

简报称，李家坝遗址的堆积延续时间长，从商周时期开始，历经两汉、六朝、唐宋，直至明清时期。李家坝遗址是一个内涵丰富的遗址，在不同时代其性质有所差异。在战国时期以前，这里应是巴国在这一地区的一处区域性的中心聚落。在汉代，这里可能是汉帝国地方行政机构所在地。在六朝时，仍有大型建筑存在，聚落的规模较大。唐宋以后，这里的聚落不复存在，人类对这里土地资源的利用主要限于农

业生产活动。

简报指出，由于这里是巴人传统的活动地区，遗址中商周至战国时期的文化遗存应是代表了巴人的文化，与川西地区同时期文化的特征非常相近，这有助于我们了解巴人早期文化与蜀人早期文化的关系。通过此次发掘，可粗略看出本地区晚期巴人文化的演变轨迹。在战国时期前后，这里的巴人文化受到了楚文化等的强烈影响，文化进入了一种不整合状态。在进入汉代后，巴人的文化又逐渐消失。

1005.重庆巫山县巫峡镇秀峰村墓地发掘简报

作　者：四川省文物考古研究所、巫山县文物管理所、重庆市文化局三峡文化
　　　　保护工作领导小组　雷　雨、陈德安等
出　处：《考古》2004 年第 10 期

为配合三峡水利工程重庆库区 135 米水位线以下的文物保护抢救工作，考古人员于 2000 年 9 月至 2001 年 1 月对巫山县巫峡镇秀峰村墓地（因邻近小三峡水泥厂，故原调查登记表将其命名为小三峡水泥厂墓地）进行了勘探及发掘。该墓地位于巫峡镇（县城所在地）秀峰村二社，地处长江北岸、大宁河西岸。

简报分为：一、西汉土坑墓，二、东汉砖室墓，三、宋代砖室墓，四、年代，五、结语，共五个部分，有彩照、拓片、手绘图。

据介绍，秀峰村墓地分布面积较大，涉及朝代较多，时代从西汉初年延续到北宋。此次发掘的 6 座墓葬中有 5 座为两汉时期，表明该墓地应主要为两汉时期的墓地。M3、M4 及 M1 规模较大，加工考究，随葬品较精美，说明秀峰村墓地部分墓主的身份较高。M3 所出鎏金铜扣缀贝腰带，在长江流域尚属首次发现，其中 2 件长方形动物纹样的鎏金青铜带扣，也是首次在三峡地区发现的鄂尔多斯式青铜带饰，为研究北方草原文化对南方地区的影响和传播提供了宝贵的实物资料。另外，像 M2 这样的空心砖墓，在峡江地区也不多见，为该地区两汉时期墓葬形制的研究提供了新材料。

1006.重庆巫山水田湾东周、西汉墓发掘简报

作　者：武汉市文物考古研究所、巫山县文物管理局
出　处：《文物》2005 年第 9 期

水田湾位于巫山县巫山镇东北，2000 年 9 月为配合三峡工程进行勘探、发掘，共发掘古代墓葬 21 座。

简报分为：一、墓葬形制，二、随葬器物，三、结语，共三个部分，先行介绍其中的 16 座东周、西汉墓，有手绘图。

据介绍,16座墓可分为土坑墓、砖室墓两大类,出土遗物有铜器、铁器、石器、银环、琉璃镇、石黛板、砚石等,涉及春秋末期至战国早期、秦末至西汉早期、西汉晚期、王莽时期或稍后、东汉早期、东汉中晚期等各个历史时期。简报称:早期墓葬显现楚文化特点,墓主人或为楚遗民,但迟至东汉中晚期,巫山地区已完全是汉文化占统治地位了。

1007.重庆巫山麦沱古墓群第二次发掘报告

作　者:重庆市文化局、湖南省文物考古研究所、巫山县文物管理所　尹检顺、
　　　　谭远辉等

出　处:《考古学报》2005年第2期

麦沱古墓群经1997年冬至1998年春第一次发掘墓葬19座后,又于1999年春季进行了第二次发掘。麦沱古墓群坐落于长江北岸巫山县城以西1公里许的山坡上。根据调查勘探和清理发掘的结果,其分布可划分为东、西、南三个区域。以环山公路为界,南为南区。北部又以中部冲沟为界,分为东、西两区。三区中以东区墓葬保存较好,西、南区遭盗扰较严重。本次发掘的重点仍放在东区。发掘墓葬13座,出土文物203件。13座墓中有战国墓3座,西汉墓2座,东汉墓2座,南朝墓2座,宋墓2座,另有2座空墓时代不明。东汉墓及六朝墓为砖室券顶,其余均为土坑墓。

简报分为:一、概况,二、战国墓葬,三、西汉墓葬,四、东汉墓葬,五、南朝及宋代墓葬,六、主要收获,共六个部分,介绍了1999年第二次发掘的情况,有照片、手绘图。

简报称,本次发掘的主要收获是3座战国墓和东汉时期M47的发现与发掘:

史载楚国从春秋中期到战国晚期前段经营古夔子国一带达357年之久,但这一时期的楚墓在这一带还鲜见报道,麦沱3座楚墓的发现填补了这一空白。其时代虽属秦占领时期,但楚文化并未随楚政权在这一带的消亡而消亡。入汉以后,情况发生了急剧变化,墓葬中已极少楚文化遗风,巴蜀土著文化又卷土重来。

M47是一座保存较完好而规格较高的墓葬,这在三峡地区已发掘的东汉葬中并不多见。墓中不仅出土了一批反映墓主人财富的金、银、铜、漆器以及精美的釉陶器,还出土了一批反映墓主人地位、身份的陶俑以及陶楼房模型,其中釉陶器、陶俑、陶楼模型更是弥足珍贵。釉陶器的烧制在这一时期臻于完善,铅釉陶是其主要产品。一部分器皿采用双色釉烧制,使颜色丰富而有层次。银釉"实际上是铅绿釉的一层半透明衣,是一层沉积物。当铅绿釉处于潮湿环境下,由于水和大气的作用,釉面受到轻微溶蚀,溶蚀下来的物质连同水中原有的可溶性盐类在一定条件下从釉面表层和裂缝

中析出"。"当沉积物达到一定厚度时，由于光线的干涉作用，就产生银白色光泽"。釉陶精品除人俑外，还有猪、鸡、狗、猪圈等动物和模型器，通体施釉，保存相当完好。此外，蟾蜍座灯、瓯魁等器，造型奇特，是一批难得的艺术珍品。其中灯以蟾蜍为座当有一定寓意，古代传说月中有蟾蜍，且常作为月亮的代名词，如蟾宫。

墓中引人注目的还有一组造型各异、形体高大的陶俑。有一部分俑头或身体部位以相同的范制成后，与造型不同的其他部位捏合。一般为头、身分制（有的腿也分制），以女俑为主。6件女俑中有5件的头为同范制成，但却自然天成，并无雷同感。西王母在汉代是人们顶礼膜拜、最受尊崇的神祇，这在巴蜀地区表现得更加突出，是画像石、画像砖、铜牌饰线刻图案等美术作品中的永恒主题。但像 M47 中直接将西王母塑成偶像的还是第一次出土。同墓出土的镇墓俑、众多的舞乐俑、服侍俑都是服务于死者的，是死者生前地位及身份的真实写照。墓中出土的戏楼、谯楼等模型结构对于研究汉代建筑风格亦有重要参考价值。

1008.奉节宝塔坪遗址 2003 年发掘简报

作　者：吉林大学边疆考古研究中心、重庆市文化局、白帝城文物管理所
　　　　冯恩学、魏　东、于卫东

出　处：《江汉考古》2005 年第 4 期

宝塔坪遗址原属于重庆市奉节县永安镇窑湾村，现属于奉节县城鱼复开发区。遗址位于梅溪河东 1 公里的长江北岸。遗址东端有一座古塔，名曰耀奎塔。塔所在的山坡称宝塔坪，遗址以此命名。2000 年、2001 年曾进行过两次发掘，2003 年又进行了第三次发掘，共发掘墓葬 17 座。

简报分为：一、IM1028，二、IM9001，三、结语，共三个部分，先行介绍了其中的 M1028、M9001 两墓，有手绘图。

据介绍，IM1028 为深穴土坑墓，没有被盗扰，出土的陶鼎、敦、壶属于战国晚期楚式陶器，该墓属于战国晚期楚文化墓。墓中没有随葬铜礼器，等级较低。墓中没有使用兵器随葬，当地不少楚墓都没有铜兵器，如果宝塔坪 IM1028 能晚到秦，则似乎暗示出秦入峡江地区后可能限制楚人使用兵器。IM1028 出土的仿铜鼎皆饰绳纹，在三峡地区战国墓陶器中独具特色。IM9001 出土器物为东汉墓葬常见，故确定该墓是东汉墓。在 IM9001 盗扰出土的器物除汉代陶片外，都是宋代瓷片和宋兽面瓦当，简报推测盗扰土中的三彩男俑也属于宋代。宝塔坪遗址发现的三彩俑可能是附近宋墓内的随葬品，该俑被盗墓者获得后因头部残失而被遗弃于东汉墓盗洞内。IM9001 出土器物丰富，为研究东汉与宋朝时期的三峡历史与文化艺术提供了宝贵资料。

1009.重庆市云阳县明月坝唐宋寺庙遗址发掘简报

作　者：四川大学历史文化学院考古学系、重庆市云阳县文物管理所　李映福、
　　　　姚　军、于孟洲等
出　处：《文物》2006年第1期

明月坝遗址位于长江北侧支流澎溪河南岸的明月坝台地上，属重庆市云阳县高阳镇走马村，为三峡工程淹没区。遗址的发掘始于2000年秋，发掘面积2700平方米。

简报分为：一、遗址位置与发现经过，二、建筑基址，三、出土遗物，四、结语，共四个部分，有彩照、手绘图。

据介绍，此次发掘，揭露出寺庙、衙署、民居、道路、墓地等遗迹。寺庙基址位于台地西侧，坐西朝东，由4座基址构成，此外还有道路等相关遗迹。基址出土大量瓦当、板瓦、筒瓦、柱础石等建筑材料和陶器、瓷器、铁器、钱币、佛教造像等遗物。根据出土器物，简报断定寺庙建筑的年代应在唐末、五代至宋初。明月坝唐宋寺庙基址的发现为了解这一时期的民间宗教信仰提供了十分难得的材料。

简报指出，明月坝唐宋寺庙建筑的布局与形制很有特点。首先是不拘泥于寺庙对称严谨的布局，而根据地形变化来设计，既考虑到寺庙的功能，又做到了与自然地形的和谐统一，体现了峡江地区山林寺庙自由灵巧的风格。唐代晚期佛教信仰日益世俗化，这种规模较小的佛寺不仅承担佛教信仰的传播，而且也是区域性民间文化、经济活动的汇聚点。明月坝唐宋寺庙基址的发现为了解这一时期民间的宗教信仰提供了十分难得的材料。

1010.重庆云阳县乔家院子遗址六朝及明代窑址的发掘

作　者：西北大学考古队、万州博物馆　钱耀鹏、冉万里等
出　处：《考古》2006年第5期

乔家院子遗址位于重庆云阳县巴阳镇望丰村三组、四组。1997年发现，1998年进行测绘和发掘规划，并在中部偏西处设立了永久性测量总基点，按顺时针分为四个发掘区。1999～2001年进行了3次发掘，证实该遗址是三峡库区重要的古文化遗址。2001年2～6月，西北大学考古队进行了第四次发掘，发现先秦至明清的墓葬、陶窑、灰坑等遗迹，出土石器、陶器、瓷器、铜器等遗物，取得了重要收获。尤其是六朝及明代窑址保存较好。

简报分为：一、窑址分布与地层堆积，二、六朝时期窑址及出土遗物，三、明代窑址，四、结语，共四个部分，有彩照、手绘图。

据介绍，本次发掘共发现六朝时期陶窑3座、明代陶窑1座。六朝时期陶窑的

窑室平面呈方形或长方形。有的窑使用时间似乎不长，简报推断是临时需要而建造的。窑址内出土大量陶器和砖瓦残片等。明代陶窑的窑室平面呈圆形。窑址内出土砖瓦残片。这些窑址的发现，对于研究中国陶瓷史上陶窑结构的发展演变等具有重要意义。

1011.重庆石柱县观音寺遗址发掘报告

作　者：河南省文物考古研究所、重庆市文化局三峡办、石柱土家族自治县文物管理所　赵　清、李胜利

出　处：《华夏考古》2007 年第 3 期

观音寺遗址位于重庆市石柱县东北 60 余千米的长江南岸，面积约 3 万平方米。为配合三峡水利工程，考古人员于 2001 年 5 月至 7 月对观音寺遗址进行考古发掘。发掘面积 2500 平方米，出土灰坑 4 个，同时出土一批汉代以前的陶器、石器，唐代陶器、瓷器，宋、明、清时期陶器、瓷器等遗物。

简报分为：一、地理环境与遗址现状，二、发掘经过与地层堆积，三、遗迹，四、遗物，五、结语，共五个部分，有照片、拓片、手绘图。

据介绍，这次发掘的主要收获是出土了一批宋代遗物，能复原器物近百件。简报认为观音寺遗址本身就是一处寺庙遗址，出土的 62 件陶盏，应是寺庙内所用之灯盏。如果推测无误的话，观音寺应是创建于唐代，宋代是其鼎盛时期，元代以后逐渐衰落。在建观音寺之前，人们没有大规模在此居住。

简报称，重庆市石柱县是土家族自治县，水磨村是土家族聚居区。人们世代临江而居，水路交通便利，与外界联系较多，至今已完全汉化。据有关文献记载，土家族在宋代已经形成，所以观音寺遗址和观音寺可能与土家族有直接关系。这次发掘对研究唐、宋以来土家族的宗教信仰、文化面貌、生活习俗等也极有意义。

1012.奉节县刘家院坝遗址 2002 年发掘报告

作　者：吉林大学边疆考古研究中心、奉节县白帝城文物管理所　赵宾福等

奉节县刘家坝遗址 2002 年发掘发现灰坑 4 个、土坑墓 1 座，完整或可复原遗物 40 余件。年代涉及旧石器时代、东周时期、东汉时期、宋代及明清时期。

简报分为：一、地层堆积，二、旧石器时代遗存，三、东周时期墓葬，四、东汉时期遗存，五、宋代遗存，六、明清时期遗存，七、结语，共七个部分。有手绘图。

据介绍，遗存中比较重要的有旧石器时代牛臼齿化石 2 枚、犬种动物颌骨化石 1 块、蛋化石 1 个。东周墓为长方形土坑竖穴式，无葬具，墓主人为一 45 岁左右女性，仰身直肢一次葬。

1013.奉节县头堂包遗址 2002 年发掘简报

作　者：吉林大学边疆考古研究中心、奉节县白帝城文物管理所

出　处：《江汉考古》2007 年第 3 期

重庆奉节头堂包遗址于 1992 年被发现，2002 年共发掘 1000 平方米。发现灰坑一座，在海拔 115～135 米的断崖上清理砖室墓两座，发现完整和可复原的器物共计 60 余件。此次发掘的遗存包含了汉代、宋代和明清三个时期。

简报分为：一、地层堆积与分期，二、汉代遗存，三、宋代遗存，四、明清时期遗存，五、结语，共五个部分予以介绍，有手绘图。

据介绍，头堂包遗址位于奉节县万胜乡口前村1组，西距航运信号台约200 米，东距奉节县水电局约300 米，东北距奉节新县城（三马山区）约1000 米。遗址地处长江北岸的二级台地上。东临长江支流朱衣河，与和尚坪遗址隔河相对，海拔高程 110～145 米。遗物有釉陶器、青花瓷器、铜钱等。头堂包遗址从汉代到明清时期的考古学文化面貌与峡江地区同时期的考古学文化面貌同出一辙，为研究峡江地区历史时期的文化传播、经济流通、民俗生活、环境水文等各方面情况提供了新的资料。

1014.重庆奉节拖板崖墓群 2005 年发掘报告

作　者：重庆市文化局、湖南省考古研究所、湖南省津市市博物馆、奉节县白帝城文物管理所

出　处：《江汉考古》2007 年第 3 期

2005 年 11 月，为配合三峡库区文物抢救工作，考古人员再次对奉节拖板崖墓群进行发掘，发现墓葬 10 座，出土随葬品 50 余件。根据墓葬形制和器物形态分析，其时代为汉至六朝。简报分为五个部分予以介绍，有手绘图。

据介绍，拖板崖墓群位于重庆市奉节县康坪乡光辉村一组，坐落于长江北岸。与云阳县界仅一条冲沟相隔，东距奉节县城约 35 公里。崖墓主要分布在海拔 175 米上下陡峭的山崖前沿，高低错落，分层排列。此墓地除崖墓外，还有部分券顶砖室墓和竖穴土坑墓，分布高度较崖墓相对略低。现发掘古墓葬 10 座，编号：M1～M10。10 座墓葬中，以崖墓为主，共 7 座。其中新莽及东汉中后期时期崖墓各 1 座（M3、M10），六朝时期崖墓 5 座（M2、M4、M7、M8、M9），时代应不晚于东晋时期。土坑竖穴墓 2 座：1 座西汉墓（M6），另 1 座空墓时代不明（M1）。券顶砖室墓 1 座（M5），早期被盗，无随葬品，从墓葬性质分析，应为六朝时期。

有随葬品的墓中共出土器物 59 件（套），主要为陶器，此外还有少量青瓷器、铜器、银器、琉璃、玛瑙器等。

1015.重庆市万州区包上秦汉墓地

作　者：荆州博物馆、重庆市文化局、重庆市万州区文管所　朱江松、邓启江等
出　处：《考古》2008 年第 1 期

包上墓地位于重庆市万州区新乡镇寨子村八组，北与武陵镇隔江相望，东北距万州市区约 36.5 公里。墓地中心除村民住宅和部分果树、蔬菜外，大部分是已拆迁的蚕茧收购站房基、水泥地坪和村民住宅。墓地周围为坡地，种植有红薯、蔬菜等旱地作物。据当地村民讲，包上原为高约十几米的小山包，20 世纪 70 年代平整土地时全部挖平，改造成水田，80 年代又在上面建房，设立蚕茧收购站，致使部分墓葬被毁。为配合三峡水库建设，考古人员于 2001 年 10 月 9 日至 12 月 10 日对包上墓地进行了勘探和发掘。

简报分为：一、地层堆积与墓葬分布，二、秦墓，三、西汉墓，四、东汉墓，五、结语，共五个部分，有照片、拓片、手绘图。

据介绍，此次共清理秦汉时期的墓葬 11 座，其中秦墓 5 座、西汉墓 2 座、东汉墓 4 座。具体年代，秦墓简报定为秦初；西汉墓定为西汉早期和西汉初年；东汉墓有 2 座已遭破坏，只能定为东汉；另 2 座定为东汉中期。

1016.重庆市万州铺垭遗址发掘报告

作　者：河南省文物考古研究所、重庆市文化局、重庆市万州区文物管理所
　　　　魏兴涛、李胜利
出　处：《华夏考古》2008 年第 2 期

铺垭遗址位于重庆市万州区东北约 20 公里的大周镇铺垭村东南，地处长江左岸的台地上，东距长江约 100 米，总面积约 8800 平方米，2003 年 2 月考古人员在该地进行了发掘，发掘面积 2085 平方米。

简报分为：一、地层堆积，二、文化遗存，三、结语，共三个部分予以介绍，有照片、拓片、手绘图。

据介绍，铺垭遗址虽然面积不大，但遗存年代跨度大，从东周开始，历经东汉、唐、宋，一直延续到明清。但其文化间歇期相对较长，文化堆积的年代缺乏连续性。东周文化遗存有灰坑、房址、灰沟、陶窑等。遗物有陶器、石器、铜器。汉代遗存有墓葬、陶器等。唐代中晚期遗存有墓葬、瓷器等。宋、明清遗存有瓷器、瓷片、铜钱。

1017.重庆巫山土城坡墓地2006年度发掘简报

作　　者：武汉市考古研究所、巫山县文物管理所　裴　健
出　　处：《四川文物》2008年第3期

巫山县土城坡墓地和窑址第四次发掘是配合三峡库区第三期水位蓄水工作进行的。2006年考古人员共发掘东周、西汉、六朝、唐代及明代墓葬33座、汉代窑址11座。这批墓葬的形制、葬式、出土器物发展演变清楚，反映了当时巴文化、楚文化、汉文化的各自风格，对研究当地的历史发展提供了重要资料。汉代窑址的发现，解决了当时人们生活用具和随葬器物的产地等问题。

简报分为：一、墓葬，二、窑址，三、结语，共三个部分，有手绘图等。

据介绍，此次共发掘东周、两汉、六朝、唐代及明代墓葬33座。其中，竖穴土坑墓19座、土洞墓2座、土洞砖室墓9座、刀把形砖室墓3座，应为公共墓地。清理汉代时期窑址11座，均为馒头窑，半洞穴式，依地势而建，集中分布在墓地南部坡地上，排列有序；少数窑与窑之间存在叠压关系。VIIM12是东汉时期的刀把形土洞砖室墓，打破了另一古墓，表明这批窑址延续使用时间较长。

此墓地2004年发掘简报见《江汉考古》2009年第2期，据称，计清理战国时期到东汉时期墓葬77座，晋代至清代墓葬9座，出土各类文物1000多件。据称，巫山土城坡墓地现在仍然存在数量较多的东周至两汉时期墓葬。虽然墓葬密度较大，但是没有发生同时代墓葬彼此打破的现象，还有一些年代相近、规模相当的墓葬成排成组埋在一起。当时墓地应该存在一定规划，地表应有某些标志，值得在今后的发掘和整理工作中重视。

1018.重庆巫山县神女路秦汉墓葬发掘简报

作　　者：重庆市文物考古研究所、武汉市文物考古研究所、巫山县文物管理所
　　　　　许志斌、杜　峰、刘志云、裴　健
出　　处：《江汉考古》2008年第2期

神女路墓地位于重庆市巫山县巫峡镇高塘村，现为巫山县新城区，西北部为大巴山脉，东南面距长江1.5公里，是一处时代为秦、两汉时期的中小型墓地。为配合三峡工程和迁建的巫山新城区建设，2000年9月，考古人员在此进行了抢救性考古发掘。共清理发掘墓葬15座，主要为竖穴土坑墓、竖穴砖室墓和土洞砖室墓三种形制。根据墓葬形制及随葬器物组合，这批墓葬可分为三期六段，是研究峡江地区秦、两汉时期丧葬制度及习俗等重要的考古资料。

简报分为：一、墓葬形制，二、随葬器物，三、结语，共三个部分，有拓片、照片、手绘图。

据介绍，15 座墓共出土铜、铁、石、琉璃、釉陶、陶、漆木等质地器物 230 余件。时代可分三期六段：第一段为秦代前后，第二段为西汉早期，第三段为西汉晚期，第四段为王莽时期，第五段为东汉中期，第六段为东汉晚期。

1019.嘉陵江郙阁栈道考察记

作　者：西安文物保护修复中心、汉阳陵博物馆　秦建明、白冬梅
出　处：《文博》2008 年第 5 期

郙阁栈道是古代秦、蜀间一处著名栈道，2006 年初，考古人员考察了此处栈道遗址。简报分为"地理环境与遗址概况""郙阁栈道的结构特点与其他"等几个部分，有照片、手绘图。

据介绍，嘉陵江是长江的一条重要支流，发源于陕西凤县代王山南，自北向南穿越峰峦起伏的秦岭与巴山，流入四川盆地，至重庆注入长江，全长约 1120 公里。沿嘉陵江上源北越秦岭大梁，可通达渭水支流清姜河的河谷，出谷即可进入关中。这两条谷道自古以来便是沟通秦蜀两地的大通道，清姜河谷谷口为宝鸡市，古名陈仓，所以，也有称此道为陈仓道者。又因其间道路开辟甚早，古时即名为故道，故道一词，即为老路之意。嘉陵江畔的凤州，古为故道县，嘉陵江上游，历史上亦曾称之为故道水。郙阁栈道即处于这条古道之中。郙阁之北，有道岔入天水陇南，郙阁向南有道岔入汉中，郙阁正扼其中，系古时交通要地。简报推测先秦时已建有栈道，有从先秦至南北朝的道路遗址及隋唐至宋元的柱孔。简报还附有东汉的摩崖《郙阁颂》全文，系以《金石萃编》录文为底本进行了校正。

1020.重庆奉节赵家湾墓地 2004 年发掘简报

作　者：武汉大学考古与博物馆学系、武汉大学科技考古中心　王　然、
　　　　李　洋
出　处：《江汉考古》2009 年第 1 期

2004 年重庆奉节赵家湾墓地共发掘墓葬 20 座，出土各类文物 300 余件。其中东汉墓葬 15 座，包括砖室墓和崖墓，随葬品以陶器和五铢钱为主，年代不早于东汉中期；蜀汉砖室墓 1 座，延续了东汉晚期墓葬风格；东晋砖室墓 1 座，出土大量精美青瓷器，文化面貌与同时期长江中下游地区趋同；明代墓葬 3 座，均为土坑墓。

简报分为：一、东汉墓葬，二、蜀汉墓葬，三、东晋墓葬，四、明代墓葬，五、结语，共五个部分，有手绘图。

据介绍，赵家湾墓地虽然规模不大，随葬品质地一般，不少墓葬遭破坏致使随葬品组合不全，但从东汉中期到蜀汉时期的时间序列较为完整，较好地反映了该地区当时的历史风貌，为研究峡江地区考古文化的发展，提供了重要的实物证据。

1021.重庆巫山下湾遗址发掘简报

作　者：武汉市文物考古研究所、重庆市文物考古研究所、巫山县文物管理所
　　　　　许志斌、陈　艳、徐国胜、裴　建
出　处：《江汉考古》2009 年第 2 期

简报配以照片、手绘图，介绍了相关的发掘情况。

据介绍，下湾遗址及墓地所出土的器物，石器主要是手工工具和渔猎工具，如斧、锛、锥、镞、石球和个体较大的石网坠。铁器使用的领域比较广泛，包括农具、兵器、渔猎工具和服饰用具，如刀、镞、叉和带钩等。铜器数量较多，主要有镞、鱼钩、鍪、洗、带钩、钗等，保存相对完好。陶器种类繁多，有的已进入早期青瓷范畴。琉璃器多为耳坠等装饰品。下湾遗址具有从春秋晚期至两汉、宋、清等时期连续发展的特点，时代跨度较大。从遗址的文化堆积和出土遗物看，春秋晚期至两汉时期是遗址的发展和繁荣阶段。下湾遗址应是大宁河流域内一处较重要的聚落遗址，它的兴衰与外界的沟通、文化交流有着密切的关系。

1022.重庆万州区青龙嘴墓地考古发掘简报

作　者：青海省文物考古研究所、重庆市文化局、万州区文物管理所　刘宝山
出　处：《华夏考古》2010 年第 1 期

2001 年下半年，考古人员在三峡库区青龙嘴墓地进行了发掘。发掘的主要是东汉到南朝时期的砖室墓和土坑墓，共 22 座，出土各种文物近 400 件，器物种类比较齐全，类型丰富，为研究长江流域同时期的考古学文化提供了一批重要的实物资料，同时对研究南北方文化的交流具有重要的参考价值。

简报分为：一、墓地概况，二、墓葬的结构与葬具，三、随葬品，四、铜钱与墓砖，五、结语，共五个部分，有拓片、手绘图。

据介绍，青龙嘴汉至南朝墓葬区是大地嘴遗址的一部分，隶属于重庆市万州区新乡镇合格村。发现东汉至南朝墓葬22座，其中砖室墓11座、土坑墓11座。出土铜

钱1368枚，其他各类完整器物393件，质地有陶、瓷、银、铜、铁、玉石、琉璃等，器类包括罐、钵、碗、困、甑、壶、俑、指环、釜、盘、盖、尊、碟、杯、刀、铜钱、饰品和井、灶、屋、仓、几、案、池塘的陶质模型等。墓葬编号延续以往历年的墓葬编号，从M27开始到M48为止。本墓地所发掘的砖室墓都曾经被盗掘过，出土的器物数量相对较少且完整器不多。而土坑墓仅有个别的被盗现象，出土完整器比较多。葬具、人骨保存不好。简报称，此墓地暂定为东汉至南朝墓地，各墓具体年代尚待研究。

1023.重庆市奉节县桂井战国秦汉墓地

作　者：南京大学历史系考古专业、重庆市文化局、奉节县白帝城文物管理所
刘兴林等

出　处：《考古》2011年第11期

桂井墓地位于重庆市奉节县桂井村，地处长江北岸的缓坡地带，西距奉节县城约4公里，东距老县城约2.5公里。2005年10～11月，考古人员对墓地进行了发掘，共发掘土坑墓6座、砖室墓1座，墓葬大部分未经盗扰，墓葬结构、埋葬情况和出土遗物对认识巴、楚文化的关系以及巴文化向汉文化的转化有着重要意义。

简报分为：一、土坑墓，二、砖室墓，三、结语，共三个部分予以介绍，有彩照、手绘图。

据介绍，此次发掘共清理土坑墓6座，砖室墓1座。另5座墓时代在战国中晚期至西汉初期，并且墓葬有着浓厚的楚文化因素，具有巴、楚文化交融的特点。出土的器物中，铜兵器4件，3件为巴式剑、1件为巴式铜矛。陶器鼎和壶又明显为楚式。总体上看，该墓地楚文化的因素已占主导地位。在巴、楚文化的交流过程中，到战国晚期，巴文化的特色逐渐淡化。

据简报引《史记》，桂井一带在战国晚期或为楚所有，或为秦占领，而作为土著的巴文化却一直存在。以上5座土坑墓皆有楚文化或巴文化的特征，正反映了战国晚期至西汉初期楚文化在该地区与巴文化融合的情况。

M5是一座东汉砖室墓，墓葬中出土的陶摇钱树座上有怪兽扶轮的图案，这是以往树座上少见的。东汉墓中少见以陶马随葬，尤其在西南地区汉墓中，除家禽类的鸡之外，动物俑中以狗居多，其次为猪，M5出土的陶马也十分少见。

1024.重庆地区元明清佛教摩崖龛像

作　者：重庆中国三峡博物馆　王　玉等
出　处：《考古学报》2011 年第 3 期

据 20 世纪 80 年代的第二次全国文物普查显示，在重庆市范围内尚存有元、明、清时期佛教摩崖造像 200 余处，其中元代造像 4 处，明代造像 60 余处，清代造像 180 余处。这些晚期造像主要分布在重庆大足、潼南、合川、江津、荣昌、南岸等 25 个区县，是研究唐宋之后石刻造像的珍贵材料。很久以来，由于晚期造像一直不被研究者和文物保护部门重视，许多造像已遭到严重的人为破坏，被改刻、涂鸦等损毁现象一直都在发生。考古人员 2004 年完成了野外调查工作，获取了大量造像资料。

简报分为：一、摩崖龛像，二、结语，共两个部分，有彩照。

据介绍，元代摩崖龛像在重庆发现很少，可能与元代统治者崇奉藏传佛教的关系密切。元朝将藏传佛教奉为国教，理应在全国各地有一定数量的元代造像被发现，可像重庆大足曾为唐末至南宋时期的石刻造像中心，具有厚重的石刻传统艺术的地区没有发现元代龛像。重庆元代佛教造像也有受藏传佛教造像影响，但总体看还是以汉传佛教造像风格为主。

至于明代，根据题材内容、像龛形制和造像风格的变化，可将重庆明代摩崖龛像分为前后两期。前期龛像包括洪武、永乐二朝的龛像，后期龛像包括永乐朝以后的明代摩崖龛像。

据调查材料所知，洪武、永乐二朝是重庆明代佛教造像的重要开凿时期，造像题材颇丰富，造像题材基本上延续了南宋时期的造像内容，反映出明代前期佛教造像与南宋造像存在着紧密的承袭关系，但又在细节上有所变化。

明代后期摩崖造像分布零散，重庆各区县几乎都有，规模大多偏小。明代净土宗流行。明代后期佛教造像接引佛非常流行，不少造像系改刻宋代佛像而来。与明前期的造像题材相比已明显减少，前期不见的牛王菩萨直到清代都有开凿（大足宝顶南宋造像中已有）。

明代晚期像龛形制变得简单，一般为方形或长方形浅龛，前期流行的圆形佛像列龛、方形龛套圆形龛的组合形式已完全消失。后期则出现装饰繁缛倾向。

重庆清代摩崖龛像规模很小，但分布极广，各区县都有开凿，保存状况很差，大多被改刻、涂鸦和损毁。清代造像题材大致承袭明后期内容，造像的雕刻技法拙劣，所呈现的佛教石刻造像的衰退之势更为明显。

文后附有"重庆地区明代佛教摩崖龛像登记表"，记录佛像 61 个，记其名称、位置、主要内容、其他计 4 项。另有"重庆地区清代佛教摩崖龛像登记表"，收 182 个。

1025.重庆万州区梁上墓群发掘简报

作　者：重庆市文物考古研究所、开封市文物考古研究所、万州区文物管理所
　　　　王三营、刘春迎、葛奇峰

出　处：《华夏考古》2011 年第 2 期

2004 年考古人员对三峡库区梁上墓群进行了考古发掘。该墓群主要是西汉到南朝时期的石室墓和土坑墓，出土各类文物 60 件，其中 M1、M2、M3、M5、M8 可能同属一个家族。

简报分为：一、概况，二、墓葬形制，三、随葬器物，四、结语，共四个部分，有手绘图。

据介绍，梁上墓群位于重庆市万州区西南约 40 公里处的长江北岸的一半圆状台地上，行政区划属于万州区武陵镇凤安村九组。此次考古共发掘石室墓、土坑墓 8 座。除 M6、M7 两座近代墓葬因严重被扰而无遗物出土外，其他 6 座墓葬有随葬品共计 60 件（组）。其中最为难得的是在 M1 中还出土 1 件陶带板上书"田"字铭文，因为同时出土的还有一件与带板配套使用的研子，简报推测，这套研墨用具上的字应与墓主人的姓氏有关。

简报称，M2、M3、M5、M8 的年代应为西汉初年，M1 的时代早至新莽，晚至东汉初，M1、M2、M3、M5、M8 应为同一家族墓。M4 为一六朝时期石室墓。简报认为这批墓的墓主人应身份不高，多为一般中下层平民。

1026.重庆市丰都县汇南墓群 2001 年度发掘简报

作　者：四川省文物考古研究院、重庆市文化局、丰都县文物管理所　陈德安、
　　　　曾　俊、钟　治

出　处：《四川文物》2012 年第 2 期

汇南墓群位于重庆市丰都县新县城北部，北临长江。1992 年文物调查时发现，2001 年，考古人员在重庆市丰都县汇南墓群会仙堡、祠堂堡、水井湾、吊脚崖 4 个发掘点共发掘墓葬 33 座，出土器物丰富，主要有陶器、釉陶器、青瓷器、铜器、铁器以及少量银器和玉石器，另外还出土了大量铜钱。

简报分为：一、土坑墓，二、土坑—砖室复合结构墓，三、砖室墓，四、年代，五、结语，共五个部分予以介绍，有拓片、手绘图。

据介绍，墓葬形制分为土坑墓、土坑—砖室复合结构墓和砖室墓三类。墓葬时代大体可分为西汉、新莽、东汉和六朝 4 个时期。各时期的墓葬形制和随葬器物有所不同，其中土坑墓的年代为西汉至新莽时期，土坑—砖室复合结构墓的年

代为东汉早期，砖室墓的年代从东汉至六朝。

简报认为汇南墓群应为一处万民聚族而葬的公共墓地。简报指出，此次发掘发现墓葬数量多，时间跨度大，出土文物丰富，墓葬关系清楚，为三峡地区的考古学建立了年代序列，尤其是 HM5 出土的铜蒜头壶、CM2 中的铜钫、DM13 的铜钟、DM17 的陶母子俑等系汇南墓群首次发现，为今后深入研究峡江地区汉至六朝时期社会、经济、文化以及丧葬习俗等，均提供了珍贵的实物资料。

1027.重庆市丰都县汇南墓群 2002 年度发掘简报

作　者： 四川省文物考古研究院、重庆市文化局、丰都县文物管理所　陈德安、
　　　　曾　俊
出　处：《四川文物》2012 年第 6 期

2002 年 11 月至 2003 年 1 月，考古人员在重庆市丰都县汇南墓群加油站梁子和钟姑娘梁子发掘墓葬 23 座，其中西汉至新莽时期土坑墓 9 座、瓦棺葬墓 1 座、东汉时期土坑—砖室复合结构墓 2 座、东汉至六朝时期砖室墓 6 座。墓葬分布密集，有打破关系的墓葬共 8 座。出土器物以陶、瓷器为主，其次为铜、铁器，还出土了丰富的钱币。JM2 出土的铜摇钱树干上有一尊佛像，为研究佛教的传播提供了新的实物依据。

简报分为：一、土坑墓、瓦棺葬墓，二、土坑—砖室复合结构墓，三、砖室墓，四、年代，五、结语，共五个部分，有照片、拓片、手绘图。

简报称，汇南墓群是三峡地区一处分布面积较大的墓地，墓葬年代跨度之大亦不多见。2002 年度共发掘墓葬 23 座，其时代上自西汉中期，下迄南朝晚期，其间连续发展，没有明显的缺环，表明汇南乡一带一直是两汉至六朝时期的墓葬区。墓葬分布集中，并有一定规律。墓葬形制较为丰富。西汉至新莽时期有土坑墓及瓦棺葬墓（仅 1 座，系婴幼儿墓），东汉早中期有土坑—砖室复合结构墓，东汉中后期至六朝时期几乎全为砖室墓。土坑—砖室复合结构墓的清理，揭示了西汉至东汉墓葬形制的演变过程。就这批墓葬的形制规模以及随葬品的种类看，墓葬等级普遍较低，墓主的总体身份不高，可能属当地商人、中小地主或一般平民。

1028.重庆丰都玉溪遗址北部新石器时代遗存 2004 年度发掘简报

作　者： 重庆市文化遗产研究院、丰都县文物管理所　白九江、邹后曦、代玉彪等
出　处：《江汉考古》2013 年第 3 期

玉溪遗址位于重庆市丰都县高家镇金刚村二社，地处长江右岸二级阶地上。玉溪遗址是 1992 年制定三峡库区文物保护规划时，由四川省文物考古研究所调查发

现的，当时采集到各类标本 24 件。1993 年、1994 年又多次进行复查，并于 1994 年 4 月进行试掘。1999 年 4 ~ 5 月，对玉溪遗址进行了考古勘探。1999 年 5 ~ 7 月，对玉溪遗址进行了首次正式发掘，同年 9 ~ 12 月，进行了第二次发掘。这两次发掘，发现了新石器时代晚期、商周和唐宋时期的遗物圈。1999 年 12 月 ~ 2000 年 5 月，对玉溪遗址进行了第三次发掘，发现了十分丰富的骨渣和石制品，以及少量的陶器。这次发掘，发现了重庆乃至四川盆地最早的新石器时代遗存，具有十分重要的意义，相关考古工作者进而提出了"玉溪文化"的命名。2001 年 4 ~ 5 月，考古人员第四次发掘玉溪遗址，发现了较丰富的唐宋遗存。2004 年下半年，又两次对玉溪遗址进行了发掘。

简报分为：一、遗址概况和发掘经过，二、地层堆积，三、玉溪下层文化遗存，四、玉溪上层文化遗存，五、玉溪坪文化遗存，六、结语，共六个部分予以介绍，有手绘图。

简报指出，此次发掘的新石器遗存，其文化内涵包括了玉溪下层文化、玉溪上层文化、玉溪坪文化三个阶段，以玉溪下层文化遗存堆积最为深厚，出土遗物最为丰富，为了解重庆地区新石器时代偏早阶段的考古学文化面貌，增添了十分重要的新资料。

1029.重庆丰都县火地湾、林口墓地发掘简报

作　者：重庆市文化遗产研究院、丰都县文物管理所　黄　伟、白九江、徐克诚等
出　处：《江汉考古》2013 年第 3 期

2011 年，重庆市文物局根据区县上报情况，安排开展三峡库区消落带丰都汇南墓群抢救性考古发掘。2012 年 3 ~ 7 月，发现汇南墓群的现状已有所变化，仅对汇南墓群火地湾墓地开展了 242 平方米的发掘。此外，在巡察过程中，发现丰都林口墓地、蛮子包墓地急需开展抢救保护，经有关部门统一，对汇南墓群发掘计划进行了调整，紧急开展了林口墓地、蛮子包墓地的发掘工作。本次发掘共清理汉至六朝时期墓葬 8 座，出土随葬器物 130 余件。

简报分为：一、火地湾墓地，二、林口墓地，三、结语，共三个部分，主要介绍了出土文物较丰富的火地湾、林口墓地的发掘收获，配有手绘图。

据简报介绍，收获最大的是林口墓地 2 号墓，随葬品丰富，出土的陶戏楼、各类俑、鎏金铜牌饰及龙虎饰、辟邪摇钱树座等，对研究该地区这一时期的丧葬习俗、升仙思想等均具有重要意义。

1030.重庆丰都炼锌遗址群2004～2005年发掘报告

作　者：重庆市文化遗产研究院、丰都县文物管理所　李大地、袁东山、杨爱民、
　　　　肖碧瑞等

出　处：《江汉考古》2013年第3期

重庆市丰都县地处三峡库区西部、四川盆地东部边缘，长江由西南向东北横贯中部，沿途有龙河、渠溪河、碧溪河等小河注入长江。沿江及其支流两岸有许多缓坡台地，地理条件较好，土质肥沃、气候温和，适宜人类繁衍生栖。从丰都高家镇旧镇到龙孔乡凤凰嘴段沿长江右岸一级阶地地势平坦，短短三四公里距离内就分布有桂花村、秦家院子、袁家岩、石地坝、玉溪、玉溪坪等10余处遗址，这些遗址被冲沟和小山嘴隔断，形成了一个既相互联系又相对独立的遗址群，其时代从旧石器一直延续到明清，文化内涵十分丰富。

1958年秋，长江考古队首次在丰都县境内沿江冲积台地上发现散落着坩埚、红烧土块、炭渣等炼锌遗物。1987年文物普查和1992年三峡库区文物调查确认为炼锌遗址，并于1992～1994年期间进行了复查、钻探和试掘工作。为配合三峡工程，2004年对位于丰都县兴义镇杨柳寺村的庙背后遗址进行了第二次发掘，经有关领域的专家共同分析研究，首次确定为炼锌遗址；2004年，对丰都县境内沿江两岸进行了针对性的实地徒步调查；同年，考古人员在前两次调查的基础上，对丰都县内长江沿岸进行了较为细致的调查、勘探和试掘工作，确认并新发现了同类炼锌遗址共计20处。

简报分为：一、遗址概况及发掘情况，二、主要遗址，三、遗物，四、分期与年代，五、结语，共五个部分，配有手绘图。

据介绍，三峡炼锌遗址群是我国古代时间最早、规模最大的炼锌遗址群，分布在重庆市丰都县、石柱县等地，已确认遗址20余处。此次对丰都秦家院子、袁家岩、石地坝、九道拐四个冶锌遗址进行考古发掘，清理了冶炼炉、灰坑、房址等遗迹，出土了大量冶炼遗物。时代确定为明代中、晚期。本次发掘为研究冶锌遗址的时代、布局以及炼炉的形制、结构，炼锌工艺流程等问题提供了珍贵的实物资料，对于我国炼锌史研究具有重要意义。

今有何堂坤先生《中国古代金属冶炼和加工工程技术史》（山西教育出版社2009年版）一书，可参阅。

1031.重庆万州嘴嘴墓群发掘简报

作　者：重庆市文物考古所、开封市文物考古研究所、重庆万州区文物管理所
　　　　刘春迎、葛奇峰、王三营等

出　处：《华夏考古》2013 年第 1 期

为配合三峡库区建设，2003 年 3 ～ 5 月，考古人员对位于重庆市万州区新乡镇寨子村的嘴嘴墓群进行了考古发掘。2000 年，复旦大学文博专业为配合学生田野考古实习曾在此进行过一次发掘，清理砖室墓 1 座。2001 年和 2002 年，考古人员在该处进行过两次发掘，清理砖室墓、土坑墓十余座。本次发掘是第三次对该区域进行的发掘，发掘清理古墓葬 8 座。其中 M1、M2、M3、M5、M6、M7 为竖穴土坑墓，M4、M8 为砖室墓。

简报分为：一、地理位置，二、墓葬形制及随葬品，三、结语，共三个部分，有手绘图。

简报介绍说，本次清理的 8 座墓，6 座土坑墓由于隐蔽性较好，保存较好；2 座砖室墓由于易暴露，多被盗扰。从实际发掘情况看，土坑墓时代都偏早。M1、M7、M3、M5 应属战国墓，M2、M6 应属西汉中期墓。砖室墓的时代，M4 定为南朝时期，M8 定为东汉时期。

1032.重庆市丰都县汇南墓群 2003 年度发掘简报

作　者：四川省文物考古研究院、重庆市文化局、丰都县文物管理所　陈德安、
　　　　曾　俊

出　处：《四川文物》2013 年第 2 期

2003 年 2 ～ 4 月，考古人员在重庆市丰都县汇南墓群的钟姑娘梁子中部和南部、加油站梁子东北部共发掘墓葬 27 座，其中西汉墓葬 10 座，新莽时期墓葬 1 座，东汉墓葬 6 座，六朝时期墓葬 6 座，出土了丰富的随葬器物。

简报分为：一、墓葬概况，二、墓葬分述，三、随葬器物，四、年代，五、结语，共五个部分予以介绍，有照片、拓片、手绘图。

据介绍，大部分墓葬已经被盗扰，其中有 4 座墓（ZM1、JM10、JM18、JM19）未见任何随葬品，其余墓葬出土陶、铜、铁、银、玉石、琉璃等质地的随葬品共 334 件，铜钱 1173 枚。

简报称，此次清理的这批墓葬，其时代从西汉初期至南朝中期，可将其年代初步分为西汉、新莽、东汉和六朝四个阶段。各阶段特点如下：

从墓葬形制上看，东汉以前的墓葬全为竖穴土坑墓，西汉早中期墓坑平面呈长方形，长宽比在 1.5:1 ～ 2:1 之间，到西汉晚期时，墓坑的宽度增加，长宽比小于 1.5:1，而接近 1:1。新莽时期的墓坑形制较西汉时期小，坑口平面又变为长方形，无三层台。东汉和六朝时期则均为砖室墓，平面形状有刀形、凸字形、中字形三种。

从随葬器物看，西汉时期除随葬陶器外，还有铜钫、钟等礼器和釜、鍪、瓿、洗等生活用器，西汉早期还随葬有铜兵器（JM6、JM21 出土铜剑），而西汉中晚期墓葬无铜兵器出土。釉陶器在西汉末期墓葬中开始出现，器形有钟、盒、盆等。这段时期墓葬的出土钱币仅见两汉五铢。新莽时期随葬器物中釉陶器的数量增加，器类以日用器和模型器为主。出土钱币为西汉五铢和莽钱大泉五十。东汉时期出土器物除日用陶器外，还出现了大量的模型明器和俑类，出土钱币较杂，有西汉五铢、新莽货泉、大泉五十和东汉五铢、剪轮五铢等。六朝时期的随葬器物以青瓷器为主，主要为日常生活用器，出土钱币有五铢、货泉、大泉五十、直百五铢、大泉当千等。

1033.重庆市丰都县汇南墓群 2000 年度发掘简报

作　者：四川省文物考古研究院、重庆市文化局、丰都县文物管理所　陈德安、曾　俊

出　处：《四川文物》2013 年第 4 期

1999 ～ 2000 年，考古工作者在重庆市丰都县汇南墓群进行了抢救性发掘，共发掘清理墓葬 13 座，从墓葬形制以及出土器物看，墓葬时代为汉代至六朝时期。

简报分为：一、引言，二、土坑墓（2000FHM3），三、砖室墓（2000FHLM2），四、结语，共四个部分，有手绘图、拓片。

据介绍，汇南墓群位于重庆市丰都县人民政府驻地三合镇的长江南岸，与丰都县老县城名山镇隔江相望。墓葬分布范围原属于汇南乡，并与原三合镇毗邻。1998 年 4 ～ 10 月，考古人员对汇南墓群进行了钻探和发掘。1999 ～ 2000 年期间的委托任务因故未落实，在此期间汇南墓群范围内丰都新县城建设施工中陆续发现一批墓葬，丰都县文物管理所对这批墓葬进行了抢救性发掘，共发掘清理墓葬 13 座（其中蛮洞梁子 2 座，编号为 2000FHM2、2000FHM3；粮站梁子 5 座，编号 2000FHLM1 ～ 2000FHLM5；祠堂堡 4 座，编号 2000FHCM1、2000FHCM5、2000FHCM6、2000FHCM8；吊脚崖和橘子傍梁子各 1 座，编号分别为 2000FHDM1、2000FHJZM1）。从墓葬形制以及出土器物看，这批墓葬的时代简报推断为汉代至六朝时期。

四川省

1034.四川省长江三峡水库考古调查简报

作　者：四川省博物馆　杨有润

出　处：《考古》1959 年第 8 期

　　1958 年 10 月，为配合长江三峡水库建设工程，考古人员进行了水库范围的全部调查工作。调查的范围是长江沿岸及其支流的两岸。调查后，需要处理的遗址有：新石器时代至战国时代遗址 36 处，唐代村落遗址 1 处，宋代窑址 3 处，宋代炼铜遗址 4 处；战国到三国古墓 30 处，宋代以下墓葬 19 处；古建、唐宋石刻、明碑及铜造像 6 项；革命文物 2 项。此外采集各时代遗物 2458 件，其中属新石器时代的有 1766 件。综观以上调查所得的资料，为数最多而对于四川考古工作有重要意义的，首推新石器时代及殷到战国的材料（宋代的 4 处炼铜遗址，也很有研究价值）。

　　简报分为：一、调查经过，二、沿江新石器时代遗址的现存情况，三、重点遗址，四、川东沿江新石器文化的概貌，共四个部分予以介绍，有照片。

　　据介绍，新石器时代的材料，在长江干线及巫山大宁河一带，很丰富，从长寿、蔺氏以下起，两岸滩面暴露有石器的处所逐渐多起来。在这以上至重庆及沿嘉陵江的江北、合川，涪陵沿乌江到武隆一带，除偶尔拾得零散石器外，并没有发现较早的文化遗迹。巴县至江津一带，也很少有发现。这一现象，除去一部分地形陡峭不适合于古代人们生活的地区外，像巴县到江津一带，还要作进一步的复查。石器、陶片等往往聚集在岸滩表面，可能是洪水季从上游断崖处冲下来的，不是文化层的原始状况。江边卵石滩的靠岸一边，有很多打击石片，或许是当时人们制造石器的场所。台地断崖中发现的遗址，一般面积不大。

1035.四川古代墓葬清理简况

作　者：四川省博物馆

出　处：《考古》1959 年第 8 期

1949 年后，随着国家基本建设工程的开展，配合各项工程中的考古发掘工作也蓬勃发展。其间，比较重要的工作有：成渝铁路工程中发现了旧石器时代的资阳人化石，证明四川有了旧石器时代的文化。配合长江规划中 1957 年、1958 年的两次考古调查，发现新石器时代起至巴蜀（商周至战国）时代遗址共 35 处，唐宋村落遗址 1 处，宋代窑址 3 处，宋代炼铜场址 4 处。两次四川境内长江上游的考古调查，发现丰富的新石器时代物质文化资料，充实了四川新石器时代末期至船棺葬以前一段时期考古资料的空白点。1957 ～ 1958 年新凡水观音工地殷周青铜器时代初期遗址的两次清理工作，说明了四川殷周青铜器时代初期文化的情况，以及与中原文化的密切关系。1956 年成都羊子山的清理工作中，清理了西周土台遗址 1 处，说明了当时农业经济已经有了相当的发展。1958 年成都青羊宫战国时代遗址的清理，提供了青羊宫冲积的文化层的堆积情况，补充了四川战国时代物质文化的资料。上述的遗址皆有详尽的报告。

简报分为：一、殷代西周墓葬，二、战国墓葬等几个部分，先行介绍 10 年来四川清理的 852 座古墓情况。

据介绍，1949 年后，只发掘了殷代墓葬 5 座，西周墓葬 3 座。在巴县冬笋坝、昭化宝轮院、成都羊子山等发现战国墓葬 70 座，有的墓随葬品多达百余件。元墓集中在广汉、北碚、华阳。出土影青瓷、陶俑较多。宋墓情况可参见同刊同期王家祐先生《四川宋墓札记》一文。

1036.西攀高速公路文物遗存调查

作　者：潘辛宁、周科华、胡昌钰
出　处：《四川文物》2004 年第 2 期

2003 年，为配合西攀高速公路建设，考古人员进行了调查。此次调查、勘探所发现的文化遗存，为"南方丝绸之路"的研究提供了更加丰富多彩和翔实的资料；同时也是安宁河流域考古新的突破，对研究古代西南地区少数民族的文化内涵有着十分重要的意义。

简报分为：一、调查范围，二、历史沿革，三、历史文物遗存，四、结语，共四个部分，有照片。

据介绍，此次调查、勘探工作范围为四川省境内西攀高速建设工程凉山彝族自治州西昌市黄联关段至攀枝花市三堆子段高速公路建设施工征地范围及部分受高速公路建设所影响的重要文物遗存区域。其中包括新建高速公路及其附属工程范围，如互通立交、收费站、隧道、桥梁、管理站及服务区等，总长度约 162 公里。从历史上看，早在西汉时期张骞尚未凿通西域、开辟西北丝绸之路以前，西南的先民们就已开发了一条自四川成都至云南滇池地区，经大理、保山、腾冲进入缅甸，远达印度的"蜀身毒道"（印度古称"身毒"）。由于它始于丝织业发达的成都平原，并以沿途的丝绸商贸著称，因此也被历史学家称为"南方丝绸之路"。一些专家认为，这是中国最早的对外陆路交通线，也是我国西南地区与南亚、东南亚及欧洲诸国交通线中最短的一条线路，有着丰厚的历史积淀。此次调查共发现古遗址 8 处，古墓葬 8 处。时代从新石器时代至明代不等。

1037.2005 年度康巴地区考古调查简报

作　者：故宫博物院、四川省文物考古研究院　陈卫东
出　处：《四川文物》2005 年第 6 期

2005 年故宫博物院与四川省文物考古研究院在康巴地区考古调查中，发现和调查古代石棺葬墓地 6 处，遗址 1 处。

简报分为：一、石棺葬墓地在四川的分布情况简介，二、本次调查发现的石棺葬墓地，三、历年来收集到的石棺葬的出土物，四、遗址，五、结语，共五个部分，有手绘图。

据介绍，本次调查发现了两种分属不同经济类型文化的石棺葬，并对其出土的陶器、铜器、玉器、石器进行了资料收集。另在德格县莱格村发现一处隋唐时期汉式建筑群遗址，出土陶佛像、瓦当等物。此次调查对树立康巴地区考古序列和研究汉藏佛教艺术交流提供了重要线索。本次考察的主要目的有四：其一，对于该区域内的考古学遗存有一个较为全面的认识，特别是先秦时期的考古学文化，该区域基本上是空白。其二，掌握大渡河中游地区、雅砻江中上游地区以及金沙江流域的石棺葬文化的基本情况，为进一步建立该地区石棺葬文化系列奠定基础。其三，综合考察本地区的民族、民俗、宗教、交通等情况，为进一步研究藏传佛教、民族史、交通史等方面奠定基础。其四，利用遥感考古和环境考古学的方法与理论，了解该地区环境的变迁与人类活动之间的关系，特别是环境与当地建筑之间的关系。简报称，本次调查并未对所有的地区进行全面的考古学调查，特别是炉霍地区尚需进一步调查。同时指出，因此前缺乏对草原地区特别是高原地区的调查，本次调查无疑为今后进一步的调查和发掘积累了众多的经验。

1038.岷江中下游考古调查简报

作　者：四川省文物考古研究院　黄家祥、胡昌钰
出　处：《四川文物》2007 年第 2 期

2006 年，考古人员对岷江中下游 30 余个文物点进行了田野考古调查，获得了一

定的成果。

简报分为：一、史前遗存及石器采集点，二、战国土坑墓地，三、武阳县故城遗址，四、唐宋窑址，五、遗物，六、结语，有手绘图。

据介绍，此次调查的主要收获有三：一是发现了川南新石器时代遗存，即川南古蔺县野猫洞遗存，大约距今6000～4500年。二是发现了青铜时代的重要墓地，即峨眉山市符溪镇墓地与金井土坑墓地。三是发现了唐宋窑址，采集的瓷器与洪州窑多有相似之处。

成都市

1039.四川牧马山灌溉渠古墓清理简报

作　者：四川省博物馆　邓伯清
出　处：《考古》1959年第8期

1957年11月，考古人员为配合水利工程清理了24座古墓。其中有东汉岩墓10座、南北朝岩墓11座、隋代岩墓3座。简报分为东汉岩墓、南北朝岩墓、隋代墓葬共三个部分予以介绍，有照片、手绘图。

据介绍，东汉岩墓10座，其中长方形单室墓4座，2～5室多室墓6座。10座墓中7座被盗过。南北朝岩墓11座，出土有铜锅、铁剪刀、玛瑙珠等。隋代墓葬共3座，曾经被盗，出土有陶器、铜器、青瓷器等。

1040.灌县马家古瓷窑遗址试掘记

作　者：四川省文物管理委员会、灌县文物管理所
出　处：《考古与文物》1984年第6期

1977年春季，《四川省陶瓷史》编写组在灌县调查时发现马家古陶窑遗址。1977年冬季，考古人员进行了试掘。简报分为地理环境及遗址状况、地层堆积情况和分期、结语等五个部分予以介绍，有手绘图。

据介绍，马家古瓷窑遗址位于灌县城南约5公里的玉堂公社岐山大队，与成都相距约60公里。遗址面临金马河，背靠卧牛山，左侧与青城山相依，右侧与赵公山遥相呼应。实际揭露面积近50平方米。虽然这次揭露的面积不大，可是获得的遗物（只包括采集的有代表性的部分）数量较多，品种亦较复杂。据初步统计，有碗、盘、

盆、钵、罐、壶、盏、灯、炉、盂、匜、腰鼓等完好和残缺瓷器、釉下彩瓷片和窑具等1160件。尤为难得的是，在探方的下部发现3件有年号标记的遗物，它为确定这个窑址的时代提供了可靠依据。简报认为马家古瓷窑遗址的烧造年代始于唐中期，废于北宋。简报讨论了各个时期的特点，探讨了马家窑的烧造方法及装饰特点等。

1041.蒲江飞仙阁摩崖造像

作　者：莫洪贵

出　处：《四川文物》1985年第3期

蒲江县飞仙阁摩崖造像，在县城西南13公里的霖雨公社仙鹤大队。这里还保存有明清时期的亭阁，更可喜的是有唐、宋、明、清时期的摩崖造像。20世纪50年代，四川省文管会在此调查过，认为"其设像制度和造像风格亦如一般唐代造佛像，而表现了唐代雕刻艺术的高度造诣"。1961年公布为省级文物保护单位，1981年新建了飞仙阁大门，又石雕了汉代骑鹤升仙的形象。

简报分为：一、地理环境及历史沿革，二、造像分布及配置，三、造像的主要内容，共三个部分予以介绍，有照片。

造像主要分布在飞仙洞、飞仙山、公路旁、碧云峰半山腰等处。1983年8月，考古人员对飞仙阁摩崖造像进行了深入调查。20世纪50年代调查为51龛，把遗漏的补上，共为104龛（其中大小石刻87龛，造像588尊；碑12通；摩崖题刻5则）。现存造像大部分基本完好。以佛教题材为主，但也有少数道教内容。

还有造像题记7则，摩崖铭文7则，宋代游人题记1则。

1042.天彭文物考察散记

作　者：林　向

出　处：《四川文物》1986年第3期

1985年5月，林向先生考察了彭县部分地面文物。简报配以照片予以介绍。

据介绍，龙兴寺故址位于县城北关外。现存两塔两殿。塔为唐塔，已受损。天王殿、藏经楼保存尚好，应为近代建筑。1949年12月9日，川军将领刘文辉、邓锡侯、潘文华在藏经楼会合签字起义，向中国人民解放军发出起义通电。考古人员考察了位于楠木乡曲尺山中一古刹——云居院塔。今存古塔一座和房舍数十间。塔应为宋塔。高21米。考古人员还考察了位于隆丰乡双松村的三昧水千佛崖与石牌楼。佛崖上作品为唐、五代，宋、明清有增刻。石牌楼为清代建筑。

1043.蒲江县长秋山摩崖造像调查

作　者：《成都文物》编辑部　刘新生
出　处：《四川文物》1995 年第 2 期

据文物普查的资料表明,蒲江县境内共有摩崖造像 50 处,计 389 龛,造像 5075 躯。主要分布在东南部的长秋山一线,西北部的五面山丘陵区只有少量的龛窟。这些造像以佛教题材为主,亦有少数为道教题材。从开凿的时间看,大部分是唐以后开凿的,个别可能早到北朝时期,晚的直到明清时期还有开凿。

简报分为：一、朝阳乡,二、长秋乡,三、插旗乡,四、东北乡,五、天华乡,六、光明乡,七、霖雨乡,八、结语,共八个部分予以介绍。

据介绍,长秋山一线 7 个乡的摩崖造像计有: 朝阳乡 9 处,长秋乡 7 处,插旗乡 4 处,东北乡 3 处,天华乡、光明乡、霖雨乡各 2 处。总计为 29 处,占全县分布地总数的58%;佛像 331 龛,占总数的 85%;造像 4757 躯,占总数的 94%。这些造像大多不见载于文献。唐代、清代造像中精品居多。

1044.成都梁家巷唐宋墓葬发掘简报

作　者：成都市文物考古工作队　刘雨茂、冯先成、刘守强
出　处：《四川文物》1999 年第 3 期

1998 年 2 月 14 日至 3 月 12 日,考古人员在梁家巷互助路鑫源房地产开发公司鑫源商住楼二期工程工地进行地下文物勘探时发现了大量的古代遗迹,其中尤以 9 座唐宋墓葬最具特色。勘探结束后,随即对这 9 座墓葬进行了清理发掘。简报分为:一、地层堆积和墓葬所在的层位关系,二、墓葬结构,三、随葬器物,四、墓葬年代,五、结语,共五个部分予以介绍,有拓片、手绘图。

据介绍,墓葬均为砖室墓葬,无墓道,一般由封门墙、甬道、墓室和龛组成,平面呈长方形或梯形。依其不同,可分为 A 型长方形和 B 型梯形两类。9 座墓中仅有 4 座墓中出土了 12 件陶瓷器。梁家巷唐宋墓葬中 M6、M9 最晚,为南宋时期;M3、M5、M8 在五代至北宋时期;M1 和 M2 在中晚唐;M4 和 M7 稍早,可大致定在早、中唐时期。简报称,以往的工作中分期断代非常困难,往往不能分辨出唐、五代时期墓葬,甚至草率地将其归入宋墓之中。

简报指出,此次成都梁家巷所发现的唐、五代、宋时期墓葬地层关系明确,形制多样,所出器物具有典型性,且时代连贯性强,对于这一时期墓葬的断代研究具有十分重要的意义。

1045.四川省博物馆藏万佛寺石刻造像整理简报

作　者：四川省博物馆　袁曙光
出　处：《文物》2001年第10期

成都万佛寺石刻造像是我国南方地区年代较早，内容丰富，在佛教造像艺术史上有重要地位的一批典型造像。万佛寺石刻造像中的精品，曾被多次收入各种图录之中，数次参加国内外展出。但由于万佛寺石刻造像出土零散，时间较长，各次发现均未发表有正式的清理报告。虽然冯汉骥、刘志远、刘廷璧等先生曾有文章和图集做过介绍，但并没有对万佛寺石刻造像进行过具体分析和系统分类，因此外界对它的总体面貌尚不清楚。2000年7～8月间，在北京大学考古文博学院实习师生和成都市考古队的帮助下，有关人员将省博物馆藏的全部万佛寺石刻造像重新进行了清理，系统地进行了分类、测绘、描述、研究工作，发现在过去的图集中存在不少疏漏和错误，有必要编辑出版正式报告和图录加以补充和修正。

简报分为：一、主要造像介绍，二、结语，共两个部分，有彩照、拓片。

据介绍，万佛寺纪年最早的石刻造像为刘宋元嘉二年（425年），这也是目前所知四川地区乃至南方地区有纪年的最早一件石刻造像；其次为萧梁普通、中大通、大同，北周保定、天和，隋开皇，唐开元、大中等年号的题记。其中最晚的是唐宣宗大中元年（847年），最多的是梁代题记。南北朝时期的纪年题记，占总数的绝大部分，证明万佛寺石刻造像是从南朝中期到唐代中晚期的一批佛教造像，以南朝晚期的梁代造像最为丰富。简报介绍了梁、北周、唐各期造像的概况及特点，讨论了万佛寺石刻造像与四川、长江中下游及北方造像的关系。至于成都万佛寺石刻造像总的数量尚没有精确的统计，简报称"据传说有200多件"，四川省博物馆收藏的仅有63件，其他的或已散失或已被毁。

1046.四川成都市北郊战国东汉及宋代墓葬发掘简报

作　者：成都市文物考古工作队　李明斌
出　处：《考古》2001年第5期

成都市北郊墓地位于成都市北二环路北三段220号路南侧，东距沙河约1200米，西南距成都大学约1200米，西距府河支流小沙河约300米。成都市汽车配件总厂于1996年6月在其生活区新建职工住宅楼，市文物考古工作队于7月5日至7月24日对建房工地进行了全面的文物勘探、发掘，在整个工地约2000平方米范围内，共发掘、清理古墓葬6座（编号96CQM1～M6，以下简称M1～M6）。除M1位于工地中部偏西外，余皆位于工地西南部。除 M3、M4 外，其余各墓均为近现代地层或房屋基础叠压或打破，各墓又都打破生土。其中 M6 为单室砖室墓，无任何随葬器物出土，不收入本报告（附表一）。

其余 5 座墓简报分为：一、战国墓葬，二、东汉墓葬，三、宋代墓葬，四、结语，共四个部分予以介绍，有手绘图、拓片。

据介绍，根据墓葬形制、器物组合及出土遗物等进行对比、分析，简报推断：北郊 M3、M4 的时代为战国晚期，M2 墓的时代为东汉中期，M5 的时代在东汉晚期，M1 应为北宋晚期的墓葬。

1047.蒲江摩崖石刻造像的初步调查

作　者：雷玉华
出　处：《四川文物》2002 年第 5 期

蒲江县位于成都市西南方，是成都市境内唐代佛教摩崖石刻造像最丰富的县，其境内沿长秋山分布着数十处古代摩崖造像，2002 年，中、日两国考古人员前往调查。

据调查，在蒲江县内蒲江河以南，西至名山，南至丹棱，东到彭山西界的范围内分布着以飞仙阁、龙拖湾、白岩寺为代表的大大小小的唐代摩崖龛像近 30 处，这些龛像多集中分布于成都经蒲江至名山或眉山的古道旁。有唐代及其以前龛像 300 余龛。此次调查仅对看灯山、盐井沟、尖山寺、石马沟、鸡公树山新建乡、鸡公树山石马乡、大佛寺、龙泉寺、白岩寺、蒲砚村土地嘴、蒲砚村关子门、蒲砚村石码庵、猫儿洞等 13 个点的龛像进行了较为详细的调查，并对部分龛像进行了初步测量、拓片和摄影。已调查的 13 个点共计 130 余龛造像（不含 90 余个开凿于大龛内的小龛），时代从初唐至明清均有，其中绝大部分为唐代造像，不排除其中有隋代龛像的可能性。

1048.成都方池街古遗址发掘报告

作　者：成都市博物馆考古队、成都市文物考古研究所　徐鹏章等
出　处：《考古学报》2003 年第 3 期

方池街古文化遗址位于成都市方池街省总工会大楼附近。1982 年到 1985 年，考古人员在成都方池街连续 4 年配合基建，进行了 4 次抢救性发掘。第 4 次发掘是 1985 年。这次发掘最重要的收获是发现了可能是战国时期古蜀开明时期修建的水利工程——卵石堤埂，在埂下及埂中发现大量的石器及其他文物。1986 年及 1987 年也在方池街古遗址上进行了 2 次发掘，规模都较小，出土文物也很少。

简报分为：一、前言，二、新石器时代至商周时期文化遗存，三、第 4b 层出土遗物，四、第 4a 层出土遗物，五、结语，共五个方面，有照片、手绘图。

据介绍，方池街遗址的时代比广汉三星堆遗址还要早，人种似也不同。方池街遗址出土的骨器很多，达 50 件，其中簪、笄多，而广汉三星堆遗址出土的骨器却很少。简报认为是因为两个不同地区的民族的生活方式不同而有所区别。如北方的羌族多为披发，不需要簪、骨笄。而南方民族多为束发，束发就需要簪和笄等类用具了。另外，方池街遗址以及四川其他殷商到战国时代的遗址中都有尖底陶器的出现，而在四川以外的其他地区，却很少发现这样的尖底器。

1049.成都市西郊外化成小区唐宋墓葬的清理

作　者：成都市文物考古研究所　程远福等
出　处：《考古》2005 年第 10 期

1999 年 4～5 月，考古人员在位于成都市西郊外化成小区的龙威实业有限公司建设工地进行考古勘探时，发现唐、宋时期的墓葬 5 座。这 5 座墓葬均为砖室墓，形制各异，保存情况皆较差。考古人员进行了抢救性的清理发掘。

简报分为：一、1 号墓，二、2 号墓，三、3 号墓，四、4 号墓，五、5 号墓，六、结语，共六个部分，有手绘图等。

据介绍，这 5 座砖室墓，墓葬形制包括带"凸"字形甬道的长方形单室墓、方形墓、梯形墓和长方形异穴合葬墓，时代分属于唐代初期、中期和北宋、南宋时期。随葬品包括瓷器、陶俑、铁钱和石买地券等。其中出土的南宋中期买地券十分珍贵。这些墓葬为研究成都地区唐宋墓葬的分期提供了重要材料。

1050.邛崃市平乐镇冶铁遗址调查与试掘简报

作　者：成都文物考古研究所、邛崃市文物保护管理所　苏　奎、刘雨茂、刘守强、李　平、夏存刚
出　处：《四川文物》2008 年第 1 期

邛崃市平乐镇冶铁遗址，位于四川省邛崃市西南 18 公里处的平乐镇（原平落镇）阎镇子附近，因为在该遗址的地表或土壤中，大量的铁渣随处可见，所以人们也称此处为"铁屎坝"。《邛崃县志》对此也有相关的记载，并认为它是一处冶铁遗址。2005 年夏考古人员对遗址进行调查与试掘。田野工作从 2005 年 7 月 25 日至 9 月 2 日，历时 40 天。经过调查和试掘，发现了一批晚唐两宋时期的遗迹与文物。

简报分为：一、前言，二、地层堆积，三、遗迹，四、遗物，五、结语，共五个部分予以介绍，有手绘图、照片、拓片。

根据地层关系和出土器物的典型特征，简报初步断定该冶铁遗址最早运作的时代为唐代晚期，盛行于两宋时期，并延续至晚明。

简报介绍说，该遗址位于邛崃市的西南，并不在古临邛冶铁业的中心区域，其时代为晚唐至两宋。很可能是受汉代临邛冶铁业影响之后发展起来的一处有相当规模的冶铁遗址，为研究四川地区古代冶铁发展的历史提供了重要材料。

1051.2007 年四川蒲江冶铁遗址试掘简报

作　　者：成都文物考古研究所、蒲江县文物管理所　周志清、杨颖东、苏　奎、
　　　　　　何锟宇、夏　晖
出　　处：《四川文物》2008 年第 4 期

蒲江古石山、铁牛村、许鞋匾三处冶铁遗址的调查和试掘，发现炼炉、烧炭窑、灰坑、铁矿石、炉材、鼓风构件、生铁块、铁渣、玻璃质等遗迹遗物。

简报分为：一、古石山遗址 C 地点，二、铁牛村遗址，三、许鞋匾遗址，四、年代问题，五、初步认识，共五个部分予以介绍，有照片、手绘图。

据介绍，这一冶铁遗址延续的时间很长，大约从汉代直至魏晋时期。蒲江境内的冶铁历史早在西汉时期就已存在，并且具有一定规模。冶炼技术发达，已经出现炼钢技术和块状灰口铸铁。主要使用的燃料是木炭。矿料主要是赤铁矿，不见菱铁石、磁铁矿和褐铁矿。当时工匠在添加入炉之前经过人工筛选处理，小铁矿石直接入炉，较大的铁矿石被人为粉碎后才入炉，选矿经验丰富，所选铁矿石内外颜色都是红色，这样的铁矿石品位比较高。在冶炼的过程中充分使用助熔剂降低炉渣熔点，提高炼渣的流动性，使炉渣与铁水能够很好地分离。本次考古调查显示出这些冶铁遗址文化内涵丰富，时代特点显著，这为今后进一步的考古发掘和深入研究提供了理想的发掘地点，同时它的发现与发掘将成都平原早期铁器的研究提供重要的实物资料，也对西南地区冶铁历史、技术工艺传统以及矿业开采等方面的研究有极大的促进作用。

1052.金沙遗址强毅汽车贸易有限公司地点发掘简报

作　　者：成都文物考古研究所　王　林、姜　铭
出　　处：《考古与文物》2011 年第 4 期

成都市金沙遗址强毅汽车贸易有限公司地点（以下简称强毅地点）位于成都西

二环路以外，羊西线以北，东距老成灌路110米，西距信息园西路100米，南部紧邻托普路。2006年9月，为了配合强毅地点工程建设，考古人员对该地点进行了考古勘探，在考古勘探中发现有先秦时期文化遗存。2006年10～11月，对该地点进行了发掘。发现宝墩文化和商周时期的堆积和遗迹现象，计灰坑3个，灰沟2条，并出土有较多的陶片和一些石器、玉器、铜器。

简报分为：一、地层堆积，二、宝墩文化遗存，三、商周时期文化遗存，四、结语，共四个部分，有拓片、手绘图。

据介绍，宝墩文化遗存仅发现一个灰坑，遗物主要为陶片。时代简报认为应属宝墩文化第三期晚段至第四期。商周文化的年代应为商代中晚期到西周初期。

1053.成都市郫县三观村遗址发掘简报

作　者：成都文物考古研究所　刘雨茂、杨占凤等
出　处：《考古》2012年第5期

三观村遗址位于成都市郫县红光镇三观村六组，西北距郫县县城约5.8公里，东南距金沙遗址约13.6公里。2009年4、5月，郫县望丛祠博物馆在进行文物勘探时发现该遗址，8、9月考古人员对遗址进行了发掘，总发掘面积8000平方米。

简报分为：一、地层堆积，二、宝墩文化遗存，三、十二桥文化遗存，四、结语，共四个部分，有彩照、拓片、手绘图。

据介绍，三观村遗址是一处以宝墩文化和十二桥文化遗存为主的遗址。宝墩文化遗存有灰坑、灰沟、墓葬、房址、卵石堆等，出土了花边口沿罐、高领罐、尊等大量陶器以及少量石器，属宝墩文化一期。十二桥文化遗存有灰坑、灰沟、窑址、灶、墓葬等，出土陶器以小平底罐、敛口罐、矮领罐、瓮、尖底杯、尖底盏为主，属十二桥文化一期晚期，跨越了史前和夏商时期。

1054.四川郫县波罗村遗址Ⅱ区汉、唐遗存发掘简报

作　者：成都文物考古研究所、四川大学历史文化学院　李映福、王　蔚、刘雨茂等
出　处：《四川文物》2014年第2期

2010年8月～2011年1月，考古人员对波罗村遗址Ⅱ区进行了大规模的发掘，实际发掘面积1975平方米。波罗村遗址Ⅱ区主要包括商周、汉、唐及明清时期的遗存。

简报分为：一、地层，二、汉代遗存，三、唐代遗存，四、结语，共四个部分，介绍汉、唐时期遗存的发掘收获，有彩照、拓片、手绘图。

据介绍，此次考古共清理汉、唐时期灰坑 123 个、沟 46 条、窑 3 座、路 1 条，出土大量陶器、瓷器、铜器、铁器、石器等遗物。

1055.成都金沙遗址雍锦湾地点出土唐宋瓷器

作　者：成都文物考古研究所、四川大学考古学系　杜　康、张　科、白　彬、
　　　　于孟洲等

出　处：《四川文物》2014 年第 6 期

雍锦湾地点位于成都金沙遗址中部，地处摸底河南岸的一级阶地上，东距遗址的祭祀区约 700 米。2005 年 9 ～ 12 月，对该地点进行了考古发掘。发掘区考古遗存分为商周、秦汉、唐宋、明清四大时段，除发现大量商周遗迹、遗物外，唐宋遗存也比较丰富。本次发现的 2005CQJIIG037、2005CQJIIG048（以下简称 G037、G048）层位关系明确，出土瓷器典型，能够代表本地点唐宋遗存的基本面貌，有重要研究价值。

简报分为：一、地层堆积，二、典型遗迹及遗物，三、窑口与年代，共三个部分介绍两沟及其出土瓷器，有彩照、手绘图。

据介绍，在成都金沙遗址雍锦湾地点进行的考古发掘，考古遗存可分为商周、秦汉、唐宋、明清四大时段，其中唐宋遗存保存较好，尤以 G037、G048 所出土瓷器及其残片丰富而典型。瓷器绝大部分为生活用器，以碗为大宗且种类众多，还有碟、盘、盏、盆、罐、壶、灯等器类。G037 出土瓷器的窑口主要是以邛窑为代表的本地青瓷窑，其年代简报推断在晚唐至北宋早期。G048 出土瓷器以琉璃厂窑产品为主，兼有磁峰窑、金凤窑的产品，其年代简报推断在北宋中期至南宋。简报称，两墓出土瓷器品种差异显著，时代特征鲜明，是研究成都地区唐宋瓷器和城郊经济文化面貌的重要材料。

自贡市

1056.自贡市黄泥土山崖墓群清理简报

作　者：四川省文物考古研究院、自贡市盐业历史博物馆、自贡市沿滩区文物
　　　　管理所　任　江、侯　虹、程　义

出　处：《四川文物》2009 年第 1 期

自贡市沿滩区 2000 年发现一处崖墓群，考古人员进行了清理发掘工作，出土的

器物有陶俑、陶器、五铢、货泉等，属于东汉至南朝时期的墓葬。

简报分为：一、M1，二、M2，三、M3，四、M4，五、M5，六、排水沟，七、结语，共七个部分，有照片、拓片、手绘图。

据介绍，该崖墓群位于自贡市沿滩区飞跃村十一组，施工时发现，共发掘5座崖墓。出土器物有陶俑、陶碟、陶钵、陶钟、陶罐、陶盆、陶甑、陶灯、陶鸡模型、陶马模型、陶房屋模型、陶棺、青瓷盘口壶、五铢、货泉等。简报推断，M1、M3、M4为东汉晚期墓，M2为东晋至南朝墓，M5为南朝墓。

简报称，此次清理的5座东汉至南朝时期的崖墓，保存较完整，形制同中有异，发现"胜"纹、阙、殿堂、猪、龟、蛇等图形图像，出土一批科研价值较高的遗物，丰富了川南地区崖墓的类型资料，对于四川地区崖墓研究、区域美术史、思想史、科技史研究都将有着极为重要的参考价值。

攀枝花市

1057.四川盐边县石棺葬发掘简报

作　者：渡口市文物管理处　邓耀宗、李　淼

出　处：《考古与文物》1986年第2期

1980年7月，考古人员为配合水利建设，在盐边县发现了一种具有民族风格的墓葬——石棺葬。

盐边县位于四川南山区，在县城南的永兴、渔门、惠民等处都发现了石棺葬，永兴公社范材和渔门公社完小一带最为集中。从1980年至1981年11月在完小曾先后两次进行发掘，共清理了石棺葬4座，同时在永兴范材清理了一座残石棺。

简报分为：一、石棺形制，二、随葬品，三、结论，共三个部分，配以手绘图，先行介绍了渔门完小4座墓。

据介绍，4座墓石棺葬的形制大同小异，均为南北向，结构简单，是在长方形土坑中依壁竖立若干石板，其中铺十几厘米的土，再用数块石板铺地，然后盖上顶板。人骨已朽。随葬品为少量手制陶器。简报认为此4座石棺葬的时代上限为战国，下限为秦汉。

泸州市

1058.古蔺县出土一面铜鼓

作　　者：胡世勋
出　　处：《四川文物》1987 年第 1 期

1985 年 10 月，古蔺县德跃区粮油管理站在古蔺河畔修建门市部挖基脚时，先后发现一口高 37 厘米、直径 79 厘米的铜锅和一面铜鼓。简报配以照片予以介绍。

据介绍，铜鼓系用熟黄铜铸造，保存基本完好，敲击时声音洪亮浑厚。鼓重约 20 公斤，鼓面直径 58 厘米，鼓高 42 厘米。其体形扁矮，胸、腰、足三段分明；面径小于胸径，胸径略小于足径；腰足间分界线明显；胸腰间有扁耳两对，耳高 4.5 厘米，长 14.5 厘米，耳面有纹饰。

简报称，这面铜鼓的出土，对研究古蔺地区的文化和历史，研究这一带地域古代民族的生活习俗，研究当地传说中在元、明时期几个少数民族部落的史事都有一定的价值。

1059.泸县发现大批明、清古桥

作　　者：泸县文教局　肖培林
出　　处：《四川文物》1988 年第 6 期

在 1987 的文物普查工作中，泸县发现明、清时期的古石桥 48 座，其中明代 11 座，清代 37 座，道光二十年（1840 年）以后的 5 座未计在内。这些桥造型多样、雕刻精美，有条石券拱桥、石板平桥、平拱结合式桥；最长的 113.3 米，最短的 10.4 米，最高的 17 米，最低的 1.2 米；有 2 ~ 19 孔的不等；有雕刻的桥 40 座，其中有各种形态、大大小小龙雕的达 38 座，大部分至今仍保存完好。简报配以照片予以介绍。

据介绍，这些桥从砌法工艺上看：拱桥拱券多为尖朝上的桃子形；桥两头各有八字形石保坎；桥墩下有一级墩座；桥面呈微弧形，用石板铺成，宽 7 米左右，有石桥栏。大型的石拱桥仍能适应现代公路的负荷，如泸州主要公路线泸隆公路上的明代惠济桥、永嘉桥。

1060.叙永县出土铜鼓

作　者：周世华

出　处：《四川文物》1991 年第 3 期

1990 年 4 月 5 日，叙永县普占乡大树村村民陈怀清在春耕整田中发现 1 面铜鼓。简报配以照片予以介绍。

据介绍，这面出土的铜鼓由青铜铸造，鼓面直径 53 厘米，鼓高 29 厘米，鼓壁厚约 0.2 ～ 0.3 厘米，重 11.5 公斤；鼓面中央为太阳图案，周围由象征神灵的图腾和装饰图案组成。从铜鼓的质地、造型、装饰图案看，铜鼓具有相当的价值，对进一步研究古代川南少数民族与汉族之间，在政治、军事、经济、文化等方面的联系，有着十分重要的作用。目前，这面铜鼓已由县文物部门收藏。

简报未提及该铜鼓的时代。

德阳市

1061.绵竹县两次出土窖藏古币

作　者：宁志奇

出　处：《四川文物》1986 年第 2 期

简报配以拓片，介绍了绵竹县出土的两处窖藏古币。

据介绍，1984 年 3 月，绵竹县广济乡黑虎村一家村民在修房取土时，于距地面一米深处发现一铁钱窖藏。铁钱埋藏在一个长 150 厘米，宽和深各 80 厘米的土坑里，坑上面覆盖着一块一尺见方的石砧和几块小砧。坑内盛满成串堆放的铁质方孔圆钱（其中亦有几个崇宁通宝铜钱）1200 多公斤，现已全部运回县文化馆进行清理后保存。经清理，共有 17 个年号 50 多个品种。没有发现 1 枚绍定以后的钱，因此可以认为这批铁钱是在南宋绍定二年（1229 年）至端平三年（1236 年）期间，窖藏于地下的。另一处是 1985 年 4 月，建筑工人在绵竹城关庆云街小学校内挖基槽时，发现了窖藏的唐代钱币。这批钱币成串放在一个距地面 1 米深的土坑中。

1062.广汉三星堆遗址

作　　者：四川省文物管理委员会、四川省博物馆、广汉县文化馆　王有鹏、陈德安、
陈显丹、莫洪贵等

出　　处：《考古学报》1987 年第 2 期

广汉县地处四川盆地的腹心地带。县城位于成都北面 40 公里处。中兴古遗址在
县城西（略偏北）10 公里附近。三星堆古遗址，为广汉县中兴古遗址的一部分。中
兴古遗址是一处范围较宽广（据调查，其分布范围不少于 4 万平方米），文化遗存
十分丰富的古遗址。自 1929 年发现以来，曾多次进行过调查和试掘。最早是 1929
年原中兴乡农民燕道诚在住宅旁掏水沟发现玉石器一坑（约三四百件，多散失国内
外）。此后，前华西大学博物馆葛维汉、林名均于 1934 年又在附近进行过试掘。
1949 年后，四川省文管会、四川大学历史系等单位又于 1956 年、1958 年、1963 年、
1964 年在这一带进行过调查、清理和试掘。隔马牧河与月亮湾相对的三星堆，实属
中心古遗址的西缘部分。早年调查所采集到的大量遗物，证明它同月亮湾一带的古
文化面貌基本一致。两处仅隔马牧河古河道（直线距离约 600 米）。所谓"三星堆"，
实际上是三个起伏相连的黄土堆。隆起的顶部为椭圆形，南北长、东西窄。最高处
高出堆旁田地约 10 米。顶部的西侧，因历代耕作，已被平整为田地，此堆下的田地
高出 4 ~ 5 米。耕土层下压着厚薄不等的文化层，这就是此次发掘区位置所在。

简报称，前几年，附近办一砖厂，因烧砖取土，在发掘区的南面，形成一条长
200 多米的东西向断面，部分断面上文化层明显可见。1980 年 5 月，考古人员进行试掘，
正式发掘工作从 1980 年 11 月开始，至 1981 年 5 月结束。

简报分为：一、地层堆积和分期，二、遗迹，三、遗物，四、结语，共四个部分，
有照片、拓片、手绘图。

据介绍，发现房屋基址 18 座、灰坑 3 个、墓葬 4 座。陶片 10 余万片，其中可
复原的不多。此外还有玉器、鹿牙、猪牙等。该遗址年代简报推断从距今 3000 年新
石器时代晚期，一直延续到中原地区夏、商时期。

简报指出，三星堆遗址是一种在四川地区分布较广的、具有鲜明特征的，有别
于其他任何考古文化的一种古文化。是受何种文化影响，尚待研究。

简报还指出，三星堆文化的影响甚至至今还在。如建筑遗迹均属地面木构建筑。
第一期文化的房址平面呈圆形或方形。第二期文化的房址，平面均呈长方形，四周
墙基挖沟槽，并在沟槽中掘洞立木柱，然后再编缀木（竹）棍（条），最后两面涂
抹草拌泥而成"木骨泥墙"。墙似经火烧烤。门向不一，均开于一侧。顶似用竹、
木构缀，其上再覆盖草的轻型结构。同现今川西平原流行的草房相似。

简报最后附有"陶片统计表"和"房址简况表"。

1063.四川省中江县出土宋元窖藏

作　者：中江县文管所　王启鹏、吴　梅
出　处：《四川文物》2005年第2期

1995年8月29日，中江县西山乡龙华村发现一处宋元时期窖藏。窖藏文物有瓷器、陶器、铁器和铜器。以瓷器为主，颇具特色，分属于磁峰窑、龙泉窑、广元窑和景德镇，不乏精品。

简报分为：一、窖藏情况，二、出土器物，三、几点认识，共三个部分，有照片。

据介绍，该窖藏位于凯江镇南华畜产品加工厂院内的中间地带，东距加工厂大门20米，南距车库8米，西距生产车间50米，北距围墙12米。窖藏埋藏深度距地表1.2米，出土文物按质地可分为四类，即瓷器、陶器、铁器和铜器，但以瓷器为主。由于文物出土时发生哄抢，有些原本完整的瓷器和铜、铁器受损严重，或残缺不全或几成碎片，令人深感惋惜。

窖藏时间，简报推断为宋末元初战乱时期。

1064.四川什邡市虎头山成汉至东晋时期崖墓群

作　者：德阳市文物考古研究所、什邡市文物保护管理所　刘章泽、杨　剑、
　　　　张生刚、刘明芬等
出　处：《考古》2007年第10期

2003年4月，什邡市民主镇思源村在虎头山旁修路取土时发现崖墓，部分崖墓已遭到破坏，考古人员进行了抢救性发掘，共清理了5座崖墓。2004年12月在该地发现有盗墓现象，又对暴露出的10座崖墓进行了清理。

简报分为：一、地理环境与墓葬形制，二、出土遗物，三、结语共三个部分，介绍了2003年、2004年两次发掘、清理情况，有彩照、手绘图。

据介绍，发现的崖墓均为单室墓，墓室狭小，可分两种形制，随葬器物有陶器、瓷器、铜器、铁器、钱币等78件。根据墓葬形制和出土器物，可将这些墓葬分为两期，第一期的时代大致为成汉时期，第二期的时代为东晋。

简报指出，成汉建国仅40余年，发现的成汉墓极少，成汉时期崖墓更为罕见。虎头山崖成汉崖墓对研究成汉丧葬习俗及历史具有重要价值，也是四川崖墓分期研究的重要参考资料。据罗二虎先生的研究，西晋至南北朝前期为崖墓衰亡期。此次发掘也为崖墓研究提供了新资料。

1065.2004 年四川德阳"绵竹城"遗址调查与试掘

作　者：四川省文物考古研究院、德阳市文物考古研究所、旌阳区文物保护管理所　陈德安、刘章泽、张生刚

出　处：《四川文物》2008 年第 3 期

绵竹城遗址自 1997 年以来发现数件"绵竹城"砖，初步确认该遗址即为汉晋绵竹城。经过调查勘探，发现了遗址的南北城墙，弄清楚了遗址的分布范围，为以后的发掘研究和保护工作提供了重要线索和科学依据。

简报分为：一、前言，二、调查勘查情况，三、试掘部分，四、分期与年代，五、结语，共五个部分，有手绘图、拓片。

据介绍，"绵竹城"遗址位于川西平原北部边缘德阳市旌阳区黄许镇绵远河西岸台地，1986 年文物普查时发现，命名为"土将台"遗址，1990 年由德阳市市中区（现旌阳区）公布为区级文物保护单位。

近年来，在农田水利工程、砖厂取土、采砂等过程中发现"绵竹城"砖、石堤钱鱼俑、石武士俑、石虎、石狮础、石蛙础、板瓦、铜朱雀等汉代文物。特别是"绵竹城"砖的发现，简报初步确认该遗址即为汉晋时期的"绵竹城"。简报把遗址内文化遗存分为两期，简报推断：第一期的年代为西汉，第二期年代为新莽至蜀汉时期。"绵竹城"部分城墙及包砖城墙的修建至迟于蜀汉初期，至东晋逐渐废弃；此次试掘没有完全解剖城墙，因此，也不排除城墙主体部分即修建于汉，蜀汉初期因军事需要再进行修缮时采用了包砖结构的可能。

简报称，通过调查、勘探及试掘可以推断，"绵竹城"城址内主要为汉到三国时期的文化遗存，以三国时期最为丰富。

1066.四川什邡市星星村遗址唐宋、明清墓葬发掘简报

作　者：四川省文物考古研究院、德阳市文物考古研究所、什邡市博物馆　李　飞、金国林、杨　剑

出　处：《四川文物》2014 年第 6 期

为配合成（都）兰（州）铁路什邡段建设，考古人员于 2013 年 3～6 月对星星村遗址进行了抢救性发掘。该遗址位于四川什邡市南泉镇星星村四组，当地叫"高院子"。遗址主体堆积为商周时期遗存，并发现唐宋、明清墓葬 14 座。

简报分为：一、前言，二、发掘情况，三、结语，共三个部分介绍唐宋、明清墓葬的发掘情况，有拓片、手绘图。

据介绍，除 5 座墓葬破坏严重、结构不明外，余 9 座根据墓葬形制可分为长方形砖室墓、梯形砖室墓、火葬墓、瓮棺葬。简报称，这些墓葬的发现为探讨四川地区唐宋、明清时期的考古学文化及相关丧葬习俗提供了重要资料。

绵阳市

1067.四川江油市青莲古瓷窑址调查

作　　者：黄石林

出　　处：《考古》1990 年第 12 期

江油市地处四川西北部。1987 年 3 月，在青莲镇所属的九岭、方水二乡，首次发现多处上限为南朝、下限为北宋，唐器最为丰富的古瓷窑遗址。结合文物普查工作，考古人员对窑址各点进行了调查，材料证明江油青莲窑是一重大发现，为研究四川古瓷窑的生产、分布情况提供了新的资料。

简报分为：一、地理环境及窑址分布概况，二、采集标本，三、结语，共三个部分，有手绘图。

据介绍，江油市青莲窑的胎质多为灰色，少部分为灰白色，瓷土经过较好的淘洗工序，一般胎质细密，质地坚硬，扣之有金属的音响。青莲窑出现了三系：一为桥型系，二为复式系，三为纽扣系。青莲窑一般无纹饰，个别有简单的弦纹，在九岭窑区发现釉下彩边珠纹钵瓷片，在方水窑区则发现釉下彩斑。简报从调查现场看，青莲窑的窑炉应是龙窑，是当时四川制瓷工艺具备了一定水平的一处窑口。青莲窑的生产时限简报推断上可能达南朝，下可能达北宋。

简报称，青莲窑的瓷器工已具有一定的工艺水平和生产规模，在四川陶瓷史上填补了南朝到隋唐的一些重要历史缺环。

1068.四川绵阳出土的古代铜镜

作　　者：何志国

出　　处：《文物》1992 年第 1 期

新中国成立以来，绵阳市出土了不少古代铜镜，简报配以照片予以介绍。

据介绍，较为典型的有：

汉代镜：青盖镜 1 件。1982 年 4 月绵阳石塘乡出土。外为隶书铭文带："青盖作镜自有纪，避去不祥宜古（贾）市，长保二亲利孙子兮。"

唐代镜：瑞兽葡萄镜 2 件。

其一，1984 年 3 月于绵阳魏城乡出土。

其二，绵阳出土。直径 11.6 厘米、厚 1.1 厘米。纹饰布局与前镜大致相同，但较为简洁。

简报推断：汉代镜年代为汉代前期，唐代镜为唐高宗到武则天时期。

1069.三台永明乡崖墓调查简报

作　者：三台县文管所　景竹友
出　处：《四川文物》1997 年第 1 期

1994 年冬和 1995 年初，三台县永明乡发生了一定规模的盗掘古墓葬的犯罪活动。被盗墓主要是崖墓，另有极少数砖室墓。考古人员对被盗墓和原墓门已暴露的墓进行了调查和部分清理。

简报分为：一、历史沿革和四周环境，二、崖墓分布及墓葬情况，三、出土文物，四、认识与思考，五、结束语，共五个部分，有照片、手绘图。

据介绍，崖墓在有浅丘的景家桥、石缘寺、天坪和易家坪村普遍存在，其中以景家桥的元宝山、书房梁、观鹿山墓群，石缘寺村石缘寺墓群和天坪村天坪山长梁子墓群为主，总数在千座以上，暴露有明显墓门的也有百余座。永明崖墓绝大部分处在平缓的山坡和涪江原河道的一级台地上，历史上大多已被盗过，现代盗墓者再次盗走的是遗存的随葬陶瓷制品和很少的铜铁制品。通过墓内采集和从外追缴，收回完整的和比较完整的陶瓷器等遗物。当地崖墓应以东汉中晚期墓为主，亦有蜀汉时期到南北朝时期墓。发现有纪年上百字的题刻和"胡功曹之神墓""百人八千万拜"铭文砖，这些不但是三台境内的首次发现，在四川省内也未见报道。

1070.四川绵阳碧水寺藏"开元寺石佛"调查

作　者：四川省文物考古研究院、四川大学艺术学院、绵阳市文物局　于　春、
　　　　王锡鉴
出　处：《四川文物》2009 年第 2 期

2008 年，考古人员对绵阳市境内的唐代佛、道教造像进行了综合调查并测绘，推测开元寺石制菩萨立像可能为观音或弥勒菩萨立像，时代为北周至隋，具有北朝晚期长安地区圆雕菩萨像的风格，亦有部分北齐菩萨像因素。开元寺前身应为北周—隋—唐初的绵州振响寺。

简报分为：一、引言，二、开元寺石佛——石刻圆雕菩萨立像，三、定名、时

代与艺术风格，共三个部分，有手绘图。

据介绍，开元寺旧址现为太极集团的药厂，离碧水寺直线距离约 500 米，未进行过考古勘探，其时代、保存情况不详。通过访问，得知这尊菩萨立像原自腰部断裂为两截，平放在地。在 20 世纪 80 年代，当地信众用水泥黏合两截像体，将其竖立，高 3 米有余。简报认为此像有可能是南北游学的僧人从长安回到绵州时一并请来"振响寺"的，时代是北周晚期至隋代。当然也有可能是长安工匠在绵州当地制作的。

1071.绵遂高速公路（三台段）东汉至六朝崖墓发掘简报

作　者：四川省文物考古研究院、三台县文物管理所　黄家祥、黄家全
出　处：《四川文物》2014 年第 2 期

2008 年 12 月～2009 年 6 月，为配合绵（阳）遂（宁）高速公路三台段建设，考古工作者在四川三台县百顷镇芙蓉山、老马乡松林湾和蓝家梁子崖墓群发掘清理 15 座崖墓，出土器物有陶器、铁器和钱币等。

简报分为：一、前言，二、芙蓉山崖墓群，三、松林湾墓群，四、蓝家梁子崖墓群，五、结语，共五个部分，有彩照、手绘图。

据介绍，三台县涪江沿岸自汉代以降，是当时政治、经济、文化较为发达的重要区域之一。3 处崖墓群从墓葬形制、出土遗物及其出土钱币等简报推断，其时代主要是东汉中晚期，少数墓葬属六朝时期。

简报称，芙蓉山、松林湾、蓝家梁子崖墓群虽然被盗扰严重，出土随葬物品不甚丰富，但出土陶牛、陶蛙也是崖墓中少见之物，较为珍贵。墓葬出土的器物、钱币为认知涪江流域东汉晚期至六朝时期的中小型崖墓提供了新的考古资料。3 处崖墓群的发掘对认知东汉晚期崖墓向六朝至隋代崖墓墓葬形制的演化和发展具有重要的意义。

广元市

1072.四川古代的船棺葬

作　者：四川省博物馆文物工作队　冯汉骥、杨有润、王家祐
出　处：《考古学报》1958 年第 2 期

1954 年 6 月，前宝成铁路文物保护委员会在四川昭化县宝轮院及前西南博物院在巴县冬笋坝同时发现一种墓葬。两处共发现完整的船棺 5 具（宝轮院 4 具，冬笋坝 1 具），其他有船棺痕迹的并由墓坑、葬式及随葬品等可以推知其为船棺者，一

共有 26 墓（宝轮院 9 墓，冬笋坝 17 墓）。

简报分为：一、昭化墓葬区，二、冬笋坝墓葬区，三、墓葬形制，四、随葬品，五、结束语，共五个部分，有照片。

据介绍，宝轮院位于昭化县，西南距剑门关约 30 公里，东南距旧昭化县城约 10 公里。冬笋坝位于巴县，东距重庆市 60 公里。船棺葬的年代可分为两组，第一组应为战国末年或稍早，第二组不晚于秦及西汉初年。墓主人应为战国时期的巴人。

1073.四川广元瓷窑的调查收获

作　者：重庆市博物馆　陈丽琼
出　处：《考古与文物》1982 年第 4 期

广元瓷窑是 1953 年修筑宝成铁路发现的。1976 年和 1978 年，考古人员进行了两次调查清理工作，初步摸清广元瓷窑的基本面貌与烧造历史，为探讨它与"建窑"和其他黑釉瓷的关系提供了资料。简报分为五个部分予以介绍，有手绘图。

据介绍，窑址南距广元县城约 6 公里，在嘉陵江左岸瓷铺窑公社，遗址范围长约 2 公里，现已有部分被房屋叠压。断层堆积系一层煤渣一层匣钵及碎瓷片依次迭堆，出土器物以瓷器残片和窑具最多，完整瓷器 60 余件。广元瓷窑的烧造时代，简报推断其上限可能早到五代晚期，下限晚至南宋末或元初。

简报指出，值得注意的是，广元窑从造型、釉色看，都是宋或上于宋代的作品，元明时期的作风则极为罕见，这和当时的历史背景有着密切的关系。南宋末，蒙古军队于 1236 年分兵三路侵略南宋政权，连陷成都、利州（广元）等地，在掠夺财富以后撤退。以后，又曾多次进攻四川。四十多年的战争，不能不使广元窑遭到破坏，因而停止烧造。

1074.广元新发现的佛教造像

作　者：广元市文物管理所　盛　涛、吴春丽等
出　处：《文物》1990 年第 6 期

1983 年 4 月和 1986 年 9 月，四川广元城关豫剧团基建工地先后两次出土佛教石造像，第一次 8 尊，第二次 1 尊，共 9 尊。造像属北魏至唐代，出土时整齐叠放于土坑内，显系有意掩埋的。早年均经人为破坏，残损程度不同，佛头大多残失。唯一的一个佛头，也已身首异处，躯体残失。像残高 28 ~ 143 厘米，大多雕饰精美，具有明显的时代特征。其中，尤以 1983 年出土有延昌三年（514 年）造像题记的"释迦文佛"圆雕和 1986 年出土的兴安刘约造像碑格外引人注目。前一像为四川首见的

有明确纪年的北魏造像；后一像据风格、样式和造像记中地望名称，可确定为北周遗物，亦为四川境内所不多见。这就不仅为考定广元千佛崖、皇泽寺等石窟中同期洞窟的年代提供了直接依据，也为研究四川早期石窟开凿史以及佛教艺术传播路线等问题，增添了重要的实物资料。简报配以照片予以介绍。

简报称，除了北魏、北周造像，广元新发现造像中，唐代凡 5 尊，1983 年 4 月同出一坑。按其造型手法，多与千佛崖、皇泽寺初盛唐窟龛造像相近，无晚唐风格。故推测广元新发现的造像可能毁于唐武宗会昌五年（845 年）之来佛事件，劫后信徒予以掩埋；坑地附近原来应是某佛寺所在。

1075.宝珠寺水库淹没区文物调查记

作　者：黄家祥

出　处：《四川文物》1992 年第 3 期

宝珠寺水电站是国家水电工程的在建项目。电站位于白龙江下游的广元市三堆镇，淹没面积达 60 余平方公里。水库建成后在正常设计的蓄水位 588 米高程时，广元市三堆镇、青川区沙洲区等 10 余个区、乡镇将被淹没。考古人员于 1990 年10 月中旬至 12 月下旬对宝珠寺水库淹没区进行了文物考古调查。调查结果表明，在这一区域内有古遗址、古墓葬、古栈道、古城址、摩崖题刻、红军石刻标语等文物遗存计 17 处。调查过程中还采集和收集到部分古代文物。

简报分为：一、新石器时代文化遗址，二、古城址，三、古栈道，四、古墓葬，共四个部分予以介绍，有手绘图。

据介绍，新石器时代遗址位于青川县沙洲区江边村。古城址为汉代白水县、景谷县故城遗址，位于今青川县沙洲区沙洲乡、白沙乡。古栈道长约 50 公里，保存完好，位于青川县白河乡、观音阁、广元市的水磨乡、千龙洞、牛毛旋、宝珠乡等地。古墓葬有青川县沙洲区永红乡都家坝战国墓地、青川县沙洲区沙洲乡南风村战国墓地、青川县沙洲区永红乡五里垭口汉代墓地、青川县沙洲区永红乡丁家村汉代墓地等。

1076.广元市瓷窑铺窑址发掘简报

作　者：四川省文物考古研究所、广元市文物保护管理所　陈显双、唐　飞、
　　　　胥泽蓉、宋建民

出　处：《四川文物》2003 年第 3 期

瓷窑铺窑址面积大，堆积厚，文化内涵丰富，是唐宋时期建窑系黑瓷在四川的

典型窑址。简报配以手绘图予以介绍。

据介绍，瓷窑铺窑址位于川陕交界的广元市北郊约 6 公里处。1996 年为配合 108 国道建设进行了发掘，共清理窑址 3 座，发现遗物 7000 余件。窑址发现的遗迹现象有作坊和窑炉，窑的形制为马蹄形。遗物以瓷器和窑具为主，瓷器以黑色、黑褐色釉瓷为主，另有青灰色、米黄色、黄色、绿色褐釉等。胎以灰白色为主，另有黑色、黄白色。其黑釉窑变现象有兔毫、油滴、玳瑁等。器表采用刻花、粉绘、彩绘、印花等工艺。器物大部分采用匣钵装烧，烧造技术相当娴熟，是四川宋代黑釉瓷的典型烧造窑口。

简报认为：该窑为民窑，烧造时间大致为北宋中晚期至南宋。

1077.广元皇泽寺石窟调查报告

作　者：广元市文物管理所、成都市文物考古研究所、北京大学考古文博学院
　　　　梁咏涛、罗宗勇、王剑平
出　处：《四川文物》2004 年第 1 期

皇泽寺石窟位于广元市城西 1 公里的乌龙山脚下，寺内石窟现存 51 龛，其中较大的窟 6 个，造像数量 1200 余尊。始凿于北魏晚期，北周、隋、唐都有开凿，是四川地区开凿时间最早的石窟。考古人员于 20 世纪 20 年代和 50 年代、1962 年、1989 年均做过工作。2000 年，考古人员在前人工作基础上再次前往调查。

简报分为：一、北朝时期，二、隋至初唐太宗贞观时期，三、高宗、武周时期，四、玄宗时期，五、中、晚唐时期，六、小结，共六个部分，有照片、手绘图。

据介绍，51 龛中属于北魏时期的窟龛有 8 个，分别为 45、156、33、34、35、37、38、46 号。属于隋至初唐太宗贞观时期的龛窟有 28、12、13 号以及 15 号窟南、北壁补凿小龛。属于高宗、武周时期的龛窟相对比较多，如 45 和 38 号窟的三壁大龛内的造像，17、18、19、20、22、25、39、40、42、43、51 号龛等，其中、38 号窟三壁大龛造像和 51 号窟造像时代约在高宗前期，原《调查记》对有关内容有详细介绍。其余造像均为中小型龛，时间约在高宗后期至武周时期。属于玄宗时期的龛窟有 16、32、47、48、49 号龛等。中、晚唐时期的造像主要有 1、2、3、4、6、7、24、44 号等，其中 1、3、6、7 号龛雕陀罗经幢一座，24 号龛雕四臂观音。

简报称，皇泽寺造像开凿于北魏晚期，历经北周、隋、唐初的发展，至高宗、武周时期造像最为兴盛，到玄宗时期造像就比较少了，这个时期造像的重点都集中在广元另一处石窟——千佛崖，中、晚唐以后，皇泽寺造像活动就基本结束了。

1078.广元出土佛教石刻造像

作　者：广元皇泽寺博物馆　盛　涛、陈　洁
出　处：《四川文物》2004 年第 1 期

广元市豫剧团基建工地曾出土佛教石刻造像 13 尊，时间从北魏至唐代，其中北魏延昌三年造像、北周刘约造像碑对研究广元北朝石窟的分期具有十分重要的意义。

简报分为：一、造像介绍，二、造像分期和历史背景，三、造像艺术源流，共三个部分，有照片、手绘图。

1983 年 4 月，在广元市豫剧团基建工地出土了佛教石刻造像 10 尊，时间从北魏至唐代；以后又陆续出土了 3 件，即北周刘约造像碑、北魏佛头、南宋嘉定三年石台座。其中的几件造像曾以《广元新发现的佛教造像》为题刊登在《文物》1990 年第 6 期，但该文在介绍两件北魏造像时，将图片说明弄颠倒了，此次重新一并介绍。

简报指出，从窟龛形制、造像题材来说，石窟之影响无疑是十分准确的。但从造像风格来看，受南朝的影响也是无疑的，甚至可以说，受南方影响更大一些。这种影响在广元石窟造像中大约一直持续到初唐贞观年间，直到高宗、武后时期，长安、洛阳成为全国佛教中心以后，来自两京地区的佛教艺术才又深刻影响了四川地区石窟的发展。

1079.蜀道广元段考古调查简报

作　者：四川省文物考古研究院、西安美术学院中国艺术与考古研究所　郑建国、
　　　　于　春
出　处：《四川文物》2012 年第 3 期

广元地区是现今蜀道保存最好、遗址数量最多、遗存类型最丰富和最重要的地区之一。2001 年 7～12 月，考古人员对蜀道广元段及相关遗存进行了考古踏查，将蜀道广元段分为北、中和南三区，并将发现的文化遗存划分为关隘遗址、铺驿遗址、古道遗存、墓葬群、城址、生活遗址、宗教遗存 7 种类型。

简报分为：一、蜀道广元段遗存概述，二、重要遗迹介绍，三、余论，共三个部分，有照片、手绘图。

简报称，广元是古代蜀道的核心地区，遗存丰富，据广元市文化局调查统计数据，广元地区与蜀道相关的遗迹多达215 处。此次考古人员对广元朝天区、利州区、元坝区和剑阁县四地共30 处重要遗迹点进行踏查，采集标本100 余件，初步掌握了广元蜀道遗存的分布、保存、时代等多方面的情况，简报重点介绍了其中的15 处遗迹。

遂宁市

1080.遂宁发现"佛法僧宝"铜印

作　者：彭高泉
出　处：《四川文物》1992 年第 6 期

1989 年 4 月 1 日遂宁市博物馆征集到一枚佛教铜印。该印是去年 8 月，吉东乡八村一农民在观音庙遗址锄地时发现。

据介绍，印呈正方形，背面纽右刻一个"上"字，纽左刻有"冯合造"三个字，均为阴刻楷书。印面铸朱文"佛法僧宝"四字。该印初步分析看来是观音庙僧人用做法事的印信。时代不详。

内江市

1081.内江市岩墓情况综述

作　者：内江市文化局　袁国腾
出　处：《四川文物》1997 年第 5 期

岷江、沱江、嘉陵江、乌江是长江上游在四川境内的四大支流。地处沱江中段的内江地区岩墓情况如何？

简报分为：一、地理环境及分布情况，二、岩墓形制及室内刻画，三、出土葬具及随葬器物，四、结语，共四个部分，介绍了内江市岩墓的普查情况。

简报称，据 1987 年文物普查结果及后期的一些发现所获，截至 1990 年，内江市共发现 114 处，计 1178 座，其中市中区 8 处（46 座）、东兴区 11 处（117 座）、资中 1 处（26 座）、资阳 8 处（73 座）、简阳 33 处（233 座）、威远 6 处（51 座）、隆昌 28 处（455 座）、安岳 19 处（177 座）。这些岩墓大都背山面水，凿于江河两岸丘陵山岩的中部，三五成群，数量不等。主要分布在沱江及其支流阳化河、蒙溪河、大、小清流河流域两岸，地域上除乐至县外，其余区县（市）均有发现。从时代看，东汉时期为内江岩墓的繁盛时期，下限应在隋代以前，应是当地夷僚文化与汉文化结合交融的产物。

乐山市

1082.四川乐山地区崖穴悬棺葬调查报告

作　者：马　琦
出　处：《考古》1988 年第 11 期

乐山地区位于四川省成都平原南部边缘，境内丘陵与坝子相杂，溪流纵横，峨眉山为其后嶂，岷江、青衣江、大渡河在此汇合。这一地区古属三蜀之地，是连接川北川南之枢纽，通往滇黔荆楚之要冲。历史上，这一地区开发很早。秦汉时期，这里已是经济文化较高的地区。1986 年，考古人员对崖穴悬棺葬进行长达8 个月的调查，初步弄清了此类墓葬的分布。简报分为三个部分予以介绍，有手绘图。

据介绍，乐山崖穴悬棺葬主要分布于岷江、青衣江、大渡河两岸及其支流月江河、泥溪、盘渡河、峨眉河、柳溪、沫溪、茫溪、清水河、马边河、沐川河、箭板河流域，一般开凿于临江河溪流的山丘。低者距地仅1 米，高者达180 ～200 米。在本地区所辖的17 个县区中，现已查明有11 个县区（市中区、夹江县、峨眉县、五通桥区、青神县、仁寿县、井研县、沙湾区、犍为县、沐川县、马边县）有此类墓葬，共73 处。简报有"乐山地区崖穴悬棺葬分布表"，记载了相关主要信息。简报称，由于年代久远，人为的和自然的破坏较大，乐山崖穴悬棺葬没有发现完整的棺木和其他遗物。简报推断墓主人应为古代的"僚人"。时代上限为东晋末，下限在隋、唐。南宋以降，乐山地区除少数偏远地方以外，可能就没有崖穴悬棺葬了。

1083.乐山市崖墓墓阙调查记

作　者：唐长寿
出　处：《考古与文物》1993 年第 1 期

乐山市位于四川省南部，辖17 个区县，岷江、青衣江、大渡河在境内交会，高山、丘陵、平坝相杂，多红砂岩山丘。汉至南北朝时期的崖墓极多，1987 年文物普查达262 处12900 座。大、中型崖墓多有石刻，墓阙是其中比较常见的建筑雕刻。法国学者色伽兰在1914 年调查了乐山市中区崖墓墓阙，20 世纪40 年代，我国建筑学家调查了乐山白崖山崖墓，测量3 部分墓阙。50 年代，闻宥先生编《四川汉代画像选集》一书，著录了白崖山崖墓双阙，指出："（崖墓）门外刻有双阙。凡是较大的崖墓大概都有"。但有关乐山崖墓墓阙的较为系统的调查尚无人进行，完整的资料更不可见。鉴于此，考古人员在1985～1988年开始对乐山市境内崖墓进行了调查。简报分为三个部分予以介绍，有照片。

据介绍，乐山崖墓墓阙分布在乐山市所属的市中区九峰、城郊、青衣、车子、平兴等乡，夹江县甘江乡、彭山县江口镇等的10处崖墓群内，共计76处墓阙。时代从东汉至南北朝时期，各时代之间演变关系尚不清楚。单阙，一墓双阙等都有。墓主人似一般为地方庶民，并非是官阶至"二千石"才可立阙。

南充市

1084.四川达成铁路南充东站考古发掘报告

作　　者：四川省文物考古研究所、南充市高坪区文管所、南充市文管所　莫洪贵、覃海泉

出　　处：《四川文物》2003年第2期

为配合达成铁路基本建设，考古人员发掘和勘探面积约2万平方米，墓葬41座，墓葬均为砖室墓，时代是汉至唐宋时期，为研究南充地区历史提供了实物资料。

简报分为：一、发掘过程，二、墓葬形制，三、出土器物，四、墓葬年代及其他，五、发掘的意义，六、附记，共六个部分予以介绍，有照片、手绘图。

据介绍，1995年在南充东站建设中发现古墓群。古墓区主要分布在小龙镇11村的唐家坪、孙家坪、12村、龙门镇1村等，离龙门镇最近只有2公里，位于嘉陵江边，这是东站的中心点。发掘时间从1995年5月至1996年12月，先后进行了5次发掘，共发掘古墓葬41座，出土器物116件，面积约2万平方米。

墓葬主要为砖室墓和石室墓。砖室墓37座，石室墓4座。从墓葬形制和出土器物看，墓葬时代主要为汉、唐、宋代，汉墓有15座，唐代墓1座，宋墓有25座。

简报认为，墓主身份不太高或是当地土著居民，此处应是长期以来形成的公共墓地或一般平民墓地。墓主人有可能是当地土著——巴濮族人。

1085.四川营山县太蓬山摩崖题刻调查简报

作　者：西华师范大学历史文化学院、重庆工商大学计算机科学与信息工程学院、
营山县文物管理所　蒋晓春、邵　磊、伍洪建

出　处：《华夏考古》2002 年第 4 期

在四川营山县调查发现 107 方摩崖题刻，大都分布在太蓬山透明岩周围的石壁上，题刻时代从唐代一直持续到民国，其中以宋代最多。内容丰富，其中以唐代的《安禄山造像记》《金刚经》和宋代雍沿的《蓬山十三咏》最为著名。此外，太蓬山还有大量的墨书，主要内容为许愿、还愿和祈福。

简报分为：一、概况，二、主要题刻介绍，三、墨书，四、结语，共四个部分，有照片、手绘图。

据介绍，太蓬山，古称大蓬山，又名绥山，位于四川省营山县东北的太蓬乡一带，方圆 40 余里，主峰海拔 731.7 米。1954 年及 20 世纪 80 年代考古人员都做过调查、复考。2008 年 7 月更进行了详尽的调查。

本次调查的范围主要是太蓬山透明岩周围以及附近的北寨门、南寨门、李公洞和朝阳洞，经过仔细统计，共发现题刻 111 幅，其中可以辨认文字的有 108 幅，因人为破坏、风化等原因导致文字完全磨灭的有 3 幅，主要分布在太蓬山透明岩四周崖壁上，题刻总面积达 300 多平方米。能够辨认年代的有 69 幅，其中唐代 9 幅，五代 1 幅，宋代 31 幅，元代 4 幅，明代 7 幅，清代 14 幅，民国 3 幅；不能确认年代的 42 幅。

简报称，摩崖题刻按内容划分，大致可分为功德碑记类、佛教刻经类、偈语类、诗词类、游记类、题字类、历史辨误类、和约协定类等。

简报择要介绍了《安禄山造像碑》等，均录有碑文全文。在透明岩第 48 号龛送子观音像左右两侧的岩壁上以及李公洞内有众多的墨书，是游客、信徒为了祈福还愿所写。这些墨书原本是写于纸上然后贴在崖壁上的，久而久之，纸张消逝无存，但纸痕和墨迹却留在了崖壁上，层层叠叠，难以细数。综观墨书内容，多为祈求身体健康、早得贵子等，简报录有其中比较典型的几段文字。

简报指出，太蓬山摩崖题刻延续时间长，题刻数量众多、内容丰富、书风各异、保存较好，在四川地区实属罕见，具有重要的宗教、历史、文学、书法、民俗等研究价值。有的内容可补史书之阙。

今有《川北佛教石窟和摩崖造像石窟》（甘肃教育出版社 2016 年版）一书，可参阅。

宜宾市

1086.宜宾地区悬棺葬调查记

作　者：重庆市博物馆　蒋万锡
出　处：《考古》1981年第5期

悬棺葬在我国流行的时间长，分布地域广，遍及长江流域的13个省区，自东南沿海直到川滇等地皆有发现。四川省是悬棺葬的集中地之一，宜宾地区所属高县、庆符（现均属高县）、珙县、兴文、长宁、筠连旧称"叙南六属"，这一地区是四川省悬棺葬集中的地区。考古人员于1979年5月赴宜宾地区进行"僰人"悬棺葬考古调查工作，至珙县、兴文、高县、筠连县所属洛表、德胜、罗场、政治等21个公社的76个"僰人"悬棺葬地点进行调查，历时两个半月。简报分为五个部分予以介绍，有手绘图。

据介绍，宜宾地区历来为许多部落和民族所杂居，濮人和僰人本是同一民族，因濮、僰二字是同音异写字，所以濮人就是僰人，在南北朝时不称濮和僰，改称僚。

唐初称"生僚"，宋代称"刚夷恶僚"，元代称"土僚"，明代称"都掌"或称"群僚"。《华阳国志·蜀志》曰："会无县路通宁州，渡泸，得堂狼县，故濮人邑也，今有濮人冢，冢不闭户，其冢多有碧珠，人不可取，取之不祥。"所谓"冢不闭户"就是指高岩的悬棺葬。简报后附"宜宾地区悬棺葬及岩穴墓分布表"，载有相关墓葬基本信息。

1087.宜宾县双龙、横江两区岩穴墓调查记

作　者：四川大学历史系考古专业78级实习队、四川省宜宾县文化馆　刘豫川、
　　　　　曾令一、石　硕、李自强
出　处：《考古与文物》1984年第2期

宜宾县双龙、横江两区位于金沙江以南，面积约400平方公里。地处四川盆地南部边缘，境内山峦起伏，沟壑纵横，海拔约500～1000米。1981年10月，考古人员在这一带进行了考古调查。调查中曾采集到磨制石器，发现了各类崖葬遗存。其中，以岩穴墓方面的资料较为重要。简报配以手绘图予以介绍。

据介绍，此次所调查的21个地点的117座岩穴墓，绝大多数都分布在东边沙河

上游各条溪涧附近的山岩上，西面流往横江的各溪涧，只有零星分布。这批岩穴墓，当地人称为"蛮洞子"，应为中古时期的僚人所开凿。从考古情况看，受汉族及其他少数民族影响较大，是研究民族关系的重要史料。

1088.四川叙南崖葬调查纪略

作　　者：四川大学历史系考古专业 78 级实习队　王和平、霍　巍、徐朝龙
出　　处：《考古与文物》1985 年第 1 期

崖葬是一种延续时间长，分布地域广，内容独特而复杂的文化现象。四川是我国崖葬的主要分布地区之一，而以川南为集中。川南高县、庆符（现属高县）、珙县、兴文、长宁、筠连旧称"叙南六属"，南广河、长宁河及其支流宋江河、巡司河、邓家河等贯穿其境，众水两岸，山峦绵亘，这里广布着形式多样的崖葬文化遗存。考古人员曾数次派人进行过调查和清理，并作了报道。1981 年 9 月至 11 月，四川大学历史系考古专业实习队师生对珙县、兴文、高县、筠连四县所属洛表、兴晏、罗场、政治等 42 个公社的崖葬进行了普查。又新发现崖葬点 120 处、崖棺 27 具、石刻 15 处、岩画 7 处。简报配以手绘图等予以介绍。

据介绍，简报分县介绍了其中一些新的发现。简报认为当地崖葬延续的时间很长，从新石器时代一直到明代都有。崖墓的主人，应为上古濮人、古代僰人、僚人等。

1089.四川宜宾沙坝墓地 2009 年发掘简报

作　　者：四川省文物考古研究院、宜宾市博物院、屏山县文物管理所　刘志岩、
　　　　　　周科华、李万寿等
出　　处：《文物》2013 年第 9 期

沙坝墓地位于宜宾市屏山县楼东乡沙坝村三组，海拔 305 米。该墓地北靠鸡罩山，南临金沙江，主要分布于金沙江北岸的三、四级台地上，面积约 2 万平方米。地势北高南低，地表植被主要是桂圆林。

2007 年 12 月，四川省文物考古研究院发现该墓地，并于 2009 年 6～9 月进行发掘，发掘面积 2000 平方米。共清理战国晚期至西汉早期墓葬 14 座，随葬有陶器、铜器、铁器、石器、贝饰和兽骨等，计 201 件（组）。简报分为三个部分予以介绍，配有照片和手绘图。

第一部分介绍"地层堆积"。

第二部分为"墓葬形制和出土器物"，介绍说墓葬均为长方形竖穴土坑墓。由

于埋藏较浅，部分墓坑破坏严重，仅残留一半左右。保存较完整的墓坑的平面呈长方形或者略呈梯形。墓内填土一般为黄褐色或者灰褐色沙质黏土，土质较为疏松。人骨保存状况不好，大多墓葬不见人骨，或仅见零星碎骨和牙齿。可辨葬式的均为单人仰身直肢葬，头朝南，面朝上。随葬器物一般放在墓主头顶位置，以陶器和铜器为主，兼有铁器、石器、兽骨和贝饰。从其用途来看，包括生活用品、生产工具、兵器和装饰品等。简报选择较为典型的几座墓葬。

第三部分"结语"指出，本次发掘共清理战国晚期至西汉早期土坑墓14座，出土各类器物201件（组），是近年来川南地区发掘规模较大、保存较完整的一处墓地。

简报认为，先秦时期宜宾地区是僰人的聚居地，有故僰侯国。公元前316年，秦灭巴蜀。蜀国灭亡后，蜀人的一支极有可能沿岷江而下，抵达早已有根基的僰地。本次在屏山县沙坝墓地发现的这批墓葬，带有典型的蜀文化风格，足以证明蜀人曾南迁至此。由此可见，沿岷江而下，抵达僰地，由此渡金沙江，而后溯江而上，抵达云南中部，是蜀人南迁的重要路线之一。

广安市

1090.岳池后山古墓群清理简报

作　者：岳池县文管所　刘　敏、黎人忠
出　处：《四川文物》1994年第5期

岳池后山位于县城东面，该山北麓为凤山公园和县人民政府所在地。1949年以来，因基本建设曾于后山南麓多次发现古代墓葬。1994年春节前，于后山滑坡地段兴建保坎时，又一次发现古代墓群。经考古人员现场勘察，在长不足50米、宽3米的施工地段，发现呈梯形重叠古代墓葬竟达29座之多，在从堆积层取土过程中，又采集到汉至明代器物残件标本。1994年2月21日考古人员对后山古墓群进行抢救性清理，迄至3月7日止，共清理南宋墓葬4座，明代墓葬25座。

简报分为：一、南宋墓，二、明代墓葬，三、结语，共三个部分予以介绍，有照片。

据介绍，岳池后山古墓群均未发现文字资料。从墓葬形制、出土器物、殉葬风俗与同地区同时代墓葬比较，简报推断当属于宋代和明代早中期。

简报称，岳池后山古墓群的发现，不仅为该县古墓分布状况提供了重要线索，而且还为制定今后地下文物保护管理规划提供了科学依据。

1091.岳池代家坟古墓群发掘简报

作　者：广安市文化体育局、岳池县文化体育局
出　处：《四川文物》2003 年第 2 期

达尔曼制药厂在岳池施工建设时发现古墓群，经抢救性发掘清理，出土宋、明时代文物 10 余件。其中宋代墓室石刻精美，具有较高的历史艺术价值，为研究古代石刻艺术提供了珍贵的实物资料。

简报分为：一、地理位置及墓葬形制，二、随葬器物，三、结语，共三个部分予以介绍，有照片。

据报告，该墓地系2001 年11 月于施工中发现，共发掘古墓5 座（M1 ～M5），其中石室墓4 座，土坑墓1 座，多已受施工破坏。出土有瓷器8 件及铜镜等共10 件随葬品。时代据简报推断，M1、M2、M3、M4 为南宋墓，M5 为明代墓。M3、M4 有石刻。

1092.四川武胜山水岩崖墓群发掘报告

作　者：四川省文物考古研究院、广安市文物管理所、武胜县文化体育局、武胜县文物管理所
出　处：《四川文物》2010 年第 1 期

四川地区的崖墓主要是沿长江及其支流两岸分布的，山水岩崖墓群是嘉陵江流域为数不多的经过正式发掘的遗存，其特点表现在：其时代从东汉至晋代，延续时代之长，为嘉陵江流域所罕见；出土的陶俑，数量之多，类型之丰富，在目前四川地区同时代出土资料中尚属首例，尤其是其陶俑制作工艺问题，有待进一步研究；从出土的捏制人物俑的工艺、人物形象特点分析，与古賨人有不可分割的联系。

简报分为：一、概述，二、墓葬形制，三、出土遗物，四、结语，共四个部分予以介绍，有手绘图。

据介绍，1999 年12 月14 日夜，四川省武胜光明实业总公司在武胜县印山公园中修建观光亭时，工人在崖壁上当地人俗称为"蛮子洞"的洞口发现2 件陶俑（后确认为 8 号墓葬的甬道内出土），考古人员前往调查并进行了抢救性发掘。共发掘崖墓14 座（M1 ～ M14），出土各类遗物 458 件。其中人物俑造型奇特，有当地特色。

达州市

1093.四川达州市通川区瓷碗铺瓷窑遗址发掘简报

作　者：四川省文物考古研究院、达州市通川区文化体育局、达州市通川区文
物管理所　蔡　苹、任超俗、任　江
出　处：《四川文物》2005 年第 4 期

瓷碗铺瓷窑遗址位于达州市通川区，1993 年进行了发掘。其时代从南宋晚期一直延续到元初。就窑系而言，应是在自身基础之上，受到陕西、重庆、广元等多地的影响而发展起来的。

简报分为：一、遗迹，二、遗物，三、结语，共三个部分予以介绍，有照片、手绘图。

据介绍，发掘地点位于达州市通川区复兴乡桐子林村。发现窑炉 4 座，清理了 2 座。出土完好、残损瓷器、窑具等遗物 200 余件。主要有瓷器、窑具和陶器。瓷器数量最多，器类以碗、盘、碟、盏居多。陶器仅发现几块残片。简报推断北宋末至南宋前期为创烧期，南宋中期至元初为兴盛期。窑址迄今尚存 40000 平方米，表明窑址经历了较长的烧造时间，且私家很难长期维持，极有可能是宋代达州官方生产瓷陶产品的场所。

1094.四川宣汉罗家坝遗址 1999 年度发掘简报

作　者：四川省文物考古研究院、达州市文物管理所、宣汉县文物管理所
出　处：《四川文物》2009 年第 4 期

罗家坝位于宣汉县城北 46 公里处，1999 年发掘。

简报分为：一、地层堆积，二、新石器时代晚期遗存，三、东周时期遗存，四、结语，共四个部分，有照片、手绘图。

据介绍，新石器时代遗存，年代应为公元前 2500 年左右。东周墓葬 6 座，均为长方形竖穴土坑墓，年代为战国中期偏早、战国中期晚段、战国晚期不等。墓主人遗骨有明显战伤，似为战死。

眉山市

1095.彭山发现岩墓与砖墓相结合的墓制

作　者：帅希彭
出　处：《四川文物》1986 年第 4 期

1984 年 11 月，彭山至江口段扩建公路，在江口乡双江村四组轮渡码头一侧，实施爆破作业，一举炸开五座岩墓，其中第三号墓形制较为特殊。简报分为：一、墓制，二、出土器物，三、结语，共三个部分予以介绍，有照片。

据介绍，因炸岩该墓已受破坏，仅存钱币 9 枚、小陶器 8 件。简报未提此墓时代，只是说以前所见到的有关四川岩墓和砖墓的考古论著，都将它们分为两个系统，未见合一者。今从彭山发现看，岩墓与砖墓合制是存在的，主要原因可能有两点：一是为了增加墓葬的装饰以显示墓主的地位，二是危岩加固。简报倾向于后一种的可能性。

1096.仁寿县牛角寨摩崖造像

作　者：邓仲元、高俊英
出　处：《四川文物》1990 年第 5 期

牛角寨摩崖造像，位于仁寿县城北偏东 35 公里处的高家乡鹰头村。1982 年普查文物时发现"高家大佛"及造像 64 龛。后经 1987 年普查文物，1989 年文物建档工作，分别将泥土所掩以及多龛合编龛号逐一查证，重新登记编号为 D1 ~ D101 号，共计佛、道造像 1519 尊。简报分为时代题记、佛教造像、造像的特点及风格四个部分，有照片、手绘图。

据介绍，牛角寨山岩陡峭，岩前坡地广阔，遍布上百块奇异石包，造像就分布在东岩壁（大佛阁）和东（观音堂）、北（坛神岩）岩前 16 块石包的壁上，共 101 龛，其中 95 龛系佛教造像，计有 1395 尊，6 龛道教造像，计有 124 尊。保存完好和基本完好的有 21 龛，部分残缺、剥蚀的有 39 龛，严重剥蚀的有 28 龛，尚有 13 龛为泥土所掩。值得庆幸的是，造像的精华部分虽遭几次"厄运"，现存状况基本完好。题记有三处，纪年分别为唐天宝八年（749 年）、贞元十一年（795 年）、庆历五年（1045 年）。简报指出，牛角寨摩崖造像，是盛、中唐时期政治、经济、文化和宗教艺术在仁寿地区的部分缩影，是四川石窟艺术宝库之一。

1097.四川青神县坛罐窑调查

作　者：成都中医药大学医史博物馆　伍秋鹏
出　处：《四川文物》2009 年第 2 期

青神坛罐窑是一处大型的古代窑址，烧制黑釉、酱釉、白釉、乳白釉、青釉等瓷器。坛罐窑的年代，上限可到北宋，下限可到元初，而以南宋器物为主。该窑址的发现为四川古陶瓷研究提供了新的重要资料。

简报分为：一、窑址位置与堆积，二、采集器物，三、胎质、釉色及装饰，四、装烧工艺，五、结语，共五个部分予以介绍，有图。

据介绍，坛罐窑址位于眉山市青神县城东北约 5 公里的白果乡坛罐窑村内，岷江东岸二级台地上，已无完整窑址，瓷片遍布。调查采集器物，大多为烧坏的残次品，以畸形或残破见多，主要器形有碗、盏、碟、钵、壶及窑具等，以碗、盏、碟的数量最多。瓷器釉色丰富，有黑、白、酱、乳白、青釉等类别。时代从北宋至元初，而以南宋遗存为主。

雅安市

1098.四川石棉县考古调查

作　者：石棉县文化馆　张弗尘
出　处：《考古》1982 年第 2 期

考古人员沿大渡河两岸做了几次调查并收集到一些文物，其中有石器、陶器及造型古拙的青铜器和冶炼技术进步的铁器等。这些古遗址和文物的发现，将改变人们对这一带"不毛之地"的看法，简报配以照片、手绘图予以介绍。

据介绍，考古人员发现有宰羊溪、安乐、草科、新民等遗址，均位于大渡河两岸。出土有石器、铜釜、铜戈、铜剑、铁剑等。时代从铜石并用时期一直延续到铁器时代初期，大致相当于中原地区的殷商时期一直到汉代。当时这里居住着邛、筰人。

1099.四川汉源大窑石棺葬清理简报

作　者：汉源县文化馆　杨文诚、张弗尘
出　处：《考古与文物》1983 年第 4 期

1979 年春夏之际，考古人员沿大渡河中游进行考古调查，于大渡河南岸的汉源县大树公社大窑五队发现 1 座石棺墓。据当地人反映，从前在这座墓的附近曾出现过两座同类墓葬。简报配以手绘图予以介绍。

据介绍，该墓是在长方形土坑竖穴中，用 12 块大小不同的天然板岩片排立嵌砌成石棺，又用同类石类数块搭成棺盖，盖已部分塌陷。随葬品只有陶器，并且集中放置于棺底东段，陶器多已破碎，有的陶质较差，业已溶蚀，难以全部收集。棺内未留尸骨痕迹，因此无法判明葬式。清理后可辨器形的陶器，只有手制陶罐 3 件。

简报推断此墓为秦汉或更早一些时古代西南夷中邛、筰人的墓葬。

1100.四川雅安小山子岩墓出土器物

作　者：雅安市博物馆
出　处：《考古与文物》1988 年第 3 期

1983 年 4 月雅安城建局工程队在小山子施工中，先后发现岩墓 7 座。简报配以照片、手绘图予以介绍。

据介绍，岩墓由于被盗和破坏，随葬品甚少，以陶器为多，计 23 件。另有少量铜器、饰珠和钱币。时代不详。

1101.汉源县瀑布沟水库淹没区文物古迹调查简况

作　者：王瑞琼
出　处：《四川文物》1990 年第 3 期

瀑布沟水电站位于大渡河中游汉源县境，利用汉源县城附近开阔河谷蓄水，形成巨大水库。水库建成后在正常蓄水位 850 米高程时，淹没区将涉及汉源、石棉、甘洛三个县的 20 多个乡镇。这一地区，是四川省文物古迹分布较多而且重要的地区之一。根据调查表明，这个地区有旧石器文化遗址 1 处，旧石器采集点 6 处，新石器文化遗址 9 处，新石器采集点 4 处，古墓群 6 处，古墓葬 9 处，古城残垣 1 处，石刻 1 处，其他遗址 1 处。简报分为四个部分予以介绍。

据介绍，除了内涵丰富的旧石器、新石器时代文化遗存外，水库淹没区内还有东汉瓦棺葬、岩墓、宋明砖室墓、石条券拱墓和明代瓮棺葬。这些墓葬大多已被破坏，器物亦多散失，但各类墓葬的形制及仅有的几件出土文物，对研究地方史也有重要的参考价值。另有怀疑是明代古堡的土城残垣一处、明代石刻一处及 1975 年在大树乡新华村发现的一大堆安放整齐的人骨骸，简报认为是太平军兵士遗骨。简报指出，在古代，这一地区并不落后。文物和现代工农业产品不一样，它是不能通过再生产获取的。现在，要在这个古代文化遗存如此丰富的地方修建水库，就必须采取有效措施，保护珍贵文物，以免造成不可弥补的损失。

1102.四川汉源县大树乡两处古遗址调查

作　者：中国社会科学院考古研究所四川工作队　叶茂林、唐际根
出　处：《考古》1991年第5期

汉源县位于成都市西南部，相距120公里左右，隶属雅安地区，为大渡河流域。全县绝大部分是山区，海拔多在1000米以上，属于四川盆地西南边缘地带。大渡河及其支流在境内切割纵横的山岭，冲积形成若干肥美的小型河谷盆地，有着优越的天然环境，自古以来就是人类劳动生息的良好场所，汉源县城富林镇以及大树乡就分别处在大渡河两岸相毗邻的两个小盆地中。1988年5月，考古人员重点踏勘了汉源县大树乡的麻家山、狮子山两处遗址，采集到石器、陶片等标本。

简报分为：一、麻家山遗址，二、狮子山遗址，三、小结，共三个部分，有手绘图。

据介绍，狮子山遗址应属新石器文化遗存，而麻家山遗址则与三星堆遗址晚期遗存相当，或稍晚，应属青铜时代遗存。

1103.四川汉源县麦坪村、麻家山遗址试掘简报

作　者：中国社会科学院考古研究所、四川省文物考古研究院、成都市文物考古研究所
出　处：《四川文物》2006年第2期

汉源县富林镇、大树镇是大渡河中游古代文化遗址最为密集的地区。2001年底，考古人员在汉源县境内开展了考古调查，共发现和确认十余处新石器时代至商周时期的古文化遗址，并对其中的麦坪村、麻家山等遗址进行了试掘，揭露出新石器时代至商周时期的墓葬、灰坑、房址等遗迹十余座，出土陶、石、青铜、玉、骨器等各类器物数百件。

简报分为：一、麦村遗址，二、麻家山遗址，三、结束语，共三个部分，有照片、手绘图。

简报称，根据既有考古工作的基础和本次复查的结果，可以确认大树镇驻地附近地区分布有新石器时代至商周时期的大型遗址群，由麻家山、狮子山、龙王庙、大瑶村、麦坪村、姜家屋墓等系列遗址组成，基本自东向西呈一字状排列开来，总面积逾10万平方米，相邻遗址之间的距离为500～300米不同。遗址群位于大渡河南岸的二级阶地或高于阶地的缓坡地带之上，面积从数千平方米至数万平方米不等，

文化层堆积厚度为 1 ～ 2 米。这处大型遗址群当是大渡河中游地区新石器时代至商周时期的文化中心所在地。

1104.四川汉源桃坪遗址及墓地发掘报告

作　者：四川省文物考古研究院、雅安市文物管理所、汉源县文物管理所
　　　　雷　雨
出　处：《四川文物》2006 年第 5 期

为配合瀑布沟水电站建设，抢救淹没区地下文物，考古人员于 2004 年 5 月至 7 月对汉源县桃坪遗址及墓地进行了首期考古发掘，该处文物点由战国至两汉时期的土坑墓、砖室墓以及时代可能更早的古代石器采集点等古文化遗存所构成，分布范围南北长约 800 米，东西宽 200 ～ 300 米，面积约 16 ～ 24 万平方米。首期发掘区域位于桃坪台地群中部大坪头台地东缘近断面处，发掘面积逾 600 平方米，发现并清理了西汉至明清时期的各类墓葬 18 座，商周及宋代的祭祀坑和灰坑 5 个。

简报分为前言；一、地层堆积，二、遗址，三、年代，四、结语。共五个部分，有手绘图、拓片、照片。

据介绍，桃坪遗址及墓地具有文化内涵丰富、墓葬分布较密集、延续时间长、墓葬形制丰富多样等特点。汉源位于古代南方丝绸之路西道，历代为汉民族和少数民族杂居地，简报称，桃坪遗址及墓地丰富的考古材料和文化内涵为大渡河流域的古代墓葬形制、考古学文化内涵以及民族交流史的研究增添了新的资料。

1105.大渡河瀑布沟水电站淹没区文物调查简报

作　者：四川省文物考古研究院、雅安市文物管理所、汉源县文物管理所、石棉县文物管理所　郭　富
出　处：《四川文物》2008 年第 1 期

1991 年，考古人员在瀑布沟水电站正常蓄水位 850 米及 20 年一遇洪水淹没线以下所有陆域，面积约 84 平方公里，涉及汉源、石棉、甘洛的 24 个乡镇的范围内进行调查。东起甘洛苏雄，西至石棉县城，海拔高度多在库区设计水位（850 米）以下。

简报分为：一、遗址，二、墓葬，三、结语，共三个部分，有照片、手绘图。

据介绍，在瀑布沟水电站淹没区约 84 平方公里范围内，考古人员通过数次考古调查共发现古遗址、古墓葬 36 处。这批古遗址、古墓葬年代上迄旧石器时代晚期，下至明清，绝大部分集中在新石器时代、商周时期，是目前在四川盆地边缘发现的

密度最大的先秦时代遗址群。其主体文化面貌特色鲜明，应是新发现的一支区域考古学文化；从其文化因素来看，显现出和甘青地区的马家窑文化，安宁河流域的早期文化及成都平原同时期的宝墩—三星堆一期文化、三星堆文化交流与传播的印痕。

1106.四川石棉三星遗址发掘简报

作　者：四川省文物考古研究院、雅安市文物管理所、石棉县文物管理所
　　　　　陈卫东、周科华
出　处：《四川文物》2008 年第 6 期

四川石棉县三星遗址位于大渡河北岸二级台地上，通过调查发掘，发现了新石器时代晚期遗存与商周时期遗存，出土了一批陶器、石器等器物，对研究大渡河中游地区的考古学文化具有比较重要的作用。

简报分为：一、地层堆积，二、新石器时期晚期遗存，三、商周时期遗存，四、结语，共四个部分予以介绍，有手绘图。

据介绍，20 世纪 80 年代，石棉县文物管理所在此地进行了调查，并征集了一批石器、铜器。1996 年，该县文管所曾在此地进行了试掘。2000 年，村民又在三星遗址的对面田家村一组发现了一批青铜器（戈）和石器（钺）。2003 年为配合瀑布沟水电站的建设，又对该地进行了考古调查。2006 年 4 月 11 日至 5 月 17 日，考古人员联合对该遗址进行了考古发掘，同时还对该遗址的自然环境进行了考察。发掘表明该遗址在不同时期发生了几次较大的泥石流，主要包括商周时期、唐代、宋代、清代和 1998 年，这几次大型的泥石流对于遗址的破坏是巨大的。简报称，这对于进一步研究本地区的人地关系具有重要的作用。

1107.四川汉源县麦坪遗址 2008 年发掘简报

作　者：四川省文物考古研究院、雅安市文物管理所、汉源县文物管理所
　　　　　刘志岩等
出　处：《考古》2011 年第 9 期

麦坪遗址位于四川省雅安市汉源县大村镇麦坪村。该遗址于 1991 年调查发现，2001 年对其进行首次试掘。为配合瀑布沟水电站的建设，从 2006 年开始连续对该遗址进行正式考古发掘，发现了较为丰富的新石器时代至青铜时代遗存。

简报分为：一、地层堆积，二、新石器时代遗存，三、青铜时代遗存，四、结语，共四个部分予以介绍，有彩照、手绘图。

据介绍，2008 年度的发掘，共清理房址 5 座、墓葬 13 座、灰坑 102 座，出土陶器、石器、铜器等各类遗物 200 余件。该遗址是大渡河中游地区的一处中心聚落，既有土著文化，又有外来文化。外来文化早期主要来自甘肃、青海地区，后期来自成都平原。此次发掘，为研究本区域的考古学文化谱系提供了重要资料。

1108.四川省汉源县麦坪遗址 2006 年发掘简报

作　者：四川省文物考古研究院、雅安市文物管理所、汉源县文物管理所
　　　　郭　富、任　江、方　娇
出　处：《四川文物》2011 年第 3 期

麦坪遗址为四川省雅安市汉源县大渡河中游发现的保存状况较好的新石器时代晚期重要遗址之一，其出土的陶器具有较强的地域特色，与成都平原同时期的三星堆一期文化面貌有所区别。同时，麦坪遗址 2006 年度的发掘还发现了一批商周时期的墓葬。这些资料初步勾勒出大渡河中游地区早期文化面貌，粗线条排出了汉源早期陶器的序列。

简报分为：一、地层堆积，二、新石器时代文化遗存，三、商周文化遗存，四、结语，共四个部分予以介绍，有手绘图、拓片。

据介绍，麦坪遗址行政区划上属四川省雅安市汉源县大树镇麦坪村五组。遗址位于大渡河南岸二级阶地，龙塘山北麓，与富林镇（汉源县旧县城）隔大渡河相望，为大渡河及其支流流沙河冲积而成，也是大渡河流域面积最大的扇形平原。这次发掘基本确认了大渡河中游新石器时代晚期文化面貌，还发现了该区域商周时期墓地。新石器时代晚期遗存发现有灰坑、房址、窑废弃堆积，碳-14 测年发现麦坪新石器晚期的年代范围大致在距今 4500 ～ 4700 年。商周时期遗存发现有墓葬 8 座。其随葬组合清晰，器物独特，不见于目前已知的商周考古发现，代表了一种全新的考古学文化面貌，是这次发掘的重要收获。汉代遗存发现有墓葬 1 座。简报推断其年代在西汉晚期偏早。

1109.四川汉源县麦坪遗址 2006 年第二次发掘简报

作　者：四川省文物考古研究院、雅安市文物管理所、汉源县文物管理所
　　　　郭　富、林　林、李　缓、曾　俊
出　处：《四川文物》2012 年第 4 期

麦坪遗址为四川省雅安市汉源县大渡河中游发现的保存状况较好的新石器时代晚期重要遗址。麦坪遗址 2006 年 10 月进行的第二次发掘发现了新石器时代房址 3 座、

灰坑 8 个、墓葬 1 座和商周时期墓葬 7 座，出土大量陶器、石器。这批资料充实了大渡河中游地区考古发现的实物，为汉源早期陶器的排序提供了资料。

简报分为：一、地层堆积，二、新石器时代文化遗存，三、商周文化遗存，四、结语，共四个部分，有照片、拓片、手绘图。

据介绍，该遗址位于四川省雅安市汉源县大树镇麦坪村五组。简报称，麦坪遗址从新石器时代晚期沿用至商周时期，其地层叠压关系清楚，堆积丰富。这次发掘再次确认了大渡河中游新石器时代晚期文化面貌，并新发现新石器时代墓葬 1 座，为首次发现该地区的新石器时代晚期墓葬，意义重大。还确认了该遗址商周时期的墓地，收获很大。简报还推测距今约 5000 年，遗址周边呈现的是典型的湖泊景象。特别重要的是检测出大量的水稻扇形、水稻哑铃型硅酸体，表明早在距今约 5000 年，西南地区的先民已经学会了种植水稻。

1110.四川汉源县麦坪遗址 B 区 2010 年发掘简报

作　者：四川大学历史文化学院考古学系、四川省文物考古研究院、汉源县文物管理所　陈亚军、李　帅、曹文强、江　涛、吴小平

出　处：《四川文物》2013 年第 1 期

2010 年 3 月，四川大学考古学系发掘了麦坪遗址 B 区的 1500 平方米，主要发掘有新石器时代晚期的灰坑 9 座、灰沟 2 条、石棺葬 3 座，另外发现汉代瓮棺葬 1 座。这些发现为研究大渡河中游地区古代文化面貌提供了重要的材料，同时对研究横断山区史前人群迁徙和文化传播等有重要意义。

简报分为：一、居住生活遗存，二、墓葬，三、结语，共三个部分予以介绍，有手绘图。

据介绍，麦坪遗址位于四川省汉源县大树镇麦坪村五组，地处大渡河中游南岸的二、三级台地及其以上缓坡地带，遗址中心海拔高度为 840 米，高出河面约 70 米，遗址总面积约 10 万平方米。1980 年对瀑布沟水库淹没区进行文物调查时首次发现该遗址，之后陆续进行了数次的发掘工作。2010 年 3 月，考古人员发掘了遗址 B 区的 1500 平方米。其中发现并清理新石器时代灰坑 9 座、灰沟 2 条、石棺葬 3 座，另外发现汉代瓮棺葬 1 座。本次发掘区位于麦坪遗址的东部边缘地区，与遗址中心区相比，发现的古代文化遗存较少。

本次发现主要有新石器时代和汉代两个时期的古代文化遗存。新石器时代文化遗存分二类，简报推断：第一类遗存年代距今 4700～4400 年，第二类遗存年代距今 4500～4000 年；汉代文化遗存 M1 时代应为西汉时期。

1111.四川汉源县龙王庙遗址 2008 年发掘简报

作　者：四川省文物考古研究院、雅安市文物管理所、汉源县文物管理所
　　　　郭　富、曾　俊等

出　处：《四川文物》2013 年第 5 期

2008 年 5～7 月，配合瀑布沟水电站建设，考古人员对四川汉源县龙王庙遗址进行了考古发掘，发掘面积 500 平方米。发现新石器时代晚期房屋基址 6 处、灰坑 31 个、商代石棺葬 3 座、汉墓 6 座，出土陶器、石器、铜器等。

简报分为：一、地层堆积，二、新石器时代晚期居住遗存，三、商代石棺葬，四、结语，共四个部分，有照片、拓片、手绘图。

据介绍，该遗址位于四川省汉源县大树镇大瑶村一组。新石器时代遗址大约距今 4500～4700 年，一直沿用到汉代。6 座汉墓的时代约为西汉早期。至于商代石棺墓的时代，简报推断为不晚于商代早中期。

巴中市

1112.巴中水宁寺摩崖造像

作　者：贠安志

出　处：《文博》1984 年第 3 期

水宁寺摩崖造像在四川省巴中县东部清江乡。这些摩崖造像，史书无记载，县志也未见叙述。虽说造像规模较小，窟龛不多，但保存异常完好，是我国珍贵的民族文化遗产。现存列龛 9 个，大小造像 122 尊。简报配以照片予以介绍。

据介绍，此处造像多为唐代雕像，宋代妆色。有的龛中有题记。

1113.巴中石窟艺术调查简报

作　者：程崇勋

出　处：《四川文物》1998 年第 3 期

巴中市有"石窟之乡"之称，市境内现调查出保存较好者计 58 处，617 窟龛，8663 躯。其中，隋、唐时佛教彩雕 19 处，7000 余躯。可见魏晋南北朝以来，巴中就是川北地区政治、经济、文化的中心地，在隋、唐 326 年间也是宗教和宗教艺的

胜地。简报配图介绍了巴中石窟的情况。

据介绍，简报依始凿年代，介绍了巴中市现存石窟的情况。其中隋唐时期的西龛石窟，位于巴中市区1公里凤谷山中的西龛村，现存91窟龛2120躯造像。其中有我国隋代高水平之作，有初唐的高浮雕的楼台、殿阁，有开元三年（715年）造像记，有盛唐的"佛道融合"造像等，均值得重视。巴中石窟已被公布为四川省文物保护单位。

1114.四川南江县太子洞遗址调查简报

作　者：四川省文物考古研究院、巴中市文物管理所、南江县文物管理所　任江、
　　　　郭国良、侯　虹
出　处：《四川文物》2012 年第 6 期

2012 年 3 月，考古人员对巴中市境内的古米仓道开展了一次多学科综合考察。为深化此次考察成果，同年 5 月再次对南江县的太子洞遗址进行复查。遗址现存洞穴遗址、摩崖石刻、石碣等遗存，多数为宋、明、清时期游人于菖蒲涧游玩宴集之后的题咏，对于研究当时社会风貌有一定参考价值。

简报分为：一、太子洞内摩崖石刻，二、洞外遗存，三、结语，共三个部分，有手绘图、拓片、照片。

据介绍，2012 年 3 月 5 ~ 17 日，考古人员对巴中市境内的米仓道遗迹进行了一次大规模的多学科综合考察，共复查相关文物点 100 余处，新发现文物点 15 处，同年 5 月 21 ~ 28 日对南江县的太子洞遗址开展了进一步的复查工作。太子洞遗址位于南江县南江镇太子洞社区朝阳村二组，小地名为"太子洞"。遗址现存洞穴遗址、摩崖石刻、石碣等遗存，位于菖蒲涧左岸低山脚处。洞内存 12 通摩崖石刻，系南江县文物保护单位。洞外还保存有摩崖石刻、石碣各 1 通。

简报称，此次复查工作于太子洞遗址所获石刻资料，多为宋、明、清时期游人于菖蒲涧游玩宴集之后的题咏，对于开始古代南江县诸如旅游文化、节庆文化等社会风貌的研究有一定的参考价值。

1115.四川南江米仓道调查简报

作　者：四川省文物考古研究院、巴中市文物管理所、南江县文物管理所
　　　　任　江、王　婷等
出　处：《文物》2013 年第 9 期

"米仓道"又称"巴岭路""大竹路""大（小）巴路"等，是古蜀道的重

要一支，因翻越米仓山而得名。该道北起陕西南郑县，循濂水河南下，翻越大小巴岭、米仓山，再循南江河南行，途经四川南江县，最终抵达巴中市，起始经行时间约在汉代，甚至更早，唐宋时期一度十分兴盛，是古代沟通川、陕两地的一条重要交通路线。

2012年3月，四川省文物考古研究院联合国内多家学术机构及地方文物部门对巴中市境内的米仓道遗迹进行了一次大规模的多学科综合考察，共复查相关文物点100余处，新发现文物点15处，取得丰硕成果。为深化此次考察的成果，于2012年5月选取其中的15处重要文物点开展了进一步的复查工作。简报分为：两河口遗址、琉璃关遗址、二洞桥遗址、结语，共四个部分，配有拓片、照片和手绘图。

简报指出，此次调查工作查明两河口遗址中桥址、栈道等诸遗迹密集分布于百余米长的河道内，仅桥址就达4座，足见使用频率之高，经行时间之久。由两河口通往南郑县庙坝必经的当墙，其关墙修建于明末，并有碑刻为证。因此，龙神殿—两河口—庙坝—廉水废县—南郑县这一线路不宜仅因路途"极险峻'，或者"比较偏远"，就认为是一条支线，对其地位应当有所修正。石刻中出现的"南北路""古道"等语都充分证明琉璃关、二洞桥这两个地点是米仓道的重要节点，经行时间要早于唐宋时期，且十分稳定。以上发现对于探讨不同历史时期米仓道的行用情况、整体走向、主线支线关系将大有帮助。

另外，此次发现的"郑子信造阁题记"石刻、"侯南基修路记"石刻反映了唐宋时期官方、民间不同背景修治米仓道栈道的史实。"任荣记事题记"石刻更是透露出南宋初年宋金攻战背景之下地方武力的政治隐情，提示了川、楚、陕白莲教起义后期清政府"剿抚并用"的策略对于县一级行政机构的贯彻实施情况。

简报最后指出，以上实物资料对于开展米仓道的考古学、道路交通史、政治史、宗教史、军事史等领域的研究具有重要的参考价值。

资阳市

1116.安岳石窟寺调查记要

作　者：贠安志

出　处：《考古与文物》1986年第6期

四川省安岳县位于川中腹地，是成、渝古道要冲，历史悠久，文物古迹甚多，其中尤以古代摩崖石刻闻名于世。通过文物普查可知，全县计有摩崖石刻造像105处，造像 10 万尊左右，高 3 米以上的 100 余尊，5 米以上的 40 余尊，15 米以上的 2 尊。其中尤以卧佛院、千佛寨、圆觉洞、毗卢洞、华严洞、茗山寺、玄妙观等处的规模最大，内容最丰富，艺术最精湛。

简报分为：一、卧佛院，二、圆觉洞造像群，三、华严洞，四、千佛寨石窟，五、毗卢洞，六、净慧崖石窟，七、玄妙观，八、茗山寺，共八个部分，有照片。

简报称，据文献记载，安岳石刻肇始于南北朝普通二年（521 年），盛于唐、五代和宋，明、清日渐衰落。现存最早造像题记为唐开元二年（714 年）。此外还有"开元""天宝""咸通""天复"，五代的"天成""广政"，以及宋代的"端拱""绍圣""崇宁""大观""淳熙"等年号的题记。可以说，从公元 700 年到公元 1110 年（北宋大观四年）的近四百年间，为安岳石刻造像的鼎盛时期。

简报指出，安岳石刻是以佛教造像为主兼有道教造像的宗教艺术。龛窟中所雕佛、菩萨、罗汉、金仙、力士、飞天、护法神、供养人等形象，除反映佛陀外，也从不同角度反映了我国古代的社会现实和世俗生活。宋代中期以后，安岳石刻逐渐减少，而相邻的大足地区却于其时开始了大规模的石刻造像。如果说大足石刻是在北方石窟走向衰落之时而崛起的摩崖造像群，那么，安岳石刻则起着承上启下的重要作用。二者之间有着非常密切的关系。

阿坝市

1117.四川理县汶川县考古调查简报

作　者：四川大学历史系考古教研组　林　向、童恩正

出　处：《考古》1965 年第 12 期

1964 年 3 月 27 日考古人员在阿坝藏族自治州理县和汶川调查，前后历时两个月。此次调查范围在杂谷脑河两岸：上起理县朱亚罗，进孟屯沟，下至杂谷脑河与民江会合处的威州（今汶川县治），并溯岷江至汶川雁门乡萝苜寨一带。除发现许多石棺葬（另文发表）外，发现石器出土地点 5 处，其中确定为石器时代遗址的一处，均在理县境内。在汶川县姜维城发现石器与陶片共存的地点一处。这一带 1949 年前后都有人调查过，但建山寨遗址及大岐寨和小岐寨等地点，以及姜维城的石器，则是首次发现。

简报分为：一、理县，二、汶川县，共两个部分予以介绍。有手绘图。

据介绍，理县境内石器时代遗址为朴关乡、大岐寨、小岐寨、龙袍寨、子达塞和

建山寨。汶川县威州镇后姜维城除了与建山寨同时的遗址外，还发现了古城墙遗址。古城墙仅残存东南、西南两段，残高2.5米至9.4米不等。简报未提古城的年代。

1118.茂汶石棺葬墓出土"青铜短剑"

作　者：罗进勇
出　处：《四川文物》1987年第1期

1985年4月，茂汶羌族自治县石鼓乡农民梁茂成，在房屋左侧取土修厕所时，距地表2米处，挖到石棺葬墓1座，随葬品有陶双耳罐、陶豆、陶单耳杯、陶罐、青铜短剑1把等。除铜短剑未毁外，其余均被农民挖毁。简报配以照片予以介绍。

据介绍，此剑造型和铸造颇具特点，近似柳叶形。剑身长26.3厘米、宽4.9厘米，剑柄长8厘米、柄宽2.70厘米，通长34.3厘米。据梁茂成讲，墓内陶器系泥质灰黑陶。从这些器物的组合看，这把青铜短剑当属秦至西汉时期器物。

1119.茂汶羌族自治县元、明时期的石棺葬

作　者：高维刚
出　处：《四川文物》1985年第3期

1983年6月，考古人员在茂汶县三龙乡进行民族调查时，在该乡河心坝寨发现了一种火葬墓，并清理已暴露的2座残墓（M1、M2）。1984年4月，县城近郊前锋乡上南庄村民傅树清在挖屋基时，又发现火葬墓多座。考古人员清理了其中3座（M3、M4、M5），另外又采集到8件火葬墓出土遗物。

简报分为：一、墓葬概述，二、出土器物，三、小结，共三个部分予以介绍，有照片、手绘图。

据介绍，三龙乡位于茂汶县西部，距县城60余公里。上南庄距县城南3公里。此5墓均有石棺1具。这次清理的火葬墓仅有5座，但其骨殖的收殓方法可分为三类。第一类是把尸体火焚后剩下的骨殖收殓在陶罐内，然后葬入石棺中（1～2个不等）。第二类是把火烧后的骨殖连同火焚尸体后残留的余灰一同收殓起来，直接葬入石棺内，不再使用其他葬具。这类墓一般都有几件陶器陪葬品。第三类是把骨殖连同焚尸时剩下的灰块一同收殓在木匣内，然后再葬入石棺。火葬墓出土器物不多，平均每墓只有1～2件，除严重损坏不能修复的外，两地清理的5座火葬墓共出土器物8件，连同在上南庄采集到的火葬墓遗物8件，共16件。其中骨灰罐6件，随葬品10件，均为陶器。5墓的时代简报推断为元明时期。

1120.汶川姜维城发掘的初步收获

作　者：四川省文物考古研究所　黄家祥
出　处：《四川文物》2004 年第 3 期

为了揭示岷江上游新石器时代文化，2000 年春夏考古人员在汶川县姜维城遗址进行了调查、试掘，找到了距今约 5000 年的新石器时代原生文化堆积。2003 年又对该遗址进行了一定规模的发掘，出土了大量的陶片、石器和骨器。通过对出土遗物的观察，发现姜维城遗址与邻近的营盘山新石器时代出土的遗物大多相同或相近，与黄河中上游甘青地区新石器时代的彩陶文化关系密切。该遗址的发掘对研究黄河中下游与长江上游史前文化的相互交流与互动有重要的学术意义。简报配以照片予以介绍。

据介绍，姜维城位于汶川县城西北，南北长约 1000 米，东西宽约 200 米，当地人称"古城坪"。此处遗存有新石器时代、汉代、明代三个时期的遗存。汉代遗存很可能就是武帝元鼎六年（前 111 年）所开的"汶山郡"郡址。明代修建的四段城墙，今遗存总长 840 米，墙体高 3.5 米，厚 2.25 米。这是明代弘治年间时任知州的赵符节、赵方所筑，它南包玉垒山，西截古城坪，直抵岷江边的威州城墙，在当时的地方志中有记载。

1121.大渡河双江口水电站地下文物遗存调查

作　者：四川省文物考古研究院、阿坝州文物管理所　潘辛宁、任　江
出　处：《四川文物》2005 年第 6 期

大渡河是长江流域岷江水系最大支流，双江口水电站为大渡河干流上游控制性水库工程。这一地区在古代是极其重要的文化通道和民族大走廊。2005 年，考古人员前往调查、勘探。

简报分为：一、调查范围，二、地理环境，三、文物遗存，四、结语，共四个部分，有照片。

据介绍，此次调查勘探工作范围为四川省境内双江口水电站主体工程建设范围及水库淹没区海拔 2510 米以下区域。共调查发现地下文物点 13 处，其中新石器时代及商周时期遗址 7 处，新石器时代采集点 5 处，汉代石棺葬墓葬 1 处，并采集大量石器、陶器等早期遗物。简报逐个介绍了这 13 处遗址，指出在这一地区开展史前时期考古工作，将对甘青地区与西南地区史前文明的互动交流有着举足轻重的作用。

甘孜州

1122.四川巴塘、雅江的石板墓

作　者：甘孜考古队　童恩正、曾文琼
出　处：《考古》1981 年第 3 期

在四川省甘孜藏族自治州境内，广泛分布着一种石棺葬和石板盖土坑墓。1978年 8 月至 9 月，考古人员赴甘孜州进行调查。在巴塘扎金顶清理了墓葬 8 座，在雅江团结公社呷拉大队本家地生产队采集了陶器、铜饰物和珠饰多件，在康定东俄洛公社采集了金发饰 2 件。

简报分为：一、墓葬概况，二、文化遗物，三、结语，共三个部分予以介绍，有手绘图。

据介绍，这种石棺葬和石板盖土坑墓，在甘孜州及其邻近地区的分布是甚为广泛的。就调查了解的情况来看，它遍及巴塘、康定、雅江、新龙、义敦、石渠等县，以及与甘孜州交界的西藏芒康、贡觉，西昌木里藏族自治县等地，并沿金沙江南达云南西北部。当地墓地面积一般较大，从几千平方米到上万平方米不等。尸骨均头朝山坡脚朝河谷。年代简报推断为战国至秦汉之际。

简报称，此次采集的两件金饰，经鉴定为本地所产。另外，陶器嵌铜的工艺，在国内为首次发现。

1123.2006 年稻城县瓦龙村石棺墓群试掘简报

作　者：四川省文物考古研究院、甘孜藏族自治州博物馆、稻城县旅游文化局
　　　　金国林、刘化石
出　处：《四川文物》2007 年第 4 期

2006 年，稻城县巨龙乡瓦龙村修建公路时发现大量石棺葬。考古人员对崩沙公、康衣丁 2 处墓地进行了试掘。发掘过程中，清理了 4 种不同墓葬形制的石棺葬。大部分墓葬无随葬品，仅出土铜矛形器、铜泡等器物。还在瓦龙村附近发现古代栈道、官寨、房屋建筑等遗迹。

简报分为：一、墓葬形制，二、出土器物，三、结语，共三个部分，并附有"瓦龙村附近地区的调查"，有照片、手绘图。

据介绍，瓦龙村石棺墓群位于四川省甘孜州稻城县巨龙乡瓦龙村，巨龙河于此

处汇入水洛河。考古人员在崩沙公试掘了 4 座石棺墓，在康衣丁试掘了 2 座石棺墓。大多没有随葬器，仅见少量铜矛、铜泡等。

这批墓葬的时代，简报推断为战国至西汉早期。而在瓦龙村附近发现的栈道、房子等，应建于 16 世纪中叶至 17 世纪初，即明代时期。

1124.九龙县乌拉溪乡石棺葬墓调查清理简报

作　者：四川省文物考古研究院、九龙县文化旅游局　黄家祥
出　处：《四川文物》2011 年第 1 期

乌拉溪乡小偏桥村石棺葬墓地，地处甘孜藏族自治州东南部九龙县乌拉溪乡偏桥村，距县城东南约 70 公里。乌拉溪乡石棺葬墓地时代自战国至西汉时期。墓室结构独特，陶器、铜器的出土丰富石棺葬文化内容，海贝的出现则反映了当时文化交流和交通状况。

简报分为：一、调查经过，二、墓地与出土物概况，三、2010JWPM1，四、出土器物，五、结语，共五个部分，有照片、手绘图。

据介绍，此次调查、清理有墓葬的墓地 2 处，出土含有石棺葬文化因素的陶器地点 1 处，共计 3 处。三处地点出土、收集墓葬随葬物品有陶器、铜器、海贝、羊角等几类。这些遗物表明战国至西汉时，地处大山深处的先民应与外界有所交流。

1125.四川炉霍县呷拉宗遗址发掘简报

作　者：四川省文物考古研究院、日本九州大学、甘孜藏族自治州文化旅游局、
　　　　炉霍县文化旅游局　陈卫东、唐　飞、万　靖
出　处：《四川文物》2012 年第 3 期

2009 年，中、日考古人员对四川炉霍县呷拉宗遗址进行了发掘，发掘面积 300 平方米。此次发掘共清理唐代冶炼窑炉 1 座，石棺葬 14 座，出土器物主要有铜器、陶器、骨器等。唐代窑炉的发掘为研究西南地区金属器的独立起源提供了重要资料；而石棺葬的发掘，完善了雅砻江中上游地区石棺葬文化的内涵。

简报分为：一、发掘情况，二、出土器物，三、结语，共三个部分，有照片、手绘图。

据介绍，该遗址位于四川省炉霍县仁达乡呷拉宗村。冶炼遗址经测定为唐代遗存。据称，"呷拉宗"的含义就是铁匠铺。呷拉宗冶铁遗存窑炉保存较好，结构清晰，冶炼性质明确，周边遗存丰富，对研究西南地区特别是本区域的金属冶炼具有重要的研究价值。而石棺葬墓地的年代简报推断为西周晚期至战国早期。

1126.四川雅江县呷拉遗址发掘简报

作　者：四川省文物考古研究院、日本九州大学、甘孜藏族自治州文化旅游局、
雅江县文化局　李万涛、唐　飞、陈卫东、郑万泉

出　处：《四川文物》2012 年第 3 期

2010 年，四川省文物考古研究院和日本九州大学等单位联合对雅砻江雅江段进行了广泛的考古调查，调查共发现 9 处石棺葬墓地，并对雅江县呷拉乡本家地石棺葬墓地进行了考古发掘，共清理灰坑 4 个、房址 3 座、墓葬 1 座。本次调查和发掘为了解雅砻江中游地区的石棺葬提供了重要资料。

简报分为：一、本家地石棺葬墓地，二、脚泥堡石棺葬墓地，三、湾地沟石棺墓地，四、结语，共四个部分，有手绘图。

据介绍，此次发掘是"中日共同开展西南地区北方谱系青铜器及石棺葬研究合作"项目的第三阶段（最后阶段），是继 1981 年后首次对雅江县呷拉石棺葬墓地的科学发掘，丰富了雅砻江流域石棺葬文化的内涵。简报推断：本家地墓群的年代在春秋战国时期，脚泥堡墓地年代为战国中晚期的墓群，其他遗存墓地年代在汉代。

凉山洲

1127.西昌坝河堡子大石墓发掘简报

作　者：四川省金沙江渡口西昌段联合考古调查队、四川省安宁河流域联合考古调查队

出　处：《考古》1976 年第 5 期

1975 年 3～5 月，考古人员在冕宁、西昌、米易等县境内，均发现了一种巨石封顶的石室墓。考古人员在西昌坝河堡子选择了一座较为完整的墓葬进行清理，发掘工作于 4 月 25 日开始，5 月 4 日结束。简报配以照片、手绘图予以介绍。

据介绍，坝河堡子为一小村落，位于安宁河西岸，现属西昌县礼州区新华公社新星大队。墓葬在村南约 150 米处的坡地上，高出河面约 30 米，距离河岸约 150 米。在其南部尚有 2 个土堆，从断面考察都是已被破坏的大石墓，每墓之间相距约 40 米。在大石墓以南 100 多米处水渠的断壁上，还有暴露出来的残破的另一类型的大石墓 3 座。此外在坝河堡子村落范围以内，尚发现新石器时代遗址一处。这种墓葬的外表为一修建在地表上的石砌的圆丘形建筑，直径在 13 米左右，高约 3 米，墓穴由墓室和墓道两

部分组成，全长 11.7 米。在墓穴以上，盖有一列巨大的石块，构成这座墓葬最显著的特点。墓上尚保留有大石 4 块。石质有花岗岩和石英岩两种。石块大致是长方形，可能经过粗糙的加工。石丘以外，还有封土。出土器物有铜发饰、铜铃、铜笄、铜手镯、铜刀、骨耳环等。从尸骨情况看应为二次葬。时代简报推断为战国末年至西汉早期。

据调查，在墓葬周围数公里以内，并无适于开采的花岗岩和石英岩，在当时工具原始简陋的情况下，要将此种巨石开采加工并运至墓地，是十分艰巨的工程，这暗示着一种集体的协作的存在。葬于同一墓穴的尸骨，由于数量很多，无贫富分化迹象，可能属于同一氏族。尽管在战国西汉之际，这一地区主要已经进入了奴隶社会，氏族部落的上层人物，都转化成了新的奴隶主，如"邑君""侯王"之类，但在一般的氏族成员之间，血缘纽带还是非常强固的。墓主人的族属，简报推断可能是《史记》中所说的"邛都夷"。

1128.西昌河西大石墓群

作　者：西昌地区博物馆
出　处：《考古》1978 年第 2 期

1976 年冬，四川省西昌县河西公社第二、第五大队在农田基建中，发现大石墓 7 座。考古人员于 1977 年 1 月 6 日至 13 日、7 月 26 日至 8 月 8 日，两次清理了其中的 5 座，墓葬按清理顺序编为 M1 ~ M5。有关情况，简报分为四个部分并配以手绘图、照片予以介绍。

据介绍，墓葬位于今西昌城西南 32 公里处，磨盘山脚下的安宁河三级阶地上。墓葬自北向南，沿阶地边缘，排成一直线。其中除 M1 与 M2 二墓相邻外，其余各墓间的距离都在 1 公里左右。清理时，墓葬都受到不同程度的破坏和扰乱，封土均无存，仅见墓顶残存盖石，裸露地表。墓葬形制分为两类。河西大石墓群从分布范围、建筑构造、出土器物等分析，当属同一民族或部落。根据近年来安宁河流域大石墓发掘的资料，墓葬形制从简至繁的演变，可能代表了时代早晚的变化。简报推断：I 类墓的时代在战国末至西汉初，II 类墓的上限在西汉中期左右，下限应为宣帝后的西汉晚期。

1129.西昌坝河堡子大石墓第二次发掘简报

作　者：西昌地区博物馆、四川省博物馆、四川大学历史系、西昌县文化馆
出　处：《考古》1978 年第 2 期

1974 年，西昌地区博物馆在冕宁、西昌等地发现一种用大石作墓顶的古代石室

墓。1975 年春，考古人员在安宁河一带对这种墓葬进行了调查，暂定名为"大石墓"。同年 5 月在西昌县新华公社新星七队坝河堡子试掘了其中的一座，墓号 M1，编写了简报。1975 年 12 月 27 日至 1976 年 1 月 10 日，考古人员配合农田基本建设，又在同一地点清理了 5 座大石墓，编号 M2 ~ M6。

这次发掘的主要收获简报分为：一、地理环境，二、墓葬形制，三、骨架堆积，四、随葬器物，五、几点认识，共五个部分予以介绍，有手绘图。

据介绍，大石墓是一种"二次丛葬"，建造年代无确切记载可考，在西昌县礼州曾发现 1 座大石墓，打破新石器时代遗址，该遗址时代约在商周之际，大石墓的上限简报推断应在西周或更晚，下限可能在西汉时期。

1130.四川西昌陶家山古墓清理简报

作　　者：西昌地区博物馆　刘世旭
出　　处：《考古》1982 年第 3 期

1977 年 9 月初，在四川省邛海铁厂基建施工中，发现双室墓一座。考古人员于 9 月 5 日至 9 日对该墓进行了清理。简报配以手绘图予以介绍。

据介绍，墓葬位于今西昌城北 5 公里处的陶家山西侧坡地边缘上。坡地高出周围地表约 20 米，西距安宁河 4 公里，属西昌县红旗公社六大队第八生产队，是一处三面环山、一面临水的古墓地。墓室呈并列的长方形，平顶石室，除墓门处墓口上端受到扰乱外，墓室保存较完好。双室形制大小基本相同。葬具应为木棺，北室仅存零碎肢骨，南室尚存一男性头骨。随葬品有陶器、青瓷器、铜钱等。在南室正中铺地砖下的黄砂土中，还发现大小形状皆如鸭蛋的砾石 2 块，堆放在一起。细观察，砾石上涂有朱笔痕，据分析当属避邪或镇墓石之类。此夫妻合葬墓，简报推断为宋末元初时的汉族墓。

1131.西昌东汉、魏晋时期砖室墓葬调查

作　　者：黄承宗
出　　处：《考古与文物》1983 年第 1 期

西昌自秦汉以来就是郡一级的行政区域，根据文献记载大约自西汉武帝时起即是越嶲郡郡治邛都县的所在地，它是川滇两省之间广大地区的政治、经济和文化的中心，所以地下遗存的历史文物是非常丰富的。简报分为墓葬的分布情况、墓葬形制、结语等五个部分，配以手绘图，先行介绍了发现的东汉、魏晋时期砖室墓葬。

据调查，根据考古调查材料，在整个安宁河河谷的中上游地段和邛海周围均有

东汉、魏晋时期的砖室墓葬分布。其中约 30 处分布比较集中，即冕宁县泸沽镇的关索城、水井坡，松林公社的校场坝；西昌县（包括西昌市）礼州公社陈远大队、土城，六合公社邓家堡子，红旗公社天王山、一拒土一带，马道公社点将台一带，西郊公社魏家山、三坡月鲁城、袁家山、丁家远、北山、姜坡、南坛、庙墩、泸山，城关公社马水河，川兴公社宋家山、象鼻寺、大兴公社宋家祠一带，海南公社岗瑶、古城，河西公社温泉；德昌县五一公社七块坪子等地。从现在遗存的调查情况看，西昌天王山、河西温泉、邓家堡子的墓冢，封土至今仍保持原样。经实测封土一般高约 16 米，土堆直径约 32 米。有的墓葬墓前还立有石阙，从外貌情况观察，多数墓冢有不同程度损坏、被盗现象，其残毁程度都比较严重。其中除冕宁县泸沽、西昌县马道、河西三处有的墓室尚未倒塌外，其他地方的墓室均致残致毁。外貌上仅有低矮的土丘，有的已夷为平地。

简报称，从已发掘墓葬清理工作看，两千年前凉山州的经济、文化与内地已经大致一样。从出土文物的特征初步分析，除了受中原文化影响外，还是有一定的地方特点、民族特点。墓葬的主人，有可能是当地土著居民在接受汉文化后，"依汉法墓"，其中特别是一些高大墓冢，很有可能是当地民族中的上层人物及其家属，授官封爵后如制殡葬。自春秋至西汉的大石墓、石板墓和各种特征的土坑墓等这时就没有再发现了，所以部分砖室墓应该是汉晋时期的当地民族墓葬。

1132.四川西昌天王山十号墓清理简报

作　　者：凉山彝族自治州博物馆　黄承宗
出　　处：《考古》1984 年第 12 期

1977 年 7 月 16 日至 9 月 13 日，考古人员配合四川省邛海铁厂基建施工，清理了天王山十号墓。该墓形制比较特殊，是自治州首次发现。

简报分为：一、墓葬位置、封土情况，二、墓底情况，三、随葬器物，四、几点认识，共四个方面予以介绍，有手绘图、照片。

据介绍，天王山十号墓位于西昌县城西北的红旗公社天王山东南的缓坡边沿上。墓葬东侧 300 米处是成昆铁路和成西公路，西面是安宁河谷平坝。根据附近调查了解的情况，在该墓附近还有十数冢筑有高大封土堆的古代墓葬，其中有的是砖室墓。除划入基建范围的墓葬进行了清理外，其他墓葬均未作清理。根据墓葬分布情况看，这里是一处古代的墓葬区。墓葬封土中含有的卷云纹瓦当、绳纹板瓦是西汉时期的建筑材料，它与该处西汉遗址文化层中采集的标本是相同的。因此墓葬时代的上限简报推断应该晚于西汉。另外从天王山整个墓葬群的清理结果来看，多数墓葬是东汉晚期和晋代的砖室墓。天王山十号墓的清理发掘目前虽是孤例，但它对我们研究"西南夷"的民族成分有一定的参考意义。

简报称，从整个墓葬的建造工程来看，其中特别是封土的土方工程量巨大，没有一定数量的劳动力是不可能建造的。因此像这样大工程的墓葬决不是一般人能够建造的，估计可能是当时某一民族的统治者或其家属的墓葬。

1133.四川西昌出土的古代农具

作　者：四川凉山州博物馆　黄承宗
出　处：《农业考古》1987 年第 2 期

四川西昌是秦汉时期的邛都县。根据《后汉书·南蛮西南夷列传》的记载："邛都夷者，武帝所开，以为邛都县。……后复反叛，元鼎六年（前 111 年），汉兵自越嶲水伐之，以为越嶲郡。其土地平原，有稻田。"所以西昌在古代就是一个农业生产比较发达的地区，历年来在基本建设施工中，曾陆续出土一些古代农具实物资料，惜多数未收集。现就考古人员工作中接触到的材料简报配以照片整理介绍。

据介绍，铁锸一件，1977 年 11 月出土于西昌城南郊大石墓的墓冢封土中。铁锸为浇铸，出土时锈蚀严重。经过修复后，大部分已复原。该墓葬的年代，简报推断上限大约是春秋战国时期，下限为西汉时期。大石墓出土的铁锸是目前安宁河流域所知时间最早的一件铁制农具。它的形制与内地出土的完全一致，是珍贵的实物资料。

汉代铁锸 1 件，1982 年出土于西昌市郊安宁河西岸的太和公社的残墓中。根据实地调查，估计是掘土建墓用后所遗弃的，不是随葬品。根据以往清理墓葬的经验和铁锸的形制特征，简报推断是汉代的文物。

东汉晚期铁锸 1 件，1975 年出土于西昌县西宁区六合乡的东汉晚期砖室墓的封土层中，是建造墓冢时遗弃的残坏物。铁浇铸，器表锈蚀严重，仅遗存三分之二。东汉时期的铁板锄 1 件，1978 年出土于西昌市北郊小庙乡天王山第九号东汉时期的砖室墓封土夯层中。出土时锈蚀严重，无铭文。

汉代铁锸 1 件，这件铁锸是昭觉县城区基本建设施工时发现的。根据它的形状以及昭觉县城是汉代越嶲郡所辖卑水县县治所在，及昭觉近年来出土较多汉代文物情况，估计铁锸是汉代遗物。

简报称，西昌附近古代铁制农具资料的收集和整理，对西南古代民族地区的地方史研究十分重要。

1134.雅砻江二滩电站库区内文物考古调查记

作　者：四川省文物考古研究所　莫洪贵
出　处：《四川文物》1995 年第 6 期

1993 年，考古人员为配合水利建设展开调查。简报分为：一、调查范围，二、历史文物遗存，三、对历史沿革的认识，共三个部分予以介绍。

据介绍，本次文物调查工作范围为二滩电站水库正常蓄水位 1200 米，干流回水至西昌市打锣村，长 145 公里，支流鳡鱼河（俗称三源河），回水至盐边的永兴、惠民，距河口长 40 公里，即二滩电站正常水位 1200 米及五年一遇洪水淹没线以下所有的陆域，面积为 101 平方公里。水库淹没区攀枝花市的盐边、米易和凉山彝族自治州的盐源、德昌、西昌县（市）31 个乡、72 个村、183 个社。二滩电站开始筹建时，文物部门从 1979 年、1980 年就进行过二次调查，1987 年又进行了全省文物普查。1993 年至 1994 年，又分了四个阶段进行了全面调查。几次调查，百姓提供线索 55 处，踏勘中发现采集点 40 处，开了 8 条探沟，发掘了 3 座墓葬，共征集、采集文物 38 件，其中石器 12 件，铜器 18 件，陶器 7 件和少量陶片，发现新石器遗址 3 处。

简报称，该遗址的时代从新石器时代一直延续到明清时期。

1135.西昌发现宋元时期的茶具

作　者：凉山州彝族奴隶社会博物馆
出　处：《四川文物》1997 年第 1 期

简报介绍了西昌市改造旧城区建设中出土的一些宋元茶具碎片，有茶擂钵底部残片等。有照片。

据介绍，此次出土虽仅是残片，但在凉山地区是首次发现。据史书记载，西昌地区在唐末为南诏、大理国所据，宋代以大渡河南为界，西昌为大理国辖区，时期长达 500 余年。当时曾在边界之黎州、雅州设官办茶马市场，其贸易规模之大，市易时间之长有历史记载可证。因此在商贸的交往中，饮茶，自觉或不自觉地成了习惯。另外在南诏国时期，曾多次进攻西蜀平原，打进成都，虏获工匠、技师等约数万人。

简报认为，这部分人对南诏国社会进步和经济繁荣起了积极的作用，使当时尚处于落后的云南与内地看齐。

今有上海文化出版社 1998 年版《中国古代茶具》一书，可参阅。

1136.盐源近年出土的战国西汉文物

作　者：凉山州博物馆、西昌市文管所、盐源县文管所
出　处：《四川文物》1999 年第 4 期

简报分为：一、兵器类，二、宗教用具类，三、乐器及装饰品类，四、生产工具与生活用具类，五、结语，共五个部分，有照片、手绘图。

据介绍，这批文物多出自盐源县被盗古墓。兵器品种较多，其中的冥器类兵器，值得注意。宗教用具中的铜仗、枝形器值得注意。这批文物的时代，是战国至西汉。主人应为当地原住民"笮人"。

1137.凉山州西昌市棣木沟遗址试掘简报

作　者：四川省文物考古研究院、凉山彝族自治州博物馆、西昌市文物管理所
出　处：《四川文物》2006 年第 1 期

该遗址 1975 年发现，1987 年、2003 年做过复查，2005 年进行了试掘。简报分为：一、地层堆积与分期，二、文化遗存，三、采集品，四、结语，共四个部分予以介绍，有照片、拓片、手绘图。

据介绍，遗址可分为早晚两期。早期陶器全部为夹砂陶，以灰褐陶为主，素面占绝大多数；石器有穿孔石刀、刮削器等。晚期发现一座浅穴式房屋基址，陶片以夹砂陶占绝大多数，素面为主，出土磨制和打制石器若干。早期遗存与横栏山遗址出土器物十分接近，年代应相当；晚期遗存与大石墓中出土器物相似，时代应在春秋至两汉末年。

1138.四川凉山冕宁三分屯遗址试掘简报

作　者：凉山彝族自治州博物馆、冕宁县文物管理所
出　处：《四川文物》2006 年第 5 期

三分屯遗址位于凉山州冕宁县城厢镇三分屯村西南约 1 公里处，该遗址南北长558 米，东西宽 75 米，位于南河与东河交汇处的一级台地上，1975 年发现，1987 年 6 月文物普查时又预调查，2003 年发掘。

简报分为：一、地层堆积，二、出土遗物，三、采集品，四、结语，共四个部分予以介绍，有手绘图。

据介绍，出土遗物有陶器、石器，采集品有陶器 4 件及磨制石器。时代简报推断为春秋至西汉末，为研究邛文化提供了新的资料。

1139.四川昭觉县好谷村古墓群的调查和清理

作　者：凉山彝族自治州博物馆、四川大学考古学系、昭觉县文物管理所　赵德云、
　　　　吕红亮、代丽鹃、冷文娜、李永宪等

出　处：《考古》2009 年第 4 期

2005 年 10 月，为配合四川凉山彝族自治州的文物基础调查，考古人员在昭觉县四开乡一带开展了考古调查与清理工作，历时 17 天。1976 年，四川省、凉山州相关单位组成的凉山彝族地区考古队在昭觉县附城、竹核、四开等区、乡调查发现多处古墓群，并对其中瓦山寨、尔巴克苦、城南食品厂等地点的石棺墓进行了清理。1987 年前后，又在四开乡木措乃姐，大坝乡特洛村，乌坡乡巴古尔觉、马处纳窝、克日瓦托、巴克苦村，南坪乡莫觉柯、依合格则、木尔果、乃托等 10 余个地点发现了数百座石棺墓，并在四开乡好谷村一带调查发现了东汉残石表、石阙等，此后，又在四开乡和平村、格则羊棚村、好谷村等地点采集到数枚铜印章、铜饰件、铜剑等遗物。考古人员根据线索在四开乡好谷村调查发现了濮苏波涅、俄巴布吉、金孜乌布 3 处石棺墓群。3 处墓群因自然和人为破坏大多暴露于地表，墓中石板多已被拆除移走。对其中的濮苏波涅和俄巴布吉两处共 14 座墓葬进行了抢救性发掘。

简报分为：一、墓葬分布与形制，二、出土遗物，三、结语，共三个部分，有彩照、手绘图。

据介绍，濮苏波涅地点清理的 11 座石棺墓出土遗物较单一，只有陶器及部分有机质饰物。年代简报推断为战国早、中期。俄巴布吉 3 座墓的出土遗物则以铜器和玉石器为主，年代简报推断为西汉晚期至东汉时期。两地点在墓葬形制、构筑方式上也存在明显差异，结合其他现象分析，这些差异可能是因为年代不同。

至于凉山地区石棺墓的族属，当地彝族称石棺墓为"濮苏乌乌"（意即"濮人之墓"），并认为墓中所葬人群并非彝族先民，简报认为此说难以作为判断考古遗存族属的依据。

简报指出，从此次田野调查和墓葬清理的情况看，地处大凉山腹心之地的昭觉一带是交通要冲，古文化遗存十分丰富，大量的石棺墓只是其中一类具有代表性的考古遗存。

1140.四川西昌市棤木沟遗址 2006 年度发掘简报

作　者：成都文物考古研究所、凉山州博物馆、西昌市文物管理所

出　处：《四川文物》2009 年第 3 期

2006 年 11 月，考古人员对棤木沟遗址进行了第二次发掘。本次发掘出土竖穴

土坑墓 3 座，瓮棺葬 1 座，建筑遗迹 1 座，灰坑 3 个及柱洞遗迹，同时出土大量陶器、石器及少量铜器。本次发现的长方形竖穴土坑墓为研究安宁河流域东周时期丧葬习俗提供了重要的考古材料，使我们得知当地除大石墓外，土坑墓也是重要的埋葬方式。

简报分为：一、地层堆积，二、第一线三层下遗迹及出土遗物，三、第三层出土遗物，四、第二层下的遗迹与遗物，五、结语，共五个部分予以介绍，有手绘图、拓片。

据介绍，简报推断该遗址的年代为东周、西汉晚期至东汉初。简报认为，出土显示从距今 4000 年左右即已经有人群在此活动。到了战国时期，该聚落的规模得到了大规模扩张，并形成了自身的特色，即以泥质黑皮陶为主的圈足杯、觚形器、带流壶为基本组合的安宁河流域原住民特色的文化风格，他们与来自西北地区的以双耳罐为主要文化特色的族群在安宁河流域共同繁衍生息。但到了战国晚期后，以双耳罐、大石墓为代表的夷人族群文化逐渐"涵化"这些土著居民，大石墓文化因素逐渐成为该流域的主导力量。西汉中晚期以后随着来自巴蜀地区汉文化的影响的深入，大石墓文化因素在强势汉文化的影响下，逐渐被边缘化，其土著文化因素逐渐消失。

1141.四川会理城河下游考古调查报告

作　者：四川省文物考古研究院、凉山彝族自治州博物馆、会理县文物管理所
　　　　唐　翔、尤　娇、代洪周
出　处：《四川文物》2009 年第 4 期

2009 年 3 月，考古人员对会理城河下游开展了一次以石棺葬文化为线索的考古调查。在调查中发现遗址 3 处、石棺墓地 3 处，土坑墓群 1 处，石器采集点 2 处，陶器采集点 1 处。并清理了石棺墓 1 座、土坑墓 2 座，同时采集了大量的石器、陶器。

简报分为：一、地理环境、历史沿革，二、既往工作情况，三、主要收获，四、结语，共四个部分予以介绍，有照片、手绘图。

据介绍，此次调查，是在前人自 20 世纪 70 年代以来所做工作基础上进行的。新石器时代晚期或殷商时期遗存的发现，是此次调查的一大发现，至于该区域的石棺墓，年代下限当早于土坑墓或与早期土坑墓相当，简报认为即在战国中期以前，其上限上溯到新石器时代晚期。简报称，这次考古调查不仅丰富了金沙江流域的考古学资料，而且为学术界研究和探讨这一地区早期文化面貌、古代民族以及石棺墓在这一区域的形成、发展、变化和消亡等提供了新的材料。

1142.四川木里县娃日瓦村考古调查试掘简报

作　者：四川省文物考古研究院、凉山彝族自治州博物馆、木里县文物管理所
　　　　任　江、补　琦、耿　平、李　成、仁青拉初
出　处：《四川文物》2012 年第 6 期

2011 年 10 月，考古人员对四川木里藏族自治县的情人堡和烧香梁子 2 处古代遗存进行了小规模的勘探和试掘，揭露出 1 座石砌房址，出土或采集了一批陶器、石器、骨角器、动物骨骸等遗物。初步判断时代为战国至西汉时期。

简报分为：一、自然环境，二、情人堡遗址，三、烧香梁子采集点，四、结语，共四个部分予以介绍，有照片、手绘图。

简报称，此次勘探、试掘工作当中能够发现一批战国至西汉时期较为丰富的实物标本，以及一座要素基本齐全的房址，填补了藏彝走廊核心地区这一时期西南夷"筰"或者"白狼"族群生活形态的考古空白点，对于西南地区先秦至西汉时期考古、民族史、经济史、建筑史等领域的研究都有着重要的参考价值。

贵州省

1143.贵州清镇平坝汉至宋墓发掘简报

作　者：贵州省博物馆

出　处：《考古》1961年第4期

贵州博物馆于1958年12月至1959年4月，在清镇、平坝交界处的尹关、琊陇坝、芦荻哨、下山口、余家龙潭、新新桥、冷坝、牧马场和土门寨等地发现了约三百座古墓，多分布在羊昌河的两岸。考古人员在这里重点发掘了其中的140座，时代自汉至宋，其余诸墓已残破无法鉴别时代。依形制看，以土坑墓最多，其余为石室墓，没有发现砖室墓。这些墓葬绝大部分已被扰乱。

简报分为：一、汉墓，二、三国——南朝墓，三、宋墓，四、结语，共四个部分，有彩照。

据介绍，汉墓全为长方形土坑竖穴墓，随葬品有陶器、铜器、铁器、漆器等。三国—南朝墓可分为土坑、石室两类，土坑墓呈长方形，石室墓有罐形、长方形两种，随葬器物有陶器、铜器、铁器、青瓷器等；宋墓共91座，多成群埋葬，墓形多为长方形，随葬器物有陶器、铁器，此外，还发现过手镯、项圈、铜钱等。

简报推断，此次发掘的汉墓时代上限应为西汉，下限为东汉初期，宋墓的年代可能属于北宋初期或晚一些。

贵阳市

六盘水市

遵义市

1144.遵义高坪"播州土司"杨文等四座墓葬发掘记

作　者：贵州省博物馆

出　处：《文物》1974 年第 1 期

遵义，在古代历史上曾一度被称为播州。从唐乾符三年（876 年）到明万历二十九年（1601 年），前后725 年间，这个地区始终在封建地方势力"播州土司"杨氏家族的直接控制之下，对这一段史事，过去研究的人不多。1972 年3 月间，考古人员对杨氏家族墓葬群中的宋沿边宣抚使、播州土司十五世杨文（遵M6），明播州宣慰使、播州土司二十二世杨昇（遵M7），二十三世杨纲（遵M5）和二十五世杨爱（遵M8）的4 座墓葬进行了发掘和初步的整理。

简报分为：一、墓葬位置、结构和出土器物，二、"播州土司"和杨氏家族，共两个部分。

据介绍，"播州土司"杨氏家族从唐杨端传至明杨应龙，历二十九世，共七百余年，几与播州建置相终始。播州地域主要在现在的遵义地区，其行政建置始于西汉武帝时期（前140 ～前87 年）。播州在唐时常为迁谪官吏之地。唐代著名文学家刘禹锡被贬播州，柳宗元以刘双亲在堂，自愿以柳州刺史的本职，代替刘去播州。这段"以柳易播"的故事，在文坛上传为佳话。唐末，播州一度为南诏领有。五代时，播州先后属于前蜀、后蜀和楚的势力范围。宋徽宗宣和三年（1121 年），播州一度废为播川城。南宋理宗嘉熙三年（1239 年），又重新建立播州，从此，播州的治所便固定在今遵义县境。宋末元初，播州辖境逐渐扩大，今瓮安、黄平、福泉等地也都包括在内。元设有播州宣抚司及安抚司。明设播州宣慰司。至万历二十九年（1601 年），明王朝经过征讨杨应龙的"平播之役"，分其地为遵义府（隶四川）和平越府（隶贵州），结束了土司的世袭统治，播州这个名称为遵义所替代。最后，至清雍正五年（1727 年），遵义府及其所属各县，亦划归贵州。

简报认为，此次发掘，为研究杨氏家族在宋、明两代的历史提供了可贵的实物资料。

简报附有"宋沿边宣抚使"杨文神道碑文全文。

今有华中科技大学出版社2015 年版《播州杨氏土司研究》一书，可参阅。

1145.贵州桐梓宋明墓发掘简报

作　者：贵州省博物馆考古队

出　处：《考古》1988 年第 12 期

1984 年 7 月至 1985 年 1 月，考古人员先后在桐梓县夜郎坝、周市两地清理了 12 座古墓，计有石室墓、岩墓、石板墓、石棺墓等。其中石室墓 6 座、岩墓 2 座、石板墓 3 座，均发现于夜郎坝；石棺墓 1 座，发现于周市。简报分为石室墓、岩墓、石板墓、石棺墓等几个部分，配以照片、手绘图予以介绍。

据介绍，石室墓（M1 ～ M6）位于原夜郎坝公社所在地以北约 1 公里的后台窝，已遭破坏，有瓷器、铁币等遗物，有石刻。简报推断为宋墓，并推断夜郎坝应是唐、宋时夜郎县治所在地。岩墓发现有 7 座，有 5 座空无一物，仅清理了 2 座。位于夜郎坝公社所在地以东约 1.5 公里的七吼石一岩壁中段。釉陶、瓷等破烂不堪，仅一石杵保存完整。年代简报推断为明代。石板墓 3 座，当地人称"蛮子坟"。无葬具、随葬品，简报也推断为明墓。石棺墓 1 座，为省级文物保护单位，位于桐梓县城西南 16 公里处的花秋公路右侧周市金竹岗上。棺内为一竹席包捆的小孩尸体，系近期葬人，与古人无关。随葬品荡然无存。石棺上有石刻，加工精细，简报推断为宋墓。

1146.贵州赤水市复兴马鞍山崖墓

作　者：贵州省文物考古研究所、赤水市文物管理所　张合荣等

出　处：《考古》2005 年第 9 期

1998 年 6 月，赤水市在修建截角至复兴公路时，在马鞍山南侧发现崖墓群。贵州省及赤水市文物部门获悉后，迅速组队于 7 月 23 日至 8 月 11 日对该墓群进行了抢救性清理。

简报分为：一、墓葬形制，二、随葬器物，三、结语，共三个部分，有照片、手绘图。

据介绍，此次考古共清理了 21 座崖墓，均为带露天墓道的纵列单室墓，墓室为长方形和前窄后宽的梯形，墓顶有弧形和两面坡两种，多数墓葬内凿刻头龛、侧龛、灶台和排水沟，部分墓葬凿有 1 ～ 3 具石棺。出土遗物有陶器、瓷器和铁器等。简报初步推断这批崖墓的时代主要在东汉中晚期至南北朝时期。

简报指出，这批崖墓，位置虽高低不同，但墓与墓之间没有打破关系，崖墓在开凿前应经过一定规划。从墓内石棺的数量看，有一棺、两棺和三棺，由此推测，一个墓室内埋葬的死者为 1 ～ 3 人。墓葬虽只有 21 座，所跨时代却较长，因而马鞍

山崖墓有可能系一家族墓地。

简报认为目前贵州发现的崖墓，都在长江支流的赤水河流域，与长江中上游崖墓属一个整体，其开凿技术、结构特点、时代特征等方面是基本一致的。尽管从大范围看，这批崖墓均属结构简单的小型墓，但这是贵州迄今为止清理的墓葬最多、分布最密、时间跨度最长的崖墓群，具有较重要的意义。

安顺市

1147.贵州平坝县马场唐宋墓

作　者：贵州省博物馆

出　处：《考古》1981 年第 2 期

考古人员于 1965 年底至 1966 年初，在平坝县马场附近发掘了古墓 34 座，这批古墓的时代包括东汉至明代，其中魏晋南北朝墓已发表了简报（《考古》1972 年 7 期"贵州平坝县马场魏晋南北朝墓发掘简报"）。

简报分为：一、唐墓，二、宋墓，三、关于墓葬的时代，共三个部分，有手绘图。

据介绍，唐墓位于马场东约 0.5 公里的熊家坡，为石墓两座（M40、M43）和砖墓一座（M56），出土器物共 20 件，均系实用器及饰物，有陶器、青瓷器、铜镜、铁器、金银饰物等。宋墓三座（M60、M62、M65）分布在马场两侧，出土有陶器、铜戒指、铜发钗、料珠、钱币等。

铜仁市

1148.贵州万山汞矿遗址调查报告

作　者：李映福、周必素、韦莉果

出　处：《江汉考古》2014 年第 2 期

万山汞矿遗址位于贵州省铜仁市万山特区万山镇土坪、老街两村。遗址总面积约 2.5 平方公里，其中采掘遗址面积约 3.2 万平方米。初步统计，遗址现存古代及近现代矿洞 100 余口，矿洞总长约 970 公里，其中古代矿洞集中分布的黑洞子、仙人洞、云南梯洞子等 3 处矿洞群遗址，为全国重点文物保护单位。

简报分为：一、黑洞子矿洞群，二、杉木洞矿群，三、万山朱砂矿开采与汞冶炼，共三个部分予以介绍，有彩照、手绘图。

据介绍，2012 年，为配合万山汞矿遗址申报世界文化遗产，考古人员联合对万山汞矿遗址的黑洞子、杉木洞等古矿洞群采掘及炼汞遗址开展了小规模的考古调查。在调查的基础上，对万山汞矿遗址朱砂始采年代、采矿及炼汞技术、朱砂及汞的生产贸易管理等作了初步研究。

毕节市

1149.贵州赫章可乐夜郎时期墓葬

作　者：贵州省文物考古研究所　梁太鹤
出　处：《考古》2002 年第 7 期

2000 年 9 月至 10 月，考古人员在贵州省赫章县可乐镇可乐村发掘了一批战国至西汉墓葬，取得重要收获。墓葬属古夜郎国时期，发现的一些埋葬习俗及随葬器物独具地方民族特色，引起了学术界较多关注。

简报分为：（一）发掘简况，（二）墓葬形制及埋葬方式，（三）随葬器物，（四）发掘意义，共四个部分。

据介绍，本次发掘区位置在坝子南侧两个相邻的山麓。一处为锅落包，共发掘 4 座墓，其中 3 座为汉式土坑墓，1 座为土著民族土坑墓。另一处为罗德成地（山名），共发掘 107 座墓，皆为土著民族墓。除"套头葬"外，还发现其他几类较特殊的埋葬方式。这些墓葬的随葬器物共 500 多件。

简报称，赫章可乐的这批墓葬是贵州实施夜郎考古计划以来最重要的一次考古发现，对于揭示古代夜郎文化面貌，促进古夜郎历史研究的深入发展具有重要意义；夜郎文化是战国秦汉时期我国西南地区地域文明的重要组成部分，夜郎是当时西南地区经济、文化最发达的方国之一，但夜郎文化至今仍还是历史之谜。

黔西南州

黔东南州

1150.贵州榕江发现石器

作　者：贵州省博物馆　宋先世
出　处：《考古》1986 年第 10 期

1982 年 6 月，榕江县古州镇板寨砖瓦厂在取土制砖时，于距地表 1.5 米深的结土层中出土一批石器，1985 年贵州省博物馆调查该地时，又发现同样器物，并采集到细方格纹泥质红陶片。石器出土地点在城南 3 公里处，为一依山傍水的台地，面积约 3000 平方米。所出石器分布范围较集中，估计出自墓葬。从旁观察，相邻上方现还有晚期墓叠压。据调查，历年来当地曾多次出土陶器，可惜均被视为不祥之物砸碎后扔掉，未能保存下来。今存石器，由贵州博物馆征集入藏。简报配以手绘图予以介绍。

据介绍，石器共 8 件，磨制，器形有斧、镞、矛、穿孔残器四种。上述石器具有两个较明显的特点：一是石质软，一是体形薄，器物最厚的才 1.2 厘米，其他则只有零点几厘米。简报称，此类石器在整个贵州省尚属首见。

黔南州

云南省

昆明市

1151.云南晋宁石寨山古遗址及墓葬

作　者：云南省博物馆考古发掘工作组　孙太初
出　处：《考古学报》1956 年第 1 期

1952 ~ 1953 年间，云南省博物馆在昆明市面上先后收购到铜兵器 10 多件，有戈、矛、剑、钺、削等，花纹精细，制作古朴。据文史研究馆的方树梅先生谈，抗日战争初期在他家乡晋宁石寨山曾发现过，听说数量很多，大部分已被当时的官僚、恶霸们占有而分散了，其余零星的则被农民当作废铜卖掉。经调查，发现了石寨山确有一古代遗址，并向农民征集到铜矛、铜钺各 1 件，有孔石斧 1 件，矛钺的形制和作风与考古人员早买到的完全相同。据了解，该地挖掘已非一次，先后出土的铜器约 300 公斤以上。

考古人员于 1955 年 3 月 3 日至 23 日对遗址进行了发掘。简报分为：一、发现经过，二、地理环境，三、遗址，四、墓葬，五、结论，共五个部分，有照片、手绘图。

据介绍，石寨山在晋宁县城西 5 公里，高出地平面 20 余米，山顶有一土城墙围绕，土城墙内南北长 168 米，东西最宽 113 米。出土有铜器、石器、陶器、木器等。年代简报推断此城为新石器时代晚期遗址，而土坑墓的年代，可能早到战国末期，晚到西汉中、晚期。

《文物》1964 年第 12 期载有云南省博物馆马德娴先生《云南晋宁石寨山古墓群出土铜铁器补遗》一文，可参阅。

今有云南省文物考古研究所编《石寨山文化考古研究论文集》（科学出版社 2018 年版）全三册，可参阅。

1152.云南宜良县孙家山火葬墓发掘简报

作　者：云南省博物馆文物工作队、昆明市文物管理委员会　黄德荣、李　春、
　　　　戴宗品

出　处：《考古》1993 年第 11 期

1987 年云南省地矿局地球物理、地球化学勘查队在宜良县孙家山建云南省区化样品库时发现火葬罐，考古人员确认是一处火葬墓地。1987 年 9 月 20 日～10 月 7 日，前后共 17 天。简报分为四个部分予以介绍，有照片、手绘图。

据介绍，宜良地处滇中，在昆明东南 87 公里处。孙家山位于宜良县城南面 2 公里处，墓坑分圆形、长方形、椭圆形三种。随葬品小而薄，数量少，少则一件，多则 9 件（M9），通常 3～5 件。多数置于内罐中。约四分之一的墓无随葬品，随葬品有铜器、铁器和玉器等。合葬墓占 14.29%。M18 出土有 1 件木牍，上有"岁次丁酉"纪年，简报推断为元元贞三年（1297 年）。

简报认为，此处墓地可分为三期：一期墓时代为元朝，二期为明初或稍晚，三期为明中期或稍晚。

1153.云南晋宁石寨山第五次抢救性清理发掘简报

作　者：云南省文物考古研究所、昆明市文物管理委员会、晋宁县文物管理所
　　　　蒋志龙等

出　处：《文物》1998 年第 6 期

石寨山位于云南省晋宁县晋城镇西 5 公里，隶属于晋宁县上蒜乡石寨村，为滇池东岸平地突起的众多小山丘中的一个。1996 年 5～6 月，考古人员对石寨山进行了抢救性清理发掘，这是继 1955～1960 年四次发掘之后的又一次清理。清理墓葬 36 座，出土文物 300 余件（套），墓葬编号依前四次墓号顺序下编。

简报分为墓葬形制、随葬器物、结语共三个部分。有手绘图。

据介绍，考古清理的 36 座墓葬全部为土坑竖穴墓，除 M69、M71 为大型墓葬外，余皆为小型墓葬。出土有陶器、铜器、木器械等共 300 余件（组）。这批墓葬可分为早、晚两期，早期墓均为小型墓，有断肢葬、叠肢葬、断头葬等特殊葬式。年代简报推断为战国中期以前。晚期墓以大型墓 M71 为代表。

简报认为，墓主是西汉中期偏晚一位地位较高的贵族，甚至不排除是某代滇王的可能性。

1154.云南滇池地区聚落遗址 2008 年调查简报

作　者：云南省文物考古研究所、美国密歇根大学人类学系　蒋志龙、姚辉芸、
　　　　周然朝、何林珊

出　处：《考古》2012 年第 1 期

2008 年 11 月 10 日至 12 月 10 日，由云南省文物考古研究所和美国密歇根大学人类学博物馆组成的中美联合考古队在云南滇池东南部地区进行了第一年度的田野调查工作。调查区域为晋宁县的晋城镇、上蒜镇和新街镇，调查面积为 64 平方公里。

简报分为：一、学术背景，二、调查方法，三、调查的主要收获，四、结语，共四个部分，有手绘图。

据介绍，此次调查发现的石寨山文化遗址中，以河泊所为中心的聚落群，从遗址规模以及遗物显示的各种信息分析，滇池周围的冲积平原地带很可能是滇池地区青铜文化发生、发展的中心区域。以采集水生动植物资料为主的经济生产方式一直延续到汉代，食用后的螺蛳壳大量堆积在居址四周，形成了现在看到的贝丘遗址。这些遗址汉代继续沿用，在石寨山文化遗址中采集到少量汉文化遗物，而在汉文化聚落群中也发现了部分石寨山文化的遗物。简报认为，与石寨山文化遗址主要集中分布在当时的政治中心河泊所一致，此次调查的文化遗址的密集分布区也更靠近后来的政治统治中心益州郡郡治所在地，即今天的晋城镇。

1155.云南滇池盆地 2010 年聚落考古调查简报

作　者：云南省文物考古研究所、美国芝加哥大学、美国密歇根大学人类学博物馆　蒋志龙、姚辉芸、周然朝

出　处：《考古》2014 年第 5 期

2010 年 5 月 4 日至 26 日，云南省文物考古研究所、晋宁县文物管理所、美国芝加哥大学，以及美国密歇根大学人类学博物馆组成的联合考古调查队在滇池流域南部和西部展开了第二次考古调查。调查区域包括晋宁县的昆阳、昆明市西山区的海口和碧鸡三个乡镇，面积 74 平方公里。这次调查沿用了 2008 年的系统调查方法，完成了滇池盆地合作调查项目中的剩余部分，证明了滇池盆地存在丰富的史前文化。

简报分为：一、调查方法，二、2010 年调查结果，三、结语，共三个部分，有照片、手绘图。

据介绍，这次滇池盆地西部和南部地区的调查表明，以前认为是新石器时期的贝丘遗址实际上可能是青铜时代石寨山文化的遗存。这些遗址分布在不同的生态区

和地理环境，与以石寨山为中心的石寨山文化中心区互补。

简报认为，这些聚落的人们可能从事开发铜、铁等矿产资源和采集玛瑙等奢侈品的原材料。

一般认为，石寨山文化的年代为公元前 7 世纪到公元 1 世纪左右。

曲靖市

玉溪市

1156.云南江川李家山古墓群发掘简报

作　　者：云南省博物馆

出　　处：《文物》1972 年第 8 期

李家山位于江川县龙街公社早街生产队村西，东南临星云湖，西北距晋宁石寨山仅四十余公里。1966 年 11 月间，早街生产队在该山西南坡修梯田，发现了一批青铜器和玛瑙、玉石等装饰品。1972 年 1 月 18 日，考古人员开始了对李家山古墓群的正式发掘工作。发掘共进行两个月，清理墓葬 25 座，出土器物 900 余件。简报分为四个部分予以介绍，有照片、手绘图。

据介绍，李家山古墓群均为竖穴土坑墓，除个别墓有木质棺椁外，一般均无葬具。随葬的兵器、仪仗器、生产工具、生活用具及大件铜器均置于死者两侧和头足两端，装饰品及小佩剑等多数在死者身上；葬式全部为仰身直肢。从已发掘的 25 座墓葬看，埋葬时间不会相距太远。墓室内单人葬者居多，仅 23 号墓为合葬。墓中随葬品因死者性别不同而有所差异。如女墓很少或者没有兵器，而有纺织工具和针线等；男墓则相反。7 座墓规模大些，有铜器、大量海贝等随葬。18 座规模小些，随葬品也少。简报推断这一墓群年代为战国晚年至东汉早期。

1157.云南玉溪古窑遗址调查

作　　者：葛季芳、李永衡

出　　处：《考古》1980 年第 3 期

玉溪古窑遗址位于玉溪东面三云里囡囡山上，即玉溪县去江川县公路右侧。古窑遗址是 1960 年与上窑、平窑同时发现的，《考古》1962 年第 2 期对窑址曾作过简单的报道。1976 年 12 月考古人员再次到玉溪调查征集文物时，又到该窑址进行了一次调查，简报配以照片予以介绍。

据介绍，囡囡山高 30 余米，窑址集中在山之南面，出土有大量瓷片，发现有窑具等。上窑已被玉江公路所挖去，路旁的窑址被兴修的厂房而覆盖；古窑因囡囡山开垦为山地，窑址已全部暴露出来，满山遍野皆是瓷片和窑具。古窑的青釉印花器年代相当于元代，那么，青花器的时代下限不会晚于明代。简报称，古窑应为一民窑，烧造百姓生活上实用的杯、盘、碗、碟、瓶、罐，绘画内容也多为花草鱼虫。由青釉到青花都烧过，还烧过青釉印花器，技术上尚存在火候掌握不好，普遍呈现纹片现象。

1158.云南玉溪元末明初龙窑的发掘

作　者：苏伏涛
出　处：《考古》1987 年第 8 期

玉溪市位于云南省中部，玉溪河发源于东，流向西南，全长 140 公里。在元末明初，玉溪窑因用当地出产的钴土矿为着色剂，创烧出青花瓷器而闻名于世。我国目前所发现的烧造青花瓷器的古窑址还不多，玉溪窑是我国在 20 世纪 50 年代初期发现的青花瓷古窑址之一。考古人员于 1986 年 1 月下旬至 3 月上旬对玉溪窑进行了发掘。

简报分为：一、窑室结构，二、遗物，三、结语，共三个部分，有照片、手绘图。

据介绍，玉溪窑址位于市区以东 3 公里的囡囡山瓦渣地。1958 年以前，龙窑的脊背尚有少许痕迹，后来因在山地上开荒种地，龙窑脊背已被刨掉，山坡开成台地后，窑头和窑尾即全被破坏。20 多年来，地表已无窑址痕迹，但有不少瓷片暴露在表土层上。共发现残存的龙窑 3 座，以发现先后编号为一号、二号、三号。一号窑残存窑尾和窑身的底层窑墙，二号窑仅残存窑尾的局部，三号窑残存窑身下半部分和接近尾部的窑基。发现瓷片上万片及窑具等。烧造时代上限可至元朝至正晚期，其下限，由于在瓷片中发现了明代永乐、宣德时期常见的"月华锦"和"鲵鱼"等纹饰，故可定在永乐、宣德时期。简报称，云南在明朝洪武十四年（1381 年）以前，仍处在元朝梁王的统治之下，故在此时期内烧造的瓷器，仍旧保持着元代的风格。从发掘情况看，烧结、生烧的废品很多，似还不能很好控制窑温。一、三号窑的窑主，应姓刘。

简报称，这次发掘对我们研究元末明初时期云南的社会经济和陶瓷工艺具有一定的参考价值。

1159.云南澄江县发现火葬墓

作　者：苏伏涛、王国辉、洪家智
出　处：《考古》1991 年第 9 期

1987 年 10 月，云南省玉溪地区澄江县农民在城西小官庄前的农地中发现古陶瓷碎片，考古人员于同年 11 月 13 日前往小官庄进行实地调查。

简报分为：一、地理位置，二、器形特征，共两个部分，有照片、手绘图。

据介绍，小官庄系半山区村庄，为澄江县龙街乡的一个自然村，距县城西向 6 公里。庄前西南向坡地即是古代火葬墓地，在农地的地埂边看到一堆堆被当地农民们挖地时刨出打碎的陶瓷罐（瓮）残片，除灰白、黑灰陶片外，尚有少数绿釉瓷片。经了解，此地原名大坟地，30 多年来，此地先后挖出火葬罐数千个，均被当地人视为邪晦之物，破坏无遗。在调查中，从坡底到坡顶的数十道地埂上，遗留下许多原为埋葬火葬罐的大小洞穴，洞穴距地层表土 30 ～ 160 厘米不等。在疏松的地埂中发现 5 个暴露在表土外的较完整的火葬罐，与地边的陶瓷罐残片比较，均属同一时期的类型，其质地为陶质，素面无釉，有盖子，罐底外部有一个浅腹陶盆承托。揭开盖子，内置一个小罐或小瓮，是为内棺，内有骨殖。随葬品有贝币、小铜片或耳坠等物。骨殖上大都用朱色书写梵文经咒，梵文上覆贴以金箔。简报认为，澄江小官庄火葬墓应为大理国（宋）至元代的彝族先民火葬墓葬。

简报称，澄江县首次发现火葬墓，为进一步研究宋元时期滇池地区的政治经济和民族文化提供了实物史料。

1160.玉溪窑综合勘查报告

作　者：云南省文物考古研究所、玉溪市红塔区文物管理所　杨　帆、王河云、
　　　　龚绍林等
出　处：《文物》2001 年第 4 期

玉溪窑址位于玉溪市红塔区东南部的红塔山下的瓦窑村附近。1960 年 12 月调查文物时发现，1965 年被列为云南省重点文物保护单位。1986 年 1 月考古人员对窑址的三号龙窑进行了发掘。2000 年 6 月，借羊甫头墓地整理的间隙，对已发掘的三号龙窑进行了测绘，并整理和修复了部分发掘品及采集品。简报分为：一、窑址的分布及龙窑的结构，二、窑瓷产品及窑具，三、结语，共三个部分，有照片、手绘图。

据介绍，在瓦窑村附近共分布三处窑址，称为平窑、古窑、上窑。其中古窑因列为文物保护单位未受破坏，另两处窑址因连年建设今已难觅踪迹。根据 1986 年以

前葛季芳、苏伏涛、冯先铭等做的调查，3处窑址的瓷器、窑具形制基本相同。古窑建在一缓丘上，瓷片分布总面积约18700平方米，发现残存龙窑3座。1986年发掘的是3号龙窑，窑头因挖台地被毁，仅存窑身。

简报称，关于瓷窑的年代，一般认为玉溪瓷窑始建于元世祖至元三十年（1293年）以后。1294年元迁蒙、汉族军屯士兵1000至玉溪，军屯中有部分江西来的士兵掌握烧瓷技术，便在玉溪建窑烧瓷。当然，屯军一事史料有记载，但是否其中有江西掌握烧瓷技术士兵一说，还无确凿证据，只为推断。但清代康熙、乾隆年间编纂《新兴州志》时，由于瓷窑早已废弃，志书并无记载。由此看来，玉溪瓷窑存在年代在元末明初至明末大致不谬。据认为是因明朝中期景德镇瓷器大量输入占领了市场，才使玉溪由烧瓷逐渐转向烧陶，瓷窑因而废弃。玉溪窑青花瓷器的青料使用的是当地产的钴土矿已被专家证实。

简报指出，云南类似玉溪窑情况的还有禄丰窑、建水窑等，其建烧年代、产品结构、纹饰风格与玉溪窑大致相同。这一系列瓷窑的建立和烧造，应均与云南元明时期的军屯有一定联系。

1161.云南澄江县金莲山墓地2008～2009年发掘简报

作　者：云南省文物考古研究所、玉溪市文物管理所、澄江县文物管理所、吉林
　　　　大学边疆考古研究中心　蒋志龙、吴　敬、杨　杰、何林珊、周然朝等
出　处：《考古》2011年第1期

澄江县地处云南省中部，为玉溪市所辖，北距省会昆明市约60公里，东与宜良县隔南盘江相望，西与晋宁、呈贡两县接壤，南跨抚仙湖与江川、华宁两县相邻，北与宜良县毗连。金莲山位于澄江县东南约3公里的右所镇旧城村东部边缘，东依牧马山，西北与学山相望，南距抚仙湖北岸约3公里。2006年2月，玉溪市文物管理所接到金莲山古墓葬被盗的报告后，进行了抢救性发掘。

简报分为：一、墓地概况与地层堆积，二、典型墓葬，三、结语，共三个部分进行了介绍，有彩照、手绘图。

据介绍，此次发掘共清理260多座墓葬。其中石寨山文化墓葬均为竖穴土坑墓，人骨保存完整，葬式复杂。出土遗物有铜器、铁器、陶器、玉石器等，以铜器为主。墓葬年代为战国至东汉初期。简报选择其中的M74、M122、M166、M205、M184、M155进行了较详细的介绍。

简报指出，该墓地的发掘，对于研究石寨山文化具有重要价值，对部分人骨的DNA分析，对认识古滇国主体民族族属，亦有重要意义。

保山市

1162.云南省龙陵县大花石遗址发掘简报

作　者：云南省文物考古研究所　杨　帆、万　扬

出　处：《四川文物》2011 年第 2 期

大花石遗址位于云南保山市龙陵县怒江畔，出土有打制石斧、石锛、石刀等石器，出土陶片有红、褐、黑三种色素，纹饰比较丰富，器形有罐、钵、纺轮、豆四类。该遗址反映了新石器时代中晚期滇西南地区的文化面貌，揭示了与西北、岷江上游同类遗址存在着某种联系。

简报分为：一、地层堆积，二、文化遗迹，三、遗物，四、结语，共四个部分，有手绘图。

据介绍，此遗址早在 1987 年、1990 年就曾做过考古工作。1991 ~ 1992 年进行了发掘，发现有灰坑 2 个、房基 2 座。遗物主要为石器、陶器，还有残铜丝、铜屑。简报初步认定其时代为新石器晚期到铜器时代这一过渡时期。

昭通市

1163.云南昭通马厂和闸心场遗址调查简报

作　者：云南省文物工作队

出　处：《考古》1962 年第 10 期

1960 年 1 月，考古人员曾在昭通地区作过一次调查，相关情况见《云南昭通文物调查简报》（《文物》1960 年第 6 期），后又依据调查结果，进行了重点清理和发掘。

简报分为：一、马厂遗址的调查，二、闸心场的新石器文化遗存，共两个部分，有手绘图。

据介绍，马厂遗址位于昭通县文屏公社马厂村，1954 年即在此村采集到一批陶器，此次又征集到陶器和一些石锛。闸心场遗址位于昭通县城北约 12 公里处，出土有石器 4 件，陶片 300 多片。

简报指出，两处遗址应属一个类型，闸心场遗址应比马厂遗址稍早，年代下限当不晚于西汉以后。简报说，云南境内新石器文化遗址已发现四十多处，但大多集中在滇池地区和苍洱地区。此次调查与发掘，填补了滇东北的空白。

1164.云南省巧家县小东门墓地清理简报

作　者：昭通市文物管理所、巧家县文物管理所　丁长芬、周强铭

出　处：《四川文物》2009年第6期

云南省巧家县小东门墓地发现了石棺葬与土坑墓，考古人员进行了清理发掘，出土有石器、陶器等文物，为研究早期石棺葬文化提供了新的资料。

简报分为：一、墓葬形制，二、随葬器物，三、结语，共三个部分，有手绘图。

据介绍，1991年6月3日，巧家县政府在建职工宿舍时挖出石棺墓。6月9日考古人员对已发现的石棺墓群进行抢救性清理，7月10日清理工作结束。此次抢救性清理300余平方米，共清理石棺墓和土坑墓葬18座，出土器物35件，采集品38件，有陶器、石器、骨器、海贝等。小东门墓地石棺墓，是石棺墓分布在金沙江中下游的最东部发现点。该墓地未作年代标本测定，根据出土陶器的器型、纹饰、制法、火候等的分析，墓地的时代简报推断为西周至春秋早期。

1165.云南省水富县小河崖墓发掘报告

作　者：云南省文物考古研究所、昭通市文物管理所、曲靖市麒麟区文物管理所、
　　　　水富县文体局

出　处：《四川文物》2011年第3期

云南水富发现一处崖墓群，考古人员共发掘清理了4座崖墓，出土的随葬器物有陶器、青铜器、铁器和琉璃器四类。陶器主要有生活用具、房屋模型、陶俑。铜器有铜饰件、铺首、五铢钱等。崖墓群的年代，简报推断为东汉中期。其中有的崖墓在唐代中晚期曾被后人二次利用。

简报分为：一、地理位置与历史沿革，二、发掘经过，三、墓葬形制，四、随葬器物，五、采集器物，六、结语，共六个部分。

据介绍，水富县位于云南省东北部。2004年12月，在建水富至麻柳湾高速公路第二标段在施工过程中意外发现崖墓。考古人员经过仔细调查和勘探，确定该地为一处新发现的崖墓群。本次清理的4座崖墓相互紧邻，排列有序，应属家族墓地，墓葬中所出铁钉多为穿系铜钱钉于他物上，据此特点简报推测应有木棺或瓦棺作为葬具。2005年4～6月，在水富县张滩墓地，进行了一次抢救性清理，发掘战国至西汉时期的墓葬15座，出土器物具有浓厚的巴文化特征，说明巴文化已深入到川南地区。

简报称，小河崖墓墓主人应属具有一定经济地位和势力的地方官吏或当地土著

民族中的豪强望族。小河崖墓的发掘为深化认识当时社会的历史、经济、民族关系提供了新的考古资料，丰富了滇东北地区乃至川南地区的崖墓研究材料。

丽江市

普洱市

临沧市

文山州

红河州

1166.云南省建水县碗窑村古窑址调查

作　者：张建农

出　处：《考古》1991 年第 8 期

距云南省建水县城北 1.5 公里的碗窑村，相传宋代就开始烧造瓷器。1982 年文物普查中，考古人员对该处进行了实地调查。简报配以手绘图予以介绍。

据介绍，碗窑村坐落在县城附近的山谷地带，泸江河支流由西向东从碗窑村穿过，注入南盘江。这里有着瓷业生产的丰厚条件。灰褐色的地表，连绵的群山，生长着茂密的林木和灌木丛林，是古瓷烧造的柴薪资源。其下蕴藏着大量的瓷土和黄黏土。瓷土质地纯净，呈灰白色，少部分黑灰色，均出自碗窑村后山，可就地取土制胎。黄黏土是青釉的主要原料，它与本村附近的白沙土，外地的螺丝土等按一定比例配制，经烧造即为青釉。青花原料之钴土矿系采自本县笔架山，古代曾远销瓷都景德镇。古窑址位于碗窑村正北方的后山南坡上。在 1 平方公里的调查范围里，经统计现仍残存 10 余条已坍塌和遭破坏的古代龙窑。

各个时期的青釉、青花瓷片混杂，而以元明时期的瓷片为多。器形以碗、盘为多，其次有碟、皿、杯、盏、缸、盆、钵、壶、罐等，胎质坚硬细致，白而泛灰，釉面光亮明洁，部分有少量微小气眼和砂粒，器壁有厚薄两种。烧造方法为匣钵单体装烧和支钉、垫圈多件叠烧。简报称，遗址堆积的古代瓷片，主要是元、明生活用瓷，并有部分清代产品。青釉、青花器釉色、器形、图案、装饰工艺等均为元、明时期习见。据此分析建水窑应是兴盛于元明时期，衰落于清代的民窑。

1167.云南泸西县和尚塔火葬墓的清理

作　者：云南省文物考古研究所、红河州文物管理所、泸西县文化馆　杨　帆、
　　　　朱云生

出　处：《考古》2001 年第 12 期

泸西县和尚塔火葬墓群位于云南省红河州泸西县县城东北郊名为和尚塔的小山上，墓葬分布在小山包的南面缓坡上。1997 年 11 月，泸西亿利公司建职工宿舍挖房基时发现，考古人员调查后，确认为火葬墓群，随后于 1998 年 4 月 15 日至 5 月 19 日进行了抢救性发掘。墓地西端和南部因改地和基建已被破坏，现存面积约 1500 平方米。发掘区选在亿利公司新建的两条挡土墙内，发掘面积 600 余平方米。

此次发掘共清理墓葬 201 座，简报分为：一、墓地的地层堆积与墓葬形制，二、葬具，三、随葬品，四、长方形竖穴土坑墓，五、结语，共五个部分。

据介绍，由于该墓地火葬罐种类较多，且有 6 座墓出铜钱，据此简报将墓葬大致分为三期。简报推断：一期墓葬数量较多，延续时间较长，其年代大致相当于宋中后期至元初；二期年代较一期要短，其年代应为元代后期至明初；第三期墓葬数量最多，延续时间也较长，年代大约为明中、晚期。根据分期，简报推断泸西县和尚塔火葬墓地的年代上限为宋代中后期，下限至明代末期。

据《四川文物》2009 年第 3 期报道，泸西县还曾发掘过秦汉墓地。该基地处于红河州泸西县逸圃乡大逸圃村狗挠坡。2008 年发掘。据介绍，共发掘墓葬 190 座，出土铜器、铁器、玉石器、骨器、陶器、铜铁合制器等三百余件。年代应为战国末期至西汉晚期。

西双版纳州

楚雄州

1168.云南禄丰发现元明瓷窑

作　者：李康颖
出　处：《考古》1989 年第 9 期

1986 年，考古人员在进行文物调查工作中，发现了两处古代瓷窑遗址，分别位于禄丰县的仁兴镇银沙办事处白龙井村和罗川乡彩云行政村的瓦窑村。考古人员根据窑址所在地的地名，将其分别定名为"白龙井窑"和"罗川窑"。在对两窑的调查中，考古人员采集了一些标本，通过观察和对比认为，两窑的烧造年代都属于元末明初这一时期。

简报分为：一、白龙井窑，二、罗川窑，三、结语，共三个部分，有手绘图等。

据介绍，白龙井窑和罗川窑的青花瓷器，与玉溪窑、建水窑一样，均为青釉釉下青花，具有明显的地方特色，都可归入云南青花的体系；由于所用原料和工艺基本相同，故其特征不太明显，因此很难将各地的青釉青花器进行区分。其他品种也同样具有地方特色，同样属于云南的地方产品。简报认为两窑都属于民间生产的小窑，生产规模较小，也可能是间歇性生产的窑址。所烧器物均以生活中实用的碗、盘为主，绘画内容也是人们平常所见的花草之类。从造型、工艺、烧造等技术上来看，具有浓重的地方乡土色彩和风格，为研究我国瓷器的发展提供了新的资料。

1169.云南姚安首次出土一批编钟

作　者：姚安县博物馆　施文辉
出　处：《四川文物》1995 年第 1 期

1993 年 3 月，楚雄州姚安县前场镇新街办事处彝族农民杨自伟在新街小学校园山包（原武庙旧址，今毁）取土时发现一批青铜器，其中编钟 4 个，铜斧 2 件，铜尖叶形镢 2 件，铜条锄 2 件，铜凿 2 件，铜镦 1 件，碎铜片和碎陶片 2 件，现场已被破坏。

简报分为：一、编钟（四件），二、铜斧，三、铜凿（分二式），四、铜条锄，五、瓜镰，六、碎铜片、碎陶片，共六个部分予以介绍，有照片。

据介绍，简报未具体指出这批文物的时代，只是说可看出滇池、滇西文化的影响，有的编钟在云南属首次发现。

大理州

1170.云南祥云县检村石棺墓

作　者：云南省大理白族自治州文物管理所　田怀清、杨德文
出　处：《考古》1984 年第 12 期

该墓于 1980 年 1 月 22 日发现，地点在祥云县禾甸公社检村大队。简报分为：一、墓室情况，二、出土遗物，三、结束语，共三个部分，有照片。

据介绍，此地为一石棺墓群所在地。该墓的时代，简报认为大约在战国晚期至西汉早期。这对研究当地少数民族的分布、迁徙等有重要意义。

1171.剑川石窟——1999 年考古调查简报

作　者：北京大学考古学系、云南大学历史系、剑川石窟考古研究课题组
出　处：《文物》2000 年第 7 期

剑川石窟位于云南省剑川县城西南 30.4 公里的石宝山（直线距离 20.5 公里），依据地理位置的差异，可分作沙登菁、石钟寺和狮子关三区。其中，沙登菁区现存窟龛 5 处，石钟寺区 9 处，狮子关区 3 处。由于石窟主要分布在石钟山，所以通称石钟山石窟。剑川石窟由于位置偏僻、交通不便，20 世纪 40 年代以前鲜为人知。1939 年李霖灿先生踏查石钟山，是当代学人对这处石窟所做的第一次学术考察。1951 年宋伯胤先生受中央人民政府文化部文物局委派，对剑川石窟进行了全面调查。这次调查结果先以简报形式刊布，后以专书发行。两先生大作皆依据历代记录并参考当地传说，对石钟山现存遗迹做了较详的论述，后者应是剑川石窟研究的第一座里程碑。近年来，国内外学者又在此基础上做了多次报道和论述，但真正从考古学角度研究剑川石窟的文章寥若晨星。为了向学界提供一套比较完整的资料，北京大学与云南大学共同组成"云南省剑川石窟联合考古队"，对剑川石窟进行了为期两个月的考古调查，按计划完成了第一阶段预定的石窟文字记录、龛像实测图、照相和墨拓工作。考察特别注意窟龛的各种遗迹现象及造像题记资料，拾遗补阙，辨伪存真，对剑川石窟有了一些新的认识。目前详细的考古报告正在整理中。

简报分为：一、主要窟龛介绍，二、小结，共两个部分，配以照片，先行介绍了这次考古调查情况。为免重复，对前人论述较多的各区窟龛不再逐一介绍。

简报称，调查所获全部文字、测图、照片和拓片资料正在整理中。据上述资料，有以下几点初步认识：

一是关于剑川石窟的分期问题。暂将剑川石窟造像分为三期。

第一期：沙登箐区第1号，多为组合不规范的小型窟龛，雕造手法略显稚拙，可能是小型佛教社团或民间信徒捐资开凿。造像题材比较单纯，主要是弥勒佛和阿弥陀佛。第1号下层1～7龛内造像题记"国王天启十一年"中的"天启"，是南诏第十世王劝丰佑的年号。天启十一年即公元850年。该题记是剑川石窟中现存最早的纪年造像题记，题记所在龛像较上列1～1至1～5龛造像年代要晚。

第二期：大理国时期开凿的石钟寺区和狮子关区龛像及沙登箐区部分造像，雕造手法较为成熟，造像题材多样化，宗教成分趋于复杂。根据两处有大理国"盛德"纪年造像题记判断，"盛德"年间应是剑川石窟的开窟高峰。

第三期：作为佛教圣地，尽管元代剑川大型开窟工程终止，但小型造像活动并未停歇。沙登菁区第2号的2～5、2～7、2～8浮雕佛塔和石钟寺区第8号主龛内两侧壁及龛外的藏传佛教造像，应是这一时期的作品。

二是剑川石窟的渊源问题。简报认为南诏时期受邻近的四川佛教影响。大理国时期除了受汉地佛教影响外，本地因素增加。元代时受藏传佛教影响。

三是所谓"阿姎白"，不是生殖器崇拜，而是佛像被毁后形成的锥形物。

1172.云南剑川县海门口遗址第三次发掘

作　者：云南省文物考古研究所、大理州文物管理所、剑川县文物管理所
　　　　闵　锐等

出　处：《考古》2009年第8期

剑川县位于云南省西北的大理白族自治州北部，地处横断山脉中段。海门口遗址位于剑川坝子南部甸南镇海门口村西北约1公里处的剑湖出水口。1957年和1978年曾发掘过两次，因种种原因，发掘工作没有取得预期效果。随着研究工作的不断深入，学术界认为该遗址还存在着许多有待解决的问题，遗址真正的价值还没有体现出来。为此，2008年1月8日开始第三次发掘，至5月25日结束。发掘共出土遗物3000多件，有陶器、石器、骨器、牙器、木器、铜器、铁器、动物骨骼和农作物遗存八类。清理的遗迹有房址、火堆、木桩柱和横木、灰白色石块、人骨坑、柱洞等。清理出木桩柱和横木4000多根。

简报分为：一、地层堆积，二、分期，三、遗迹与遗物，四、结语，共四个部分，有彩照、手绘图。

简报指出，"剑门县海门口遗址是滇西北地区最重要的史前时代遗址"。大致可分为三期：第一期不出铜器，为新石器时代晚期；第二期和第三期出铜器，为铜器时代的早期和中期。可以得出遗址三期的绝对年代范围：第一期的年代大致是距今5000～3900年，第二期的年代大致是距今3800～3200年，第三期的年代大致是距今3100～2500年。遗址的晚期年代为宋、元、明时期。

简报指出，海门口遗址的青铜时代遗存与大理市银梭岛遗址的时代基本为同时，但两者的文化面貌却具有相当大的差异。这种现象说明，滇西地区的青铜文化具有多样性和复杂性，这对认识青藏高原东部地区史前文化交流和族群迁徙很有帮助。海门口遗址所出土的稻、粟、麦等多种谷物遗物，证明了来自黄河流域的粟作农业的南界已经延伸到滇西地区；而稻、麦的共存现象，则为认识中国古代稻麦轮作农业技术的起源时间和地点提供了重要的信息。海门口遗址本次发掘出土的铜器和铸铜石范，以确切的地层关系证明了该遗址为云贵高原最早的青铜时代遗址。

又据《考古》1959年第9期，早在1957年，就已在剑川发现过古代遗址。遗址在剑川县金华人民公社西中村东南，东临剑海边，南距1957年发掘过的海尾河岸遗址（1957年第6期《考古通讯》）约3公里。在1957年5月中，农民在这里掘出1件穿孔石刀。考古人员去勘查，又在地上捡到一些陶片。1959年1月中，西中村农民又掘出3件磨制石器。考古人员到现场再作勘查，讯问了掘出3件石器的农民，据称系出自地表土下约4～5厘米的黑色腐质土中，同出的还有一些兽骨，及1件豆形残陶器。此外又采集了一些陶片，已一并寄存云南博物馆。从出土的石器及陶片上看，这是一个古遗址。它的器物形制跟海尾河岸古遗址的器物同属一系。关于遗址的范围，文化层的厚薄等详细情况还需作进一步的调查。

1173.云南大理市海东银梭岛遗址发掘简报

作　者：云南省文物考古研究所、大理市博物馆、大理市文物管理所、大理州文物管理所　闵　锐、万　娇等

出　处：《考古》2009年第8期

洱海为云南第二大高原淡水湖泊。大理市海东镇位于洱海东侧偏南，银梭岛隶属于该镇，为洱海东南的近岸小岛。该岛与湖岸间的湖水很浅，在每年枯水季节，岛与岸之间的水域成为沼泽，岛的东南有一道现代修建的堤坝与湖岸相连。1986年3月，考古人员在银梭岛北面不远的金梭岛试掘，出土了大量的新石器时代遗物及一些青铜器。1987年，金梭岛和银梭岛共同被列为大理市重点文物保护单位。2000年，考古人员在进行调查时发现这是一处堆积十分丰富的贝丘遗址，且正遭受到严重的

破坏。2003 年 10 月至 2004 年 5 月进行了第一次发掘，2006 年 3 月至 5 月进行了第二次发掘，发掘面积 300 平方米。

简报分为：一、地层堆积，二、分期，三、遗迹与遗存，四、结语共四个部分，介绍了这两次发掘的主要收获，有彩照、手绘图。

据介绍，发现的遗迹有房址、灰坑、火塘、石墙、木桩等，出土有陶器、石器、铜器等 2 万余件。遗址可分为四期，年代分别为云南新石器时代的中晚期、青铜时代的早期和青铜时代中晚期。经树轮校正，第一期绝对年代大约是公元前 3000～公元前 2400 年，第二期绝对年代大约是公元前 1500～公元前 1100 年，第三期绝对年代大约是公元前 1200～公元前 900 年；第四期绝对年代大约是公元前 900～公元前 400 年，包含了从史前时期一直到春秋时期，为研究云南当地历史提供了丰富的实物资料。

1174.云南大理市凤仪镇大丰乐墓地的发掘

作　者：云南省文物考古研究所、大理市博物馆　闵　锐、刘　旭、段进明
出　处：《考古》2001 年第 12 期

大丰乐墓地位于大理市凤仪镇大丰乐村东北约 1 公里处的一山麓缓坡地带。1988 年进行文物普查时发现。1993 年 3 月至 6 月及 1995 年 3 月至 6 月，考古人员先后两次对该墓地进行了发掘。

简报分为：一、地层堆积，二、墓葬结构，三、葬具，四、随葬品，五、结语，共五个部分，有手绘图。

据介绍，大丰乐墓地根据葬具及随葬品变化，初步划分为三期。简报推断：第一期均为火葬墓，为唐代晚期至北宋初，相当于云南地方政权的南诏晚期至大理国初期；第二期均为火葬墓，年代为北宋末期至元代；第三期，火葬墓，中段出现土葬墓，年代定为明代。

德宏州

怒江州

迪庆州

西藏自治区

拉萨市

1175.西藏拉萨澎波农场洞穴坑清理简报

作　者：西藏自治区文物管理委员会　屠思华

出　处：《考古》1964 年第 5 期

拉萨市北 40 多公里的国营澎波农场，于 1961 年 2 月在挖干渠时先后发现洞穴坑 8 座，考古人员前往清理。简报配以照片予以介绍。

据介绍，洞穴坑共有 8 座，发现于离澎波农场东北 3 公里余的山腰上，高均在同一水平线上。根据清理的先后次序，一号洞穴坑在最西头，二号在一号东 37.1 米，三号在二号东 6.4 米，四号在一号和二号之间，五号在最东头，相距三号 35 米，六号在三号和五号之间，距三号 8 米，七、八号在五号和六号之间。其中二、三、五号最为完整，开渠时恰把封口石露出。8 座洞穴坑，形制相同，是在山腰的斜坡上，向里挖不规则的椭圆形洞穴，底部用乱石砌成较规则的长方形坑。清理中在一号坑内南头发现陶器 7 件、中部有铁剑 1 柄；二号坑内南头发现铜马饰片 5 件、铁环 1 件、铜针 1 件，并在坑内西南角还发现较完整的人头骨 1 个。零星的人骨和牛马骨，各坑都有发现。

简报称，据当地人说，他们有这样一种风俗：在下冰雹的季节（4～8 月），在半山腰中挖几处土洞，拣些年在15 岁左右的男孩骨及牛马骨埋入洞中，喇嘛念经，就可以避除冰雹之灾。据二号坑发现的人头骨有各坑又都发现零星的牛马骨的情况推测，这些洞或与避除冰雹有关系。但是一般避除冰雹，洞内不放入任何东西，而在这些坑中发现了陶器、铁剑等物，只从这一点看，又不似避除冰雹的。从清理的长方形洞坑比较小，除第二号坑发现较完整的头骨外，人骨又都零星不成整具，或为西藏某部落从其他地方迁徙至此的迁葬墓。出土的陶器都不同于目前西藏人民所用的，铁剑、铜马饰、铜针等又腐蚀较甚，可见洞穴坑不是近代的。具体年代简报未提。

1176.拉萨查拉路甫石窟调查简报

作　者：西藏文管会文物普查队　何周德等
出　处：《文物》1985 年第 9 期

在布达拉宫西南 0.5 公里，有一座招拉笔洞山（又称药王山），山东麓距地面 20 余米处有一石窟，洞口向东，与大门西向的大昭寺遥遥相对，这就是查拉路甫石窟。据明《贤者喜宴》记载，查拉路甫石窟的开凿年代当在唐初。唐代晚期以后，查拉路甫石窟几经兴衰。1984 年，考古人员对这一石窟及招拉笔洞山上的众多摩崖造像进行了调查。

简报分为：一、中心柱造像，二、转经廊南壁造像，三、转经廊西壁造像，四、转经廊北壁造像，五、结语，共五个部分介绍了查拉路甫石窟的调查情况，有手绘图、照片。

据介绍，查拉路甫石窟依山开凿，为支提式窟，平面呈不规则长方形。窟内共有造像 71 尊，除两尊泥塑外，余皆为石像，分布在中心柱四面和转经廊南、西、北壁（即石窟的南、西、北壁）上。

简报称，查拉路甫石窟填补了西藏石窟艺术的空白，扩大了我国石窟寺遗址的分布范围，丰富了我国石窟寺艺术的内容。查拉路甫石窟造像主要出自尼泊尔工匠之手，具有浓厚的犍陀罗风格，是我国石窟艺术的一种独特类型。查拉路甫石窟的发现，说明我国石窟寺艺术并非单一地循西北一条路线传人，由尼泊尔至西藏是石窟寺艺术传人的另一途径。

简报推断：石窟造像可以分为三期，第一期时代为唐代早、中期，即公元 7 世纪中叶至 9 世纪初叶；第二期时代约为宋、元时期，即公元十二三世纪；第三期时代约为元、明初期，即公元十四五世纪。

1177.西藏穷结青娃达孜山摩崖造像调查简报

作　者：王望生
出　处：《文物》1993 年第 2 期

在西藏穷结藏王墓群(西区)北约 0.4 公里处,有一座青娃达孜山（又称第二堡寨），其东南端崖面稍偏西,距地面 3 米余处有一小型洞窟,窟中石壁面浮雕大量佛教造像,窟外东西两侧崖面亦浮塑造像。1985 年 10 月,考古人员对这批摩崖造像进行了调查,简报配以照片予以介绍。

据介绍,青娃达孜山小型洞窟平面呈不规则三角形,窟门东南向,洞口高 3.35 米、宽 0.5 ~ 2 米、进深 2.5 米，窟内石壁浮雕造像 41 尊，除 4 座塔像外，余皆为佛像，分布在东、西、北三壁上；石窟外两侧崖壁浮雕造像 15 尊，计 56 尊。造像均为浅浮雕，有些保存较好，有些已风化剥蚀。

简报推断，这批造像是公元 13 世纪以后的遗物，下限约在公元 17、18 世纪。其中洞窟东、西、北壁和洞外东侧下排 7 尊菩萨像计 42 尊，时代可能略早。洞外东侧面上排 3 尊、下排 6 尊（不包括一菩萨像）共 9 尊，时代略晚。至于洞窟外东侧面中排 2 尊和石窟外西侧面 3 尊造像共 5 尊，时代最晚，约为清代造像，迟至公元 17 世纪。

简报称，青娃达孜山位于西藏雅鲁藏布江上游地区，山上的这批摩崖浮雕造像具有浓厚的地方特色，对于研究当时这一地区的宗教文化发展有着一定的史料价值。

1178. 西藏纳木错扎西岛洞穴岩壁画调查简报

作 者：西藏自治区文管会文物普查队
出 处：《考古》1994 年第 7 期

1991 年 7 ~ 8 月，考古人员在当雄县纳木错扎西岛发现有古代洞穴壁画，简报分为：一、地理位置及自然环境，二、岩画，三、结语，共三个部分，有照片、手绘图。

据介绍，岩壁画的内容有射猎、围猎、放牧、捕鸟、斗兽、顶鹿、舞蹈、祭祀、战争及佛教吉祥物等。延续的时间很长，应从吐蕃王朝建立前，一直到吐蕃王朝灭亡。

昌都地区

1179. 西藏贡觉县香贝石棺墓葬清理简报

作 者：西藏文管会文物普查队
出 处：《考古与文物》1989 年第 6 期

1986 年清理墓葬 5 座，可分为石板墓和石块墓两类。随葬品有陶器 9 件、铜器 2 件等。时代简报推断为战国秦汉时期或更晚一些。

山南地区

1180.西藏山南拉加里宫殿勘察报告

作　者：西藏自治区文管会文物普查队　霍　巍、李永宪、更　堆等

出　处：《文物》1993 年第 2 期

山南法王拉加里宫殿，是一处规模宏大的藏式宫殿（藏语称为"颇章"）建筑群。它坐落在今西藏山南地区曲松县（原名拉加里）县城西南方（另有部分建筑建在今曲松县人民政府驻地之内），雄踞于河谷高崖之上，面临色曲河（色曲，藏语"产黄金的河流"之意），背依开阔的平原，是西藏目前保存不多的藏式结构古代宫殿建筑群之一。1991 年 9 月，考古人员首次对拉加里宫殿进行了正式考古调查与勘测工作。

简报分为：一、建筑布局，二、主体建筑及其装饰，三、建筑年代与建筑风格特点，共三个部分，有照片、手绘图。

据介绍，拉加里宫殿是由一系列建筑年代不同、功能各异的建筑物组成的群落，现存建筑及其遗存共由三大部分组成，大致上可以分为早、中、晚三期，即早期：旧宫"扎西群宗"；中期：新宫"甘丹拉孜"（又称为拉加里上颇章）；晚期：夏宫。简报称早期旧宫是公元12 世纪之后，拉加里王族从山南迁至曲松县境内后开始营建的，大致相当中原的宋代。中期新宫，是拉加里王室分为三支后由其中继承王位的长房一支兴建的宫殿，上限在公元16 世纪，现存主体建筑的年代在公元17～18 世纪，相当于中原的明、清时期。晚期夏宫，建筑面积约5000 平方米，可能为近代所建。

日喀则地区

1181.西藏定结县怡姆石窟

作　者：西藏自治区文物保护研究所、中国藏学研究中心西藏文化博物馆
　　　　夏格旺堆、何　伟、边　顿

出　处：《考古》2012 年第 7 期

怡姆石窟位于西藏日喀则地区定结县琼孜乡怡姆村南 3 公里，喜马拉雅山脉中段中尼边界的一座被称为果美山的南北向山脊的东侧崖壁。2009 年 9 月 28 日，西藏

自治区人民政府公布恰姆石窟为西藏自治区第五批文物保护单位。2011 年考古人员在此进行实地调查，调查结果简报分为：一、石窟概况，二、I 区重要石窟，三、初步认识，共三个部分予以介绍，有彩照、手绘图。

据介绍，恰姆石窟群共有三区 105 座洞窟。其中，IK1 为单室造像窟，平面形状呈马蹄形，在西、北、南三壁发现泥塑和壁画。IK2 为多室窟，窟内残存有泥塑和壁画。IK3 为相邻的两座单室窟，仅见壁画。依据测定年代得知，恰姆石窟的年代范围介于 10～12 世纪间。综合 IK1～IK3 泥塑和壁画，简报推定恰姆石窟存留的早期作品的年代至迟为 11 世纪，其开窟的上限时间也不排除早至 9～10 世纪。简报称，该石窟群的发现对探讨西藏早期佛教艺术、佛教发展史及西藏社会历史的进程均具有重要的价值。

那曲地区

阿里地区

1182.阿里地区古格王国遗址调查记

作 者：西藏自治区文物管理委员会 仁增多吉、张文生
出 处：《文物》1981 年第 11 期

1979 年 6 月至 9 月，考古人员对西藏阿里地区的文物古迹进行了普查，重点考察了古格王国遗址。简报分为三个部分予以介绍，有手绘图、照片。

据介绍，古格王国遗址在阿里地区扎布让区两公里外的一座土山上。遗址占地总面积 18 万平方米，大部分建筑物集中在山的东面，依山叠砌，层层而上，房屋窟洞星罗棋布，计有三百余座庙堂房屋和三百余孔窟洞及三座残塔。这个建筑群规模宏大，气势雄伟。建筑群内还有四通八达的地下暗道，各个相通，路线复杂。整个遗址的房屋建筑均系土木结构，平顶，只是面积大小不同。一般房屋面积在 12～18 平方米之间，为官僚和僧侣的住宅。这种建筑都已塌毁，只剩残墙断壁。另一种较大的建筑，如红庙、白庙、国王的住宅和集会议事大厅，是遗址的主要建筑物，其中红庙、白庙保存较好。藏文史书记载，古格王国自吉德尼玛衮在阿里建国，到支地麦，共传二十八位。遗址白庙内的世系壁画，基本上和史书记载相近，因此可以认为古格王国是吐蕃分裂后吉德尼玛衮建立的，而且传了二十多位国王。简报列有古格王国王统世系表。古格王国应为西藏历史上延续数百年的强盛的地方政权。

1183.西藏阿里东嘎、皮央石窟考古调查简报

作　者：西藏自治区文物局、四川联合大学考古专业　霍　巍、李永宪等
出　处：《文物》1997 年第 9 期

1992 年 6 月，在西藏全区文物普查中，考古人员在西藏西部的阿里高原发现了几处佛教石窟遗迹。其中位于扎达县境内的东嘎、皮央两村的石窟群规模较大，因两村相距不远，故命名为"东嘎—皮央石窟"。1994 年 5 ～ 8 月，考古人员重点对该处石窟遗迹作了进一步的复查、编号，并对石窟壁画中有关藏文题记作了抄录、整理等项工作。同时，对古格王国故都所在地扎布让附近的洞窟遗址也作了踏察，获得了一批重要的新资料。

简报分为：一、既往调查简史，二、阿里石窟分布状况，三、石窟基本形制，四、礼佛窟壁画的配置与分类，五、结语，共五个部分，介绍了 1992 年、1994 两次调查的成果。有彩照、手绘图。

据介绍，对西藏西部石窟的调查始于 20 世纪 30 年代意大利学者杜齐（Giuseppe Tucci）。简报推断阿里石窟年代的上限为公元 11 ～ 12 世纪，下限不晚于公元 16 世纪，正当中原地区北宋至明朝。其艺术风格与中国新疆、印度、尼泊尔等南亚诸国均有联系。

1184.西藏札达县皮央·东嘎遗址古墓群试掘简报

作　者：四川大学中国藏学研究所、四川大学考古学系、西藏自治区文物局
　　　　姚　军、霍　巍
出　处：《考古》2001 年第 6 期

随着考古工作的深入，西藏西部地区古代墓葬的调查与发掘取得了新的进展。1992 年文物普查中，在阿里地区的日土县发现了阿垄沟石丘墓群，这是阿里地区首次调查发现的一处早期墓群。1998 年西藏自治区文物局阿里文物抢救办公室考古队在札达县境内调查，又发现了卡尔普墓群，并清理了几座残墓。1999 年，考古人员在札达县境内的东嘎、皮央再次调查，相继发现了东嘎 V 区墓群、格布赛鲁墓群和皮央格林塘墓地、萨松塘墓群，并对东嘎遗址 V 区墓群、皮央格林塘墓地和皮央萨松塘墓群的部分墓葬进行了考古试掘。

简报分为：一、群的地理位置与分布，二、墓葬形制，三、出土遗物，四、结语，共四个部分介绍 1999 年度的考古试掘情况，有手绘图、拓片。

据介绍，通过这次考古工作，简报认为对西藏西部古代墓葬形制与丧葬风俗获得了一些新的认识；其次，这次发掘出土的器物有陶器、铜器、石制品、木制品等

多种类型，其用途涉及生活用具、兵器、装饰品等不同的方面，对于认识当时的社会物质生活状况、工艺技术水平，都提供了迄今为止最为丰富的一批新材料。因墓葬的地望在"象雄"范围之内，故简报推测其很可能与小邦时期的象雄文明有关，简报称，对此今后应进行进一步的研究。

1185.西藏日土县塔康巴岩画的调查

作　者：四川大学考古学系、西藏自治区文物局　李永宪
出　处：《考古》2001 年第 6 期

1992 年 5 月，考古人员赴阿里地区开展文物普查，在日土县境内调查时发现多处古代岩画。这是自 1985 年该县日姆栋等岩画点发现以来，西藏西部岩画的又一重要发现。其中位于班公湖北岸乌江乡的塔康巴旷野岩画，是迄今为止西藏发现的岩画中画面最完整、内容最丰富、场面最宏大的一处岩画地点。其中一些与当地原始宗教有关的画面内容尤为珍贵，是研究西藏西部古代艺术史、宗教史和社会生活史等方面的重要资料。

简报分为：一、岩画地点概况，二、岩画画面及内容，三、结语，共三个部分，有手绘图。

简报认为，西藏岩画在总体上说应属于中国西部高原荒漠地区的古代畜牧、狩猎经济文化遗存。大体而言，简报推断塔康巴岩画所反映的时代应不晚于佛教传入的公元 6 世纪前后，不早于金属器在西藏的出现（即距今 3000 年左右），是西藏岩画中较早的遗存。

简报称，塔康巴岩画所反映的与高原原始宗教有关的内容，是迄今研究西藏早期本教等土著宗教最直观、最形象的资料。

1186.西藏阿里札达县帕尔宗遗址坛城窟的初步调查

作　者：四川大学中国藏学研究所、四川大学历史文化学院考古系、西藏自治区文物局、西藏阿里地区文化广播电视局　霍　巍等
出　处：《文物》2003 年第 9 期

西藏西部阿里地区札达县帕尔宗遗址是象泉河流域古格王国境内的一处佛教遗存，包括石窟以及地面建筑等。1996 年首次调查发现，1999 年进行了复查。

简报分为：一、遗址所处的地理环境，二、坛城窟的调查，三、坛城窟内发现的文物，四、几点初步的认识，共四个部分，有彩照、手绘图。

据介绍，帕尔宗遗址位于今阿里地区札达县卡孜乡帕尔村境内，从帕尔宗遗址现存情况来看，这里曾经是一处规模较宏大、历时较久远的宗教建筑群，对这处遗址更为全面深入的认识，还有待于今后进一步的调查。坛城窟应为密宗修行道场。发现的文物有绘画经卷、木板彩绘小像、唐卡、泥模造像残件等。

此处古代遗址的时代，简报推断为 11 ～ 13 世纪，应不晚于 14 世纪，大致相当于五代十国、宋、元时期。

1187.西藏阿里札达县象泉河流域卡俄普与西林衮石窟地点的初步调查

作　者：四川大学中国藏学研究所、四川大学历史文化学院考古系、西藏自治区文物局　霍　巍等

出　处：《文物》2007 年第 6 期

该遗址 2001 年 7 月考古调查时发现，2004 年进行了复查。简报分为：一、卡俄普石窟的初步调查，二、西林衮石窟的初步调查，三、对这两处石窟地点的初步认识，共三个部分，有照片、手绘图。

据介绍，两处佛教石窟中有壁画，保存良好，从中可发现古格王国不同时期壁画的演变线索。这两处石窟，时代上限为公元 11 世纪，下限可至 16 ～ 17 世纪，大致相当于从唐代晚期一直到清代。

1188.西藏阿里札达县象泉河流域白东波村早期佛教遗存的考古调查

作　者：四川大学中国藏学研究所、四川大学历史文化学院考古系、西藏自治区文物局　霍　巍等

出　处：《文物》2007 年第 6 期

西藏自治区阿里札达县白东波村地处象泉河北岸，南距札达县县城所在地约 20 公里，现属札达县东嘎乡。早在 1994 年，四川大学就已在此发现有石窟等遗迹。2001 年 7 月，考古人员在象泉河流域开展考古调查，曾对白东波村一带的佛教遗存情况进行了初步的调查工作。2004 年 6 ～ 8 月，考古人员对白东波村的早期佛教遗存进行了复查，获得了一些重要的考古发现。

简报分为：一、既往工作简史，二、新发现的佛教遗存，三、几点初步认识，共三个部分，配以彩照、手绘图，介绍了 2001 年、2004 这两个年度的调查情况。

据介绍，在 2001 年和 2004 年的调查工作中，考古人员经过深入细致的实地勘踏寻访，发现除"千佛堂"石窟之外，在白东波村的范围内还分布有两处重要的佛

教遗存：其一位于现白东波村所在地附近河谷的南、北两岸台地和山丘上，主要以佛寺建筑遗存为主；其二分布在该村西面约 10 公里处的一名为"增撒"的谷地北岸，系由地面佛寺、佛塔以及开凿在山间的石窟组成。简报推断白东波村佛寺的上限，当在 10～13 世纪，即相当五代十国至元朝左右。但其使用及流行的下限则尚难断定。增撒地点的遗存年代约为 11 至 13 世纪，即北宋至元朝。

简报指出，白东波村佛寺遗址与增撒地点佛教遗址相距仅约 10 公里，两者始建的年代又十分近似，这个地区当时应是一处佛教文化中心。根据有关文献记载和既往考古调查所反映的情况来看，在象泉河流域，围绕古格王国政治、宗教和文化中心札不让、托林寺之外，还广泛分布着其他众多的、大大小小的次中心，它们在古格历史上的相互关系，由于史料缺载，还暂时无法加以廓清，但从建筑风格、壁画技法等方面观察，应具有密切的联系。这些新的考古发现，对于我们认识古格王国境内早期佛教遗存的分布状况及其丰富的文化内涵，无疑有着重要的意义。

1189.西藏阿里地区丁东居住遗址发掘简报

作　者：四川大学中国藏学研究所、四川大学考古学系、西藏自治区文物局
　　　　吕红亮等
出　处：《考古》2007 年第 11 期

自 1997 年以来，考古人员对位于西藏阿里地区札达县的皮央·东嘎遗址进行连续性的调查和发掘。发掘结果表明，该遗址的主体遗存属于"佛教时期"。1998 和 1999 年度的工作中，在东嘎第 V 区和皮央格林塘、萨松塘相继发掘出一批时代属"前佛教时期"的墓地，证明这一带还存在早期文化遗存。2000 年，在东嘎第 V 区内又通过调查发现了一些早期居住遗址的线索，但当时未做进一步的发掘。2001 年，对东嘎第 V 区内发现的居住遗址进行局部性的试掘清理，出土了一些重要遗迹和遗物。

简报分为：一、遗迹，二、出土遗物，三、结语，共三个部分，有彩照、手绘图。

据介绍，2001 年试掘了 3 座石砌房屋建筑遗址及 1 处立石遗迹，出土遗物包括铜器残片、圜底陶器、石磨盘及炭化青稞等 64 件。遗址的年代大体相当于西藏考古学中的"早期金属时代"，大致相当于中原地区的战国至秦汉时期，碳-14 年代为公元前 769～公元 352 年。此次发掘的居住遗址，简报称与尼泊尔穆斯塘地区琼嘎居住遗址比较相似，对认识西藏西部早期文明具有重要意义。

1190.西藏阿里象泉河流域卡孜河谷佛教遗存的考古调查与研究

作　者：四川大学中国藏学研究所　崔　巍、张长虹、吕红亮等
出　处：《考古学报》2009 年第 4 期

　　西藏阿里地区札达县境内的象泉河是西藏阿里高原著名的四条河流（马泉河、狮泉河、象泉河、孔雀河）之一，藏语称之为"朗钦藏布"，据称是以其源头流自形似象鼻山的一条山谷而各名。象泉河全长 1450 公里，其中在中国境内的流程约 309 公里。

　　简报分为：一、调查区域的自然环境与考古工作简史，二、卡孜河谷发现的重要佛教遗存，三、相关问题的探讨，四、结语，共四个部分，有彩照。

　　简报称，西藏西部阿里地区象泉河流域卡孜河谷考古调查发现的佛教遗存，是阿里古格王国境内佛教考古的又一次重要收获。本次调查发现的聂拉康石窟、卡孜村佛寺与村北山坡顶部的佛塔遗址，以及卡孜寺内的早期佛教遗存等一批地面文物的时代均可初步断定在 11～13 世纪，其中聂拉康石窟、卡孜寺内具有克什米尔风格的几尊铜佛像的年代还可进一步断在 11 世纪，属于古格王国早期阶段的佛教遗存。西藏藏文史料和古史传说均记载卡孜象泉河流域与古格王国早期著名高僧、大译师仁钦桑布家族及他本人的宗教活动有着密切的联系，这些新发现的重要遗存的年代和仁钦桑布大师在古格从事宗教活动的年代有部分重合的可能性，从而为探索古格王国早期历史和佛教发展史上具有重要地位的仁钦桑布大师的史迹迈出了重要的一步，也弥补了过去古格王国佛教艺术史上考古实物资料最为薄弱的环节。

　　简报指出，除上述这些早期遗存之外，此次在卡孜河谷调查发现的查宗贡巴石窟则是这一区域内年代可能晚至 15～16 世纪的佛教遗址，与西藏佛教后弘期噶举派、萨迦派等教派在这一地区的宗教活动有关。这一发现同时也证明卡孜不仅是古格王国早期一个重要的政治、文化与宗教中心，在古格王国中、后期也同样是古格王国境内各个教派活动十分活跃的一个重要据点。从聂拉康到查宗贡巴这两处佛教石窟壁画可以看出，这一区域的佛教艺术有着悠久的历史和自成体系的发展脉络，它们既继承了古格王国早期的艺术风格，同时在后来又有新的发展，从而为我们提供了认识古格王国佛教文化面貌及其发展演变历程的一批丰富的新资料。

林芝地区

陕西省

1191.陕西渭水流域调查简报

作　者：陕西考古研究所渭水调查发掘队　赵学谦

出　处：《考古》1959 年第 11 期

渭水两岸及其支流间，古文化遗址分布极广，时代延续很长，上起新石器时代的仰韶、龙山文化，下迄元、明都有。特别是历史上著名的周、秦、汉、唐等朝代，曾先后在这里建都，因而地上地下的遗址也就更加丰富。自 1959 年 3 月 13 日至 6 月 1 日，考古人员调查了邠县、乾县、凤翔、兴平、宝鸡、陇西、武山、天水等 17 个县市，共发现各时期古文化遗址 220 处。这次调查的目的，即在于普遍了解渭水流域古文化遗址的分布情况，便于将来有计划地进行重点发掘和研究。简报分为六个部分予以介绍，有手绘图。

据介绍，此次调查计发现仰韶文化遗址 82 处，多分布于渭水北岸。甘肃仰韶文化遗址 7 处。齐家文化遗址 13 处，主要分布于甘肃境内。龙山文化遗址 23 处，也主要在渭水北岸泾水、雍河、岐河两岸，渭水南岸鲜有龙山遗址。西周遗址 46 处、东周遗址 2 处、汉代遗址 1 处、唐代遗址 2 处。两个或两个以上时代遗址 44 处。

简报称，文献记载周族起源于渭水流域，其早期活动地点，据文献记载其始祖后稷居邰（今之武功）、公刘居豳（今之邠县、栒邑、长武一带）、太王居岐（今之岐、扶风一带）、文王居丰、武王居岐（今长安镐京村及张家坡一带）。西周遗址主要分布于岐山、扶风、凤翔、宝鸡、武功、兴平、乾县、醴泉、邠县、栒邑、长武等地。遗址比较集中的要算岐山东北部之岐阳堡至扶风法门寺一带。传世的西周青铜器，绝大部分也多出土于这些地点。因此，岐山、扶风一带可能是太王居岐的岐地。遗址的面积，小的数万平方米，大的达数十万平方米。文化层厚度一般是 1 ~ 2 米，最厚的达 4 米，薄的 1 米。调查中未发现房屋，只有窖穴。

东周和汉代遗址不多，主要分布在凤翔县。

简报最后指出，渭水流域新石器时代的文化主要有仰韶和龙山两个不同系统的文化。仰韶文化遗址的分布较广，遗址的面积大，文化层厚，遗物也丰富。龙山文化遗址则与之相反，其遗址的分布较零散，面积不大，文化层较薄，遗物也不如仰韶文化丰富。这仅是根据我们初步观察所得到的印象而已。详细的研究必须通过重点发掘。西周遗址的调查，根据考古人员采集到的一些标本来看，属于西周中晚期之遗物较多，早期的较少。特别是武王灭殷以前的早周文化遗物还有待于今后的继续探索。

1192.陕西凤翔、兴平两县考古调查简报

作　者：陕西考古研究所渭水队

出　处：《考古》1960 年第 3 期

1959 年 3 月，考古人员到陕西境内渭水北岸的凤翔（原凤翔、岐山和麟游三县）、兴平（原兴平、武功和扶风三县）做了调查工作。调查工作至 5 月初结束，共 50 天，调查了古文化遗址 79 处。简报配以照片、手绘图予以介绍。

据介绍，新石器时代遗址 40 处，其中仰韶文化遗址多位于渭水支流及渭水北岸的台地上。西周遗址大部在渭水支流美阳河的上游，即岐山与扶风一带。特别是岐山地区的礼村、贺家、董家、凤雏及扶风地区的齐家、齐正等处遗址都连接成片，很可能是周族的一个活动中心。秦汉遗址以南固城为最重要。

1193.陕西省地震碑石调查收获

作　者：杜葆仁

出　处：《考古与文物》1980 年第 4 期

陕西记载地震的碑石，以前零星地有所发现，也作过报道。1978 年考古人员走访了一些县市，发现了不少记载历史地震的碑刻题记和铭文。简报介绍了 17 通与地震有关的碑石，均为明人记叙。计：

一、西安小雁塔明王鹤题字；

二、明《渭南县来化里来化镇庆安寺重修宝塔记》；

三、明《渭南县下邽镇慧照寺重修塔记》；

四、明《华阴县重修西岳庙记》；

五、华阴县唐《华岳精享昭应之碑》清李偕题记；

六、明王载、王维祯墓志；

七、华县宋《唐尚父汾阳郭忠武王碑记》明张光孝跋；

八、华县潜龙寺明《重修殿宇并造藏经记》；

九、大荔县明《韩氏家谱碑记》注；

十、郃阳县明《重修戒香寺记》；

十一、郃阳县清《增修罗山寺普同祖师塔记》；

十二、三原县明《重修城隍庙记》；

十三、耀县明《孝感神应记》；

十四、兴平县明《孔庙重修记》；

十五、周至县明《古楼观宗圣宫重建三清殿记》；

十六、临潼县明《宝峰寺铁钟铭》；

十七、韩城县宋《河渎灵源王庙碑》明芦得真题记。

简报称，上述碑刻题记和铭文上的材料，都直接来源于当地，都是地震后不久人们记录下来的，有不少出自地震的目击者，一般来说比其他文献记载更准确、更可靠，有一定的史料价值。简报均未转录全文。

同刊同期有河北省文化局李晓东先生《明嘉靖地震碑》一文，介绍了河北涉县发现的一通明代地震碑，可参阅。

1194.古武关道栈道遗迹调查简报

作　者：西北大学历史系、陕西省考古研究所　王子今、焦南峰
出　处：《考古与文物》1986 年第 2 期

1984 年 4 月和 10 月，考古人员在对战国秦汉时代关中通向东南方向的武关道进行实地调查时，在蓝田县和商县境内秦岭山地发现栈道遗迹。

简报分为：一、蓝桥河栈道遗迹，二、流峪河栈道遗址遗迹，三、黑龙口栈道遗迹，四、武关道栈道遗迹的特点，共四个部分予以介绍，有手绘图、照片。

据介绍，由蓝田县水陆庵向蓝桥方向，经曲折深峻的峡谷，在清水河口至甘塘一带蓝桥河西岸约 3500 米长的崖壁，发现古代栈道遗迹 10 处。沿黑龙口—张家坪—马楼—蓝田公路翻越秦岭，从张家坪以东的魏家沟口起，就断续可见流峪河岸与公路隔河相对的明显的栈道遗迹。在李家槽口经上石家、大岔口、栗树坪至柿圆子之间 8.5 公里的区段内，栈道遗迹尤为密集。有的地段还可看到残留的嵌入壁孔的石梁。在由黑龙口向秦岭方向公路的左侧，发现栈道壁孔 8 个，距 1984 年 4 月水面 1.3 ～ 1.6 米。分两段。

简报称，武关道栈道不见于历史记载，但翻越秦岭的诸古道中，此道比较平缓，栈道区相对不长，工程量小。路不宽，一般为 2 ～ 3 米，似是供牲口驮负的运输队使用的。

1195.陕西华县、扶风和宝鸡古遗址调查简报

作　者：西北大学历史系考古专业 77、82 级实习队　戴彤心、张　渊、王维坤
出　处：《文博》1987 年第 2 期

1980 年 10 月至 12 月，考古人员在华县城以西的石堤河和马家峪河沿岸进行考古调查复查工作。在杏林乡的梓里村、小埝头、故县、老观台、梁西村、沙圪垯，在瓜坡乡的北沙村、南沙村、冀家河、圪垯子、井家堡、王家寨子和太兴村等处，采集有新石器时代老观台文化（或称大地湾文化）、仰韶文化半坡类型和庙底沟类型、陕西龙山文化，商代二里冈期文化、西周、东周、秦和汉代文化遗物标本。1983 年 5 月，在扶风县城南的飞凤山上发现仰韶文化、陕西龙山文化、东周文化遗物和文化遗迹。1985 年 3 月至 7 月，在宝鸡市石咀头茵香河入渭水交汇处，渭水南岸至宝鸡县下马营一带进行考古调查，发现有仰韶文化、陕西龙山文化、西周、东周、秦和汉代文化遗存并采集了标本。简报配以手绘图，介绍了其中比较重要的几处遗迹及采集的汉代"军司马印"印、"别部司马"印等遗物。

1196.陕西省博物馆藏的一批造像

作　者：李域铮、冈翎君
出　处：《文博》1988 年第 4 期

陕西省博物馆收藏着陕西各地历年来出土的造像多件。简报配以照片，介绍了 7 件从未发表的造像。

一为北魏释迦牟尼造像：此造像为石质，高 65.5 厘米、宽 38 厘米，重 34.9 公斤。1974 年由西安西关王家巷出土，现藏陕西省博物馆，根据造像题记知是北魏永平二年（509 年）造。是北魏迁都洛阳后十五年龙门期作品。

二为北魏朱黑奴造像：为一件青沙石四面造像，四面共雕出大小佛、菩萨近百尊。为北魏晚期作品。通高 173 厘米、厚 23 厘米，重 900 公斤，1959 年在陕西华县支家瓜村出土。

三为隋代提篮观音立像：像高 43.5 厘米、宽 15 厘米，重 7.4 公斤，1963 年出土于陕西蓝田县孟村一土壕中，保存比较完整。

四为隋代黄花石观音像：通高 103 厘米、宽 29 厘米，重 51.3 公斤。1963 年 10 月在陕西潼关县老虎村出土。像为圆雕立像。

五为隋代鎏金观音菩萨像：铜质鎏金，通高 26.5 厘米、宽 6.2 厘米，重 673 克，陕西省博物馆征集入藏。

六为唐代石刻密教造像：通高 88 厘米、宽 48 厘米，重 124 公斤。1959 年收藏。像为三面八臂，头发向上高梳，其上雕有一尊化佛，身后火焰纹背光，表情威严。1959 年西安市东郊电厂路出土，此处应为唐代一寺院遗址。

七为唐代释迦牟尼佛立像：像为白石雕刻，通高 198 厘米，重 950 公斤，1959 年在陕西礼泉县出土。立姿，螺髻，圆脸，长眉秀目，大耳，直鼻，口角涡深，头微上扬，目视前方。右手断缺，左臂翻掌下垂，站立覆莲之上。

1197.扶风博物馆藏历代铜镜介绍

作　者：王仓西

出　处：《文博》1988 年第 4 期

陕西省扶风县博物馆共收藏历代铜镜 420 多面，上至先周，下到晚清，各时代铜镜均有所见。

简报分为：一、先秦时期，二、秦汉南北朝时期，三、隋唐时期，四、部分宋元时期，共四个部分对扶风博物馆所藏历代铜镜，从形制、纹饰诸方面作一综合介绍。绝大多数都有明确出土地点。有照片。

又，有些古代铜器，不好按时代划分，暂记于此。如据《考古与文物》1986 年第 5 期报道，1983 年 12 月汉中市银行在石灰巷施工时，发现一处窖藏。内有铜器 29 件，计鼎 1 件、壶 2 件、觯 26 件，未见铭文。专家认为：觯为商周时铸造，壶为秦、西汉时遗物，但此窖挖掘时间，又当在西、东汉之交战乱年间。

1198.新发现的一种印文（符号）

作　者：汉　南等

出　处：《文博》1990 年第 3 期

1985 年夏，考古人员见到一批用"姜石"制作的印章，据说出土于一座古塔废基中。简报配以拓片予以介绍。

据介绍，印上的文字多少不一，有的几个字，大的印面字数可达 80 个左右。所说的这些字，可能也是字母。过去没有见过这种印文（符号），又不知道它的使用时间和名称，由其有似官方、条戳、符信等外形推测，可能是用于宗教方面的印信之类，不是官方通行用品。推测既有大小的不同，必然使用也不一样。

今有巴蜀书社 2011 年版《中国文字起源研究》一书，可参阅。

西安市

1199.陕西长安鄠县调查与试掘简报

作　者：中国科学院考古研究所沣西发掘队　徐锡台
出　处：《考古》1962年第6期

1957年秋考古人员曾到长安、鄠县境内进行调查。调查范围南至终南山，北到渭河，东临皂河，西至涝河。后于1959年秋又在这两个县进行了一次复查。前后两次一共发现新石器时代仰韶文化遗址45处，属于客省庄第二期文化的遗址21处，西周遗址31处。为了探索镐京的中心区，曾于1959年和1960年春试掘马王村鄠大原村两地。

简报分为：一、调查部分，二、试掘部分，三、结语，共三个部分，有手绘图、照片。

据介绍，新石器时代仰韶文化遗址在这个地区分布比较广，面积比较大，文化层堆积很厚，遗物又丰富。从采集遗物看绝大部分仰韶文化遗址属于半坡类型，次之为庙底沟类型，另外，还有半坡与庙底沟两类型文化特征都有的。根据调查与发掘材料来看，沣河西，客省庄北堡南，关道村北，张家坡以东西周遗址特别密集，简报认为西周丰京遗址可能在这一带。同时，简报肯定今灵台不是西周丰京遗址，而是一个较大的仰韶文化遗址。简报依文献证明汉昆明池遗址也当在这里。故西周镐京可能就在斗门镇与普渡村一带。至于今镐京观遗址，肯定不是西周镐京遗址，而是一个较丰富的仰韶与客省庄第二期文化遗址。

简报附有"遗址登记表"。

1200.临潼康桥石川河发现西汉石羊和仰韶文化遗址

作　者：北京大学　李仰松
出　处：《文物》1964年第5期

1964年春节李仰松先生回家乡探亲，用空闲时间沿石川河两岸踏查古迹，于康桥义和村西口的铁路土壤里发现一对石羊雕刻，据当地老乡说：该石羊系1961年修铁路时挖掘出的。根据老乡家里保存的遗物，知此地应属汉代墓地，至今在路沟的两侧还有汉代土洞墓和砖室墓的痕迹。简报配以手绘图予以介绍。

据介绍，这对石羊其中一件头已残缺，另一件除羊嘴稍有残缺，余皆保存完好。

石羊的轮廓作蹲立状和蹲跪状，身下都有底座相连，其雕刻作风与陕西兴平县霍去病墓的大型石雕的象、牛、马、羊、虎、猪等作品很相同，雕刻的手法比较朴实大方，生动有力，整个体形稳固而健壮。应为汉代遗物。

另外，在康桥义和村石川河之北岸还发现一处仰韶文化遗址，地面和断崖上均暴露有灰土，厚达2至3米，其内包涵有泥质红陶盆，沿面上绘有红彩，还有夹砂罐、叠唇瓮、红陶钵和喇叭口状的束腰尖底瓶等，初步认为它是仰韶文化"半坡类型"晚期的村落遗址。

在义和村的东边不远还发现一座小古城，多年来已被石川河水破坏，由城内地上暴露出的绳枚砖瓦考察，应属于汉代城址。

1201.陕西长安县王曲地区新石器时代遗址调查

作　者：冯其庸、周红兴
出　处：《考古》1981年第1期

1964～1965年，考古人员在长安县王曲公社北堡寨村东，发现有古代遗迹。简报分为：一、北堡寨，二、南堡寨，三、藏驾庄，共三个部分，有手绘图。

据介绍，3处遗址均位于长安县王曲地区潏河东岸，但3处遗址的时代不同：北堡寨主要是仰韶文化遗址，南堡寨的遗存主要是龙山文化，藏驾村则为周代遗址。

1202.临潼原头、邓家庄遗址勘查记

作　者：临潼县博物馆　赵康民
出　处：《考古与文物》1982年第1期

1978年春，考古人员配合农田基本建设，调查试掘了原头和邓家庄两个遗址。简报分为：原头遗址，邓家庄遗址，结论，共三个部分予以介绍，有手绘图。

据介绍，原头遗址简报推断应是一处大约与半坡、姜寨时代相当的仰韶文化半坡类型的遗存；邓家庄一期文化出土器物应当定为仰韶文化庙底沟类型。二期文化出土物虽然不多，但从鬲、斝等残器来看，它与客省庄二期文化、姜寨五期文化是一致的，均属陕西龙山文化，年代也大约相当。三期文化所出陶瓮与扶风县西周早期地层出土的斝相同。簋、盆、罐与张家坡同类器物一样。这期文化简报推断当属西周早期。

简报称，这两处遗址的发现对于我们研究仰韶文化半坡类型、庙底沟类型的分布，以及这两类文化、龙山、西周早期文化的性质和面貌都具有一定的科学价值。

1203.芷阳遗址调查简报

作　　者：张海云
出　　处：《文博》1985 年第 3 期

1982 年 10 月，为了配合基建工程，考古人员在陕西省临潼县韩峪公社洞北大队油王村西、南两面，进行了考古勘查和试掘，试掘分东西区。发现水池一处、地面建筑一座及夯土遗址等。遗物有陶器、瓦当、陶水管、铜钱、铁铲、铁镢等。这个遗址的年代，上可至战国，下续至西汉末，"芷"宇陶文的出土，可以说这是战国时昭襄王设芷阳县的所在地。它为探索芷阳的历史提供了一些新的资料。

1204.西安东郊出土的一批汉唐文物

作　　者：关双喜、师晓群
出　　处：《文博》1985 年第 6 期

1984 年 2 月，西安东郊人民银行纺织城办事处施工中发现汉墓 2 座、唐墓 1 座。简报配以拓片予以介绍。

据介绍，因施工破坏，墓葬形制等已不清楚。共收集到汉唐文物 95 件，其中汉代文物 39 件，唐代文物 56 件。有陶器、铜镜、铁刀、铁剑等。

1205.蓝田出土的一批古代瓷器

作　　者：樊维岳
出　　处：《文博》1986 年第 2 期

陕西省蓝田县文管会收藏了 1959 年出土的一批瓷器。这批瓷器出土于城关镇南寨，距县城约有 2 公里，位于灞河与辋河的汇合点上。1958 年，社员王六娃给父亲挖墓时，挖出了一个长约 6 米、宽约 2 米、深约 3 米的地窖，当主人准备再向里挖时，发现了一个大锅塞住了窖口，怕出问题，没有再挖。1959 年，考古人员进行了清理，又挖出宋钱数百斤，同时发现了一批青瓷、黑瓷和其他釉色的瓷器，计有碗、碟、盂、三足炉、灯座、短流壶、瓶、盒、罐、豆、盘、洗等共 30 余件，瓷器保存基本完好。简报配以照片予以介绍。

据介绍，计有天蓝色釉质海碗 1 件、青瓷影花碗 2 件、黑釉大瓷碗 1 件、婴孩穿莲青瓷影花小碗 1 件、青瓷素面洗 1 件；冰裂纹大盘 1 件、青釉荷边瓷碟 1 件、青釉束腰镂孔灯座 1 件、带盖变形莲瓣青瓷盒 1 件等。简报认为是元代耀瓷产品。

埋葬时间应在元代以后。

简报称，这批土器物种类较多，数量较大，时间横跨唐、宋、元三个朝代，产品烧制窑口分布也较广泛。除这次报道的 30 多件外，部分在刚出土时已被省博物馆借去。其中的珍品，如三足炉已在罗马尼亚、南斯拉夫、日本等国展出。这批出土器物中的瓷器，特别是耀窑的产品，个别产品过去很少见过。"雨过天晴"海碗，也是一件较为珍贵的器物，对于研究我国的瓷器史是很有科学价值的。

1206. 西安北郊大白杨秦汉墓葬清理简报

作　者：陕西省考古研究所　呼林贵、吕卓民
出　处：《考古与文物》1987 年第 2 期

1985 年 6 月，西安市未央区大白杨村砖厂取土时，发现大批古墓葬，考古人员前往发掘清理。发掘工作自 7 月起至 12 月结束。

简报分为：一、墓地概况，二、秦墓葬，三、汉代墓葬，四、结语，共四个部分，有手绘图。

据介绍，大白杨墓地位于今西安市西北郊的未央乡大白杨村之西，此处是龙首原的一部分。共发掘了 45 座墓葬，计秦墓 1 座，汉墓 44 座。秦墓为长方形竖穴土坑墓，有大小 8 个壁龛，可惜因两次被盗，劫余随葬品仅有陶器。汉墓出土有铜镜、陶器、铜钱等。墓葬可分四期，从西汉文景时期、汉武帝元狩之后，包括昭、宣、元帝时期，到西汉末年不等。简报称，此墓群与西汉相始终，规模大，又紧临汉城，各墓间等级差别不大，应是西汉首都长安城内一般居民的墓葬地，不可能是修建长安城的居夫和刑徒，更不会是林苑中的奴仆之人。这个墓地所在是长安城外东南角，历年来在西安城区发现的多处墓葬表明，西汉长安城的东南郊当年应是坟丘满野的墓地。

1207. 西安南郊曲江池汉唐墓葬清理简报

作　者：徐　进、张　蕴
出　处：《考古与文物》1987 年第 6 期

该遗址 1985 年 6 月发现，地点在雁塔区曲江乡西曲村西南约一公里处。简报分为"一号墓""二号墓""结语"共三个部分。有手绘图。

据介绍，一号墓由墓道、甬道、耳室、墓室组成，曾被盗，葬具、葬式不明。有壁画。年代推测在西汉晚期，也有可能是东汉早年。墓主绝非平民，应是县以上官员。

二号墓为唐墓，刀把形，出土有越窑瓷盆 2 件，年代应是晚唐至五代初。该墓墓室狭小简陋，随葬品少，墓主应为一平民女性。

1208.子午道秦岭北段栈道遗迹调查简报

作　者：王子今、周苏平
出　处：《文博》1987 年第 4 期

子午道是古代长安地区穿越秦岭、交通陕南的重要通道。简报分为：一、子午峪遗迹，二、石砭峪遗迹，三、沣峪遗迹，四、结语，共四个部分予以介绍，有照片、手绘图。

据介绍，子午峪口在长安县子午镇西南。调查时循山峪行至西衙门口，共发现三处古道路遗迹。

石砭峪在子午峪东，调查时行至下韭子，以南则为石砭峪水库库区。峪中现有简易公路南北能行。发现有栈道遗迹。沣峪在子午峪西，西万公路沿此峪循沣水上秦岭。调查北至千佛崖。也发现有栈道遗迹。

简报称，以往有子午谷横穿秦岭六百余里，直达宁陕、洋县，子午道始终沿子午谷南行的说法。有学者指出："子午谷不过只是一条长仅数十里的水河谷，而子午道也并不是全部端南端北的。它从今西安市开始向正南，沿子午谷入山后不久，即转入沣水河谷，溯谷而上，翻越秦岭，稍折西南，经洵河上游，南过腰竹岭，顺池河到汉江北岸的池河镇附近，又陡转西北，大致沿汉江北岸，经石泉县，绕黄金峡西到洋县，再西到汉中。"

简报指出，此次调查第一次明确指出了子午道的走向和具体的经由地点，无疑具有发蒙廓清的意义。然而，经过实地考察，在沣峪喂子坪以北亦发现多处栈道遗迹，石砭峪中栈道和桥梁遗迹尤为密集丰富，值得深思。可以初步判断，子午峪、石砭峪、沣峪的栈道遗迹，都可能与古子午道有关，或许子午道秦岭北段历史上也曾发生改道的情形，子午道"沿子午谷入山"的认识可以得到补充。

1209.陕西长安县 206 基建工地汉、晋墓清理简报

作　者：陕西省考古所
出　处：《考古与文物》1989 年第 5 期

1985 年，兵器部 206 所基建时发现一批古墓葬，共清理汉墓、晋墓各 3 座。汉墓为王莽及东汉墓，墓主人应为中、小地主。晋墓也应为晋代中、小地主阶层墓葬。

1210.陕西省饲料加工厂周、汉墓葬发掘简报

作　者：陈国英、孙铁山

出　处：《考古与文物》1989 年第 5 期

简单介绍出土地 1987～1988 年发掘，简报重点介绍了 25 座周墓、6 座汉墓。周墓应为西周庶民（可能有奴隶）墓，汉墓为西汉中期墓。

1211.陕西蓝田泄湖遗址

作　者：中国社会科学院考古研究所陕西六队　吴耀利、袁　靖等

出　处：《考古学报》1991 年第 4 期

泄湖遗址位于陕西省蓝田县泄湖镇，属于西安市蓝田县泄湖乡泄湖村。东南距蓝田县城10 公里，西北离西安市30 余公里。泄湖乡是西安经蓝田往商洛的交通要道上的大镇，镇南是公路，镇北即泄湖村，遗址分布在村北的黄土台地上。该遗址依山傍水。北依骊山山脉南麓的山前坡地，离著名的蓝田猿人产地之一陈家窝村约2.5 公里；南傍灞河，隔河与白鹿塬相望。该遗址系1957 年由张彦煌先生等调查发现。

经考古部门多次勘察。1986 年春，考古人员在渭水流域作新石器时代考古调查时又复查了该遗址。同年秋至1988 年春，考古人员在此进行了 4 次发掘，发现了各个时期丰富的文化遗迹和遗物，包括仰韶文化房址5 座、墓葬1 座、灰坑16 个，龙山文化房址7 座、墓葬1 座、灰坑13 个，西周墓1 座、灰坑17 个和战国时期墓葬13 座。复原陶器142 件，出土陶、石、骨、角、蚌等小件器物1328 件。考古证实泄湖遗址是一处从新石器时代的仰韶文化延续至战国时期，历时达四千余年的古文化遗址。该遗址所发现的战国墓曾有专题报道。

简报分为：一、遗址概况，二、地层堆积，三、仰韶文化遗存，四、龙山文化遗存，五、西周遗存，六、结束语，共六个部分，把4 次发掘的材料全部整理发表，有照片、手绘图。

据介绍，泄湖遗址是关中地区一处堆积很厚，内涵丰富，延续时间很长的古遗址，通过发掘，取得了一批宝贵的资料。仰韶文化遗存是泄湖遗址最主要的堆积之一。它包含关中地区目前已知的所有文化类型。龙山文化遗存也很丰富，为研究陕西地区龙山文化的来龙去脉提供了重要资料。至于西周文化，发现有墓葬一座，应属西周早期。

战国文化遗存已另行发表，见《考古》1988 年第 12 期。

1212.西安发现的汉、隋时期陶俑

作　者：王长启
出　处：《考古与文物》1992 年第 2 期

1983 年 9 月，西安南郊沙坡地区砖瓦厂烧砖取土时发现汉代墓葬，出土一批裸体俑、动物俑及残片。1975 年 8 月，长安县在进行水利工程时出土一批黄釉俑及残片。这两处都未经考古正式发掘，待考古人员得知消息后，墓葬已回填。

简报分为：一、汉代裸体俑，二、隋朝黄釉陶俑，共两个部分，有照片。

据介绍，汉代裸体俑包括男裸体俑30 件，高低有差异，50～56 厘米，发型分二式。女裸体俑10 件，40～49 厘米高，发型分为三式。隋代陶俑有女披巾立俑、男袖手立俑等。简报称，汉代男女裸体俑，也有可能穿戴衣服后随葬。由于天长日久，所穿的衣服腐朽已损，只存裸体。类似这样的裸体俑在陕西地区多次出土。王先谦《汉书补注》记载，未央宫西北是制作陶俑等作坊，说明汉代用这类男女裸体俑作随葬品是当时社会习俗。另外，此次考古发现的隋代黄釉陶俑，在陕西也不多见。

1213.西安东郊秦川机械厂汉唐墓葬发掘简报

作　者：西安市文物管理处　程林泉、韩国河、吴　春、倪志俊
出　处：《考古与文物》1992 年第 3 期

1990 年 9 月，西安市东郊秦川机械厂基建中发现了大批古墓，考古人员前往清理。至 7 月中旬，共清理古墓葬 36 座，其中汉墓 13 座，唐墓 23 座。

简报分为：一、汉墓，二、唐墓，共两部分予以介绍。

据介绍，这批唐墓没有墓志，其下葬年代只能依据墓葬形制和随葬器物特征进行推断，大约为盛唐及中唐时期，个别的墓或早或晚。

简报称，总的来说，这批墓的随葬品不太丰富，墓葬结构简单，墓主身份较低，应属于京畿地区的平民墓。

1214.西安地区发现春秋战国秦汉时期的青铜器

作　者：王长启
出　处：《考古与文物》1992 年第 5 期

西安市文物库房藏有错金银器、鸠杖首、铜压镇及小型铜动物饰件，它们都

是近几年在西安地区进行农田水利建设与基建工程中出土和征集的。简报配图予以介绍。

据介绍，这批文物计有鸠杖首6件、错金银铜器、铜镇等。鸠杖首为当时老人用物。错金银器，是在青铜器上镶嵌金属的一种工艺，在铸造的青铜器上，以金、银及红铜的丝或片，镶嵌成各种纹饰或文字。它是春秋战国时期出现的，施用于兵器、礼器及车饰、铜镜、带钩、漆器等。汉代铜镇多种多样，是具有高度艺术的实用品。其用途是在室内床、榻、枰上铺席的四角置镇。作为殉葬用置于死者的袖口上称为压袖，置于帐上的称为压帐，在墓葬中常有出土。大多数为动物形，也有人物、山形等。目前发现压镇，最早为战国，如湖北随县曾侯乙墓曾出土铜镇。到汉代就广泛使用。西安地区的汉墓中常常有发现，直到南北朝时期消失。铜质压镇都是铜铸雕塑，中空灌铅，可增加重量。

1215.临潼县博物馆藏北周造像座、唐代造像与经幢

作　者：李美霞
出　处：《文博》1992年第2期

临潼县博物馆的碑廊里，展出有部分北周造像座、唐代造像与经幢，是研究我国古代佛教艺术的重要实物资料。展出数年来，引起了佛教研究者们的极大关注。简报分为北周造像座、唐代经幢、北周唐代造像等几个部分予以介绍，有照片、手绘图。

据介绍，北周造像座5件，均出土于栎阳镇北门外，有铭文，简报引有全文。文中有天保二年（551年）、天和二年（567年）纪年。唐代经幢2件，一件上有3712字铭文，中有唐开元二十八年（740年）纪年，原在康桥乡栗邑小学内。另一件出土于新兴乡，上有4648字铭文，有大和二年（828年）纪年。造像有北周造像，20世纪60年代初于交口镇巷里村东发现。简报还介绍了北朝至隋唐卧狮型的演变。

1216.秦汉骊山汤遗址发掘简报

作　者：唐华清宫考古队
出　处：《文物》1996年第11期

秦汉骊山汤遗址位于今临潼县城之南，骊山北麓的华清池和其周围地区，由于做作工作有限，实际范围尚无法确定。遗址在华清池"温泉总源"正北，唐华清宫遗址之下。发掘面积约360平方米，发现了殿宇建筑、汤池、供排水设施等遗迹和

乳钉纹方砖、回字形纹方砖、细绳纹条砖、板瓦、筒瓦、瓦当、陶水管道、井圈、木门、木建筑构件等遗物。简报分为地层堆积、遗迹、出土遗物、结语共四个部分予以介绍,有彩照。

据介绍,骊山汤修建在自然景色甲秀关中的骊山温泉地区。从仰韶文化时期的姜寨先民到商周、春秋战国、三国、两晋、北魏、北周、隋、唐、宋、元、明、清,都在此有过修缮活动,故遗址地层堆积复杂,地面建筑已全部坍塌。发掘面积受到限制,四至范围不清楚,仅出土北墙、东隔墙、南隔墙及部分比较完整的梁架结构。但此遗址时代为秦汉是没有疑问的。

简报指出,秦汉建筑是中国古建筑发展的重要阶段,承前启后,继往开来。但由于时代久远,加之木建筑梁架易糟朽怕火的致命弱点,时至今日只留下了坚固结实的夯土台基,而木构梁架建筑和地上结构早已荡然无存。这次考古发掘出土保存比较完整的古建筑梁架、木构件,在国内尚属少见,对研究秦汉时期古建梁架结构,布局设计,无疑是一批重要的,也是最直观的实物资料。另外,这次骊山汤遗址出土覆盖瓦,为了解秦汉木构建筑屋面施瓦技术,也增加了弥足珍贵的实例。

1217.西安财政干部培训中心汉、后赵墓发掘简报

作　者: 西安市文物保护考古所　韩保全、孙　武、张全民、杨军凯、冉万里
出　处:《文博》1997 年第 6 期

1997 年 2 月 18 日至 1997 年 5 月 18 日,考古人员为配合西安财政管理干部培训中心的基本建设,在西安市雁塔区长延堡街道办事处瓦胡同村东清理古墓 56 座。其中汉墓 20 座,后赵墓 1 座。简报分为汉代墓葬、后赵墓,共两个部分予以介绍,有拓片、照片、手绘图。

据介绍,此次发掘的 20 座汉墓全为洞室墓,墓道分为长斜坡和竖井式两种,其中长斜坡墓道占 19 座,竖井式墓道 1 座。墓室的建筑分为砖筑和土洞两种。有的已被盗。20 座墓葬出土的随葬品主要有陶器、铜器、玉器、滑石器、玻璃器、骨器、蚌壳、铅器、铁器、云母、金器、银器、绿松石器、泥器、钱币等。年代从宣帝至新莽以前(M39),到东汉中晚期(M23、M31、M33、M35、M50),到东汉晚期前后(M5、M6、M9、M11、M13、M26、M27、M32、M34、M44、M51、M53)。

此次发掘的后赵墓仅 M7 一座,为长斜坡墓道土洞墓,由墓道、前室、后室、侧室组成。M7 所出随葬品主要有陶器、铜器、铁器、银器、钱币等。钱币中有后赵货币"丰货"。故简报推断 M7 的时代为十六国时期后赵墓葬。

1218.西安南郊三爻村汉唐墓葬清理发掘简报

作　者：陕西省考古研究所　张　蕴、马志军
出　处：《考古与文物》2001 年第 3 期

1998 年春，为配合基本建设工程，考古人员在西安市南郊三爻村西安三宝双喜集团公司幼儿园基建工地对一批汉、唐墓葬进行随工清理发掘,共清理汉代墓葬20座,唐代墓葬 2 座，出土文物 600 余件。

简报分为：一、墓葬形制，二、出土文物，三、分期断代，共三个部分予以介绍，有手绘图、拓片。

据介绍，汉墓随葬器物总计618件，包括陶、铜、铁、玉、石、骨六类。唐墓出土器物共计 11 件。20 座汉墓根据出土陶器形制组合规律、由出土钱文特征并与有关资料对比，大致可分为四期。

第一期：包括的墓葬有 M21、M17、M19、M18。第一期墓葬的大致年代简报推断应定在西汉中期前后。M21年代应略早于其他三墓,后3座墓的年代当较M21稍迟,约在西汉中期偏晚时。

第二期：共 10 座墓，包括 M2、M3、M4、M5、M6、M7、M9、M13、M22、M23。其 中 M5、M6、M23 为 西 汉 末 年 墓 葬，M2、M3、M4、M7、M9、M13、M22 7 座墓葬为王莽时期。

第三期：该期墓葬包括 M10、M12 两座。简报推断墓葬年代是东汉中期前后。

第四期：共计 2 座，即 M1、M14。简报推断墓葬绝对年代在东汉晚期前后。

另外 M20、M15 两座汉墓情况较为特殊。

从出土的动物俑形制观察,简报推断M15应属第二期,即西汉末至王莽时期墓葬。简报认为，在这批中，小型汉墓中第一、二类墓葬形制流行时代较早，均为西汉时期，而三、四类墓葬形制盛行于东汉时期。

两座唐墓所出随葬品较少，不宜分期断代。从墓葬形制看，简报推断 M1 应属盛唐墓，M16 可能是盛唐前后的墓葬。

1219.西安北郊永济电机厂秦汉墓发掘简报

作　者：孙铁山、种建荣
出　处：《文博》2001 年第 5 期

位于西安北郊经济技术开发区内文景路东侧的永济电机厂是西安新千年的招商引资项目。它在龙首原北、汉代长安城东北。此次共发掘墓葬12座。

简报分为：一、墓葬形制，二、随葬器物和"结语"，共三个部分予以介绍，

有手绘图。

据介绍，12 座墓按其形制可分三类，第一类为竖穴墓道洞室墓，10 座，第二类为竖穴土圹墓 1 座，第三类为斜坡墓道洞室墓。这批墓葬因曾被盗，随葬器物很少，大宗的为陶器，其他仅一铜镜、一铜带钩和一料珠。除了 M11 应是一座西汉中期的墓葬外，其余 11 座墓，即 M1 ~ M10、M12，形制为竖穴墓道洞室墓及竖穴土圹墓，且墓道长、宽均大于墓室。这 11 座墓葬的时代应在秦统一前后。

1220.陕西长安清华山卧佛调查

作　　者：范培松、张建林、张在明、王　勇
出　　处：《考古与文物》2003 年第 2 期

清华山卧佛地处秦岭山北麓，位于陕西长安区滦镇南直线距离 6.5 公里的清华山顶上。四周环山，有一崎岖小路北通山下。清华山孤峰兀起，北望关中平原和西安市区清晰可见；西北方可见净业寺和草堂寺；南面为群山环抱；东南方向可见相距 2.5 公里的唐代翠微宫遗址（今滦镇黄峪寺村）。

卧佛寺依山而建，其形制不同于传统寺院坐北面南、中轴线对称布局的建筑格式。卧佛寺内除卧佛、造像碑、喇嘛塔外，还有其他建筑 8 座，房屋 20 余间，均为现代建筑。尚有三殿内塑道教题材塑像，为现代人所作。有洞窟二个，内塑道教人物造像，亦为现代人所作。寺内还散见明清时期的板瓦、铁瓦、石柱础等。简报配以照片予以介绍。

简报介绍，据记载，窟内有清道光元年（1821 年）本然禅师等文字题刻，调查时尚未发现。简报推断清华山卧佛应属五代至北宋的遗物。距清华山卧佛最近的一处古遗址是翠微宫，这座唐初三大离宫之一的宫殿寿命较短，唐太宗死后废宫为寺，北宋时称为永庆寺，清华山卧佛是否与此有关？清华山卧佛寺西北 2.5 公里有律宗祖庭净业寺，更远处可望见户县的草堂寺。这两座寺院久负盛名，清华山卧佛抑或与这两座寺院有关？简报在此提出疑问。

简报称，清华山卧佛体量巨大，时代久远，保存状况良好，在陕西首屈一指，在全国也属罕见。2001 年，已申报为第四批陕西省文物保护单位。

1221.西安市湖滨花园小区宋、明、清墓发掘简报

作　　者：陕西省考古研究所　魏　军
出　　处：《考古与文物》2003 年第 5 期

2001 年 12 月，为配合基本建设工程，考古人员在位于西安市南郊曲江开发区雁

南路湖滨花园基建工地，对一批古代墓葬进行了随工清理发掘，此次发掘清理古墓葬 23 座，根据墓葬形制和出土器物将其划分为三大类型。

据介绍，I 类墓葬中出土铜钱分别为"治平元宝""开元通宝""景德元宝""天禧通宝"。经查《中国历代货币》，"治平元宝"为北宋英宗治平元年（1064 年）铸；"开元通宝"乃唐太宗武德四年（621 年）所铸；"景德元宝"是北宋真宗景德元年（1004 年）所铸，"天禧通宝"亦为北宋真宗天禧元年（1017 年）铸，故 I 类墓葬应为宋代墓葬。

II 类墓葬所出随葬品极少，其中带红黑两色字迹或符号的陶瓦、方砖，多见于明墓，简报推断该类墓葬应属明墓。

III 类墓葬中 J14M1 为砖券墓，它出土的木棺挡板上有"咸丰通宝"字样，简报确定 III 类墓葬为清代墓葬。

简报称，此批墓葬出于南郊雁塔曲江开发区，曲江景区乃汉代皇家林苑所在，唐时为著名风景游览地。唐代灭亡后，由于战乱频繁，此景已不复存在。简报认为从发掘的大批墓葬看，宋代该地已沦为坟场，至明、清到近现代，此地依然属乱葬区。

1222.长杨宫遗址出土的秦汉文物

作　者：刘合心

出　处：《文博》2004 的第 3 期

长杨宫，据《三辅黄图》记载："长杨宫，在今周至县东三十里，本秦旧宫，至汉修饰之……备行幸。"1980 文物普查时，对长杨宫遗址作过初步调查，在竹园头村采集到虎纹瓦当、朱雀纹瓦当、玄武纹瓦当、"汉并天下"瓦当等一批汉代珍贵文物。1982 年 3 月，对长杨宫遗址进行过进一步的调查。长杨宫的确切位置位于周至县终南镇东南约 2.5 公里的竹园头村西 50 米处，面积约 2 万平方米。据竹园头村的一些老年人回忆，遗址原来高约 3 米。20 世纪 60 年代至 70 年代，这个高台遗址一直是竹园头村生产队取土的土场。多年蚕食取土后，遗址几乎被夷为平地。在遗址范围偏东北方向，曾发现有陶井圈的水井一眼，陶井圈直径约 1.2 米。遗址内挖出大量的板瓦、筒瓦、空心砖、子母扣砖、回纹方砖、条形砖、瓦当等建筑材料，被村民用来垒厕所和猪圈的围墙。这次调查，考古人员在竹园头村村民家中，征集到秦代夔龙纹、夔龙几何树叶纹空心砖，葵纹，树枝云纹、网云纹瓦当，板瓦、筒瓦；汉代的曲尺形虎纹砖、龙纹砖、菱形纹空心砖；"与天毋极"文字瓦当、"宫"字朱雀纹瓦当、玄武云纹瓦当及变化多样的云纹瓦当等一批秦汉砖瓦文物。简报配以照片、拓片，介绍了《新编秦汉瓦当图录》《秦汉瓦当》等书未及著录的文物。

简报称，周至县长杨宫遗址出土的这些秦、汉文物，为我们进一步证实民史书记载正确无误。

又，简报称，有一方形陶砖，砖面上有一凸出砖面，直径约 10 厘米圆形凹坑，不知作何用途。

1223.西安洪庆北朝、隋家族迁葬墓地

作　者：陕西省考古研究所　张占民、倪润安、张　蕴等

出　处：《文物》2005 年第 10 期

1997 年 8 ～ 9 月，为配合西安市灞桥区洪庆街道办事处教委住宅楼工程建设，考古人员在征地范围内发掘清理出 8 座墓葬。其中 M4 为东汉墓、M5 为中唐墓，余均为北朝末期至隋代的墓葬，且都不曾被盗。

简报分为：一、M1、M2、M3，二、M6，三、M7，四、M8，五、结语，共五个部分予以介绍，有拓片、手绘图。

据介绍，M2、M6 为北周墓，都出土有墓志，简报未录全文。据志文，M2 墓主王瑱是 M6 墓主王昌与薛氏夫妇之子，前者卒于北周天和五年（570 年），后者妻早亡于夫，夫薨于北周建德二年（573 年），两墓同在"开皇九年岁次己酉十月辛酉朔十三日癸酉"迁葬。M2 除了墓志，没有其他随葬品，M6 的随葬品主要是散乱堆放在墓室东南角。M7 的年代应与 M2、M6 同时，和 M2、M6 应是同时埋葬的，M7 墓主与王氏父子或有亲缘关系。M1 具备典型北周墓的主要特征。简报将 M1 的下限断为北周，上限可至北魏末年。

M3 为隋墓，出有 3 枚隋五铢，将其定在隋初问题不大。

M8 为唐墓，简报倾向于把 M8 的时代定在开皇后期至大业初年之间。但墓中 2 件北周风帽俑简报认为"来历蹊跷"，有待考证。

简报指出，上述 6 座墓，除 M1 为原葬外，其余 5 座都属于或可能属于迁葬墓。迁葬是世族观念影响下的产物。从东汉晚期门阀观念的出现，到魏晋南北朝时期愈演愈烈的士庶之分，祔葬墓作为一种具有典型时代特征的墓葬形式得以流行起来，妻祔于夫，子祔于父母，功臣祔于皇帝。这就导致了一座墓中会出现多具尸骨的情况，又因入葬时间有先有后，就会有不同时代的随葬品。正常情况下，后人葬者死后直接祔葬就可以了，但条件若不允许，也只能先就近安葬于卒地，待日后条件许可方能迁祔。

简报认为，北朝末期，东西魏分立，北齐北周对抗，许多官宦因追随主公之不同而产生了东人西入，西人东滞，死后只能异地而葬的社会现象。待到隋文帝统一全国，社会秩序逐渐稳定，将战乱期间死葬外地或不同地点的亲人迁归家乡葬在一处，才具备了可行条件。在这一时期的墓葬中看到不同时代不同地区的随葬品相集也就不足为怪了。

1224.陕西周至县八云塔地宫的发掘

作　　者：西安市文物保护考古研究院　王自力等
出　　处：《考古》2012 年第 6 期

2000 年和 2011 年，考古人员对陕西周至县八云塔地宫进行了清理。简报分为：一、八云塔概况，二、地宫，三、出土遗物，四、结语，共四个部分予以介绍，有彩照、拓片、手绘图。

据介绍，地宫上层为方形砖室，下层为地宫。地宫平面为方形，直壁，四角攒尖顶，南壁正中有券洞式甬道，甬道内有三道封门。地宫内出土石函、石棺、汉白玉佛龛造像和钱币等。根据地宫形制和出土遗物等简报推断，八云塔及其地宫始建于唐代，北宋庆历年间在原址重建或改建。

1225.泥峪北段古道路调查

作　　者：陕西省文物保护研究院　赵　静、马　川
出　　处：《文博》2013 年第 6 期

2013 年对秦岭北坡的泥峪的调查发现，该山谷存在着古代道路，道路本体遗存众多，类型包括栈道、碥道、栈桥、隧道等。调查表明泥峪道的道路等级较高、沿用时间较长，初步判断泥峪道应该是傥骆道北段重要的组成部分。

简报分为：一、泥峪的地理环境，二、调查发现的古道路遗迹，三、调查中的认识，共三个部分予以介绍，有彩照。

据介绍，泥峪位于陕西省周至县西南，是秦岭北坡重要的山峪之一，也是历史上穿越秦岭山脉通向西南巴蜀地区的秦蜀故道所行经的山谷之一。为了查清泥峪中古代道路的分布、走向和文物保存状况等问题，2013 年 2 月与 7 月，考古人员对泥峪峪口北段一线进行了调查。在泥峪峪口以北的山前平地上未发现任何古代道路的遗迹现象。但自峪口以进入山区之后，沿泥峪河上溯，在河流两岸发现有大量呈断续分布的古代道路遗存。泥峪峪口至泥峪石门一线调查统计结果显示，在调查的长约 10 公里的河谷地带中，发现登记古代道路遗存共 14 处，其中 9 处为首次新发现。调查中的所有数据均为此次实地测量，并且 14 处文物遗存包括碥道遗存 6 处（石碥和土石碥各 3 处），栈道遗存 5 处，栈桥遗存 2 处，隧道遗存 1 处. 其分布状态为越往泥峪河中上游区域，道路遗存保存数量越多，保存情况也相对较好，并且部分路段至今仍可通行。

铜川市

1226.陕西耀县战国、西汉墓葬清理简报

作　者：马建熙

出　处：《考古》1959 年第 3 期

1957 年 3 月至 5 月，考古人员为配合基建工程，于耀县城东约1.5 公里处，清理了古墓6座，计战国墓1座、汉墓4座、时代不明的1座。

简报分为：一、战国墓葬，二、汉代墓葬，三、结语，共三个部分，介绍了其中的战国、汉墓，有照片、手绘图。

据介绍，战国墓 1 座，为长方形竖穴土坑墓。出土陶器 4 件、铜带钩 1 件。年代简报推断为战国末。汉墓 4 座，其中竖穴墓 2 座、洞室墓 2 座，出土随葬品 149 件，有陶器、铜器等。年代简报推断为西汉初期。

1227.陕西新发现两处古瓷窑遗址

作　者：铜川市文化馆、旬邑县文化馆、陕西省文管会　卢建国

出　处：《文物》1980 年第 1 期

1975 年 9 月，陕西省铜川市金锁公社玉华大队农民平整土地时，挖出瓷罐、窑具等物，考古人员发现玉华是一处古窑址。1977 年 5 月，又在铜川市北部山区及毗邻的旬邑县发现安仁村古窑址。铜川是我国耀州窑所在地，窑址在今黄堡镇。许多古文献记载了黄堡窑烧造"耀瓷"的史实。对黄堡、上店、立地坡、陈炉古窑址曾进行过调查和发掘。铜川市玉华窑址和旬邑县安仁窑址是陕西新发现的第二批瓷窑遗址。

简报分为：一、玉华窑址，二、安仁窑址，共两个部分，有照片、手绘图。

据介绍，玉华窑位于铜川市北部 40 余公里的山谷中，南距黄堡约 60 公里，与著名的耀州窑遗址遥遥相望。玉华窑址范围包括玉华村及其周围的田野。调查时共采集瓷片、窑具等标本 449 件。瓷片分青釉、白釉、黑釉、酱釉、白地绘黑花、黑釉剔划花、褐地白彩 7 种；器形以碗为主，盘、碟次之，其他有洗、杯、罐、钵、灯、枕、器盖、瓷玩具等，造型比较丰富。其中白瓷值得重视。简报推断玉华窑址的烧瓷上限要早到唐代，下限晚至金、元时期。

安仁窑址位于旬邑县城南 1 公里的安仁村。调查时已有 5 座窑基暴露明显，

其结构为耐火砖砌筑的马蹄形瓷窑,每两座窑之间相距 100 ~ 200 米。采集标本
98 件。瓷片分青釉、黑釉、白釉三种,器形有碗、碟、罐、瓶等,以碗为主。窑
具有支烧具和筒状匣钵两种,没有发现漏斗状匣钵。安仁窑应是一处金、元时盛
烧一时的民窑。

1228.耀州窑作坊和窑炉遗址发掘简报

作　者:陕西省考古研究所铜川工作站　杜葆仁、禚振西
出　处:《考古与文物》1987 年第 1 期

1984 年秋至 1986 年春,考古人员对铜川市黄堡乡耀州窑遗址进行了发掘与清理。
共清理出唐、宋、金各代制瓷作坊 10 组 17 座,唐三彩窑炉 3 座,三彩釉试釉小炉 1
座,唐宋时期烧制瓷器的窑炉 12 座、石灰窑 1 座、灰坑 18 个、贮藏瓷器的土洞 1 座,
以及原料加工场、堆料场、晾坯场、堆货场等,出土了数量可观的瓷器、窑具等。

简报分为:一、发掘区域和地层,二、原料加工坊,三、作坊基址,四、窑炉,
五、结语,共五个部分,有手绘图。

据介绍,遗址时代愈早,破坏得愈严重。唐宋时期一些遗址属首次发现,如唐
代三彩窑、瓷窑,宋代大型石碾槽等。这些内容可参见同刊同期禚振西先生《耀州
窑遗址陶瓷的新发现》一文。

1229.铜川市王家河墓地发掘简报

作　者:陕西省考古研究所、北京大学考古实习队　徐天进、呼林贵、曹　伟
出　处:《考古与文物》1987 年第 2 期

王家河墓地位于铜川市西北约 4 公里处,西临王家河,东依赵家塬。20 世纪
50 年代修铁路时墓地西南大部分被破坏,现存面积约 800 平方米。1977 年王家河
乡文保小组在此发现一座西周墓葬(M21),出土 1 件铜鼎和若干车马饰。1984 年
10 月中旬至 12 月初,考古人员对墓地进行了钻探和发掘,共发掘墓葬 20 座(编号
84TWM1 ~ M20),其中马坑两座;同时在该墓地西北约 4 公里处的耀县避难村试
掘了两座西周墓葬(编号 84Y 避 M1 ~ M2)。

简报分为:一、墓葬概述和墓葬举例,二、随葬器物,"结语",共三个部分
予以介绍,有手绘图。

在 20 座墓葬中,马坑 2 座,空墓 3 座,根据墓葬方向、葬式和随葬品等的不同,
可分为 2 组。第一组:墓呈北偏东或北偏西方向,葬式为仰身直肢葬,头向北。有

M4、M7、M8、M10、M11、M12、M14、M15、M17、M19、M20，共11座。第二组：墓向均呈东西向，葬式为屈肢葬，头向西，无腰坑，共9座。马坑（M9、M18）属此期，一坑中葬马4匹，一坑葬马2匹。无随葬品。随葬器物共48件，按其质地分类，计有陶器、铜器两类。

简报称，王家河墓地共发掘墓葬20座，皆长方形土圹竖穴墓。根据墓向和葬式及随葬品的不同所划分的两组，大体代表了两个大的阶段，即，第一组为西周时期，第二组为春秋战国时期。

1230.耀州窑遗址在基建中的新发现

作　者：耀州窑博物馆　薛東星、任　超、刘本奇
出　处：《考古与文物》1987年第5期

考古人员在陕西铜川市黄堡耀州窑遗址的调查和配合基建随工清理工作中，采集、清理了一批陶瓷器、窑具和工具。其中相当数量的品种、器物类型、装饰技艺、装烧方法为过去所鲜见。简报分为五个部分，介绍了新发现的陶瓷、窑具、工具中完整和可复原的，以及重要的陶瓷标本，有手绘图。

据介绍，与已公布的耀州窑遗址出土陶瓷材料对比，近年窑址在基建中发现的这批器物中的唐代黑渣釉器、折颈单把壶、香礅、八棱器、白釉四出碗、花口壶，五代青釉海棠碗、荷花盘、各式盏托、印花粉盒、贴花盏，北宋青釉莲口熏、子母盒、三足盆、十五曲菱口印花洗、玉壶春，以及素烧围棋子等为新发现的品种。

发现的三彩器多件，尤其是三彩犀牛，都很少见。发现的唐代黄釉瓷碗标本，证明了耀州窑在唐代也曾烧制黄釉瓷这一品种。此外，唐五代、宋代装烧技术及金代耀州窑产品，均可纠正以往对耀州窑的一些认识。

1231.耀县新发现的一批造像碑

作　者：陕西省文物普查队　王福民
出　处：《考古与文物》1994年第2期

1987年、1988年及1991年，考古人员发现一批北朝至隋代造像碑，其中钳耳世标造像碑座，二面五尊佛教造像碑，及钳耳氏残碑发现在演池乡吕村，法寿、钳耳隽佛教造像碑发现在安里乡韩古村，其余均发现在稠桑乡墙村寺庙遗址和井边，共14件套，已全部运回药王山博物馆。简报配以拓片介绍这批资料。

据介绍，药王山碑林中陈列的100余通造像碑中大部分是属新中国成立前雷

天乙收藏，出土地点很多并不清楚，这次普查中发现的造像碑均有准确地点，稠桑、安里、演池等乡均位于漆、沮水中下游，正好与雷天乙收藏造像碑为同一区域范围，对于研究造像碑的出土地点，进而研究这一地区少数民族分布及居住点提供了重要线索。其中荔非、似先、邹野、奇姓等均为新增姓氏。发现两通与道教有关的造像碑，尤以荔非周欢道教造像碑引人注目，它在造像碑形制探源上提供了重要线索。

简报指出，耀县造像碑群是北朝至隋代居住在这里的以西羌族荔非氏为主的家族宗教结邑活动中遗留宗教作品，从造像题名中可溯当时这一群体如何结邑、演变、发展的线索。这批造像碑中有年号的：西魏 2 通、北周 3 通、隋代 1 通，风格典型，对研究药王山碑群造像分期提供了新的证据。

1232.陕西耀县药王山摩崖造像调查简报

作　者：张　砚、王福民
出　处：《中原文物》1994 年第 2 期

陕西耀县药王山摩崖造像是离古都西安最近的一处摩崖造像群，位于耀县东 5 公里药王山显化台太玄洞东侧 500 米南崖半山腰处，其上共凿大小佛龛 23 个，摩崖全长 21 米，高 5 米。编号由右至左，依自然裂成的三块石壁分为东、中、西三区。

简报分为：一、东区，二、中区，三、西区，四、关于诸龛雕造年代的推测，共四个部分予以介绍，有手绘图、照片。

据介绍，现存摩崖题记大小叠压总计 18 块，最早为唐开元十一年（723 年）卢涣题记，最晚为明代万历四十三年（1615 年）补修题记。该处造像开凿时间，最初的报道说是北周，简报认为应为隋代。

简报认为，此处摩崖作品，应自隋代开始，唐代有造像，金代有题记，明代亦有造像和补修。

1233.三铜公路工程中耀州窑陶瓷的新发现

作　者：许录林、赵　丽
出　处：《考古与文物》1997 年第 6 期

耀州窑中心窑场位于铜川市黄堡镇，号称"十里窑场"。1990 年以来，为配合公路建设，多有发现。

简报分为：一、唐代，二、五代，三、北宋，四、金代，五、元代，共五个部分，有手绘图。

据介绍，在出土文物中，以唐代器物最多，器形包括碗、盘、钵、壶、灯、罐、瓶等十余种，釉色包括三彩、黑釉、白釉、青釉、茶叶末釉、白釉绿彩、白釉褐彩等。五代仅发现青釉瓷。北宋发现有青釉瓷、酱釉瓷及陶范。金代发现有青釉瓷、黑釉瓷。元代发现有黑釉瓷、白釉黑彩瓷、青瓷。

1234.宜君县柴家沟煤矿工地出土耀瓷等文物

作　者：兰德省、张建福

出　处：《文博》1997 年第 4 期

1996 年 8 月 30 日，柴家沟煤矿指挥部工地取土时发现一批文物。该矿公安科已将全部文物转移办公室。出土地点全部破坏，无法清理。这次共出土瓷器 6 件，铜镜 2 面，钱币 4 枚．车马饰构件 676 件。出土地点位于宜君县高楼圿乡马坊村以北柴家沟内（现宜君县柴家沟煤矿指挥部所在地），玉华河支流的二阶台地上，西北距唐玉华宫遗址和已发现的玉华窑遗址 2 公里，距宜君县城 25 公里。简报配以照片予以介绍。

据介绍，此次出土的文物计有青釉盖钵、青釉钵、青釉盘等，均为宋代耀州窑出品。月白釉盖钵等，均为金代耀州窑出品。铜镜为唐代遗物，钱币、车马饰构件为宋代遗物。简报称，此次出土文物是基建施工所致，因大规模开挖，导致出土地点严重破坏，无法判断地层关系。据民工讲述，所出的铜器、瓷器以及车马器均在一处放置，未发现骨骼和其他器物。

根据此地散遗的建筑基石、瓦砾、砖块，简报认为可推断其是原居民户在建房时，二次埋入的窖藏。

1235.药王山发现奇异石刻

作　者：张世英、杜灵帕

出　处：《文博》1999 年第 1 期

1998 年 8 月 2 日下午，药王山在开挖水管沟道时，清理出一块青石，上有文字，为楷书，10 行，行 12 ~ 16 字不等。文字多有漫漶残损，但肯定不是寻常碑碣墓志，无法读通。有人说是药王之治病秘方，有认为是道士劝世之言，有认为是"捕鸠妙法"，众说纷纭，莫衷一是。时代也暂难确定。简报配有照片，可窥见一斑。

1236.耀州窑遗址考古收获

作　者：禚振西

出　处：《文博》1999 年第 4 期

在中国古代的著名窑场中，耀州窑是北方青瓷的代表。该窑亦曾兼烧黑、白、褐、黄、花、酱釉瓷及唐三彩等，它是中国古代北方烧制陶瓷品种最为丰富的一处综合性窑场。耀州窑址分布在西安以北 100 多公里的黄堡、玉华、上店、立地坡、陈炉和耀县的塔坡一带，以黄堡为中心和代表。此处宋代辖于耀州，故名耀州窑。其产品称为耀州瓷，或名耀瓷。古窑址沿漆水河两岸分布，长 5 公里，约合 10 华里，古代号称"十里窑场"。它创烧于唐（618 ～ 906 年），经五代、宋、金、元，止于明代中期（15 世纪末），连续烧造了 800 多年。在其鼎盛时期的宋代，该窑成为中国八大瓷窑系之一的耀州窑系的代表。其制瓷工艺和装饰技巧，对陕、甘、豫以至广东、广西海岸口的一些古瓷窑有过较大的影响。对中国陶瓷史的发展，有着重要的贡献。

简报分为：一、古文献的记载与中外学者的误认，二、考古工作的回顾，三、作坊、窑炉及其生产的工艺流程，四、产品与时代特征，共四个部分。

据介绍，在中国的古文献中，耀州窑是被记载较多的一个古瓷窑。早在宋代文人的笔记小说中，如陶穀的《清异录》、陆游的《老学庵笔记》、周辉的《清波杂志》、叶寘的《坦斋笔衡》等，都曾提及耀州窑，但仅靠这点滴的记载无法对耀州窑有一个全面的认识。对耀州窑的实地考察，始于 20 世纪 50 年代，1984 ～ 1997 年，又进行了为时 11 年的考古发掘。发现瓷窑和作坊均有近百座。出土陶瓷标本 100 多万片，其中完整和可复原器物数万件。还有原料加工场、堆料场、晾坯场、堆货场、窖穴，以及大量的作坊具、模具、窑具等，揭示出唐、五代、宋、金、元明五个历史文化层，确定了窑场八百多年的烧造史。新发现了唐代的三彩、琉璃瓦、青瓷、花釉瓷和多种彩绘瓷，找到了五代的淡天青瓷和"官"字青瓷，编写了唐、五代、宋、金元明四部考古详报。《唐代黄堡窑址》《五代黄堡窑址》《宋代耀州窑址》均已出版，《金元明耀州窑址》正在编写中。

简报还简要介绍了耀州窑各时期的特点：

唐代陶瓷有黑、白、青、黄褐、茶叶末、花釉瓷，还有白釉绿彩、白釉褐彩、素釉白彩、素胎黑彩、素胎青黑釉彩、黑釉嵌白彩、黑釉贴花、内黑外青、内黑外白等高温釉瓷，及唐三彩、单彩、琉璃等低温釉陶。后者的发现，表明此处也曾是唐三彩的故乡。瓷器以碗、盘、盏、钵最多。

五代以烧青瓷为主，兼烧少量的黑、酱、白釉褐绿彩瓷。青瓷的器胎出现黑胎和白胎两类。器物以茶具、酒具为主，多以仿晚唐、五代金银器为特征。

宋代该窑发展达鼎盛期。以烧青瓷为主，兼烧黑、酱釉及兔毫、油滴、玳瑁和黑釉赭斑瓷。器型多样，图案更多达上百种。

金代仍以青瓷为主，兼烧黑、酱釉及黑釉赭斑瓷，但已开始衰落。

元、明，与金后期一脉相承，元末青瓷被黑、白、白地黑花瓷替代。

1237.陕西宜君县东部石窟、摩崖造像调查简报

作　　者：陕西铜川市考古研究所　陈晓捷
出　　处：《四川文物》2013 年第 3 期

2009 年 6、7 月，考古人员对陕西宜君县东部的雷塬乡沟门、官地坪、苜蓿沟，西村乡咀头以及城关镇牛家庄、后桥等 6 处石窟和摩崖造像进行了调查。经调查可知，沟门、咀头、苜蓿沟及牛家庄 4 处石窟及摩崖造像为北朝时期，官地坪摩崖造像属于唐代，后桥石窟为宋代石窟。宜君东部的这 6 处石窟和摩崖造像为研究北朝至唐宋时期关中北部的民族融合、佛教及道教信仰、造像艺术提供了珍贵的实物资料。

简报分为：一、调查情况，二、初步认识，共两个部分，有手绘图、照片。

据介绍，宜君县位于陕西省铜川市北部，是关中平原与陕北黄土高原的过渡地带，这里分布有北朝以来的石窟和摩崖造像。2009 年 6、7 月间，考古人员对宜君县东部的雷塬乡沟门、官地坪、苜蓿沟，西村乡咀头以及城关镇牛家庄、后桥等 6 处石窟和摩崖造像进行了调查。宜君县是铜川市石窟与摩崖造像分布最多的县区，其数量占到当地石窟寺总量的一半。从这次调查的结果来看，宜君东部的石窟与摩崖造像大致可同属一个时期，即从北朝、唐至宋代，其中以北朝石窟最多。

宝鸡市

1238.1982 年凤翔雍城秦汉遗址调查简报

作　　者：陕西省雍城考古队　焦南峰等
出　　处：《考古与文物》1984 年第 2 期

为进一步了解雍城及其附近秦汉遗址的分布情况，考古人员对东自纸坊公社瓦窑头，西至南指挥公社高家河，北起纸坊公社铁沟，南到南指挥公社东社范围之内以及位于千河东岸的长青公社孙家南头、瓦王寺的有关遗址进行了调查。先

后采集到瓦当、砖瓦等建筑材料及铜、陶、玉器共 100 余件。简报配以手绘图、照片予以介绍。

据介绍，此次调查所获长瓦当、砖瓦共 118 件，分为半瓦当、圆瓦当、铺地砖、条形砖、贴面砖等类。所获遗物以瓦当为最多，其中"蕲年宫当""猎人斗兽"以及"房屋建筑"纹等瓦当均属首次发现，丰富了秦汉瓦当的内容。"蕲年宫当""年宫"和"棫阳"瓦当都是秦汉宫殿所用之物，此次均有明确采集地点。孙家南头出土的"蕲年宫当"尤为重要。表明秦都宫殿并非只限雍城内的三大宫殿区，在雍城外的雍水南岸千河东岸皆有宫殿分布。其他遗物有玉圭 1 件、铜铃 3 件及陶器等。

又，据《文博》1994 年第 2 期，凤翔县长青乡孙家南头村也曾出土秦汉瓦当，此村位于秦都雍城城址区西南远郊，距雍城约 20 公里。该村位于古代千水东岸，崖背分布着一处约 2 万平方米的秦汉宫殿建筑遗址，现为凤翔县重点文物保护单位。据有关专家考证，此遗址当为战国时期秦国的一处远郊离宫别馆所在地，秦惠公所建的蕲年宫当在此处。这里发现的"蕲年宫当"可以佐证。多年来，随着当地农民生产、生活用土取土，遗址内时有秦汉瓦当和其他文物被发现。1992 年 3 月，国家修筑的宝（鸡）中（卫）铁路自村边经过，移动土方时又有瓦当等遗物出土。同年 6 月，孙家南头堡子村孙宗贤先生在村外采集到 6 件带有图案和文字的瓦当，交献给县博物馆收藏。

据介绍，动物纹瓦当为奔虎纹瓦当，其形象极为生动传神、逼真而优美，堪称秦瓦当中的精品。文字瓦当有"来谷宫当"文字瓦当；"来谷宫当"的发现，为研究秦都雍城以外的秦国离宫分布状况提供了重要实物依据和确实地点。另有"长生无极"瓦当和"长生未央"文字瓦当，图案瓦当为云纹瓦当 2 件，泥质灰陶，略呈深灰色和青灰。

1239.陕西凤翔县大辛村遗址发掘简报

作　者：雍城考古队　吕智荣、曹明檀
出　处：《考古与文物》1985 年第 1 期

大辛村遗址位于凤翔县城西南约 4 公里的大辛村村东。北依雍水河，面积约 1.35 万平方米。遗址中部早年已遭破坏。1980 年 7 月至 1981 年 5 月，考古人员对大辛村遗址进行了发掘。此次考古发现龙山文化窖穴 22 座，房址 7 座，墓葬 3 座。遗物有陶、石、骨器；发现西周至战国时代墓葬 9 座，祭祀坑和车马坑各 2 座。

简报分为：一、地层情况，二、龙山文化遗存，三、西周晚期至战国时代，"小结"，共四个部分，有手绘图。

据介绍，龙山文化遗存简报定为客省庄Ⅱ期。陶器的色调以红色为主，灰色较少，纹饰以篮纹为主，绳纹次之的特点不同于客省庄Ⅱ期文化而与齐家文化相同。

车马坑、祭祀坑等的时代为春秋时期，墓葬有的晚至战国时期，为秦墓。

1240.1981 年凤翔八旗屯墓地发掘简报

作　者：陕西省雍城考古队　韩　伟、焦南峰、马振智
出　处：《考古与文物》1986 年第 5 期

八旗屯位于雍水南岸，距凤翔县城约 4 公里，属秦都雍城南郊。八旗屯和其东的东社、高庄等地，分布着绵延 10 多公里的春秋战国小型墓葬群。继 1976 ~ 1977 年在八旗屯和高庄发掘了近百座春秋战国秦墓后，1981 年 4 月，又在八旗屯墓地 A 区清理墓葬 15 座，其中春秋战国秦墓 10 座（编号 81 凤八 M2 ~ M5，M7 ~ M9、M12、M14、M15），祭祀坑 1 座（编号 81 凤八 M1），汉墓 4 座（编号 81 凤八 M1、M6、M10、M13）。

简报分为：一、春秋战国秦墓，二、汉墓，三、结语，共三个部分，有手绘图。

据介绍，10 座秦墓均为口大底小的长方形竖穴墓，可辨葬具的 6 座均为一棺一椁。可辨葬式的 7 座均为屈肢葬。有 6 座墓曾被盗。随葬品有陶器、石圭等。汉墓均为带竖穴墓道的洞室墓。仅 M6 保存较完整，为一棺一椁，仰身直肢葬。随葬品有陶器、铜镜、钱币等。秦墓的年代简报推断为春秋晚期（M2）、战国早期（M3、M5、M7、M12、M15）、战国晚期（M9、M14）。汉墓的年代为西汉中期。

1241.陕西凤翔出土的唐、宋、金、元瓷器

作　者：沐　子
出　处：《文博》1986 年第 2 期

凤翔历年来出土了一批古代瓷器，均藏凤翔县博物馆。简报配以手绘图介绍其中属于唐、宋、金、元时代的瓷器。

据介绍，唐代瓷器 5 件，宋代瓷器 29 件，金代瓷器 3 件，元代瓷器 12 件。简报称，这 49 件瓷器，从时代上讲，上自唐下迄元四个朝代，以窑口言，有宝、钧、耀、磁、景德镇等几大窑系，并有一些少见的瓷器精品如凤首青瓷壶、影青瓷瓶、单耳青瓷壶、双耳青瓷罐、钧瓷碗等。这批瓷器，丰富了我国古代瓷器的资料，对于瓷器研究具有重要的价值。

1242.扶风出土的古代瓷器

作　者：罗西章

出　处：《文博》1986 年第 4 期

扶风县北吕、杨家堡和周原其他区域内，曾屡现西周原始瓷器，器形有豆、簋、尊、罐等，有些已作过介绍。另一些简报配以手绘图、照片予以介绍。

据介绍，这批瓷器有召陈遗址出土的原始瓷器，北吕出土的汉代原始瓷器，周家地庄出土的隋代瓷器，北吕、黄堆、城关出土的唐代瓷器，绛帐、城关、召杨出土的宋代瓷器，北吕等地出土的金元瓷器等。

今有《泥火幻彩——陕西古代瓷器》（陕西人民出版社 2016 年版）一书，可参阅。

1243.凤县出土唐宋瓷器

作　者：胡志仁

出　处：《文博》1988 年第 6 期

在陕西凤县双石辅、凤州两地，出土了一批唐宋时期的陶瓷器。

简报分为：一、白瓷类，二、青瓷类等几个部分予以介绍，有照片。

据介绍，共介绍了 9 件瓷器。其中白釉瓷 2 件，一件白釉碗为唐代邢窑上乘出品，另一件白釉瓜棱罐窑口不详。青瓷类均为陕西铜川黄堡镇耀州窑宋元时期青釉瓷器。

1244.宝鸡市附近古遗址调查

作　者：宝鸡市考古队　啸　鸣等

出　处：《文物》1989 年第 6 期

1984 年春，考古人员对宝鸡市附近 37 处古代遗址进行了为期一个半月的考古调查。

简报分为：一、仰韶文化遗存，二、龙山文化遗存，三、商周时期的遗存，四、汉代遗存，五、结语，共五个部分，介绍了相关调查结果，有照片。

据介绍，仰韶文化遗存在此次调查中仅发现 3 处。龙山文化晚期遗存应属双庵类型，调查中发现的遗物，为解决双庵类型来源及其与客省庄二期文化关系的研究，提供了新的材料。刘家文化遗存较多，这为进一步研究刘家文化的分布、刘家文化与先周文化的关系，提供了宝贵的实物资料。

1245.陕西凤翔南干河出土战国、汉代窖藏青铜器

作　者：赵丛苍
出　处：《考古》1989 年第 11 期

1985 年 11 月，凤翔县范家寨乡南干河村一队农民在田间劳动时，挖得一青铜罐，罐内装有小件青铜器，随即全部交县博物馆收藏。经了解，青铜罐出土于距地表 1 米深处，出土时罐口用一青铜灯盘盖严。铜器计有兵器、工具、车马饰、铜镜等 75 件。简报配以手绘图予以介绍。

据介绍，上述青铜器中的剑、方策、盖弓冒与河北邯郸百家村战国中期墓中出土的同类器近似；削与凤翔西村战国中期秦墓出土的削形制基本相同。简报认为可定为战国之物。从车冒饰及铜环上的花纹看，与长沙马王堆一号汉墓出土器物的纹饰相似，罐的形制也为汉初风格，简报推断该窖藏的埋葬时间不应超出汉代前期。

1246.陕西凤翔凹里秦汉遗址调查简报

作　者：陕西省考古所雍城考古队
出　处：《考古与文物》1989 年第 4 期

陕西凤翔凹里秦汉遗址 1976 年发现，1986 年进行了两次调查和钻探，发现并采集有半瓦当 2 件、圆瓦当 92 件等文物，有的上有铭文。该遗址应为从秦早期到汉代的一处重要遗址，有火烧、修缮痕迹。

1247.宝鸡市谭家村春秋及唐代墓

作　者：宝鸡市考古工作队　张天恩
出　处：《考古》1991 年第 5 期

1985 年 1 月，宝鸡氮肥厂在厂后谭家村西南台地上基建施工中，发现古代墓葬，大多数墓已因机械化施工受到不同程度的破坏。清理的 31 座墓，除 M30 破坏太甚无法断代外，其余可辨者分别有春秋、汉、唐、明代墓葬。其中汉代墓葬 13 座另行整理成文，明墓仅 1 座。

简报分为：一、春秋墓，二、唐墓，三、结语，共三个部分，配以手绘图、照片先行介绍春秋和唐代的 16 座墓。

据介绍，属于春秋时期的墓葬共 13 座，编号为 M5、M10 ～ M12、M14 ～ M17、M23 ～ M25、M28 和 M29。均为长方形土坑竖穴墓，无腰坑。随葬

品有陶器、铜戈等。M24 出土的铜剑当来自北方草原民族。葬式为屈肢葬。简报推断为春秋早期后段至中期的秦国墓葬。3 座唐墓中，M1 所出陶男女侍俑、天王俑、镇墓兽、骑驼俑、马等组合，在盛唐时期墓葬中最常见。年代应在武则天光宅元年至玄宗开元年间的盛唐时期。其余两墓仅有塔式罐，这类陶器出现于唐代初期的后段，一直流行到唐后期，器形由圆变瘦长，盖、座由低渐高。这两墓的罐腹均较圆，盖、座亦较低，故其年代应与 M1 相当或略晚。

1248.陇县出土的匈奴文物

作　者：肖　琦
出　处：《文博》1991 年第 5 期

20 世纪 70 年代以来，由于大规模农田基本建设，陇县境内出土了一大批文物，其中有些器形与以游牧为生的西北少数民族有关。简报配以手绘图予以介绍。

据介绍，此批文物计有铜镤、铜釜、铜盉、铜剑等。大部分为鄂尔多斯式青铜器，其时代在春秋晚期至汉代。春秋晚期至战国晚期的鄂尔多斯式青铜文化被称为先匈奴文化或早期匈奴文化，两汉时期的鄂尔多斯式青铜文化被称为匈奴文化，所以，简报认为这几件文物是春秋至东汉晚期活动在我国北方的少数民族——匈奴族遗留下来的。

1249.陕西眉县成山宫遗址的调查

作　者：西北大学文博学院、眉县文化馆　赵丛苍、刘怀君
出　处：《考古》1998 年第 6 期

陕西眉县第五村，较长时期以来陆续有古代砖瓦建筑材料遗物出土，尤其是"成山"文字瓦当的发现，引起了考古界的注意。1990 年前后，考古人员曾几次赴该遗址作田野调查，获得了不少资料，对其文化内涵及遗址性质有了基本的认识。

简报分为：（一）地理位置及遗迹，（二）出土遗物，（三）遗址年代及性质，共三个部分，有手绘图、拓片。

据介绍，该遗址所见的出土遗物比较单纯，其所反映的年代也较为清楚。据其形制与书体风格，属西汉元疑；所出砖、瓦亦具西汉特点。由此简报推断，眉县第五村遗址的时代至迟当始于秦代，而沿用至汉。简报指出，"成山"瓦当发现的重要线索使我们有理由认为这里可能就是历史上的成山宫所在。

1250.陕西陇县店子村汉唐墓葬

作　　者：陕西省考古研究所宝中铁路考古队　杨亚长、田亚岐、肖　琦
出　　处：《考古与文物》1999 年第 4 期

店子村位于陇县县城西北约 2.5 公里处，地处北河（千河支流）西岸二级台地的前沿，宝（鸡）平（凉）公路紧邻村东而过。店子村西紧依黄土丘陵的缓坡地带，这里近代已被改造成为梯田。经考古调查获知，该村西部为一处古代墓地，总面积约 24 万平方米。1991 年 6 月至 1993 年 4 月，考古人员配合宝中铁路的建设施工，对该墓地进行了全面的铲探和抢救性清理发掘，共发掘清理各时期墓葬 287 座，其中西周墓 4 座，东周至秦代的秦人墓 224 座，汉墓 23 座，唐墓 28 座，明、清墓 7 座。

汉、唐墓葬的发掘情况简报分为：一、汉墓，二、唐墓，三、结语，共三个部分予以介绍，有手绘图、照片。明清墓的资料以后另行介绍。

据介绍，由于这 28 座墓葬之间没有相互打破关系，而且没有出土判定具体年代的文字资料，因此给分期断代研究带来了一定的困难。简报将这批墓葬与其他地点的唐墓资料作比照，初步推断这批墓葬的相对年代属于中、晚唐时期。

简报称，此次配合宝中铁路建设在陇县所进行的考古发掘，是该地区汉、唐墓葬的首次科学发掘，因而具有较为重要的学术意义，为我国汉、唐时期西北地区各民族的融合情况研究提供了资料。

1251.陕西眉县秦汉成山宫遗址的新发现

作　　者：刘怀君、严惠婵
出　　处：《文博》2003 年第 1 期

秦汉成山宫遗址发现以来，经过 20 余年的调查、试掘等项工作，获取了许多重要发现，对于遗址的范围、性质、使用年代诸多问题有了比较清楚的认识。2001 年以来，考古人员在遗址的 II 区，特别是 III 区又获取了许多重要的资料，对成山宫建筑使用年代诸方面的研究有了新的认识。

简报分为：一、遗迹，二、遗物，三、结语，共三个部分予以介绍，有拓片。

据介绍，发现的遗物主要在 III 区，II 区亦有发现，遗物种类有条砖、空心砖、瓦当和铁器等。

简报认为，有理由断定，秦汉成山宫遗址不仅始建于战国，兴盛于秦代，西汉修葺沿用，而且到东汉初年仍然修葺沿用。

简报称，众所周知，东汉王朝建立后，政治、经济、文化中心东移，关中地区

秦到西汉时期的宫殿、宫署建筑大多废弃。但成山宫得以沿用，这应该与其优越的地理位置有着直接关系。成山宫处于斜水东岸，周围地势平坦开阔，特别是正南的斜峪关，这是关中通往西南瓜交通要道，从西汉初年以至三国时期，围绕着褒斜道都发生了许多重大历史事件。所以简报认为，成山宫到东汉时仍在延用，但其用途已不是以前的行宫离馆属性，更重要的是对关隘要冲重点设防。新发现的铁镢、铁斧等生产工具，也从一个侧面反映了成山宫的用途在发生着变化。

1252.陕西周原七星河流域 2002 年考古调查报告

作　者：周原考古队　徐良高、唐锦琼、宁江宁、付仲杨等
出　处：《考古学报》2005 年第 4 期

2002 年 9 月底至 12 月初，考古人员对陕西周原七星河流域进行了调查。七星河是沣河的支流，与沣河相交于扶风县城一带，其东侧紧邻河的另一条支流——美阳河，其西侧为一较广的黄土塬地，有属沣河的支流冲积沟。从七星河与沣河交汇处向北至岐山脚下是整个流域的范围，南北长约 21 公里，东西宽约 4～12 公里。这一区域跨扶风县与岐山县两县交界地带，含扶风县城关镇、法门镇、黄堆乡，岐山县的青化镇、京当乡、祝家庄乡等乡镇。此流域为一黄土台塬地貌，调查范围即划定在这一流域，南界在七星河与沣河交界处的南岸，北界至岐山南麓山前地带，东以七星河与美阳河的中间分水岭为界，西边南段以七星河与沣河的另一较短的支流冲沟（从岩底村至南珍村）的中间分水岭，北段以七星河流域与孔头河流域的分水岭为界。此次调查采用拉网式调查法，调查人员间距一般保持在 5 米左右，密集调查，寻找地面陶片，发现其分布状况。同时，考虑到中国北方黄土地貌的特点，结合了对分布较密集的断崖、土坎和当地村民取土壕的详细观察。此外，还参考了以前的器物出土和发掘调查记载。通过几方面的综合分析，推断出每个遗址的大致范围、年代和主要遗存。然后，记录其范围，采集陶器和土样等标本，拍摄遗址地貌和出土器物的数码照片。

简报分为：一、调查区域及方法，二、主要收获，三、结语，共三个部分予以介绍，有照片、手绘图。

据介绍，本次调查共发现、确认从新石器时代至西周时期遗址分布区 55 处。前仰韶文化遗址极少见，至仰韶文化中晚期，遗址数量和规模均大为增加，显示出人口繁盛，文化繁荣。龙山时期继续保持了这一发展势头，聚落规模更大。至夏商初时期，遗址数量又大大减少，可能仅有极少数规模很小的遗址；至商中后期，首先是商文化因素出现于这一带，其后先周文化遗址逐渐增多，并渐趋繁荣。至西周时期，这一流域的人口和文化又再一次繁盛，聚落分布密集，形成了周原遗址这样的

巨型聚落和周围一系列的中小聚落。至西周末年、春秋初期，这一流域聚落数量和人口再一次衰落。各个时期的聚落在规模上有一定的大小之分，但这种规模的区别不一定是等级地位的反映，有时与聚落的自然环境有关。比如在河流交汇处和二级台地较宽广的地段往往聚落就大，如丁童和铁章—老堡子一带、双庵—王家嘴—祁村一带和呼刘—流龙咀—岐阳一带。简报指出，对聚落等级的划分不能仅依据规模大小，还要参照聚落内遗迹遗物所反映出的内涵。

1253.陕西眉县两处秦汉"眉邑"遗址的调查

作　者：眉县文化馆　刘怀君
出　处：《考古与文物》2008年第2期

1990年以来，考古人员在眉县境内发现2处秦汉"眉邑"遗址，经过多次调查，采集了许多实物标本。

简报分为：一、赵家庄遗址，二、西岭遗址，三、结语，共三个部分介绍主要收获，有手绘图、拓片、照片。

从采集的实物分析，简报推断"眉邑"遗址始建于秦代，沿用到西汉中期以后逐渐废止。从赵家庄遗址和西岭遗址出土的遗物看，简报认为应属于秦汉时期的官府建筑。特别是出土的"麗"字瓦当，对探讨其用途提供了重要的实物资料。简报称，从目前已知资料看，秦汉时期的行宫离馆在渭水南岸也有许多分布，其西边最远为成山宫，从长杨宫到成山宫之间，应有可通之道，两个"麗"遗址建筑材料规格高、面积偏小，又都设在河流岸边，根据这些状况，简报认为它应属于离馆(驿站)类用途。从地理位置看，是当时在通往西南的重要关隘——斜峪关附近增设的行宫离馆。

1254.陕西千阳尚家岭秦汉建筑遗址发掘简报

作　者：陕西省考古研究院、宝鸡市考古研究所、千阳县文化馆　田亚岐、耿庆刚、
　　　　张晓磊、袁文君
出　处：《考古与文物》2010年第6期

尚家岭遗址位于陕西省千阳县南寨镇冯家堡村一组村南300米处的汧河左岸，东为汧河支流涧口河，南临蜿蜒开阔的汧河河湾台地，紧靠冯家山水库。遗址所在地俗称尚家岭，2008年文物普查时初步认定为一处秦汉建筑遗址，2010年为配合高速公路建设进行了勘探与发掘，认定该遗址为一处始建于战国晚期沿用至西汉时期的建筑遗址，总分布面积约2.2万平方米。

简报分为：一、Ⅰ区，二、Ⅱ区，三、结语，共三个部分予以介绍，有拓片、照片、手绘图。

据介绍，遗址共发现两处夯土基础，规模较为宏大，等级较高。其位于古代陇东至关中地区东西通行大道沿线，也正好处在汧河水道与回中道之间。战国时期，这条通道是秦国战西戎、保西陲，逐步走向强盛的最重要的交通线路；秦代至西汉时期，两代皇帝西行巡察与郊祀活动也主要是这条线路。按照当时日行的大致里程数，在尚家岭以东40里是凤翔的"蕲年宫"，以西50里则是陇县的磨尔塬，而这两处遗址已被确认为离宫性质，因此推断尚家岭宫殿的用途是上述两处离宫中间的另一处同类性质的建筑。应为战国晚期所建，西汉初期仍在使用，西汉中期已废弃。

1255.凤翔青渠古瓷窑考察初步收获

作　者：西安碑林博物馆、陕西省考古研究院　杜　文、禚振西
出　处：《文博》2009年第5期

2003年4月，考古人员赴凤翔考察当地古代窑业，重点走访该县东北部与麟游县邻近地区，在姚家沟镇青渠村发现一处宋金至近代连续烧造瓷器的大型窑址，其金代产品工艺模仿铜川耀州窑，清同治年以后该窑从陕南输入了龙窑技术，这也是陕西省内迄今发现地理位置最北的龙窑地点。凤翔、宝鸡、岐山、扶风等县出土古瓷中均有与该窑特征吻合者，显示该窑在陕西西部曾有一定影响。

简报分为：一、凤翔县出土宋金瓷器，二、青渠窑古窑址调查，三、青渠窑陶瓷产品特征，四、对《瑞鹧鸪》刻诗梅瓶的初步研究，五、青渠窑制瓷与凤翔古代酒业的关系，共五个部分，有照片。

据介绍，凤翔曾多次出土宋金时期瓷制酒具，但窑址一直不明。考古调查中得知，此地在清同治年间回民起义时文物受损严重。现仅发现龙窑残基、瓷片等。

简报称，通过对青渠窑上下窑窑村的初步判定，青渠窑上限不晚于金代，已发现产品以凤翔和邻近县份保留的金代青黄釉瓷刻花、刻文字酒器较具特色，工艺和装饰上模仿了耀州窑同类刻花青瓷。清代乾隆三十一年《重修凤翔府志》记载的地方货属中并未列入陶瓷，显示清代凤翔地方瓷业已经衰落。由于受清同治年间回民起义影响较大，当地窑业以同治为界可分为两种类型：宋金到清代同治年间采用煤为燃料，多馒头窑，产品主要为碗类，瓷质稍为精细，产品有执壶、梅瓶、碗类，釉色品种为青黄釉、白釉、酱釉。凤翔县博物馆藏有上刻全真教第二代掌教马钰的《十报恩（本名瑞鹧鸪）》中的一段。马钰（1123～1183年），山东牟平富户出身，是王重阳在山东收下的首位弟子。此件金代大定年间的瓷瓶，为研究全真教提供了实物。

1256.陕西凤翔西白村秦汉墓葬发掘简报

作　者：陕西省考古研究院、宝鸡市文物考古研究所、凤翔县博物馆　田亚岐、耿庆刚、王　颢、袁文君

出　处：《文博》2010 年第 4 期

西白村秦汉墓地位于陕西省凤翔县县城东北约 20 公里处的北山脚下，2009 年为配合电力工程建设，考古人员进行了考古发掘。其中 M3、M4、M5、M6、M9 为东周墓葬，M1、M2、M7、M8 为汉墓。

简报分为：一、秦墓，二、汉墓，三、结语，共三个部分，有手绘图。

据介绍，秦墓均为小型长方形竖穴土坑墓，可辨认葬具的为一棺一椁（M3、M4），葬式有仰身屈肢葬，随葬品有石圭、陶器等。汉墓 4 座，皆为斜坡墓道洞室墓，其中斜坡墓道单室墓 2 座，斜坡墓道双室墓 2 座。葬具、人骨已朽。随葬品有铁剑、铜镜、陶制多枝灯、五铢钱等。

简报称，这批小型秦墓随葬品不丰富，陶器质量较差、做工粗糙，反映其经济水平较低，其究竟与秦都雍城居民相关抑或附近还有小型聚落，还需要作进一步的探讨。汉墓的时代简报推断为东汉早期。

1257.陕西凤翔豆腐村汉唐墓葬发掘简报

作　者：陕西省考古研究院、宝鸡市考古研究所、凤翔县博物馆　田亚岐、陈　钢、王　颢、景宏传、王新亚、刘　爽

出　处：《文博》2012 年第 5 期

豆腐村位于凤翔县城南侧，考古人员在此发掘了 10 座汉唐墓葬。计汉墓 3 座、唐墓 7 座。

简报分为：一、汉墓，二、唐墓，三、结语，共三个部分予以介绍。有手绘图。

据介绍，3 座汉墓均为洞室墓，M5 为西汉晚期墓，M6 为西汉中晚期墓，M1 不详。7 座唐墓随葬品总计才 15 件，有 6 座未发现随葬品或随葬品太少。M2 为盛唐墓。简报称，这批汉唐墓均为中小型墓，应为平民墓葬。

1258.陕西凤翔孟家堡唐、宋、明墓发掘简报

作　者：陕西省考古研究院　田亚岐、耿庆刚、张　程、王欣亚、刘　爽、卢烈炎

出　处：《文博》2012 年第 6 期

2011 年 9 月，为配合凤翔县城南过境公路施工，考古人员在凤翔县城关镇孟家

堡村（一组）北100米处抢救性发掘清理了5座古墓葬，计唐墓3座、宋墓1座、明墓1座。

简报分为：一、唐墓，二、宋墓，三、明墓，四、结语，共四个部分予以介绍，有手绘图。

据介绍，唐墓3座（M1、M3、M5）均为长斜坡墓道洞室墓。共出土随葬品23件（组），分为陶俑、陶器、铜器和骨器，其中，以陶俑为大宗，计20件。简报推断M1为唐玄宗中后期墓，M3比M1略晚，但不会晚于唐肃宗时期，M5又比M3略晚。宋墓1座（M4），为竖穴土圹墓道洞室墓，木棺、人骨已朽，随葬品仅见铜钱6枚，简报推断为宋代嘉祐年间平民墓。明墓1座（M2），为竖穴土圹墓道洞室墓。木棺两具，各有人骨1具，仰身直肢葬，应为夫妇合葬。出土有文字砖1合，简报录有全文，中多缺字。铜簪1枚，铜钱6枚。简报推断该墓上限为明崇祯元年（1628年）。

1259.陕西凤翔路家村墓葬发掘简报

作　者：陕西省考古研究院、宝鸡市考古研究所、凤翔县博物馆　田亚岐、刘　爽、张　程
出　处：《文博》2013年第4期

路家村墓地发掘8座墓葬，其中5座战国秦墓，1座汉墓及2座晚期墓葬，均属中小型墓葬，墓葬形制较完整，随葬器物特征明显，为凤翔地区墓葬研究增加了资料。

简报分为：一、战国秦墓，二、汉墓，三、晚期墓葬，四、结语，共四个部分，有手绘图、拓片。

据介绍，发掘的5座战国墓葬随葬器物组合均为陶鼎、陶罐，器形特征相近，其中4座土洞墓形制相同，据此可判断这5座墓葬时代相近。简报初步判断时代为战国晚期。M6时代为东汉时期，M7、M8的时代为明代。

1260.凤翔孙家南头墓地宋元明墓葬发掘简报

作　者：陕西省考古研究院、凤翔县博物馆　田亚岐、陈爱东、杜林渊
出　处：《文博》2014年第3期

为配合陕西东岭ISP重点工程建设，2003年10月至次年9月，考古人员在凤翔县长青镇孙家南头村西一带，对该工程项目占地约70万平方米范围内的古墓葬和遗址进行了抢救性考古发掘。此次共清理周、秦及汉代以后各时期墓葬和车马坑191座。

简报分为：一、墓地概况，二、墓葬形制，三、随葬器物，四、结语，共四个部分介绍此次清理的9座宋元时期墓葬，有手绘图、拓片。

据介绍，9 座墓葬全部为竖穴洞室墓，仅 4 座有随葬品，共计 15 件，以瓷器和铜钱为主。未发现墓志、买地券等明确的纪年遗物。

根据墓葬形制和随葬器物，简报推断 M142、M130、M132、M133、M151、M177 和 M178 年代可能为宋代，M141、M142、M179 年代可能为元末明初。

简报称，宋、元、明时期墓葬在陕西地区发掘较少，主要集中在关中地区，以西安市区及其周边为主。本次在凤翔孙家南头墓地中发掘的 9 座墓葬无疑为研究该地区宋、元、明时期的墓葬制度、埋葬习俗等提供了重要资料。

1261.陕西宝鸡南湾秦汉遗址调查简报

作　者：秦始皇帝陵博物院、陈仓区博物馆　李　卓、许卫红
出　处：《文博》2014 年第 5 期

南湾遗址位于陕西宝鸡市区东北的贾村镇南湾村四组村北汧河南岸，属贾村台塬边缘部分，地势开阔平坦遗址。东南 6.5 公里处是"蕲年宫"所在的孙家南头堡子壕，东北约 15 公里为秦都雍城西南界。2004 年 10 月，当地村民在土地平整过程中发现大量板瓦、筒瓦、排水管等建筑遗物。接到报告后，考古人员对该地进行了短暂的考古调查。

简报分为：一、概况，二、主要收获，三、初步分析，四、余论，共四个部分介绍调查情况，有照片、拓片。

据介绍，南湾遗址发现大面积夯土，采集到一批建筑材料。结合地理位置和遗物时代特点，简报初步判断该遗址应为一处重要的秦汉宫殿建筑遗存。

简报称，以雍城为中心的秦文化遗存，是研究秦人及秦文化的重要一环，南湾遗址的调查再一次增加了该领域的研究材料。

咸阳市

1262.陕西邠县下孟村遗址发掘简报

作　者：陕西考古所泾水队
出　处：《考古》1960 年第 1 期

下孟村东临泾河，距邠县县城 25 公里。村中有一条沟，沟南为新石器时代遗存，沟北为周代遗存。1959 年发掘，

简报分为：一、新石器时代遗址，二、周代遗址，共两个部分，有照片。

据介绍,出土有仰韶文化细泥红陶和彩陶、西周早期的鬲、簋等,以及西周晚期(或更晚一点)的罐、盂、豆、鼎等。

1263.咸阳市近年发现的一批秦汉遗物

作　者：咸阳市博物馆

出　处：《考古》1973 年第 3 期

1972 年 2 月,在咸阳市窑店公社西毛大队路家坡村发现了楚国金币 8 枚以及汉代马蹄金、新莽始建国元年(公元 9 年)量器等秦汉遗物。简报配以拓片等,予以介绍。

1264.旬邑安仁古瓷窑遗址发掘简报

作　者：咸阳地区文物管理委员会　陈国英、曹发展、李绥成

出　处：《考古与文物》1980 年第 3 期

安仁村古瓷窑遗址位于陕西旬邑县城以南约 1 公里的塬边台地上。遗址西临纵贯南北的三水河道,东依高出河床 700 余米的高原。在它东南约 65 公里处,即黄堡镇"耀州窑"遗址。1977 ~ 1978 年,考古人员在该地进行了清理。简报配以拓片、手绘图予以介绍。

简报称,这次调查暴露于地面的瓷窑共 42 座,其中发掘宋窑 1 座,金元窑 9 座。从窑址的布局看,多数是 2 至 3 座并列。多数是民窑。宋金至元时期都以烧制碗、碟、盆、罐、壶等民间日用瓷器,以烧造青瓷为主,同时也烧造相当数量的黑釉和酱色釉瓷器。据出土碗类釉色统计：宋代青瓷占 55%,黑瓷和酱色釉瓷占 22%；金元时青瓷占 41%,酱色釉瓷 35%,黑瓷 23%。花纹装饰多在青瓷碗、碟、盆、洗的内壁,仅少数宋代产品饰于外壁。纹样以模印花卉为主,次为水波、动物和人物。从釉色、装饰纹样和器物造型等方面看,它与耀州窑风格相同,这就为了解耀窑的生产地域扩大了新的认识。

1265.陕西武功县新石器时代及西周遗址调查

作　者：中国社会科学院考古研究所陕西武功发掘队　卢连成、刘随盛

出　处：《考古》1983 年第 5 期

据调查,武功境内新石器时代及西周时代遗址共计 26 处,大多集中在渭水北岸和漆水、沣水两岸,仅有个别西周遗址远离河流。简报分为五个部分,重点介绍了几处新石器时代遗址和西周遗址,指出庙底沟二期遗址远比客省庄二期遗存要多,这二者的关系一直没弄清楚,这也是以后武功地区考古工作的一个重要课题。

1266.淳化县出土秦、汉"市""亭"陶文陶器

作　者：姚生民

出　处：《考古与文物》1984 年第 3 期

1979 年秋季、1980 年春季和秋季，陕西省淳化县十里塬公社马家山村先后出土陶器 50 余件。另外还征集到近年来出土的陶器 80 余件，亦有双耳铁釜、铁剑和铜鍪等器物。这批陶器有缶、罐、蒜头壶、瓿、钵等，泥质灰陶，陶质坚硬、轮制，素面居多。简报配以拓片，介绍了其中有戳记文者。

据介绍，戳记主要为"云市""云亭"等地名。地名故址在今陕西省淳化县北。这批带戳记的陶器埋藏时间应为秦代，下限不晚于西汉初期。

1267.陕西旬邑县崔家河遗址调查记

作　者：咸阳地区文管会、旬邑县文化馆　曹发展、景　凡

出　处：《考古与文物》1984 年第 4 期

崔家河遗址位于陕西省旬邑县城城关公社崔家河村，河流将该村分为东西两村。过去认为仅是新石器时代遗址，1978 年、1980 年复查，确定为还包括早周、战国、汉、唐文化遗存。

简报分为：一、崔家河西村遗址，二、崔家河东村遗址，三、结语，共三个部分予以介绍，有手绘图。

简报称，遗迹有灰坑、居住面、墓葬等。出土有陶器、贝币、铜戈等。崔家河西村遗址是一处新石器时代仰韶文化遗址，当属半坡类型。该遗址出土的刻符陶器在旬邑县还是首次发现。崔家河东村遗址是一处有着多时代文化堆积的遗址，上自新石器时代（仰韶文化半坡类型），下至唐宋时代。尤其是该遗址的早周文化内容，应该引起注意。据史载，旬邑是周族的重要发祥地。

1268.1982～1983 年陕西武功黄家河遗址发掘简报

作　者：中国社会科学院考古研究所武功发掘队　梁星彭、刘随盛

出　处：《考古》1988 年第 7 期

该遗址位于武功县西北漆水河西岸，1979 年发现，1982～1983 年发掘。

简报分为：一、地层堆积，二、周文化灰坑的形制，三、周文化地层及灰坑的遗物，四、周文化墓葬的形制，五、随葬品，六、结语，共六个部分，有照片、手绘图。

据介绍，发现有仰韶文化半坡晚期红陶，周代几个阶段的陶器、铜器等。西周早期陶鬲与沣西地区遗存差别较大，值得注意。

1269.淳化县古甘泉山发现秦汉建筑遗址群

作　者：王根权、姚生民
出　处：《考古与文物》1990 年第 2 期

古甘泉山，今名好花圪塔，位于淳化县北30公里，是旬邑、耀县、淳化三县分界处，属乔山山系余脉。1986 年夏，解放军空军某部在该山施工时发现了主峰秦汉建筑遗址，经勘查，又相继发现了箭杆梁、孟家湾、鬼门口南峰、庙趄、十七号电杆、石门东峰等7 处秦汉建筑遗址和多处土台遗址。简报配以手绘图、拓片予以介绍。

据介绍，此次发现的主峰遗址为汉代建筑遗址，但建筑时间可能早到秦朝。其他各处遗址均发现有大量砖、瓦建材。

简报指出，该遗址群地理位置显著，规模宏大，出土文物丰富，对于研究秦汉史，特别是研究汉甘泉苑、甘泉宫以及秦直道都有着相当重要的意义。

1270.咸阳沙河古木桥遗址 T2 第一次调查简报

作　者：张德臣、马先登
出　处：《文博》1991 年第 3 期

1985 年 11 月 2 日，渭城（原）秦都区钓台乡西屯百姓在沙河挖沙时发现一些木桩拉回家，有的已解成方板。11 月 3 日，考古人员到百姓家里看了木桩，最多的一户有 4 根，少者 1～2 根，共有 13 根。木桩长 3～4 米，径约 35～60 厘米，两端粗细基本一样，一端毛茬，一端为刀削三棱尖形，棱角如刃，削面平光。木桩外表颜色有浅黑、暗红等，有些稍腐朽，腐朽层厚 1～2 厘米。他们说：这些木桩都是在沙河挖砂时挖出来的。木桩下周围有一层板结泥团。1986 年 4 月，考古人员进行了调查试掘，历时两月有余。

简报分为：一、沙河古木桥遗址的位置及地貌，二、木桥桩的布局与形状，三、C14 测定的木桩年龄，四、试掘调查出土和采集的器物，共四个部分予以介绍，有手绘图。

据介绍，沙河古木桥志书无记载，此次所发现的木桩遗址位于咸阳市钓台乡西屯——资村交界的沙河古河道，东北距市区约8 公里，距渭河约2.5 公里，东距西安市约20公里。此次试掘出5排25根木桩，经C14测定为秦末汉初之物。在遗址附近还采集出土有板瓦、铁器、铜器、陶罐、地砖等遗物。此遗址应为沣河桥址。

1271.咸阳机场陵照导航台基建工地秦汉墓葬清理简报

作　　者：马志军、孙铁山
出　　处：《考古与文物》1992年第2期

咸阳机场陵照导航台位于咸阳北塬周陵乡陵照村南约1公里处。1989年10月至1990年1月，考古人员在发信台基址和锅炉房基址发掘清理古墓葬11座。简报分为：一、墓葬形制，二、葬具葬式，三、随葬器物，四、结语，共四个部分予以介绍，有手绘图。

据介绍，这次发掘清理的11座墓葬，3座位于发信台基址（M1～M3），8座位于锅炉房基址（M4～M11），均为小型土洞墓。依其墓道形制的不同，可分竖穴墓道土洞墓和斜坡墓道土洞墓二类。葬具、骨架保存均很差。除M2外均有随葬品出土，少者2件，多者10余件，多出在墓室近口处或壁龛中。主要为陶器，只有少量铜器及铁器。年代从秦统一、西汉早期或稍晚、西汉中期或偏早、东汉早期不等。

简报称，这批秦汉墓葬的发掘不仅进一步丰富了咸阳地区的秦汉墓葬资料，对研究咸阳地区秦汉时期的社会政治、经济、文化等状况也有一定的价值。如M6的时代应与临潼上焦村秦墓相近，出土随葬器物较丰富，且多实用器，少传统礼器，一方面可说明当时的社会状况还基本稳定，另一方面也反映出秦人对传统礼制的轻视。4座西汉早期墓虽均出现盗洞，但出土器物仍较丰富，又出现仿铜陶礼器，可说明当时的社会状况已趋稳定，社会经济已是日趋繁荣，也反映出汉初的"法古"思想及对封建礼制的崇尚。

1272.西北林学院古墓清理简报

作　　者：咸阳市文管会　高忠玉、王　辉
出　　处：《考古与文物》1992年第3期

1984年4月，陕西省咸阳市杨陵区西北林学院在校门基建钻探处理丙型二号楼时发现了古墓葬，校基建办及时报告当地文物管理部门。考古人员进行了抢救性清理。

发掘资料简报分为：一、秦墓，二、唐墓，三、宋墓，四、结语，共四个部分予以介绍，有手绘图、拓片。

据介绍，这次发掘历时 50 多天，共清理古墓 22 座。其中秦墓 17 座，唐墓 3 座，宋墓 2 座。出土器物 128 件，货币 164 枚。17 座秦墓，以洞室墓为主。随葬品以陶器为主，其时代简报推断为战国晚期。这批秦墓中将近半数的墓随葬"半两"钱，少者 2 枚，多者达 39 枚。说明在秦始皇统一货币之前，秦国已通行"半两"钱。3 座唐墓中，M10、M12 出有"开元通宝"，其时代应为盛唐或稍后。M14 为夫妇合葬，男者为俯身葬，为唐墓中少见。两座宋墓，其中 1 座为三人合葬一棺内，骨架又零乱，应为二次迁葬。

1273.泾阳县博物馆收藏的青铜器

作　者：泾阳县文化局　刘随群
出　处：《考古与文物》1994 年第 4 期

泾阳地处关中腹地，是周民族活动的重要地区之一，秦汉以降，又是京畿重地，故遗存文物十分丰富。泾阳县博物馆收藏的周、汉青铜器，仅是历年来出土文物中的一小部分。简报配以照片予以介绍。

1. 饕餮纹鼎（铜 59）高 19.5 厘米、口径 16.5 厘米、足高 7 厘米，重 1.8 公斤。从造型及纹饰判断，简报推断当属西周早期器物。

2. 夔纹鼎（铜 40）高 29 厘米、口径 17 厘米，重 5 公斤。泾阳县蒋刘出土，简报推断属西周早期器物。

3. 弦纹鼎（铜 38）高 23 厘米、口径 18 厘米，重 2.5 公斤。泾阳县蒋刘出土。此鼎与西安市文物中心收藏的"叔□父鼎"造型酷似，简报推断当属西周晚期。

4. 觯（铜 26）高 16.9 厘米、口径 7.8 厘米、底径 6.6 厘米。1974 年征集，简报推断时代为西周。

5. 鼎（铜 35）高 13.5 厘米、口径 10.5 厘米。1976 年 8 月 1 日泾阳县泾干镇先锋村出土。从造型判断，简报推断应为汉代遗物。

6. 甗（铜 69）系上下分铸，上为甑，下为釜。甑高 16 厘米、口径 24 厘米。1982 年泾阳县石桥镇石桥村出土，简报推断汉代器物。

7. 熏炉（铜 27）通高 20 厘米、口径 11 厘米、足径 11 厘米。1976 年 8 月 1 日泾阳县泾干镇南强村出土，简报推断为汉代器物。

8. 釜（铜 32）高 21 厘米、口径 22 厘米、底径 9 厘米。1978 年 11 月 4 日，泾阳县石桥乡北丈村出土，简报推断为汉代器物。

9. 盆（铜 33）高 8.1 厘米、口径 24.2 厘米、底径 13 厘米。1978 年 11 月 4 日，泾阳县北丈村出土，简报推断为汉代器物。

10．盆（铜60）高11.5厘米、口径24厘米、底径14.2厘米。1980年8月13日泾阳县东关砖瓦厂出土，简报推断为汉代器物。

11．扁壶（铜36）高27.2厘米、口径6.2厘米、腹长28.8厘米、腹宽7.8厘米、足长14.5厘米。1979年7月29日泾干镇先锋村出土，简报推断为汉代器物。

12．提梁筒（铜61）高19.2厘米、直径10厘米。1980年8月13日泾阳县东关砖厂出土，简报推断为汉代器物。

1274.咸阳市杨陵区秦、汉墓葬清理简报

作　者：咸阳文物考古研究所　孙德润、贺雅宜
出　处：《考古与文物》1996年第2期

1988年、1990年和1992年，考古人员分别在杨陵区西北林学院清理古墓9座，西北农业大学和区食品公司冷库工地各清理古墓3座。15座古墓中秦汉时代墓葬各5座、唐代墓葬4座和元代墓1座。

简报分为：一、秦墓葬，二、汉代墓，三、小结，共三个部分予以介绍，有手绘图。

据介绍，5座秦墓，墓道皆为窄长式天井，并宽于洞室。简报推断5座秦墓为战国晚期，个别者可能晚到秦统一。5座汉墓，根据墓葬的形制和随葬品分四期。简报推断：第1期1座，时代为西汉初期；第2期1座，时代为汉武帝至宣帝时期；第三期2座，时代为东汉中晚期；第4期1座，时代为东汉晚期。

1275.彬县大佛寺石窟所见正史人物铭记

作　者：常　青
出　处：《文博》1997年第6期

陕西彬县大佛寺石窟开凿于唐高祖武德元年（618年），是秦王李世民为悼念平定薛举之战而阵亡的将士所建。大佛洞、千佛洞、罗汉洞是其中的精华所在，都是初唐时期开凿，历经盛中晚唐完成。大佛寺石窟中保存的历代碑刻题记颇多，晚清金石学家叶昌炽就是在收集了大佛寺石窟103条题记的基础上，撰成《邠州石室录》一书。1996年6月间，考古人员全面系统地调查了大佛寺石窟，抄录了所有近200条的碑刻题记，发现其中不乏历史上的名人题刻，有9位题刻人在正史中有传，一位曾被《宗室世系》表所提及，可补正史所载之缺。

简报分为：一、唐彭城县主武氏与豳州司马柱国李齐，二、北宋尚书刑部员外郎滕宗谅，三、北宋都漕内阁程戡，四、北宋天章阁待制王素，五、元光禄大夫平

章政事佰都，六、明镇守太监刘永诚，七、明都御史项忠，八、明御用监太监刘瑾，九、明内江范文光，十、清提督丁汝昌，计十个部分予以介绍。每个部分都确定题记的位置，介绍题记人生平及史书记载，并录有题记全文。

1276.陕西邮电学校北朝、唐墓清理简报

作　　者：咸阳市文物考古研究所
出　　处：《文博》2001 年第 3 期

1994 年以来，为配合陕西省邮电学校基建工作，考古人员清理了一批古墓。

简报分为：一、北朝墓（M1～M6），二、唐墓（M7、M8），三、结语，共三个部分予以介绍，有手绘图、拓片。

陕西省邮电学校位于咸阳市文林路北，马家堡对面的咸阳头道塬南部，西 600 余米为陕西省财经学校，东 300 余米为陕西省煤炭学校。这里属古代墓葬区，周围常有汉、北朝、唐墓发现。据介绍，此次清理的北朝墓共 5 座，均为带长斜坡墓道的土洞墓，除了 M2 带侧室外，余皆为单室。M1、M3 为单人单棺，M2 为夫妻合用一棺，M5、M6 亦为夫妻合葬。M5、M6 曾被盗。唐墓共两座，M7 平面呈刀把形，似曾被盗。M8 位于 M7 东部，由墓道、过洞、天井、通道及墓室五部分组成。简报推断：M1、M2、M3、M5、M6 均为北魏墓葬；M7、M8 为初唐墓葬。随葬品中，M1、M3、M6 出土陶罐等与内蒙古等地出土陶罐相似。简报怀疑墓主人为进入关中的拓跋鲜卑人。M1、M2、M5 出土泥钱，或表明当时货币紧缺。

1277.咸阳机场高速公路周陵段汉唐墓清理简报

作　　者：咸阳市文物考古研究所　谢高文、苏庆元
出　　处：《文博》2003 年第 2 期

为配合 312 国道西安至咸阳机场高速公路建设，2002 年 1 月至 5 月，考古人员对全线发现的古墓葬古遗迹进行了抢救性发掘。简报配以照片、手绘图，介绍了清理的几座汉唐墓。

据介绍，简报重点介绍了新莽时期的 M64、东汉晚期的 M49 等汉墓。唐玄宗至代宗时的唐墓 M52。随葬品中，两座汉墓均曾被盗。均未见葬具及人骨架，随葬品所剩无几。唐墓木棺一副，已朽。棺内骨架已成粉末状，墓主年龄、性别不清。棺下有零乱的草木灰。共出土器物 10 件。陶俑 3 件，陶狗 1 件，塔式罐 2 件，塔式罐盖 1 件，开元通宝 3 件。其中开元通宝位于棺内，其他随葬品均位于墓室东

侧。其中博鬓抛鬟女俑、幞头男俑也是近年咸阳考古所发掘的近百座唐墓中首次发现。

1278.大周沙州刺史李无亏墓及征集到的三方唐代墓志

作　者：陕西场陵区文物管理所　王团战
出　处：《考古与文物》2004 年第 1 期

2002 年 3 月 27 日，杨陵区文物管理所接到家和园工程指挥部报告，家和园 12 号楼基建工地发现一座古墓。至考古人员赶到现场时，墓门、墓砖等已被移动，墓葬结构、大小已无法准确测量。在搬移砖石过程中，已将上门槛石断成两截，墓葬破坏严重，使整体资料记录工作无法全面进行。

家和园 12 号楼基坑位于杨陵示范区杨村乡张家岗村东约 300 米处，地势呈南北坡状，北高南低。墓坑为东西走向，机械开挖深度约 5 ～ 7 米。该墓葬位于基坑东部南侧，墓道位于基坑以外。清理情况简报配以拓片予以介绍。

据介绍，该墓为南北向斜坡土洞墓，坐北面南，由墓道、墓门、甬道、墓室、耳室等几部分组成。该墓葬具为木质，仅存为痕迹，由于被盗，灰迹散乱，棺木结构、厚度、大小均已无法测量。人骨架一具，扰乱严重。墓志盖顶篆书"大周故沙洲刺史李君墓志铭"12 字。志文正书 39 行，满行 40 字，现存杨陵区文物管理所。简报录有志文全文。

从墓志铭文得知，此墓为武则天登封年间墓葬，墓主姓李名无亏，字有待，陇西成纪人，生前曾任上柱国、朝散大夫、太中大夫、长城县开国公，死后追赠使持节、嘉州诸军事、嘉州刺史。享年 58 岁。

杨陵区文物管理所还征集到三方珍贵的唐代墓志：

一、大唐庆善宫太监樊方墓志铭

贞观二十三年（649 年）九月二十八日窆。此志石灰岩质，呈方形。志文正书，共 19 行，满行 20 字。出土时间、地点不详。现存杨陵区文物管理所。简报录有志文全文。

二、唐故陇西李夫人墓志

唐大和五年（831 年）七月十三日葬。此志石灰岩质，呈方形。志文正书，共 16 行，满行 18 字。出土时间、地点不详，现存杨陵区文物管理所。简报录有志文全文。

三、唐乡贡进士陈郡殷恪妻钟陵熊夫人（休）墓志铭

唐会昌元年（841 年）正月廿五日葬。此志石质，呈方形。志文正书，共 29 行，满行 29 字。出土时间、地点不详，现存杨陵区文物管理所。简报录有志文全文。

1279.陕西彬县水北遗址发掘报告

作　者：陕西省考古研究院、咸阳市文物考古研究所　田亚岐、翟霖林、苏庆元、杨新文等

出　处：《考古学报》2009 年第 3 期

水北遗址位于陕西省彬县炭店乡水北村，北靠高原，西临小溪，东、南面被泾河环绕，是一处典型的一面依山、三面临水的遗址。1959 年、1988 年两次文物普查，确认此处为一处古代文化遗址。1959 年的调查，发现陶钵、盆、尖底瓶、瓮等遗物。2005 年 6 ~ 11 月，为配合高速公路的建设，考古人员对水北遗址进行了发掘，此次发掘发现仰韶文化中晚期灰坑 107 座，房址 4 座，窑址 1 座，以及宋、元、明时期墓葬 12 座，出土大量陶器、石器和骨器。

简报分为：一、地层堆积及遗存情况，二、第一期遗存，三、第二期遗存，四、第三期遗存，五、宋元和明代墓葬，六、结语，共六个部分予以介绍，有照片、手绘图。

简报指出，水北遗址地处泾水上游与中游相交接的北山山地，其年代贯穿了仰韶文化的中、晚期，文化面貌与关中西部地区基本一致，是关中地区近年来发掘的一处重要的仰韶文化遗址。该遗址也存在一些自身的特点，如房址、窑址的结构较为特殊、陶器中黄陶的比例较高等，这些情况与关中地区有很大的不同。发掘所见的石板墓，形制为长斜坡墓道土洞墓，封门为石板，墓室内葬具为石棺。石板墓此前在渭北地区也有发现，但石板墓的年代一直没有确定。此次水北遗址发现的石板墓，出土了一批对于确定年代最有意义的陶瓷器。经过初步研究，这批器物的年代为宋元时期，石板墓也可断定为宋元时期。这也是这次发掘的一大收获。

渭南市

1280.陕西华县柳子镇考古发掘简报

作　者：黄河水库考古队华县队

出　处：《考古》1959 年第 2 期

1955 年，考古人员在华县柳子镇（亦称柳枝镇）调查时，发现有古代遗迹，1958 年进行了发掘。简报分为四个部分，配以照片予以介绍。

据介绍，发现仰韶文化的遗存有大型房子 1 座、陶窑 6 座、灰坑 166 个、墓葬 20 座。龙山文化遗存有居住遗迹 1 处、陶窑 1 座、灰坑 14 个。另有周代古城遗址 1 处及一

些战国、汉、北周、唐、宋墓葬。周代古城遗址应为西周古城，位于泉护村西 1 公里处骞家窑东北一处高地上，南北长约 250 米，东西长约 450 米。

1281.陕西韩城秦汉夏阳故城遗址勘查记

作　　者：呼林贵

出　　处：《考古与文物》1987 年第 6 期

韩城市秦汉时为夏阳县，文献记载虽较清楚，但夏阳城址今已不明所在，考古人员于 1986 年 3 月和 10 月先后两次前往调查。

简报分为：一、遗址位置及地理环境，二、遗迹和遗物，三、结语，共三个部分，有手绘图。

据介绍，故城遗址位于今韩城市南 10 公里处，其地属芝川乡瓦头村、吕庄村和嵬东乡的堡安村。有城墙遗迹、冶铁遗址、墓葬区等。此城简报认定为秦汉时夏阳县故城。东汉时县城已迁往别处。此遗址的发现对寻找司马迁生葬地及研究秦魏两国在这一地区的纷争有帮助。

1282.郃阳千佛洞石窟

作　　者：李圣庭

出　　处：《文博》1989 年第 2 期

千佛洞石窟，又名千佛洞石室，因洞内雕刻有近千尊佛像而得名，位于陕西省郃阳县城西北 40 余里的甘井乡安家头村高 1300 米的梁山东峰的南面。

简报配以照片予以介绍，共分四个部分：一、梁山东峰的概貌，二、千佛洞石窟的造型与规模，三、石窟内佛像的分布与排列，四、石窟的建造年代。

据介绍，千佛洞石窟的外形，中间是洞门，距峰崖底层约 2 米，门向南，高 1.75 米，宽 1.25 米，登洞有石台阶。洞门两旁的里面上部各有刻文，面积约 1 尺见方，西门旁有明正德年间重修的记载。石窟内有佛像 81 尊。简报称，千佛洞石窟的建筑年代，其说不一，是唐代建造，还是金代仿唐建筑，有待进一步探讨考证。

1283.渭南市郊古墓葬清理简报

作　　者：崔景贤

出　　处：《文博》1992 年第 6 期

1989 年 4 月至 12 月，为配合有关基建单位的基本建设工作，考古人员抢救清理古墓 11 座，其中战国墓 2 座、汉墓 9 座。

简报分为：一、地理位置，二、战国墓，三、汉墓，四、结语，共四个部分介绍清理所获，有手绘图。

据介绍，11 座墓葬零散分布于渭南市南郊西潼公路沿线两侧，地处渭河流域二、三级阶地。战国墓均位于铁一局流材厂机修所综合楼基下，编号渭铁流机 M2、M9。汉墓中，4 座位于铁一局桥梁处机运队中心库院内，编号渭铁桥机中 M22、M19、M26，2 座位于贠张四队综合楼基下，编号贠四 M1、M2，其余 3 座，1 座位于地区供电局铁合金厂食堂楼基下，编号渭地电铁 M1，1 座位于新建渭南汽车站主楼基下，编号渭汽 M1，1 座位于西电一公司商业楼基下，编号西电一公司 M1。

据介绍，两座战国墓的形制虽有差别，但随葬器物大致相同。简报推断在战国晚期至秦。9 座汉墓中未发现有明确约年的器物，简报据其墓葬形制、随葬品的组合及器物演变，结合关中其他地区以往出现的墓葬初步划分为两期。属第一期的墓葬有西电一公司 M1，铁桥 M26，渭贠四 M1、M2 共 4 座，其时代简报推断为西汉晚期至新莽；属第二期的墓葬有铁桥机中 M2、M19、M21，渭汽 M1，渭电铁 M1 共 5 座。M19 年代简报推断与秦都咸阳汉墓甲 10 出土的器物年代相当（永平十三年），其余 4 座墓葬的年代简报推断为东汉中期。

简报称，这些古墓的清理为研究渭南地区古代的埋藏习俗提供了一批实物资料。

1284. 陕西蒲城尧山灵应祠唐宋题刻调查

作　者：杨　政、秦建明、李喜萍
出　处：《考古与文物》1994 年第 6 期

灵应祠，又名灵应夫人祠。位于陕西蒲城县北 15 公里之尧山。祠庙坐落于浮阳村北之山谷中，谷内古柏苍郁，怪石嶙峋，泉流清澈，风景秀丽，自古以来即为蒲城县境名胜。

据文献记载，灵应祠始建于唐，历宋金元明清至今已有 1000 多年历史，其间庙宇多次建毁。今庙周开拓有南北深 50 米、东西阔 60 米左右方形台地，台地三面临石壁，仅南侧庙门外有石径可通谷外。祠庙今存新修偏殿一座，面阔三间，拟建正殿一座于其东，庙内散布元碑一通，明清古碑多块，石柱础数方。据碑文记载，该庙祈雨最灵，如今每年当地人依然于此举行庙会。

1984 年，考古人员对庙周石壁题刻进行调查。1993 年秋，考古人员再次对题记进行复查，除个别遗迹风化剥落外，基本与 1984 年保存情况相去不远。两次调查综合简报配以手绘图予以介绍。

据介绍，祠庙东侧、西侧、北侧均为人工开凿出的青石石壁，高 3 ～ 14 米不等。

石壁上共发现历代题刻三处：东侧一处，为唐宋题刻；北壁东段一处，为宋代题刻；北壁西段一处，为民国年间题刻。可以看清的题记共 23 则，其中注明年号者唐代 8 则，宋代 4 则，民国 1 则，未注年号及不详者 10 则。唐代题刻多为贞元、元和年间当地官员拜谒祠庙所留，其中又以奉先县令及其属官题记为多。这种情况，结合文献及其他题记，简报推测应与祈雨和祭祀有关。

简报称，这次发现的尧山摩崖题记，数量较多，题记时代延续也较长，是一处颇有价值的唐宋史料。这些唐宋题记，最早者为唐贞元十四年（798 年）。

1285.渭南市区战国、汉墓清理简报

作　者：崔景贤、王文学
出　处：《考古与文物》1998 年第 2 期

1993 年 7 月至 1994 年 5 月，考古人员先后在市区西潼公路南北两侧的铁路子校、西电一公司、市棉花公司、公路管理总段清理发掘战国墓 8 座，汉墓 10 座，出土文物 166 件。

简报分为：一、战国墓，二、汉墓，结语，共三个部分，有手绘图。

据介绍，战国墓主要分布于西潼公路以南的站北路西段新建的铁路子校中、小学教学楼基础内，共发掘墓葬 10 座，其中战国 8 座，汉墓 1 座，近代墓 1 座。均为洞室墓，由墓道、洞室两部分组成。葬具为木棺，已朽，人骨保存不好。其中 M6 为仰身屈肢葬。出土有陶器及少量铜器、铁器计 31 件。在西潼公路南侧西电一公司新征地内发掘清理汉墓 7 座，编号为 93 渭西电 M6、M19、M24、M26、M34、M35、M36，市棉花公司、公路管理总段及铁路子校各 1 座，编号为 93 渭市棉 M1、93 渭路段 M1、94 渭铁校 M1，共 10 座。其中土洞墓 8 座，砖室墓 2 座。出土有彩陶、陶器、铁器、铜器等。

简报称，8 座战国墓应为战国晚期至秦统一前墓葬。汉墓可分三期：一期为西汉早期；二期为西汉中晚期；三期为东汉中期。

1286.西岳庙考古收获

作　者：陕西省考古研究所、西岳庙文管处　吕智荣、刘育生
出　处：《文博》2005 年第 1 期

西岳庙位于陕西华阴县岳庙镇东侧，西距县城 1.5 公里，南距华山 2.5 公里。西岳庙是古代封建王朝谒祭西岳华山之所，备受历代王朝的重视。

1986 年，西岳庙被列为国家级重点文物保护单位。1998 年 8 月，陕西省人民政

府批准了西岳庙复修工程规划，并全面启动了复修工程。为了按古制复修西岳庙，考古人员对已毁建筑基址进行考古发掘。工作从1996年下半年开始，到2001年底结束，历时6年，除对要复修的建筑基址进行了考古发掘之外，还以庙的发展历史为研究课题进行了相关的考古工作。发掘面积计6000余平方米，发掘和发现魏晋至清代时期的各类建筑遗址30余座，发现琉璃窑8座，发掘了3座，共出土两汉至民国时期的各类建筑构件和生活用具、货币等有研究价值的文物1600余件，收获丰厚。

简报分为：一、两汉遗物，二、南北朝遗物，三、隋、唐、五代遗存，四、宋代遗存，五、金、元时代的遗存，六、明代遗存，七、清代遗存，八、重要发现与相关问题，共八个部分，有彩照。

据介绍，依据这次考古资料，今之西岳庙，始建于南北朝时期，西汉武帝创建的西岳庙当另有其址。依据在庙后发现的汉代遗物推断，不排除古庙址就在今庙附近的可能。西岳庙自南北朝时期更址重建以来，庙制由单垣孤殿发展到金元，有了内城、外城，明代又增筑了宫城、月城，其庙域由始初的2亩发展到明清增至186亩，殿、寝、楼、阁、廊、房、道舍增益至220余间，但是正殿的位置没有更变。庙内的正殿位置，从创建以来没有更移。这次发现的"华百石都训造"碑残块，证实了郦道元《水经注》中记载的庙内有"华百石造碑"之说，而且为西晋太康八年修庙之事提供了证据。出土的"天宝九载""大和"纪年砖，弥补了唐代修庙之遗缺。发现的《西岳庙全图》碑残块，说明今庙内保存的《西岳庙全图碑》并非是西岳庙最早的全图碑。庙内使用的建筑构件，金元以前以泥质灰陶为主，琉璃构件始见于宋代，而且使用在庙内的主体建筑上，到明清两代，除道舍和墙帽、侧门等建筑外，殿、堂、楼、亭等中轴线上的建筑均使用的是琉璃构件。清代以前以绿色为主，到清代则以黄色为主。至晚从金元始，琉璃构件多在庙内烧造，外地窑烧造的也有，但很少。庙内生活用具使用，在唐代以前（包括唐代）以陶器为主，未见瓷器，唐代出现瓷器，宋代以后逐渐以瓷器为主，陶器逐渐减少。这不仅反映了庙内人员生活的发展，也以缩影形式再现了中国古代瓷器的烧造、使用发展的历史。

简报称，这次考古工作，不仅为此次复修工程提供了科学的依据，也为研究西岳庙的发展历史提供了有价值的资料。

1287.新发现的陕西澄城窑及其烧瓷产品

作　者：杜文、禚振西
出　处：《文博》2006年第2期

2001年春，考古人员在陕西东部洛河流域进行窑业考察时，在澄城县尧头镇找到了一处大型的古代烧瓷窑址，于当年对该窑场及邻近地区进行了连续考察，发现当地清代仍在烧造刻印花青瓷的相关遗迹，遂依地名命名其为"澄城窑"。

简报分为：一、文献记载中的澄城窑，二、澄城瓷业考察概述，三、澄城窑保留的传统烧瓷技艺及产品，四、考察后记，共四个部分，有彩照。

据介绍，方志中记载澄城烧瓷的情况比较丰富，在明代至民国县志中皆有记载。此次对澄城古窑址的考察属陶瓷界首次。简报称，澄城县已获得国家拨款用于尧头民瓷征集，澄城窑逐渐引起了人们的重视。澄城民瓷造型粗犷，古拙浑朴，纹饰天真淳朴，寓意吉庆，堪称陕西关中东部民窑的代表窑口。

延安市

1288.延安地区的石窟寺

作　　者：延安地区文化馆　姬乃军
出　　处：《文物》1982 年第 10 期

从 1979 年开始，延安地区文化局组织有关单位，对本地区现存的石窟寺进行了一次重点普查，并结合有关文献作了初步探讨。普查情况简报分为五个部分予以介绍，有拓片、照片。

据介绍，延安城东清凉山万佛洞石窟，现存三窟，是陕西省第一批重点文物保护单位之一。万佛洞石窟平面呈长方形，两侧有石壁与窟顶连接，顶部有三个粗斗形藻井。窟内大佛已毁。从藻井看，原有三佛，或一佛二菩萨。洞壁上满雕高约 25 厘米的小佛，姿态各异。左壁下部的一尊观音菩萨造于金章宗泰和七年（1207 年），面容端庄，造型生动。在中央佛坛左壁柱外侧，还雕造了一座十五级浮图。洞内保留了大量的造像题记的年号，简报认为清凉山万佛洞石窟的开凿至迟不会晚于宋神宗元丰年间。根据造像风格判断，简报推断很可能是唐中期以前所创建。

简报还介绍了位于子长县安定镇东一公里许的北钟山石窟，应创建于宋英宗治平四年（1067 年）。位于黄陵县双龙公社西峪村的千佛寺石窟，此窟也叫万佛洞，是省级保护单位，简报认为此窟是北宋哲宗元祐年间所建，以后各代有造像和修葺。位于富县直罗公社川子河北岸的川子河石窟，共 7 个洞窟，自唐始，五代、宋、金、明、清均有凿刻。除了延安万佛洞、子长县北钟山、黄陵县千佛寺、富县川子河这 4 处较大的石窟外，还有一些小石窟。如志丹县目八公社界湾大队城台村的城台石窟，为北宋狄青屯兵时开凿。志丹县旦八公社何家洼村的何家洼石窟，也为宋代遗址。

从题记姓名看，有不少可能是宋代居住此地信仰佛教的少数民族人士。石寺河石窟，位于安塞县王窑公社石子河村，窟内所见最早的造像题记是宋徽宗宣和元年（1119年），后有元大德、贞元年间的造像题记，以及明万历三十五年（1607年）墨书题记。招安石宫寺石窟，位于安塞县招安公社招安大队境内，杏子河左岸，窟内现存最早造像题记为宋徽宗崇宁元年（1102年）。段家庄石窟位于富县洛阳公社段家庄村，洛河西岸，窟内主要造像大都不存，但壁上浮雕小佛像都基本完好。川庄石窟位于富县张公湾公社川庄村，古名王母洞，开凿于宋徽宗崇宁五年（1106年）。此窟的造像在"文化大革命"中已遭破坏。此外，富县窑子沟石窟也保存部分造像，其时代较晚。

简报指出，延安地区石窟年代延续较长，大都有准确年代，题记中出现少数民族姓氏，说明佛教在西北传播广泛，并受到中国文化影响，形成了独特风格。这一批石窟造像对研究我国石窟艺术的发展具有重要的价值。

1289.延安地区发现一批佛教造像碑

作　　者：靳之林

出　　处：《考古与文物》1984年第5期

1981年至1983年，洛川县土基公社鄜城村先后发现北朝造像碑9通；1978年至1982年，黄陵县双龙公社发现北朝造像碑3通；1981年到1983年，甘泉县劳山公社许家圪坮村及众宝寺发现五代、北宋造像碑各一通。

简报分为：一、鄜城村出土的北朝造像碑，二、黄陵县双龙公社北朝造像碑，三、甘泉县发现五代、宋造像碑，结语，共四个部分介绍这14通造像碑，有照片、拓片。

据介绍，鄜城村位于洛川县东土基公社，是古代长安通往陕北的一条重要交通道路。鄜城村内以北宋万凤塔为中心，保存有方圆2.5公里的北魏鄜城郡古遗址，其范围南到南关头，北至如神洞，东达严家庄，西界新西堡。现地面上还残存有古城墙，铺地方砖、石柱础、土墩等北朝遗迹遗物。造像碑因暴雨塌方在鄜城村土寨子外和场院之间的壕沟断崖上陆续出土，同时还出土一些砖石构件及佛教石造像及北朝造像碑9通，这里原应有北朝寺院遗址。黄陵县双龙公社在沮河之旁，位于县西90里经子午岭通向甘肃的秦直道北侧山下。1978年在西峪村发现西魏大统十四年（548年）造像碑，1982年又在索罗湾发现北周造像碑二通。甘泉县1983年在劳山公社许家圪坮村发现一通五代后晋天福年间造像碑，该碑倒放于村南口东北山上明代重建的佛庙之前。甘泉县高哨乡寺沟村的众宝寺（白鹿寺）据《陕西通志》所载，建于唐大历年间，五代后晋天福年间重修。寺内有北宋千佛造像碑一通，现藏县文化馆。

简报称，所述 14 通造像碑中，有 7 通无纪年。从其形制、风格上判断，定在北魏晚期二通、西魏一通、北周四通，均录有铭文全文。大量供养人姓名等对研究民族融合、民族迁徙、历史地理等均有价值。

1290.陕西富县石窟寺勘察报告

作　者：负安志
出　处：《文博》1986 年第 6 期

中唐以后，中国佛教由极盛转衰。凿窟的风气式微，石窟寺留下来的不多，尤其是金、元作品，更为少见。但是，在陕西富县发现了很多宋、金、元代的石窟造像群，补充了其他地区的不足。除了杭州石刻造像外，可称为金、元代作品国内重要的集中地点之一；不仅雕刻技巧相当出色，而且保存得非常完整，它和各地的金、元代以前石窟造像相衔接，成为中国石刻艺术史上不可分割的一部分。简报配以照片、手绘图，介绍了对富县石窟寺的考古调查。

据介绍，富县位于陕西北部。该县的西部、东北部属土石山区，山区土地比较肥沃，又能种植水稻，较多的石山为开凿石窟提供了良好的自然条件。富县石窟寺，经过调查，计有石泓寺、马家寺、马渠寺、川庄石窟、石佛堂石窟、黑水寺、甘沟大佛、大佛寺、柳园石窟、阁子头石窟及松树沟元代石刻造像群等 20 余处。简报重点介绍了隋代开凿、唐代竣工的石泓寺石窟，唐代初期的川庄石窟，明代的大佛石窟，北宋及宋刘豫时期的石渠寺石窟，北宋的阁子头石窟，北宋的柳园石窟，唐代的甘沟石窟，明代的石佛堂石窟及元代松树沟石雕群像等。简报提及有的石窟受损严重。如川庄石窟，造像头部在"文化大革命"时全被砸毁。

1291.陕西黄龙县古遗址调查

作　者：黄龙县文管所、陕西省考古所
出　处：《考古与文物》1989 年第 1 期

1985 年、1987 年，考古人员对黄龙县 16 处古代遗址进行调查和复查。报告重点介绍了发现的仰韶文化遗址、底沟文化遗址，其中一些遗存简报怀疑是夏商时期的。总之，时代从史前到夏商时期都有。其中夏文化遗存与山西"东下冯类型"遗存有共同点。

1292.安塞县石窟寺调查报告

作　者：杨宏明

出　处：《文博》1990 年第 3 期

陕西延安地区安塞县 1987 年以来发现石窟寺 15 处。

简报分为：一、樊庄石窟，二、石寺河石窟，三、龙眼寺石窟，四、招安石窟，五、寨子峁石窟，六、石佛寺石窟，七、剑华寺石窟，八、沐浴石窟，九、黑泉驿石窟，十、洞湾石窟，共十个部分，重点介绍了其中颇有艺术、考古价值的石窟，有照片。

据介绍，这 10 个石窟，简报分别介绍了其所在地点、现存遗迹及保存情况。从所介绍的情况看，这些石窟有隋、宋、明各个时代开凿的纪年题记，规模都不大，不少在"文化大革命"期间严重受损。

1293.延安地区古塔调查记

作　者：延安地区文物普查队

出　处：《文博》1991 年第 2 期

在 1987 年至 1988 年文物普查工作中，陕西省延安地区，共发现各类文物点 5808 处，居陕西省各地（市）之首。其中有许多风格各异的古塔，引人瞩目。

简报分为：一、延安市，二、甘泉县，三、黄陵县，四、子长县，五、延川县，六、洛川县，七、黄龙县，八、宜川县，九、志丹县，十、延长县，十一、富县，十二、吴旗县，十三、几点认识，共十三个部分予以介绍，有手绘图等。

据介绍，延安地区 13 个县(市)中，除安塞县未发现古塔外，其余各县均发现有塔。事实上，就连安塞县也曾有过建筑古塔的记录。就目前掌握的材料，延安地区共有砖塔 33 座（不包括塔基遗址 1 处）、石塔 23 座、砖石混合结构塔 3 座、土塔 5 座、琉璃塔 1 座、铁塔 1 座，共计古塔 65 座。

从时代上看，延安地区的古塔共 65 座，其中唐代 1 座（富县开元寺塔），宋金时期 15 座（福严院塔、柏山寺塔、八卦寺三塔、九塔湾八塔、瓦子川塔、延安宝塔，其中延安宝塔虽始建于唐，但宋代曾重建，故列入宋金时期建筑），明代 33 座（万凤塔、普通塔、宝堂禅师塔等），清代 16 座（白骨塔、阁楼寺塔等）。

简报称：延安地区古塔，占陕西全省古塔总数的 26% 以上，全国古塔总数的 2%。

今有徐进先生《陕西古塔全编》（西北大学出版社 2019 年版）一书，可参阅。

1294.安塞县出土一批佛教造像

作　者：杨宏明
出　处：《文博》1991 年第 6 期

1985 年春，安塞县郝家坪乡新窑坪村出土一批佛造像，现收藏于安塞县文管所。简报配以照片予以介绍。

据介绍，佛像出土处位于新窑坪村西北方。在沿沟底西北长 200 余米的地段内，暴露粗绳纹板瓦、宋瓷片以及人骨。据当地老人讲：在此出土过铜香炉、铜钱、瓦盆等，估计是一处寺院遗址。这次出土佛造像共 7 尊，除两尊头部残缺外，其余 5 尊尚好。有唐显庆五年造像碑和北朝造像龛、隋朝须弥座石雕佛像、金刚座石雕佛像各 1 座及隋代石雕菩萨像 3 座。

1295.陕北甘泉县史家湾遗址

作　者：陕西省考古研究所、延安地区文管会、甘泉县文管所　姜　捷、张建林等
出　处：《文物》1992 年第 11 期

史家湾遗址是在 1987 年全省文物普查中发现的。遗址北距甘泉县城约 15 公里，洛河与府村川两河在遗址东北 500 米处交汇。遗址区位于洛河西侧的梁由中腰，高出现河床约 15 米，在梁峁中腰沿南北向狭长分布，西高东低呈缓坡状，保存面积约 2500 平方米。因长期水土流失及农田建设，遗址破坏极为严重，遗址中、北部仅存留较薄的龙山时代早期文化堆积层，南部还残存少量西周遗存。1991 年春、夏之际，为配合西（安）延（安）铁路施工，考古人员对遗址进行了为期 1 个月的抢救性发掘。简报配以照片予以介绍。

据介绍，这次发掘发现龙山时代早期房基 3 座、灰坑 9 个、葬坑 1 个，出土了一批陶、石、骨质遗物。同时还清理出少量西周遗存。史家湾遗址简报推断为龙山时代早期文化和西周文化。简报称，龙山时代早期文化堆积虽不很厚，但出土遗物特征明显；西周文化遗存较集中分布于遗址南缘，经过长期自然和人为的毁损，所剩无几。

1296.陕西省甘泉县佛、道石窟调查简报

作　者：张　砚、李安福
出　处：《考古与文物》1993 年第 4 期

1984 年夏，考古人员调查了陕西省甘泉县境内洛河两岸的石窟分布情况，共发

现北魏、唐、北宋、金、元、明诸朝代石窟（龛）群10处。简报分为十个部分逐一介绍，有手绘图。

据介绍，甘泉县位于延安地区中部，洛河由西北向东南贯穿全县，洛河川道面宽约500～1000米，石窟集中分布在洛河川道北岸的下寺湾、雨岔和桥镇等乡，另在府村、王坪等乡也有发现。

甘泉的10处石窟集中发现在唐代敷政县（即今下寺湾乡）境内，已发现有关延州、敷政县的题记，并有唐、宋、金年号，为延安石窟中重要资料。计有刘老庄唐代石窟、石门宋代石窟、孟家岖宋代石窟、蛇家河沟宋代石窟、介滩窑子金代石窟、香林寺元、明石窟、石马河明代道教石窟等。

1297.陕西秦直道甘泉段发现秦汉建筑遗址

作　者：甘泉县博物馆　王勇刚、崔凤光
出　处：《文博》2008年第4期

该遗址2005年7月发现，位于甘泉县桥镇乡安家沟村洛河北岸。东西长150多米，南北宽80多米，总建筑面积约12000平方米，板瓦、简瓦等随处可见，还有不少瓦当、砖、陶器碎片。简报配以照片予以介绍。

据介绍，该遗址靠近秦直道，应为洛河渡桥的保护、管理机构所在地，同时也应起到驿站作用。简报认为应建于秦代，汉代沿用。

汉中市

1298.陕西城固出土汉晋宋瓷

作　者：王寿芝
出　处：《文博》1991年第3期

城固县位于陕西省南部，汉中盆地的中部。为了扩大耕地面积，年年对农田水利进行改建扩建。在改建扩建中，出土了几批瓷器。简报配以照片予以介绍。

据介绍，计有1970年莲花村出土汉瓷钵2件、1970年原公村出土带"建元十一年"纪年晋盘口壶1件、1972年城关镇小东关村出土宋瓷碗8件、1984年五郎庙村出土窖藏宋瓷15件、1988年周家村出土宋代黑釉瓷碗2件、1987年翟家寺村出土宋虎皮纹瓷碗2件等。

简报指出，城固出土大批宋瓷原因是：宋时，金人入侵，关中地区军政要人全部逃到汉中。如军界吴玠等、文界韩干等住略阳、洋州（今洋县）、城固。他们带来了生活用品和相关技术，后来遗留在汉中盆地。

1299.米仓道考察记

作　者：李　烨、余忠平
出　处：《文博》1994 年第 2 期

米仓道是历史上汉中与中巴地区经济文化交通的主要载体，亦是军事上用兵孔道之一，自汉代至明清一直在使用。1993 年 8 月，考古人员对米仓道之汉中至南江段进行了徒步考察。这次考察没有局限于道路状况、设施等方面的调查，而是通过走访、座谈等形式，调查了米仓道通商、运输、行旅生活等情况，因为正是经济之需求才产生并逐步形成了道路。

简报分为：一、米仓道实地踏勘，二、沿途的遗物遗迹，三、通商及运输调查，四、结束语，共四个部分予以介绍。

据介绍，米仓道中的米仓山脊，有东西中三道，北麓集结点为喜神坝，南麓集结点为上两。考古人员这次考察路线属米仓道中路，徒步从喜神坝开始，汉中到喜神坝一段古道今天大都被现代公路覆掩，无踪可查。沿途发现桥梁 3 座，桥址 4 处，宋代摩崖石刻 2 方。经调查，米仓道上的运输方式有二：船运、人背。

简报称，经过实地考察和对有关文献的查阅，对古米仓道可得出以下两点认识：

一是米仓道一直是一条联系汉中与中巴地区的小道。从考察中得知，现存道路遗迹宽度仅 1 ~ 2 尺，全程 300 余里，土路仅占 30%，而乱石礁及碥路各占到 50% 和 20%。它仅限于单人步行，而且季节性、气候性很强。

二是米仓道东西中三道，行旅多取中道，特别是商旅专走此道。中道虽然相对而言要难走一些，但要简捷 40 余里，而且途中店子很多，食宿无须考虑，对商人而言更可节省财力。近代以来，中路已有取代东西二路之势。

榆林市

1300.陕西神木县石峁龙山文化遗址调查

作　者：戴应新
出　处：《考古》1977 年第 3 期

神木县在陕西省东北部，北接内蒙古，南濒黄河，万里长城从西南向东北横亘全境。县内北半部为毛乌素沙漠的南缘，南半部系高原沟壑区。发源于长城外的秃尾河向东南流入浩荡的黄河，石峁龙山文化遗址即位于秃尾河支流洞川沟南岸的山梁上。简报配以照片、手绘图予以介绍。

据介绍，石峁遗址属高家堡公社石峁大队，东北距县城 60 公里，北距长城 10 公里。这处遗址是 1976 年 1 月发现的，并于同年 9 月作了复查，征集到一批出土文物。在该遗址暴露出来的古代遗迹以石峁小学附近最为集中。从石峁小学登上山顶，沿着山势的走向东行，直到牛家梁，长约 1 公里，地面上到处可见到陶片和各种石器。陶器有瓮、罐、斝、鬲、双耳罐等。该村几乎每户人家里都保存有完整的陶、石器。完整的陶器多出于墓葬中，往往为耕地时发现，墓为土坑。还有一种墓是在坑底和四壁衬铺石板，上面再盖上石板成棺材状（石板是石头的天然层次，敲砸即得）。由于棺内的容积有限，所以随葬的陶器少见，而多数有精致的玉器，如璜、璇玑等。此外，还发现有瓮棺葬，瓮为粗篮纹，灰色，圜底，高 60 厘米，瓮两两对接。征集到的标本有玉石器和陶器等。简报认为石峁遗址应属龙山文化客省庄二期。简报称，采集到的一些玉器，有可能属殷商文化。

1301.榆林地区一批馆藏宋、金、元瓷器

作　者：陈孟东
出　处：《文博》1986 年第 1 期

陕北榆林一带地处黄河中游，历史上遗留的文物古迹非常丰富。近年来，榆林地区各县重视文物的收存和保护，征集到一批珍贵的历史文物。

简报分为：一、宋代瓷器，二、金代瓷器，三、元代瓷器，共三个部分予以介绍，有照片。

据介绍，宋代瓷器有耀州窑、定窑瓷器。金代瓷器有耀州窑、磁州窑瓷器。元代瓷器有钧窑、磁州窑瓷器。简报称，这批瓷器充分说明，宋代的确是我国瓷器发展史上一个繁荣时期。瓷窑址几乎遍布全国各地，产量之大，品种之多可想而知。宋瓷的销售量也是很大的，瓷器的外销有"瓷器之路"誉称；瓷器的内销也非常广泛，当时的饭店用耀州青瓷碗，饮食担子用定州白瓷瓶是普遍的事。从榆林地区收藏到的几十件宋瓷看，当时边远的地方瓷器销售量也是很大的。

1302.陕西清涧李家崖东周、秦墓发掘简报

作　者：陕西省考古研究所、陕北考古工作队
出　处：《考古与文物》1987 年第 3 期

1983 年，在李家崖文化古城址周围，当地人俗称套场坪、峰家塔、星星原的

三座土丘上，发现了一批东周墓葬和秦墓葬。

简报分为：一、墓地的位置和地理概况，二、墓葬的形制与结构，三、出土遗物，四、结语，共四个部分，有拓片、手绘图。

据介绍，李家崖村位于无定河下游，坐落在河的东岸，东距清涧县城45公里，西距黄河4.5公里。套场坪、峰家塔、星星原三墓地共计清理墓葬43座，均为小型墓，有的已遭严重破坏。出土有陶器、铜器、石圭、玉玲、骨器等。年代从秦统一前后至秦亡、战国早期、战国中期、战国晚期不等。简报称，从墓葬形制等看出，当地交通闭塞，先民在葬俗上也较守旧。

1303.清涧出土两件古代铁犁铧

作　者：高　雪
出　处：《文博》1987年第3期

1984年10月，陕西清涧县高杰乡学校内修建校舍挖地基时，在离地面约5尺处发现1件铁犁铧，在这一犁的右边约2尺处还发现1件稍小的铁犁铧。简报配以照片予以介绍。

据介绍，大犁体高14厘米、长37.8厘米，最宽38厘米，重16.5公斤，口沿已残。小犁体高13厘米、长25厘米，最宽30厘米，重2.25公斤，器型基本完整。两犁均藏清涧县文化馆。简报推断为秦汉之物。

1304.米脂万佛洞石窟

作　者：李圣庭
出　处：《文博》1992年第5期

万佛洞，位于米脂县城北8公里的无定河右岸的悬崖上，因洞窟内有万余尊摩崖造像而得名。洞窟均为借悬崖开凿而成。简报配以照片予以介绍。

据介绍，从悬崖横布洞窟群的遗迹观察，有圆形的石窝，似为攀登洞窟的架木横道所遗留，沿架木横道可达高低不等的每个洞窟。在悬崖的南北中间，是洞窟群的正殿，名曰"伽蓝护法殿"，即人们通称的"万佛洞"，这是陕北地区一组大型的摩崖石窟。至于建造年代，尚无据可考，但从佛像的造型和雕饰艺术观察，简报认为是在宋至明初之间。万佛洞的摩崖造像，雕饰精致，线条清晰，体态协调，面容丰满，彩色绚丽。简报称，像这样保存较完整的大型摩崖石窟，具有较高的考古价值和艺术价值。

1305.榆林市境内新发现一段秦汉长城遗址

作　者：戴志尚、刘合心

出　处：《文博》1993 年第 2 期

榆林地区，历史上曾是魏、秦、汉、隋、明等五个封建王朝修筑军事防御长城较集中的地区。1980 年和 1987 年，陕西省文物局曾组织大量的人力和物力，进行了两次大规模的文物普查，在榆林市境内，也曾陆续发现一部分不同历史时期的长城遗址。简报配以手绘图予以介绍。

据介绍，1990 年 9 月，在巴拉素镇乔家峁西又新发现一段秦汉长城遗址。遗址东起榆林市巴拉素镇乔家峁西侧的吴沙，蜿蜒曲折向西南方向至榆林市红石桥乡的井界村西，遥与横山县境相接。榆林市境内的这一段秦汉长城遗址全长约 10.5 公里。其中保存比较集中和明显的城墙遗迹，是东起吴沙、西至红石桥乡肖家沟的北侧一段，全长约有 6 公里。这一段秦汉长城遗址地处毛乌素沙漠偏南部位。由于受千百年来陕北风沙的严重浸蚀和淹没，目前大部分城墙墙体上被沙土埋压至墙顶。在这段秦汉长城遗址沿线两侧，地面上遗留大量的秦汉时期的遗物。

简报称，榆林市这段秦汉长城遗址的发现，为我们进一步研究、考证榆林地区秦汉长城遗址的分布和走向，以及秦汉时期的疆域情况，提供了新的重要的实物史料。

1306.陕西府谷县郑则峁遗址发掘简报

作　者：陕西省考古研究所陕北考古队、榆林地区文管会

出　处：《考古与文物》2000 年第 6 期

郑则峁遗址位于府谷县高石崖乡温李河村西，坐落在温李河与木瓜川交汇处的土丘上，西邻木瓜川，东邻温里河，神府公路堑山河从遗址的后部穿过。遗址隔河与温李河村相望，东距县城 7.5 公里。

该遗址是 1987 年文物普查工作中调查发现的。为了配合神木县至山西朔县的铁路建设工程，于 1990 年下半年对遗址进行了二次复查，1992 年初进行了普探，同年 4 月至 5 月底进行了首次发掘。

简报分为：一、文化堆积，二、第一期文化遗存，三、第二期文化遗存，四、第三期文化遗存，结语，共五个部分，有手绘图。

据介绍，郑则峁遗址分布在土丘顶部，因受雨水长期冲蚀和耕种、修田取土，遭严重破坏。这次发掘面积不大，出土的残陶片虽然不少，但可复原的器物不多。经过对资料的初步整理，依据地层叠压关系和古文化的内涵和特征，将文化遗存初

步划分为三期，简报推断，第一期遗存时代大约与庙底沟二期文化早段遗存相当；第二期遗存时代属于晚期龙山文化偏早阶段；第三期遗存时代为战国早期。

简报称，第二期和第三期遗存都是在该地区首次发现，它为研究东周时代该地区古文化和历史提供了实物资料。

安康市

1307.陕西安康专区考古调查简报

作　者： 陕西考古所汉水队
出　处：《考古》1960 年第 3 期

考古人员于 1959 年对陕西境内汉水流域地区古文化遗址的分布情况进行了一次普查。第一阶段工作于 3 月 8 日开始，到 6 月 11 日止，历时三个多月，调查了安康专区境内汉江流域及其主要支流池河、任河、汝河、洞河、岚河、月河、黄洋河、坝河、洵河、蜀河、冷水河、白石河等沿岸地区，计发现新石器时代、周、秦汉等时代遗址 12 处。简报分为新石器时代遗址、周代遗址、秦汉遗址、结语，共四个方面予以介绍，有手绘图、照片。

简报介绍，安康专区位于陕西省东南部的汉水中上游，北有秦岭，南有巴山，是一个南北高、中间低、沟谷纵横交错的山区地带。这个地区的考古工作，过去所获资料都限于地面上，还未有地下遗址的发现。新石器时代遗址发现不多，遗物以肖家垭和冉家垭两遗址较为丰富，发现的这几处遗址，包含彩陶甚少，器形以钵、罐、尖底器类为主，与关中仰韶文化相类似。至于周代遗址，仅 1 处，秦汉遗址有中渡台、李家台、柏树园 3 处。中渡台遗址时代早不过战国，晚不迟于西汉，地望与方志载秦之西城县、汉之西城郡相近；汉阴李家台、柏树园两遗址，根据遗物和地形看，可能有密切关系，简报怀疑是同一时期的遗址；此外，还有洵阳党家垭、白河柿子坪等四个汉遗址，因材料有限，未加整理。

1308.陕西安康近年发现的几处画像砖

作　者： 徐信印、鲁纪亨
出　处：《考古》1987 年第 3 期

秦巴山麓汉水流域的安康地区，在基建工程中发现数处画像砖室墓及纪年砖，也有部分零散出土的画像砖、纪年砖，虽然地县文物部门做了大量清理收集工作，但由于个别基建单位及百姓对古代画像砖的重要价值认识不足，遗弃不取或有所毁坏，故未将所有出土的画像砖全部收存。简报分为六个部分，配以拓片，介绍了安康五里长岭北周李迁哲墓出土的文、武官吏画像砖，旬阳城关老寿坪出土的天马、狮子和安康出土宋代武士画像砖，旬阳棕溪出土的人物画像砖，旬阳城关小河北祐圣宫出土的卧牛画像砖及安康、旬阳出土的部分纪年砖，常见的人物或动物图案的画像砖不再做详细描述。

据介绍，这批画像砖涉及南朝、宋朝等几个朝代。纪年砖有旬阳县出土的"嘉平六年"（254 年）三国魏时砖。除此之外安康地区还出土魏晋南北朝时期、唐、宋时期的画像砖、纪年砖和各种纹饰的花纹图案，由于图案风蚀严重或字迹不够清晰故不详谈。出土的具有地方特色的纹饰砖主要有汉代网纹、几何纹，魏晋南北朝时期波浪纹、缠枝纹、荷花纹、卷叶纹，宋代菊花纹及建筑图案等纹饰。

简报指出，画像砖的发现，为研究古代秦巴山区古代文化艺术提供了重要实物资料。

1309.陕西安康发现古代窖藏钱币

作　者：徐信印、丁义前

出　处：《考古》1987 年第 12 期

简报配以拓片，介绍了安康、汉阴两县在建房取土中，发现的三处古代货币窖藏。

其一，1979 年 11 月，安康煤建公司在建房取土中，发现一处长 6 米、宽 1 米、深 1.5 米的砖室货币窖藏。砖为长方形绳纹、菱形几何纹子母砖，而且还发现少数"延光"记年砖。窖藏内东部发现 99 斤钱币和 3 件铁锤（每件重约 5 公斤），铁锄 1 件，铁剪 1 件。这批货币有五铢、货泉、大泉五十等。

其二，1984 年 8 月 20 日，安康铁路分局在与安康县城隔河相望的关庙区中渡台建楼房挖地基时，在距地面 1.5 米深处发现一处圆状土穴货币窖藏。由于民工取土，窖藏已被破坏。窖藏内共出货泉 200 余斤，共计 2 万余枚。此外还有少数东汉五铢。

其三，1985 年 3 月 30 日，汉阴县汉水北岸月河村农民修围墙取土时，在距地表 1 米深处发现货币窖藏一处，为长方形土穴，上盖一块石板。贮藏时钱币用绳贯穿，现虽已腐朽，但仍能辨认。窖内共藏钱币 2000 余斤，有秦半两和汉、隋、北周、唐等朝货币以及为数众多的北宋货币及南宋建炎通宝。

1310.安康地区出土的古代铜镜

作　者：徐信印、徐生力
出　处：《文物》1991 年第 5 期

20 世纪 90 年代初，陕西安康地区在农田基本建设和城镇基建工程中陆续出土了一批古代铜镜。这些铜镜主要出土于安康城关、五里、恒口、关庙、张滩一带的古墓中。简报配以拓片介绍部分具有代表性的铜镜。

据介绍，此批铜镜有的有铭文，年代有汉代镜、宋代镜。根据有关古代铜镜的资料考察，安康出土的这批铜镜，既有中原特点，又有汉江流域川鄂特色，也有部分是将南北文化风格融合为一体的地方特色。简报认为，史称"群夷之国"的安康，地处秦、楚、蜀之交，是陕南唯一通往汉口的交通要道。据地方志记载，古金州（今安康）自汉、唐以来就是经济、贸易文化交流的中心，所以许多来自各地的铜镜和具有地方特色的铜镜同在这一地区出土，是合乎情理的。

今有《千秋金鉴：陕西历史博物馆藏铜镜集成》（三秦出版社 2012 年版）一书，可参阅。

1311.安康地区汉魏南北朝时期的墓砖

作　者：安康地区博物馆　李启良
出　处：《文博》1991 年第 2 期

以砖筑墓之风在汉代已广泛流行。安康地区发现的汉魏六朝砖室墓葬，不仅造墓的构思巧妙，制砖的工艺精良，而且在墓砖上施以华缛的纹饰，特别是有大量的铭文砖和画像砖，内容丰富，风格独特，生动地反映了当时社会的真实情况。这些遗物既是重要的考古资料，同时也是古代书法、绘画的珍品。简报分为铭文砖、画像砖及其他、几点认识，共三个部分介绍了安康地区汉魏南北朝时期的墓砖，有拓片。

据介绍，铭文砖不仅是考古研究判定遗址和墓葬年代的重要物证，而且具有很重要的历史和艺术价值。自宋代以来金石家多有著录，而近世出土砖铭尤为繁多，已是考古学注重研究的材料之一。安康地区出土的砖铭，有吉语铭、纪年铭和工匠地址姓名等，出土地点较集中，延续时间较长，由此可探索出它们之间发展变化的大致情况。简报介绍了数十块铭文砖，均有明确出土地点。

简报还介绍了南朝画像砖等。另外，砖铭中有当时魏晋南北朝大族姓氏，为我们查找魏晋时期大族在这一地区的活动提供了线索。

商洛市

1312.丹江上游考古调查简报

作　者：地区考古调查组
出　处：《考古与文物》1981 年第 3 期

南洛地区位于秦岭东南侧，丹江、南洛河和旬河均发源于此。境内大山林立，山势如掌状向东分开，间以红色断陷盆地和河谷盆地。1979 年，考古人员对丹江上游的商县、丹凤、商南三县的古文化遗址进行了一次调查。调查共发现古文化遗址32 处，其中仰韶文化遗址 4 处，龙山文化遗址 2 处，老官台文化、仰韶文化与周文化叠压的遗址 1 处，仰韶文化和龙山文化叠压的遗址 12 处，仰韶文化和周文化叠压的遗址 2 处，龙山文化和商周文化叠压的遗址 8 处，商周遗址 4 处，汉代遗址 1 处。简报分为五个部分予以介绍，有手绘图。

简报称，这次考古调查的收获有二：

一是初步掌握了丹江上游古文化遗址的分布概况及其文化类型。这里不仅有商、周、汉等历史时期的遗址，也有老官台、仰韶和龙山等新石器时代文化遗址，其中值得注意的是这里的龙山文化遗址。从采集到的标本看，有来自关中地区的客省庄二期的，也有和庙底沟二期文化、湖北屈家岭文化相似的遗物出现。

二是据史书记载，秦孝公二十二年（前 340 年），卫鞅封于商邑，称商君。商邑汉代设立商县，《荆州记》说它在"武关西北一百二十里"，从道里计算，丹凤县古城遗址与之相合，方向也相应，且有丰富的汉代遗迹遗物，故可初步判断古城遗址就是秦汉商城遗址。

1313.陕西商县紫荆遗址发掘简报

作　者：商县图书馆、西安半坡博物馆、商洛地区图书馆　王宜涛
出　处：《考古与文物》1981 年第 3 期

紫荆遗址位于商县县城东南 7 公里处的紫荆村北。1953 年发现，1977 ~ 1978年进行了首次发掘。发现的遗迹窖穴（灰坑）160 个，陶窑 4 座，墓葬 38 座。出土陶、石、骨、角、蚌等质料的遗物 2000 余件。简报分为四个部分，配以手绘图予以介绍。

据介绍，紫荆遗址似可分为五期。年代涉及仰韶文化、龙山文化、二里头文化、

西周文化，有浓厚的地方特色。简报称，商县紫荆遗址的文化堆积较厚，其文化内涵非常丰富，文化类型比较复杂。说明在几千年前的原始社会，人们就已经对商洛山区进行了开发。

1314.商州市北周、隋代墓葬清理简报

作　　者：商洛地区文管会　王昌富
出　　处：《考古与文物》1997 年第 4 期

1993 年 8 月 5 日，商州市商洛行署基建工地发现古墓葬，共清理墓葬 6 座。其中 3 座唐墓，均为小型单室砖墓。

简报分为：一、墓葬情况，二、出土器物，三、结语，共三个部分介绍其余 3 座北周、隋代墓的情况，有手绘图。

据介绍，M1 为单室砖墓，木棺已朽，人骨仅为残骨。出土有铜钱、陶罐。M2 与 M1 基本相同，有两具人骨，未见棺木。有漆木器、碗随葬。M3 与 M1、M2 相当，有两具人骨，未见棺木。有铜钗、金钗、金指环、金币等出土。简报推断为北周、隋时墓葬。其中 M2、M3 当为夫妇合葬墓。

1315.陕西丹凤县巩家湾遗址发掘简报

作　　者：陕西省考古研究所、商洛地区文管会
出　　处：《考古与文物》2001 年第 6 期

巩家湾村隶属丹凤县茶坊乡，西距商州市约 30 公里，东距丹凤县城（龙驹寨）约 12 公里。遗址位于村西北约 100 米处，遗址西北方向约 1 公里即为茶坊乡政府，而原 312 国道就从乡政府门前通过，遗址分布于丹江南岸二级台地之上，南北长约 150 米，东西宽约 80 米，总面积约为 1200 平方米，遗址高出丹江古河床 5 米左右。

该遗址是 1979 年首次调查发现的。1996 年 8 ~ 9 月间，考古人员配合 312 国道建设工程对其进行了正式发掘，共计发掘面积 800 平方米。

简报分为：一、仰韶时代，二、龙山时代，三、商代，结语，共四个部分，有手绘图。

从发掘区的情况看，这里的文化堆积层曾受到严重破坏。据了解，这里因在修造河滩地时，曾从遗址上挖去大量熟土。因此，绝大多数灰坑等遗迹现象都已裸露于地表或农耕土层下，只有局部地方文化层保存尚好。

本次发掘共发现灰坑 25 个，陶窑 2 座，墓葬 14 座，瓷棺葬 2 座。从地层关系与出土遗物判断，上述遗存分别属于三个不同时期，即仰韶时代、龙山时代和周代。

另外，在出土陶器中还发现2件老官台文化时期的筒形三足罐足，说明早在前仰韶时期这里便有人类活动。

据介绍，仰韶时代遗存，从层位和陶器特征看，存在有一定的早晚关系。龙山时代遗存，与关中等地区所发现的龙山时代早期遗存的文化面貌基本相同。巩家湾所发现的西周遗存，从陶器方面的时代特征看应属西周中晚期。但在文化特征方面，其与关中地区的宗周文化却存在有明显差异。

简报称，此次巩家湾遗址的考古发掘，是丹江上游继紫荆遗址之后的又一次重要考古发掘。仰韶时代遗存的发现，进一步丰富和充实了该地区遗存的考古资料。龙山时代早期遗存的发现，在丹江上游尚属首次，因而填补了当地考古学文化发展序列中的一个重要环节。西周中晚期遗存的发现，则为探索和研究楚人早期活动情况以及周楚文化关系等学术问题提供了较重要的新资料和新线索。

甘肃省

1316.甘肃渭河支流南河、榜沙河、漳河考古调查

作　者：甘肃省博物馆　郭德勇
出　处：《考古》1959 年第 7 期

1957 年 7 月，甘肃省渭河上游主流区域的考古调查基本完成。1958 年 5 月开始，考古人员对该流域的文化遗址，又进行了重点复查。在复查期间，对渭河支流的南河、榜沙河、漳河进行了考古调查工作。该三河流域的文化遗址相当丰富，在 17 个地方，发现有新石器时代的仰韶文化遗址 8 处、齐家文化遗址 13 处，另有寺洼文化葬地和周代遗址各 1 处，共计 23 处。遗址大都位于高距河床 20 米左右的第一台地上，最高的可有 40 米左右。遗物一般都比较丰富，有石器、陶器和陶片。

简报分为：一、仰韶文化，二、齐家文化，三、寺洼文化，四、周代遗存，共四个部分，有手绘图，后有登记表。

据介绍，渭河主流域仰韶文化遗址多达 23 处。在渭河上游、西汉水流域以及泾水流域。替代齐家文化的，是从关中地区发展而来的周代遗存，部分地区替代齐家文化的是寺洼文化。

1317.临洮秦长城、敦煌玉门关、酒泉嘉峪关勘查简记

作　者：罗哲文
出　处：《文物》1964 年第 6 期

1963 年 5、6 月间，罗哲文先生曾去甘肃，对我国古代伟大工程万里长城西头的遗址作了一些查访。此次所到的地方计有临洮长城坡秦长城遗址，敦煌玉门关汉长城与烽燧遗址，酒泉嘉峪关明长城三处。

简报分为：一、临洮长城坡秦长城，二、敦煌玉门关汉长城与烽燧遗址，三、酒泉嘉峪关明长城，共三个部分予以介绍，有照片、手绘图。

罗先生谈及烽燧的主要任务大约有四项：第一是防守所在燧的安全，瞭望敌情，传递敌情消息；第二是保卫屯田；第三是检查和保护来往的客商使旅；第四是支援附

近的郡县防务。每个燧的人数在 5 ～ 6 人，少的是 3 人，多的可到 30 人左右。每燧有燧长一人至数人，戍卒中必须以一人经常守望，其余的人作积薪、炊事和其他的防务。传递敌情的情况所用的方法分白天、黑夜两种办法，白天是燔薪（即烧柴草）和举烽，夜间则是用炬火。根据敌人的多少和军情缓急可用燔薪和炬火的次数来分别。

1318.黄河上游盐锅峡与八盘峡考古调查记

作　者：黄河水库考古队甘肃分队　谢端琚
出　处：《考古》1965 年第 7 期

盐锅峡与八盘峡皆位于黄河之上游，现在分别隶属于甘肃省的永靖县与永登县。1956 年，考古人员曾在黄河上游刘家峡附近及其以南地区作过一次普查，主要收获已在《考古通讯》1956 年第 6 期发表。当时的工作仅限于刘家峡孔家寺以南地区，在孔家寺以北的广大地区却未进行。1959 年 4 月间，即从孔家寺开始往北一直至八盘峡附近（包括湟水下游的部分地区）又作了一次调查，同时也复查了孔家寺与罗家川附近的遗址，并有新的发现。调查共发现了古文化遗址 28 处，其中马家窑文化"马厂型"17 处，齐家文化 8 处，辛店文化 9 处。时代从新石器时代一直延续到青铜时期。

简报分为：一、马家窑文化"马厂型"，二、齐家文化，三、辛店文化，四、结语，共四个部分，有手绘图。

据介绍，马家窑文化"马厂型"是当地主要的一种文化遗存，不仅遗址数量多，而且出土物也较丰富。从孔家寺至八盘峡附近就发现有 17 处，占调查发现的遗址总数约一半。这些遗址在永靖县境内有马家湾、庙裂古、石咀湾、孔家寺、高台子、黄寺滩、党家川、下铨村、新庄、罗家堡、白家川、魏家川与石咀村等 15 处，在永登县境内有岔路村与张家河沿两处。其中马家湾遗址曾于 1960 年作过一次发掘，发掘简报已在《考古》1961 年第 11 期发表。白家川与新庄遗址除发现有"马厂型"遗物外，还有齐家文化遗存。下铨村与魏家川遗址同样也包含有两种不同的文化遗存，即"马厂型"与辛店文化。齐家文化遗址有新庄、白家川、古城咀、盘岛沟、乱米咀、尤家塬、魏家川东与孔家寺西等 8 处，都在永靖县境内，其中白家川与新庄两遗址除齐家文化遗存外，还有"马厂型"陶片。遗址大部分位于河流两岸之第三台地上，面积大小不一，小者仅 1400 平方米，大者达 2 万平方米。海拔约 1700 ～ 1800 米。简报重点介绍了新庄与古城咀两遗址。辛店文化可分为张家咀类型与姬家川类型两种。前者有上庄、下铨村两处，后者有乱米咀、罗家川、魏家川、下川村、尤家塬、金家园与孔家寺村等 7 处遗址，都在永靖县境内。其中乱米咀与尤家塬两处遗址虽然也有一些齐家文化遗物，但主要的是辛店文化遗存。

简报最后指出，这次调查工作的主要收获是填补了从刘家峡至八盘峡附近的考古空白点，同时使我们对这一地区古文化遗址的分布情况及其文化面貌也增加了一些新知识。

1319.酒泉、嘉峪关晋墓的发掘

作　者：甘肃省博物馆　吴礽骧
出　处：《文物》1979 年第 6 期

1977 年 5、6 月，甘肃省博物馆先后与酒泉地区文教局、嘉峪关市文教局联合举办了两期亦工亦农考古学习班，共发掘了晋墓 8 座，其中在酒泉县果园公社丁家闸大队发掘了 5 座（以下简称丁 M。其中有一座因盗后塌陷，未清理），在嘉峪关市新城公社观蒲大队发掘了 3 座（以下简称观 M）。兰（州）新（疆）公路酒泉至嘉峪关段的两侧，讨赖河（北大河）以北，有一片戈壁滩，在戈壁滩东和东北侧，沿果园至野麻湾的公路西侧，分布有汉、魏晋、十六国的巨大墓群。这次在墓群的南部和中部，各选择了几座墓葬进行发掘。两个发掘点之间，南北相距最近约 3 公里，最远约 9 公里。

简报分为：一、墓葬形制，二、随葬器物，三、壁画，四、结语，共四部分予以介绍，有手绘图、照片、拓片。

据介绍，地表为方锥截顶封土，砖构墓室，墓室有单室和双室。7 座墓除 M1、丁 M2 外均为合葬墓。葬式仰身直肢。丁 M5 为壁画墓，技法多种，以墨线单钩为主。出土器物有陶器 97 件、绛色釉陶器 3 件、铜器 16 件、金器 9 件、铁器 6 件、鎏金器 3 件、石器 9 件、云母片 15 件、货币 260 枚、其他 3 件，简报附有随葬情况详情。此 8 墓年代，简报认为基本届同一时代，从三国到晋初，再到后凉至北凉之间等十六国时期不等。

1320.甘肃省葫芦河流域考古调查

作　者：北京大学考古系、甘肃省文物考古研究所　李水城、李　非
出　处：《考古》1992 年第 11 期

1990 年 8 月，考古人员对甘肃省中部的葫芦河水系进行了一次考古学与地理学的综合考察，历时一个月。目的是通过对这一流域内古代遗址的分布、位置、海拔、规模和埋藏厚度以及不同层位中土壤的矿物成分和化学成分的检验，探索葫芦河流域古文化孕育、产生和发展、变化的环境背景，并进而讨论全新世以来陇东一带的环境变迁和气候的变化。

葫芦河是渭河上游的一条重要支流，发源于宁夏回族自治区南部的西吉县，向南流经甘肃省静宁、庄浪、秦安三县，在天水市三阳川境内注入渭河。在这些河谷阶地上分布有密集的古代遗址。此次考察的范围包括葫芦河流域全境，时间跨度限定在上迄新石器时代，下至春秋战国时期或略有推迟。在每个县（市），除了详尽地了解当地的藏品和近年的普查资料外，还有目的地选择几处重要遗址进行实地考察并采集考古和土壤标本。

简报分为：一、郭家老庄遗址，二、樊家城遗址，三、高窑坪遗址，四、雒家川遗址，五、寺嘴坪遗址，六、大地湾遗址，七、堡子坪遗址，八、柳家遗址，九、村子河遗址，十、番子坪遗址，十一、小结，共十一个部分，有手绘图、照片。

据介绍，葫芦河流域的考古学文化编年依次为：大地湾一期文化—仰韶文化（早、中、晚三期）—常山下层文化—齐家文化—寺洼、周文化—春秋战国土著文化—汉代文化。这一地区内仰韶晚期文化的内涵比较复杂，存在着进一步分期的可能性。在大地湾一期文化到仰韶文化早期之间，在齐家文化到寺洼、周文化之间还存在着明显的文化缺环有待弥补。

1321.甘肃白龙江流域古文化遗址调查简报

作　者：赵雪野、司有为

出　处：《考古与文物》1993 年第 4 期

甘肃白龙江流域主要指甘肃东南部的武都、文县、宕昌、舟曲四县。它南邻四川，东接陕西，山大沟深，交通十分不便。多年来，一直是甘肃考古学的空白地区。20 世纪 70 年代末，曾在这一地区进行小规模的考察工作。1987 ～ 1988 年，考古人员又对该流域进行了全面细致的考古调查，采集了大量的标本，使我们了解到该地区的古文化概貌及其发展序列。简报配以手绘图予以介绍。

简报重点介绍了武都县大李家坪、安坪、庙坪等几处主要遗址。简报称，仰韶文化与马家窑文化及寺洼文化在甘肃东南部地区分布很广，几乎凡有靠近河岸的黄土台地，就有这几种文化中的一种或多种并存。仰韶文化主要分布于武都县的北峪河流域的安化、泊林、两水、马街乡，宕昌县的关鹅藏族乡；而马家窑类型分布范围则较仰韶文化为广，白龙江及其支流基本上都有所发现；齐家文化在本流域内往往与马家窑类型遗址共存一处；寺洼文化的寺洼类型和安国类型遗存在本流域亦有不少，主要为墓葬，出土陶器较多，常见一些刻符和彩绘，而石、骨器少见。20 世纪 70 年代末，曾在这里进行过一次调查，但田野发掘没做过。要认识这一有着独特地理环境地区的史前文化，还有许多工作要做。

兰州市

嘉峪关

1322.甘肃嘉峪关黑山古代岩画

作　者：甘肃省博物馆　初仕宾、韩集寿、李永良
出　处：《考古》1990 年第 4 期

黑山屹立于甘肃河西走廊西端嘉峪关市西北隅约 20 公里处，为马鬃山系的一支，海拔 2800 米许，山势陡峭，怪石嶙峋，峡谷深邃，沟壑纵横。素称"天下雄关"的嘉峪关城即坐落于南北两山之间，控扼着河西走廊丝路古道西端之咽喉。1972 年酒泉钢铁公司动力厂黑山湖农场职工在此山放牧时，最初发现有石刻岩画的遗迹，得知线索后，考古人员前往进行调查。首先发现岩画 31 幅。1978 年 10 至 11 月间，考古人员再一次对黑山石刻岩画进行了全面的考察。简报分为三个部分予以介绍，有手绘图。

据介绍，以前发现的岩画，都出自黑山的四道鼓心沟内的崖壁上。这次通过考察，发现除在此沟及其各支沟又有一批岩画外，还在黑山的其他两个主要沟道——红柳沟和磨子沟内，也发现有岩画的遗存。甘肃黑山岩画内容、做法、形象、风格等，虽与内蒙古、宁夏、新疆等邻近地区的岩画有某些相似之处，但又具有不同的风格和地域特点。

甘肃境内古岩画遗存较多，除嘉峪关市黑山岩画和永靖县吴家川岩画外，近年在全省文物普查中，又于河西走廊肃北县别盖乡好布拉大黑沟和石包城乡后湾子，金昌市永昌县双井子以及祁连山、马鬃山等地带发现有牛、羊、驼、驴等古代岩画遗迹。简报称，调查工作正在进行中，这些新岩画的发现，将有助于进一步对甘肃河西走廊的岩画艺术进行深入的研究。

1323.甘肃嘉峪关市文殊镇汉魏墓的发掘

作　者：嘉峪关长城博物馆　俞春荣、王春梅
出　处：《考古》2014 年第 9 期

2011 年 11 月 12 日，嘉峪关市文殊镇团结村施工时发现一座古代墓葬。考古人员于当月 13 ~ 15 日对该墓进行了抢救性发掘。

这座墓葬（编号 2011JWTM1，以下简称 M1）的清理情况简报分为：一、墓葬形制，二、出土遗物，三、结语，共三个部分，有彩照、手绘图。

据介绍，20 世纪 90 年代至今，在嘉峪关市文殊镇已发现 5 座汉魏时期墓葬，其中 4 座为双室砖墓，1 座为双室砖门土坑墓。简报综合墓葬结构与出土器物推断，M1 的时代大致为东汉晚期至魏晋时期。

金昌市

白银市

天水市

1324.甘肃甘谷毛家坪遗址发掘报告

作　者：甘肃省文物工作队、北京大学考古学系　赵化成、宋　涛等

出　处：《考古学报》1987 年第 3 期

毛家坪遗址位于甘肃甘谷县盘安乡毛家坪村，东距县城 25 公里。遗址分布在渭河南岸的第二阶地上，与今河道相距约 0.5 公里，其间有陇海铁路和天兰公路穿过。1947 年，裴文中先生在渭河流域调查时就已发现该遗址；1956 年，甘肃省文管会张学正先生等再次详细调查，并发表了采集的陶器；1963 年列为省级文物保护单位。1982 ~ 1983 年，又在此进行了两次发掘。

1983 年继续墓葬区的发掘，发掘土坑墓 16 座、灰坑 37 个、房基 4 处、土坑墓 11 座、高棺葬 12 组。1982 年的发掘自 10 月 22 日起至 11 月 24 日止，中间停工一周，实际发掘 27 天。

简报分为：一、遗址概况与发掘经过，二、居住址的地层堆积与遗迹层位关系，三、石岭下类型遗存，四、A 组遗存，五、B 组遗存，六、TM7 遗存，七、结语，共七个部分，有照片、手绘图。

据介绍，从发掘情况看，毛家坪遗址主要有三种文化遗存：以彩陶为特征的石岭下类型遗存（距今约 5500 年至 6000 年），以绳纹灰陶为代表的"A 组遗存"，以夹砂红褐陶为特征的"B 组遗存"。此外，在居址中还发掘一座圆角长方形土坑墓，随葬的一件彩陶双耳圜底钵与以前陕甘地区发现的诸文化均不同，可能也是一种新

的遗存。毛家坪 A 组遗存后段为东周秦文化遗存，其前段既有西周文化的某些因素，又与东周秦文化存在某些联系，而 A 组遗存有着发展的连续性。显然，A 组遗存前段的发现为我们研究东周秦文化的形成提供了重要线索和资料。当然，目前的发现仅仅是开始，而且甘肃东部特别是天水地区一带这一类的遗址还有很多，有待于今后的调查、发掘与研究。毛家坪 B 组遗存的发现有限，而且又与东周秦文化联系在一起，对它的认识只是初步的。进一步探索该文化的面貌，对于了解甘陕邻近地区这一历史时期的古代文化具有重要意义。

1325.甘肃天水西山坪秦汉墓发掘纪要

作　者：中国社会科学院考古研究所甘肃工作队　王吉怀、王仁湘
出　处：《考古》1988 年第 5 期

1986～1987 年，考古人员对西山坪遗址进行了两次发掘，发现有早期新石器文化遗存、马家窑文化遗存、齐家文化遗存及秦汉墓等不同时期的遗址与墓葬。其中，早期新石器文化遗存已写成发掘简报。

简报分为：一、墓葬结构，二、随葬器物，三、小结，共三个部分，介绍三座秦汉墓的发掘情况。有手绘图。

据介绍，随葬器物共 20 件，其中铜器 2 件，陶器 18 件。西山坪墓葬虽然发掘仅 3 座，但墓葬形制、随葬品都有较明显的时代特征。竖穴墓道土洞墓在这一地区主要流行于秦至汉初。M3 的蹲坐式屈肢葬具有秦墓葬式的特征。在周围地区同一时代的墓葬中，也能找到类似的随葬品器形。综合墓葬结构和出土器物的型式，简报推断西山坪墓葬的时代约为秦至汉初。

1326.甘肃天水放马滩战国秦汉墓群的发掘

作　者：甘肃省文物考古研究所、天水市北道区文化馆
出　处：《文物》1989 年第 2 期

该墓群位于天水市小陇山林业局放马滩护林站，属天水市北道区党川乡。1986 年发掘。

简报分为：一、秦墓，二、汉墓，共两个部分，有照片、手绘图。

据介绍，此次发掘秦墓 13 座，均为圆角长方形竖穴土坑单人葬，尸体已朽，葬式不明，出土遗物 400 余件，其中 M1 出土 7 幅木板地图十分珍贵，墓主人应为一基层军吏，因故流放到此地。还出土有《日书》等文献。汉墓仅 1 座。出土有一幅纸质地图残块，也十分珍贵。

1327.甘肃天水西山坪遗址的原始农业遗存

作　者：中国社会科学院考古研究所　王吉怀
出　处：《农业考古》1993 年第 3 期

西山坪遗址位于甘肃省天水市以西 15 公里处的耤河南岸，总面积 20 余万平方米。遗址依山傍水，自然环境优美，非常适宜古代人民居住，经过几年的发掘，取得了重大收获。简报配以手绘图予以介绍。

简报称，从距今7000～3000 年，西山坪遗址每个时期的农业工具基本都是成套出土，从开垦荒地，到翻土播种，最后收割加工，基本上可以配套使用，而且从早到晚又有一个发生、发展、更新、提高的过程，这样逐步加强了农业的发展，同时也没有忽略手工业、畜牧业、狩猎经济的发展，这些同农业生产同时并举的经济形态，为当时居民的稳固生活打下了牢固的基础。西山坪遗址从大地湾一期文化到齐家文化，每个时期都有非常发达的制陶技术，这说明，在当时人类物质文化的发展上，任何一种新兴工艺，都是从农业生产中脱离出来的。

1328.甘肃武山县东旱坪战国秦汉墓葬

作　者：甘肃省文物考古研究所　毛瑞林、周广济
出　处：《考古》2003 年第 6 期

东旱坪遗址位于武山县东 13.5 公里的洛门镇裴家庄行政村西南约 500 米，地处渭河南岸的台地上，西临渭河支流大南河。台地因地处大南河的东岸，当地俗称"东旱坪"。遗址东西长约 200 米，南北宽约 150 米，总面积约 30 万平方米。为配合"包兰"二线的建设，考古人员于 2000 年 8 月至 12 月进行大面积的考古勘探和发掘工作。考古勘探和发掘的地点为二线所占用的面积，位于遗址的北部边缘地带，是墓葬集中分布的地区。这次发掘共清理墓葬 71 座、灰坑 2 个，出土铜、铁、陶、骨器 300余件。71 座墓中有战国墓 3 座、秦汉墓 34 座、宋元墓 34 座。

战国秦汉墓的形制有竖穴土洞墓、带斜坡墓道的竖穴土坑墓、竖穴土坑墓和砖室墓 4 类。带斜坡墓道的竖穴土坑墓有 26 座，占同时期墓葬总数的三分之二，其次为竖穴土坑墓，有 7 座，竖穴土洞墓和砖室墓各有 2 座。

本文将简报分为：一、M42，二、M43，三、M6，四、M46，五、M65，六、M69，七、结语，共七个部分，介绍战国、秦汉墓葬中具有代表性的 6 座墓葬，有手绘图、拓片。

据介绍，根据墓葬形制和出土器物的特征及与同一时期周边地区墓葬材料的对

比，简报将上述墓葬分三期。简报推断：第一期时代为战国晚期，第二期年代应为秦至西汉初期，第三期年代为西汉早期。简报称，围墓沟可能为战国时期秦墓所特有，秦大型陵墓的这种特点对后来中、小型墓葬有一定影响，中、小型墓的主人为显示其特殊身份加以仿效，逐渐形成了秦墓的又一主要特点。

1329.甘肃秦安考古调查记略

作　者：甘肃省文物考古研究所、秦安县博物馆　赵建龙
出　处：《文物》2014 年第 6 期

1978 ~ 1980 年，考古人员在对秦安县五营乡邵店村大地湾新石器时代遗址进行发掘期间，陆续对秦安县的一些古遗址进行了调查，清理了一些残墓，收集千余件从新石器时代到明代的遗物。

除了大地湾遗址已有考古报告出版外，简报分为：一、新石器时代，二、青铜时代，三、结语，共三个部分，介绍一些史前和青铜时代遗物，有照片、手绘图。

据介绍，甘肃秦安县境内的新石器时代遗存较丰富，这里有仰韶文化各个时期的多种类型遗存。至青铜时代，在这里不仅发现了周文化的遗物，也有寺洼文化遗存，还有属于匈奴文化的遗物。上述属于北方草原鄂尔多斯文化的青铜器，不仅见于陇城山王家、魏店寺嘴坪遗址，在大地湾遗址附近的五营赵宋、老虎穴等地也有发现。简报认为它属于何种文化，与鄂尔多斯文化有何关系，还有待进一步的调查和发掘。

武威市

张掖市

1330.再现河西农耕生产的珍贵文物——谈高台骆驼城出土彩绘农耕画像砖

作　者：甘肃张掖地区文物管理办公室　施爱民
出　处：《农业考古》1998 年第 3 期

1994 年 7 月，甘肃高台县骆驼城乡骆驼城西南墓群出土一批魏晋时期的彩绘画

像砖。这批画像砖共58块。画像砖呈青灰色，长方形，长39厘米，宽19.5厘米，厚5厘米。砖面用白粉涂底，丹砂饰边，中间用墨线、丹砂作画，全为一块砖一个完整的画面。画像砖的内容涉及当时河西走廊政治、经济、文化生活的发展状况，具有很高的研究价值和艺术价值。画像砖的具体内容以表现现实生活为主，有反映当时农业生产、畜牧渔猎、饲养屠宰家畜的场景，也有反映墓主人生活、信仰及设想死后升天的画面，还有一部分画像砖绘云气、青龙、山石、树木、供品、晾衣架、兽头等。《甘肃高台骆驼城画像砖墓调查》一文，对这批画像砖全面作了介绍，并于1997年在《文物》第12期刊出。简报配以照片，重点介绍了这批画像砖中涉及农业生产内容的三块。

据介绍，这三块与农业有关的画像砖，分别为农耕、耱地内容。有二牛一农夫、三牛一农夫、一牛一农夫三个画面。从中可看出汉晋时期河西一带政治稳定，农业生产发展的情况。

1331.甘肃省高台县汉晋墓葬发掘简报

作　者：甘肃省文物考古研究所　赵吴成、周广济
出　处：《考古与文物》2005年第5期

高台县古墓群位于该县南华镇南2公里、西库高速公路临清段南北两侧。

2003年6月29～9月1日为配合国家西气东输工程的施工，考古人员对这批墓葬进行了发掘清理。共清理墓葬13座，除2003GNM9被施工单位损毁外，其余形制结构清楚。

清理情况简报分为：一、墓葬形制，二、随葬器物，三、结语，共三个部分予以介绍，有手绘图。

据介绍，墓葬均为长台阶墓道的砖室墓或土洞墓，有单室、双室和三室墓三种类型。高台南华发掘的13座墓葬中，M10出土器物最多，共102件，M4、M5、M6未被盗，器物组合完整。M4、M5、M6和M10出土器物简报作了介绍。上述墓葬都没有明确的纪年。从M4、M5、M6的盘口壶、屋顶仓、有鸡、鱼做装饰的灶的形制看，很像河西地区的东汉晚期墓葬同类出土物形制；又据历年发掘的魏晋时期墓葬资料，这种砌砖结构与画像砖墓相近，留有立砖素面的壁面，但未彩绘装饰的做法，在酒泉西沟村晋墓中就曾出现。据此，简报推断这批墓时代为东汉晚期至西晋早期。

平凉市

1332.调查炳灵寺石窟的新收获——第二次调查（1963）简报

作　者：甘肃省文化局文物工作队　董玉祥
出　处：《文物》1963 年第 10 期

炳灵寺石窟 1961 年即列为全国重点文物保护单位，位于甘肃省永靖县西北黄河北岸的小积石山，包括上、下二寺及两寺之间的洞沟。1952 年、1963 年两次进行了调查。简报配以照片，介绍了 1963 年第二次调查的情况。

据介绍，此次调查在 169 窟发现了西秦建弘元年（420 年）墨书题记，是当时国内各大石窟中年代最早的题记之一。还发现了第一次调查时未发现的一些窟、龛，编为 183 个窟。明代壁画占 70% ～ 80% 的窟、龛内，全为密宗题材。

1333.甘肃灵台县两周墓葬

作　者：甘肃省博物馆文物队、灵台县文化馆　吴礽骧
出　处：《考古》1976 年第 1 期

1972 年至 1973 年，甘肃省灵台县发现了一批两周墓葬。简报配以手绘图予以介绍。

据介绍，两周墓葬分布在灵台县姚家河、白草坡、西岭、洞山等地。考古人员清理了一批墓葬，出土器物有铜器、陶器、石器、玉器、木器、蚌贝等数百件，年代从西周时期到春秋时期不等。

简报称，洞山墓葬可能与史籍所载"密须国"有关。

1334.甘肃崇信出土铜镜介绍

作　者：陶　荣
出　处：《考古与文物》1992 年第 6 期

甘肃省崇信县博物馆自 1980 年以来征集到一批古代铜镜，均系该县农田基本建设和修庄基中出土。简报配图予以介绍。

据介绍，计有战国镜、两汉镜、唐代镜、宋代镜、明代镜等。有的上有铭文。

1335.甘肃崇信古文化遗址调查

作　者：陶　荣

出　处：《考古》1995 年第 1 期

崇信县位于甘肃省东部关山东麓、泾河之南，地处关山余脉与陇东黄土高原的接合部。1986 年文物普查中，对每处古文化遗存都作了详细的绘图、照相和文字记录，采集了大量标本，未作试掘，对零星出土的完整器物进行了征集。这次普查和复查共发现古文化遗址 21 处。简报分为五个部分予以介绍，有手绘图等。

据介绍，简报重点介绍了梁坡、九功塬子等四处遗址，其他遗址以"一览表"形式附于文后。简报称，通过调查，基本掌握了崇信县古文化遗址的分布概况及其文化类型。这里不仅有仰韶文化半坡类型、庙底沟类型和齐家文化遗址，还有刘家文化及先周、西周、战国（秦）、汉代文化遗址，每个遗址都包括两种以上的原始文化或类型。其中值得注意的是，这里的齐家文化遗址从征集和采集到的器物看，包含陇东地区齐家文化的因素，并和关中地区的龙山文化关系比较密切，且具有自身的地方特色。另外，位于锦屏镇刘家沟村西的刘家沟遗址，上起新石器时代，下至战国秦汉，有可能是战国秦汉时一处古城。

酒泉市

1336.敦煌莫高窟 53 窟窟前建筑遗址

作　者：敦煌文物研究所考古组　孙国璋

出　处：《考古》1976 年第 1 期

1963 年至 1966 年期间，敦煌文物研究所为配合莫高窟加固工程施工，在窟前进行了发掘工作，清理出一批五代、宋、西夏、元等时代的建筑遗址。这些遗址的发现，为我们了解莫高窟窟前建筑的结构和布局，以及兴废演变的情况，提供了实证资料。简报配以手绘图介绍了 53 窟窟前建筑遗址，这是已发现的遗址中保存得较完好的一个。

据介绍，53 窟位于莫高窟石窟群南区中段下层。此窟南侧的 54 窟、北侧的52、51 窟皆是唐代所建，它的上层，于同一水平高度上，由南而北排列着 277、278、279、280、281 窟等隋窟。此窟当为唐代所建，北宋改建，西夏后期或元初，53 号窟窟前建筑被火烧毁。

简报称，53 窟窟前建筑遗址，西接洞窟甬道和岩壁，坐西向东，南北长、东西短呈长方形。遗址原是一座附壁殿堂建筑，其作用相当于洞窟的前室。殿堂坐落于台基之上，其屋顶、屋身部分已毁。现残存台基和台基上的殿堂建筑遗迹。台基前有台阶。台基北沿由中间向北转折，构成 50 窟窟前的台基。从遗址来看，殿堂原为南北面阔三间，东西进深二间半，南北两端筑山墙，东面当心间开门。

据简报介绍，自五代后唐同光二年（924 年）曹议金为归义军节度使沙州刺史检校司空始，至宋景祐二年（1035 年）西夏攻陷瓜沙二州止，曹氏家族在敦煌掌归义军共一百余年。历经五世：一世，曹议金；二世，曹元德、曹元深、曹元忠；三世，曹延恭、曹延禄；四世，曹宗寿；五世，曹贤顺。53 窟窟前建筑等遗址的发现，对我们了解曹氏家族统治敦煌时期，莫高窟的外观及洞窟的全貌，提供了比较具体的资料。过去我们从莫高窟崖面残存迹象推知，五代末至宋初，此地有过较大的崩塌。此后，对崖面和窟檐进行过较大规模的修整，保存至今的几个宋代窟檐题记就是证明。通过窟前发掘进一步得知，在宋初曹氏家族在底层开凿许多大型洞窟的同时，在窟前也有大规模的修建，莫高窟 53 窟窟前建筑就是其中之一。简报认为，就当时莫高窟外观而言，文献中的描述是可信的。

1337.敦煌莫高窟窟前建筑遗址发掘简记

作　者：敦煌文物研究所　潘玉闪、马世长

出　处：《文物》1978 年第 12 期

莫高窟石窟群开凿在敦煌鸣沙山东麓的断崖上。崖体是一种砾岩层。这种砾岩是由小砾石、细沙通过钙质胶结在一起的。石质较别种岩石为松软，故在外力（如地震）作用下，较易于形成纵向或横向裂缝，造成大块的崖体塌落。由于这种情况而形成的洞窟损坏，在历史上也是相当严重的。根除这种危害，是保护工作中亟待解决的一个重大问题。1962 年始，考古人员结合保护工作，对 55 ～ 61 窟、1000 窟、22 ～ 129 窟进行了试掘。

简报分为：一、窟前建筑遗址，二、新发现的窟、龛等几个部分予以介绍，有手绘图。

据介绍，此次试掘的主要收获之一是在施工范围内的 108、100、98、85、53、22、41 ～ 43、44、45、45、55、25、61、27 ～ 30、35、467、38、39、87、65 等窟前，清理出窟前建筑遗址二十多个。这些遗址分属于五代、宋、西夏、元几个不同的时代，其中有的窟前建筑经过两次重修。此次发掘中新发现洞窟三个，编号为 487、488、489 窟，新发现小龛三个，编号为 490、491、492 窟。

简报称，在莫高窟清理出的窟前建筑遗址、窟、龛，为我们了解莫高窟过去的面貌和变迁情况提供了许多宝贵的实物资料。已发掘的窟前殿堂遗址，最早的是五代时修建的，而不见唐代窟前遗址。这种情况可能是因为当时底层的唐代洞窟悬空开凿，窟内地面和窟外地面保持有一定距离的缘故。因而底层唐代洞窟即或有窟檐式的木构建筑，其规模也多数比较小。根据发掘情况估计，大约是在中、晚唐以后，窟前沙石堆积逐渐增高（由于上层洞窟崩塌和洪水冲积等原因），至五代末、宋初，底层洞窟在重修、扩建时，普遍地把洞窟地面下降，使之与窟前建筑的地面大致在同一水平面上。

1338.敦煌莫高窟北区洞窟清理发掘简报

作　者：敦煌研究院　彭金章、沙武田
出　处：《文物》1998 年第 10 期

敦煌莫高窟开凿于鸣沙山东麓长 1700 余米的断崖上，根据洞窟分布情况分为南区和北区。在长 1000 余米的南区，集中了原编号 492 个洞窟中的绝大多数（共487 个洞窟，分布在北区的第 461 ～ 465 窟 5 个洞窟除外）。在北区全长 700 余米的断崖上，也开凿有洞窟。洞窟与洞窟间上下相接，左右毗邻，状如蜂巢，最密集处可达四层或五层，非常壮观。由于北区洞窟内绝大多数无壁画和塑像，因此莫高窟的研究工作过去多以南区为重点，北区洞窟的研究工作一直未引起足够重视。为了弄清敦煌莫高窟北区洞窟的性质及其内涵，考古人员于 1988 年 6 月开始对北区洞窟逐一进行清理发掘。这一工作断断续续进行了数年，到 1995 年 11 月结束，此后即转入资料的整理阶段。

简报分为：一、洞窟类型，二、遗物，三、结语，共三个部分，配以彩照，先行介绍了北区洞窟清理发掘的主要收获。

据介绍，北区共清理洞窟 243 个，开凿时间有可能早到北朝。最晚洞窟与南区一样为元代。说明北区、南区废弃时间大致相同。

北区新编号并经此次清理发掘的 2543 个洞窟中，只有 2 个是礼佛窟，其余则分别为僧房窟、禅窟、僧房窟附设禅窟、瘗窟、廪窟等，表明北区主要是供僧众生前生活、居住、禅修以及死后瘗埋的区域。另外，在北区洞窟中还出土了大批珍贵遗物，其中波斯银币，西夏钱币，西夏瓷器，西夏文献《番汉合时掌中珠》《三才杂字》《大方广佛华严经》，泥金泥银书写的藏文佛经，泥金书写的回鹘文佛经，以及回鹘蒙文和八思巴文文献的发现，为莫高窟乃至敦煌地区的首次发现，因而具有很高的学术价值。

简报强调指出，莫高窟北区洞窟的清理发掘及其重要发现，填补了敦煌莫高窟乃至全国佛教石窟考古学领域的某些空白。这些发现对于世人全面了解莫高窟的营建史，进而探索敦煌、河西以及中国古代的政治、经济、宗教、文化、交通史，促进敦煌学的深入研究和更大发展有着重要意义。

1339.敦煌莫高窟第 72 ~ 76 窟窟前殿堂遗址发掘报告

作　者：兰州大学历史系敦煌学研究所　沙武田等
出　处：《考古学报》2002 年第 4 期

1999 年 6 ~ 7 月，敦煌研究院考古所为配合莫高窟南区中段木栈道维修加固工程，发掘了莫高窟第 66 ~ 78 窟窟前遗址，发现了第 72 ~ 76 窟窟前殿堂建筑遗址。

简报分为：一、遗址位置关系，二、地层堆积，三、72 ~ 76 窟窟前殿堂遗址及其相互关系，四、出土遗物，五、结语，共五个部分，有拓片、照片、手绘图。

据介绍，72 ~ 76 窟窟前遗址各层堆积出土遗物，多为生活用品的陶瓷碗、盘、灯盏等，其中陶器的罐、瓮、盏、钵等陶质粗疏，制作多不精细，主要为红、灰陶器。以平底圈足弧腹敞口白胎浅黄釉为主，多系元代遗物。与莫高窟历次考古发掘工作比较，每次的出土器物基本类似，这从一个方面反映了莫高窟历代僧人、工匠、俗人等生活的简单与清贫。而莫高窟窟前殿堂遗址使我们对莫高窟底层窟前五代、宋、西夏、元几代殿堂建筑的修建有一个基本的总体轮廓，即在莫高窟南区南北 1000 余米长的崖面底层，从南而北的 130、108、100、98、96、94、85、76 ~ 72、61、55、467、53、46、45、44、39、35、30 ~ 27、22 ~ 21、16 等窟有窟前殿堂遗址，由南至北基本连接起来。130 窟南北侧与 16 窟南北两侧洞窟由于位置较高，又多为中小洞窟，因此不便于修建窟前建筑。也就是说在五代至元，莫高窟由南而北底层洞窟前，特别是大中型窟前均有规模大小不等的殿堂建筑，鳞次栉比，颇为壮观，对于研究佛教史、建筑史等均有重大价值。

1340.甘肃玉门蚂蟥河墓群发掘简报

作　者：甘肃省文物考古研究所　李永峰、谢　焱
出　处：《考古与文物》2005 年第 6 期

为配合"西气东输"管道工程项目，2003 年 7 月，考古人员对管线涉及范围内的玉门市蚂蟥河墓群进行了抢救性发掘。蚂蟥河墓群位于玉门市清泉乡蚂蟥河东岸风蚀黄土台地上，台地周围是戈壁滩。墓群西距清泉乡政府约 10 公里，南距 312 国道 2 ~ 3 公里。此次考古共清理古墓葬 3 座，出土陶、铜、木、骨、石器等 24 件。

简报分为：一、2003YMM1，二、2003YMM2，三、2003YMM3，四、结语，共四个部分，有手绘图、照片。

据介绍，蚂蟥河墓地 M1 出土的铜管和《永昌西岗柴湾岗》沙井文化报告中柴湾岗墓地编号 M75：4 的 VI 铜针线盒形制比较接近。M1 只出土 1 件陶器，具有游牧民

族风格，根据铜管的形制，简报初步推断 M1 晚于或与沙井文化同时。2003YMM2、M3 中随葬的陶器有的和河西地区东汉晚期到魏晋时期的陶器风格比较一致，据此简报推断 M2 和 M3 的时代在东汉晚期和魏晋时期。

1341.甘肃玉门白土良汉晋墓发掘简报

作　　者：甘肃省文物考古研究所　赵雪峰、李永峰、毛瑞林
出　　处：《考古与文物》2006 年第 1 期

2003 年 7 月为配合"西气东输"管道工程建设项目，考古人员对管线涉及范围内的玉门白土良墓群进行了抢救性发掘。白土良墓群位于玉门市清泉乡白土良村二组东北部约 1 公里的白土良台地上。墓地东临骟马河，南靠 312 国道，北部为骟马城。这次发掘共清理墓葬 9 座，其中偏洞室墓 1 座，竖穴土坑墓 2 座，洞室墓 6 座。有 3 座洞室墓被盗。出土随葬品 39 件，器类有陶器和五铢钱，器形有陶罐、盘、奁、仓、灶等。

简报分为：一、墓葬形制，二、随葬品，三、结语，共三个部分予以介绍，有手绘图。

据介绍，葬具多已朽，葬式为仰身直肢葬。M2 墓主人中口含有 1 枚五铢钱。9 座墓中，M1、M4、M6 和 M7 未出土随葬品，其余墓葬共出土随葬品 39 件，其中陶器 35 件，泥质灰陶 33 件，夹砂红陶 2 件，五铢钱 4 枚。简报推断白土良这批墓葬的时代在东汉晚期到魏晋时期。这批墓葬为河西地区魏晋时代墓葬研究提供了新的资料。

1342.甘肃酒泉崔家南湾墓葬发掘简报

作　　者：甘肃省文物考古研究所　岳晓东
出　　处：《考古与文物》2006 年第 6 期

2004 年 6 月，为配合清嘉高速公路的建设，考古人员对公路所涉及的崔家南湾墓群的 2 座砖室墓进行了抢救性清理发掘。本次发掘的墓葬位于酒泉市肃州区西店村三、四队的界地处。

简报分为：一、墓葬形制，二、随葬器物，三、结语，共三个部分，有手绘图。

据介绍，M1 为双室墓。墓室顶部坍塌，结构不详。该墓由墓道、墓门、甬道、前室、后甬道及后室六部分组成。为夫妻合葬墓，葬具不明。M2 也为双室墓，结构与 M1 基本相同，葬具、葬式不明。两墓随葬品主要有陶器、铜器、金器、钱币等。简报推断两墓时代为东汉晚期到魏晋时期。

1343.甘肃肃北马鬃山古玉矿遗址调查简报

作　者：甘肃省文物考古研究所、北京大学考古文博学院、北京科技大学　陈
　　　　国科、王　辉、李延祥等
出　处：《文物》2010 年第 10 期

马鬃山遗址位于肃北蒙古族自治县马鬃山镇西北约15 公里的河盐湖径保尔草场。马鬃山地区也称作"北山地区"，这里矿产资料丰富，其中储量大的有铁、锰、铬、钨、铜、金、铅、锌、重晶石、石墨、萤石、菱镁、水晶、煤、白云母等。2007 年，考古人员在肃北进行早期玉石之路调查时，发现该遗址。2008 年7 月，对马鬃山玉矿遗址进行了重点复查。两次调查共发现矿坑数十处，采集到大量的陶器、石器标本，为河西走廊地区乃至甘青地区早期玉器的矿料来源的研究提供了重要资料。

简报分为：一、马鬃山玉矿概况，二、主要遗物，三、结语，共三个部分，有照片、手绘图。

据介绍，两次调查共发现矿坑数十处，采集到大量石器。发现的最早遗物属四坝文化时期，此矿自青铜时代晚期开始开采，沿用至东汉，可能晚至魏晋时期。这是甘肃境内目前所发现的唯一一处早期玉矿遗址，也是中国目前发现的最早的玉矿遗址，为研究河西走廊地区乃至甘青地区早期玉器的矿料来源提供了重要资料。

庆阳市

1344.甘肃庆阳、镇原等县发现三处石窟

作　者：陈贤儒
出　处：《文物》1961 年第 2 期

1960 年7 月，甘肃省博物馆到平凉、天水、张掖等地区检查重点文物的保护情况，发现早期石窟寺三处、古文化遗址三十多处、宋代砖造方形五级塔一座。其中庆阳县的一处石窟寺，仅"佛洞"一窟内的造像就比泾川县南石窟寺、王母宫两窟的造像要丰富得多。

据介绍，这个石窟位于蒲河和茹河交汇处，现存大小窟龛 224 个，佛、菩萨及力士等石造像 948 尊，造像和窟形结构等多属早期风格。在佛洞门旁砌残石碑一，上镌"重修盂兰会"等文字，由此证明这个石窟即镇原县志所载北魏永平二年(509 年)奚俟开凿，后经唐、宋各代重修。断崖上佛龛显得重叠紊乱，可以看出是历代重修者补造的。因

石窟开凿于红砂岩上，经长期雨浸风化及过去人为的损毁，所以现存除"佛洞"等四个大窟内造象尚完整外，其他龛内造像百分之八十以上是残头断臂。还有部分窟龛为泥土淹没，仅露出造像头部。需要早作清理，并加强保护工作。

1345.甘肃环县洪德出土宋、元、明瓷器

作　者：庆阳地区博物馆
出　处：《考古与文物》1987年第1期

1984年，文物普查人员对环县洪德乡境内的文物作了调查，同时对流散在百姓手中的文物进行了征集。简报配以照片，介绍了征集到的宋、元、明瓷器39件。

据介绍，计宋瓷3件，小瓷碗1件、双耳瓷壶1件、黑瓷瓶1件。元瓷2件，瓷盒、瓷马各1件。明瓷、铜器共34件。系农民苟生海1984年5月份在古城内种瓜掘土时挖出的。器物保存在距地表不到半米深的一口浅黄色缸内。缸高84厘米、口径42厘米、底径35厘米，缸口盖一块石板。应属窖藏。

定西市

陇南市

1346.甘肃西汉水流域考古调查简报

作　者：甘肃省博物馆　郭德勇
出　处：《考古》1959年第3期

1958年9月至11月，考古人员在西汉水流域进行了考古调查。这次发现的古代文化遗址，仅限于西汉水上游西礼县境内的24个地方。其中，新石器时代的仰韶文化有17处，齐家文化12处；另有周代遗址14处，共计43处。

简报分为：一、仰韶文化，二、齐家文化，三、周代遗址，四、小结，共四个部分，有手绘图、登记表。

据调查，甘肃省仰韶文化已调查发现的遗址有17处，其重要遗址有宁家庄、张家坪、郑家磨、西峪坪、寨子里、赵家坪、石碑下、雷神庙、石沟坪、白蛇坡等10处。除白蛇坡外，其余9处均列入甘肃省重点文物保护单位之列，在各该地的人民公社

组织了文物保护小组，并树立了保护标签。它们的面积 15000～280000 平方米不等。白灰面住室遗存很普遍。

简报指出：齐家文化在西汉水流域极不发达，遗迹、遗物很少，但在洮河流域、大夏沙流域以及渭河上流很发达。西汉水流域的齐家文化似乎处于衰退状况，后为周代文化替代。洮河、大夏河流域则为寺洼文化、辛店文化替代。周代遗存在西汉水流域很丰富，遗物主要为陶器。

临夏州

1347.甘肃临夏莲台辛店文化墓葬发掘报告

作　者：甘肃省文物工作队、北京大学考古系甘肃实习组　蒲潮绂、南玉泉等
作　者：《文物》1988 年第 3 期

莲花台遗址位于甘肃省临夏县莲花乡莲城村，东北距永靖县城（小川）23 公里，南距临夏县城 20 公里，原永靖县城莲花城就坐落在这里。1962 年修建刘家峡水库，原县城莲花城属淹没区，故将居民搬迁到现在的遗址上。自此，莲花乡便归临夏县管辖。莲花台遗址是 1956 年黄河水库考古队在刘家峡水库区进行文物普查时发现的（编号为 RG1），该遗址有丰富的辛店文化遗物。1958 年和 1959 年，考古人员曾先后发掘了瓦渣嘴、黑头嘴和大夏河东岸的张家嘴遗址，并发表了考古报告。目前这些遗址均被水库淹没。由于居民搬迁后所住的莲城村就坐落在辛店文化墓地上，因此，在平整土地、修建房屋或挖菜窖时，经常发现墓葬。1984 年 7 月 20 日至 10 月 20 日，考古人员对莲花台辛店文化墓地进行了抢救性发掘。

简报分为：一、遗址概况，二、墓葬，三、随葬器物，四、几点认识，共四个部分，有照片、手绘图。

据介绍，因墓地被村庄压着，考古人员于村中的场院、菜地、麦地发掘，共发现墓葬 18 座。墓葬埋葬方式较为多样，常见直肢葬、屈肢葬、乱骨葬等，而直肢葬、屈肢葬又分一次葬和二次葬两种。墓葬形制为方形竖穴土坑墓、偏洞墓、石棺葬墓等。地面情况由于大都被后代人们所破坏，已不清楚。莲花台 M7、M9 等墓葬的填土均高出地表，而且形似坟丘，在土丘的一侧或上面放置大块鹅卵石，这些现象至少说明，有些墓葬当时是有地面标志的。但究竟意义如何，与后来中原地区的坟丘有什么关系，还需要作进一步探索。出土遗物有陶器等。

此处遗址的年代，简报推断大致相当于西周晚期到春秋时代。

甘南州

1348.洮河中上游（甘南部分）考古调查简报

作　者：李振翼

出　处：《文博》1992 年第 5 期

洮河是甘肃省南部一条较大的河流。全长 500 多公里，在甘南州境内长 330 公里。

洮河下游之考古调查，在甘肃乃至全国，可说是动手比较早的了。对于它的中上游，时至 1974 年在岷县境内才做了一些调查。1980 年 8 月至 1981 年元月，考古调查小组溯河而上，对临、卓两县在洮河沿岸的冶力关、石门、洮砚、陈旗、总寨、新堡和纳浪等 7 个公社进行了第一次考古普查工作。历时四月，发现古代文化遗存共 80 余处，其中有新石器时代、铜石并用和青铜时代的遗址 45 处。它们包括仰韶文化半坡、庙底沟类型，马家窑、半山、马厂类型，齐家、辛店、寺洼、卡约文化和土著 1、2 号文化类型（汉唐以来的城址和遗存，将有另文论及）。许多遗址的内涵，有两种以上文化遗存。简报根据遗址的调查及文物的采集情况，将新石器时代至青铜时代的各种文化类型，摘其具有代表性者予以介绍。

简报认为新石器时代直至青铜时代文化在洮河流域，特别是它的中上游的发展是和甘肃省东部乃至陕甘青地区、黄河流域之发展趋向相一致的。它的传播、繁衍与由东向西、愈西愈晚的这一规律是完全相符的。

青海省

1349.青海湖环湖考古调查

作　　者：青海省文物考古队　高东陆
出　　处：《考古》1984 年第 3 期

青海湖周长 360 公里，湖面海拔 3266 米，是我国最大的内陆咸水湖。湖的周围除东岸日月山西麓为沙丘和沙漠外，都是湖滨草原。1981 年 5 月，考古人员对青海湖周围进行了考古调查，共发现古代文化遗址 8 处，古城堡 9 处。

简报分为：一、古代文化遗址，二、古代城堡，共两个部分，有手绘图。

据介绍，青海湖的南、西、北三岸共发现古代文化遗址 8 处。北岸有德州遗址、沙柳河桥东遗址、沙柳河桥西遗址、刚察县面粉厂遗址和刚察西山遗址 5 处；西岸有布哈河水文站遗址和立新遗址二处；南岸只有江西沟遗址一处。其文化均应属卡约文化范围，有的遗物又带有齐家文化风格。遗址有大量鱼骨，似乎表明卡约文化时期渔猎仍是主要经济生活。

至于古代城堡，在青海湖周围共调查发现 9 处（复查两处，新发现 7 处）：一为三角城，位于海晏县城西北约 250 米，青海湖东北的金银滩上。此城早在 20 世纪 30 年代即被发现，曾被马步芳盗掘。二为尕海古城，位于海晏县甘子河公社尕海大队。三为南向阳古城，位于青藏铁路吉尔孟车站南约 200 米处。四为北向阳古城，位于吉尔孟公社驻地西约 1 公里。五为立新古城，位于刚察县吉尔孟公社立新大队。六为铁卜恰古城，位于海南州共和县石乃亥公社。七为江西沟古城，位于共和县江西沟公社驻地南约 1.5 公里。八为黑城子与白城子。两城都在共和县倒淌河境内，黑城子位于倒淌河公社驻地西约 10 公里，倒淌河北岸，面临青海湖。白城子位于日月山麓，倒淌河公社驻地北约 10 公里的山脚处。两城形制基本相似，所不同的是白城子东、西各有城门，西门外设有照壁，黑城子只开东门，且为二次修建。

简报称，三角城为王莽时所建西海郡遗址。尕海古城、南向阳古城均与三角城同期。铁卜恰古城应为吐谷浑故都伏俟城故址。吐谷浑为古代青海重要的部族之一，其历史前后有数百年，然而其发展情况只能在屈指可数的文献记载中略有所知。铁卜恰古城是迄今唯一发现的吐谷浑古城，又是吐谷浑历史最久的国都，它在中古时期的地位是相当重要的。黑城子、白城子是明清时城址。其他几座古城，时代不清。简报推测尕海古城和北向阳古城很可能是西海郡下设的 5 个县中的两个县之县治，南向阳古城及立新古城是当时的驿站或哨所。这个推测如果无误，那么其他 3 个县的县治是可以找到的，至于它们究竟属于何县的县治，有待今后进一步的调查和发掘。

西宁市

1350.青海湟中古代文化调查简报

作　者：青海省文物管理委员会　赵生琛、吴汝祚
出　处：《文物》1960 年第 6 期

1959 年春，青海省文化局组织训练班学员到湟中县土门关、石灰沟、康城沟、云固川、平安镇及西宁北郊等地实习，发现遗址 36 处，其中包括民国时瑞典人安特生发现的 3 处。简报配以照片予以介绍。

据介绍，甘肃仰韶文化、齐家文化在这一地区分布较稀，分布较多的是卡约文化。出土遗物以陶器为主，其次为石器、角器。

1351.青海大通县文物普查简报

作　者：青海省文物考古研究所
出　处：《考古》1994 年第 4 期

大通县为西宁市辖县，是农业县之一，地处青藏高原和黄土高原的过渡地带。早在 20 世纪 50 年代末，考古人员曾对该县做过部分调查，1982 年又进行了一次普查。20 世纪 90 年代通过再一次工作取得了一定的成绩。

这次普查中，对 28 个乡进行了全面文物普查，文化内涵包括马家窑文化、齐家文化、卡约文化、古城址、古建筑、碑刻等其他文物共登记 113 处。

简报分为：一、马家窑文化，二、齐家文化，三、卡约文化，四、汉代遗存，五、结语，共五个部分，有手绘图。

据介绍，从普查的资料看，马家窑文化的马家窑类型和半山类型、齐家文化的资料较丰富。长宁堡（乙）遗址不仅面积大，而且文化层堆积较厚。平乐（甲）遗址出土的半山类型彩陶片，陶质细腻，纹饰别致，其历史价值和艺术价值都达到了很高的水平。齐家文化在大通县境内分布范围和马家窑文化等类型相若。从普查资

料看，彩陶器不发达。有些遗址破坏严重，在普查中也仅有少量的素篮纹和粗陶片。从马家窑、半山类型、齐家文化的分布看，使用这些陶器的人们仅在北川河两岸桥头镇以南一带生息过，它在一定程度上反映了古代青海文化发展的历史概貌和今日青海仍是一个多民族聚居地区的某些历史渊源。大通县境内没有发现马厂类型的遗址，这还值得进一步探讨，有待今后的发现与研究。

大通县卡约文化遗址大部分在河谷的第二台地上，分布较为稠密，其遗迹有灰层、灰坑和烧灶面等。除了大部分为单一的卡约文化遗物外，一部分则和马家窑文化、齐家文化或其他文化共存。根据目前的发掘资料，卡约文化可分为"上孙家寨类型"（简称上孙类型）、"阿哈特拉类型"两个类型。此次普查发现的卡约文化遗址、墓地，对我们今后进一步研究卡约文化早、中、晚类型提供了一定资料。

汉代遗存在大通县分布比较集中，多为墓地，主要在大通北川河一带。大通县汉墓、匈奴墓的出现为研究古代青海地区民族之间的关系和汉代青海地区设立行政机构提供了实物资料。

海东地区

1352.1980 年循化撒拉族自治县考古调查

作　者：卢耀光

出　处：《考古》1985 年第 7 期

1980 年 3 月，考古人员对民和、贵德和循化撒拉族自治县部分地区进行考古调查。简报分为：一、确定和更正了部分古文化遗址的性质，二、新发现的六处古文化遗迹，共两个部分，有手绘图、照片。

据介绍，此次调查由 3 月 19 日至 4 月 2 日，历时半月。调查重点为循化县黄河沿岸和清水沟地区，涉及红旗、街子、城镇、清水和白庄五个公社。根据 20 世纪 50 年代考古调查记录，循化县共有古代文化遗址 28 处，除张尕遗址外，其他 27 处遗址均有辛店文化遗物存在，其中 17 处还是单一的辛店文化遗存。此次调查虽只复查了原来遗址的半数，但通过对阿哈特拉山遗址的调查结果来看，有一些遗址的文化性质是成问题的，应该予以更正，改订为卡约文化。类似阿哈特拉山卡约文化的遗址，这次调查中新发现的还有红旗公社中庄三队的仓库遗址、苏支苹果园遗址，街子公社的棺尸沟遗址，白庄公社的苏合札遗址和乙日亥遗址。由此可见，卡约文化遗址在循化县有着相当广泛的分布。应当说，阿哈特拉山一类遗址的文化属性由辛店文化更正为卡约文化，是这次考古调查的重要收获之一。新发现的 6 处古文化遗迹，属于卡约文化和新石器时代的半山类型遗存。

一般认为，卡约文化的年代大致相当于中原地区的夏商时代。

1353.青海平安、互助县考古调查简报

作　者：青海省文物考古研究所　陈海清、张义军、卢耀光
出　处：《考古》1990 年第 9 期

平安、互助两县位于青海省东部，地处湟水中游，隔水相望。平安县西北距西宁市约 30 公里，其平面略呈方形，总面积七百余平方公里。县下辖一镇八乡。互助县西南距西宁 40 余公里，辖一镇二十乡，境内地形复杂，可分东北大通河流域和西南湟水流域两大区域，而古文化则多分布于湟水流域区。1982 年和 1986 年，考古人员先后两次在两县境内进行了文物普查，共发现各时期遗址、墓葬等遗迹 370 余处，以新石器时代与青铜时代的遗存为主，共有 250 处之多，几乎占全部总数的三分之二。

调查情况简报分为：一、新石器时代文化遗存，二、青铜时代文化遗存，三、结语，共三个部分，有手绘图。

据介绍，平安、互助地区的文物调查工作以前曾进行过多次，但以 1982 年、1986 年这两次普查的收获最大，基本摸清了两县境内的文物分布情况和各时代的文化内涵。简报称，通过普查，了解到了平安、互助地区古文化的多样性、分布范围及其与各邻近地区的文化联系，为今后的发掘、研究工作提供了最基本的资料，打下了良好的基础。

1354.青海化隆旦斗岩窟壁画初步调查

作　者：青海民族大学艺术系　伯　果
出　处：《考古与文物》2014 年第 2 期

根据一位唐卡艺人提供的信息，考古人员 2010 年 4 月 28 ～ 30 日在青海省化隆县境内的旦斗寺附近调查发现几处古代佛教岩窟壁画遗存，随后又进行了两次详细考察。

这批岩窟壁画简报分为：一、地理位置与环境，二、岩窟介绍，三、壁画风格中及年代推断，四、结语，共四个部分，有彩照、手绘图。

据介绍，在青海省化隆县境内的旦斗寺附近分布有数处岩窟壁画，是迄今为止在青海发现的规模较大、历史较久的古代佛教美术遗存，之前鲜为人知。简报推断，旦斗窟第一窟壁画的绘制年代应在初唐，不晚于唐高宗咸亨四年（673 年），第 2、3、

4 三窟壁画年代应在北魏后期；第 4 窟发现的藏文印经残页年代在西夏中后期。

简报在对岩窟进行初步考察的基础上，为研究者提供了第一手资料。

海北州

1355.青海省哈龙沟、巴哈毛力沟的岩画

作　者：许新国、格桑本
出　处：《文物》1984 年第 2 期

1982 年 5 月，考古人员在海北藏族自治州刚察县吉尔孟公社黄仑大队哈龙沟勘察了两处岩画，其后又在海西蒙古族藏族哈萨克族自治州都兰县香加公社巴哈毛力沟发现一处岩画。简报配以照片、手绘图予以介绍。

据介绍，哈龙沟，藏语意为鹿沟，位置在吉尔孟公社西北 18 公里。岩画在沟中段两座海拔 3500 米的花岗岩石山上。这两座石山藏语叫作"扎西德本"，意为"十万吉祥部落"。两山相距约 200 米，现仍有藏民在此祭祀。巴哈毛力是蒙语"小马"之意。巴哈毛力沟南口为香日德—塔妥公路，沟口到香加公社约 12 公里。由巴哈毛力沟南口北进，有一条大车通路，距南口 4 公里左右有一个火成岩山嘴，藏语称为牙玛嘴（意即"山羊嘴"），汉语称为"画石嘴"，岩画就刻在山嘴西面的石壁上。简报认为两处岩画是羌人、吐谷浑人留下的，哈龙沟的年代要早于巴哈毛力沟。

黄南州

海南州

1356.青海贵德山坪台卡约文化墓地

作　者：青海省文物考古队、海南藏族自治州群众艺术馆　高东陆等
出　处：《考古学报》1987 年第 2 期

山坪台卡约文化墓地位于青海省海南藏族自治州贵德县境的乱泉河汇入黄河的三角地带，东距河西乡下刘屯村约 1.5 公里，新建水电工程的管道从台地的西北部

南北向穿过，清理发掘工作即在管道两侧进行。贵德县下刘村山坪台卡约文化墓地是 1981 年 7 月青海省文物普查试点工作中发现的。发现时因平整土地和水电工程，部分墓葬已被破坏，考古人员配合工程进行清理发掘。自 1981 年 10 月上旬至 12 月上旬，共清理发掘墓葬 90 座，出土文物共计 629 件。

简报分为：一、墓葬形制，二、出土器物，结语等三个部分予以介绍，有照片、手绘图。

据介绍，山坪台卡约文化墓地的墓葬可分为土坑墓和瓮棺葬两类。土坑墓依平面形状又可分为长方形和椭圆形两种。90 座墓中，长方形土坑墓 55 座，其中两座带有龛洞，椭圆形土坑墓 45 座。90 座墓中，有 27 座有随葬品。年代大约在公元前 900 年西周时期至春秋时期。

简报指出，卡约遗址以下西河遗存为代表，其内涵单纯，不带有其他文化色彩，集中分布在湟水中游的西宁盆地。遗址已成为考古学上的一种文化类型，就叫"卡约文化"。

果洛州

玉树州

海西州

宁夏回族自治区

银川市

1357.银川附近的汉墓和唐墓

作　　者：宁夏回族自治区博物馆　李俊德、牛达生

出　　处：《文物》1978 年第 8 期

简报分为：一、平吉堡汉墓，二、玉泉营唐墓，共两个部分，介绍了银川附近的一批汉墓和唐墓，有照片、手绘图。

据介绍，平吉堡在银川市西南 20 公里，堡子东北的平坦地带有一墓群，1972 年，考古人员在这里清理了 8 座汉墓，简报着重介绍了其中一座木椁墓的发掘情况。简报认为当时沙套一带与中原地区已有频繁的贸易。

青铜峡县玉泉营，北距银川 60 公里，是贺兰山洪水冲击沙砾地带。1976 年，考古人员在当地清理了 11 座唐墓。清理的这批墓葬全部受到严重的破坏，但有的墓室下半部保存较好，有的出土器物较多。简报重点介绍了一号、八号两墓。简报称，这批墓葬已遭严重的破坏，墓室结构以方形墓为主，四壁有外凸的弧线，墓门南向，棺床正对墓道，攒尖式顶，斜坡墓道。在器物方面，以俑类说，有骑马俑、男女俑、动物俑；男俑的幞头、束带长袍、靴鞋，女俑的各种发髻、窄袖襦衫、曳地长裙，以及深目高鼻、胡髭上翘的胡俑，都与中原地区唐代墓葬一致。这些情况说明当时中原地区的葬俗在宁夏一带也已流行。

1358.宁夏灵武县磁窑堡瓷窑址调查

作　　者：中国社会科学院考古研究所内蒙古工作队　马文宽

出　　处：《考古》1986 年第 1 期

1983 年 11 月，考古人员对灵武县磁窑堡瓷窑址进行了调查。1984 年秋，在此进行了试掘。在试掘中因遇到遗迹较多，所开探方尚未发掘完毕。

简报分为：一、窑址位置与遗迹，二、遗物，三、窑址年代，四、调查收获，共四个部分介绍 1983 年调查情况和 1984 年采集到的标本，有照片。

据介绍，窑址位于灵武县城正东，相距约 35 公里，在灵武—磁窑堡煤矿公路的西侧。从一号窑炉的形制来看与北方金、元时期的窑炉很相似，遗物也具有金、元时期北方诸窑产品的风格。此窑的时代简报暂推断为西夏至清代，而西夏是此窑生产的重要时期。

简报称，此窑产品在内蒙古额济纳旗、伊金霍洛旗和甘肃武威、宁夏银川西夏陵区等地均有发现，说明灵武曾是我国西北地区的一个重要生产瓷器的中心，此窑的调查和大规模发掘可为西夏王朝的物质文化研究提供一份实物资料。

1359.宁夏贺兰县拜寺口北寺塔群遗址的清理

作　　者：宁夏回族自治区文物考古研究所、贺兰县文化局　朱存世、孙昌盛、王惠民

出　　处：《考古》2002 年第 8 期

贺兰山位于宁夏回族自治区西北部，全长 200 多公里。贺兰山东麓有大的山沟 20 多条，拜寺沟就是其中之一。拜寺沟沟口南北两侧地势较为平坦，在山前大凡平坦的台地上，都可见到许多建筑遗迹，大者有几进院落，高者至今仍存高度近 5 米的石砌高台，地面散落有许多砖瓦，当地俗称"南寺"和"北寺"。

北寺遗址位于沟口北侧一处山前台地上，遗址中部耸立着两座西夏古塔，它们就是全国重点文物保护单位贺兰县拜寺口双塔。双塔于 1986 年进行过加固维修，出土了众多西夏文物。1999 年 5 月在整修双塔院落时，在双塔北侧山坡上发现彩绘的白灰皮，随即进行了初步清理，并发现了不少塔的基址，得知此山坡是一处大型塔群建筑遗址。同年 9 月至 11 月，考古人员对双塔北侧台地进行了大规模的考古发掘。本次发掘发现残塔基 62 座及其附属建筑，出土文物有"擦擦"、小泥佛像、陶塑像、瓷器以及塔刹建筑构件等。

简报分为：一、遗址分布与地层堆积，二、主要遗迹，三、遗物，四、相关问题的讨论，共四个部分予以介绍，有手绘图、照片。

据介绍，这一处塔群应属于墓塔。62 座塔的主体结构为土筑，有的外包砖，表面抹白灰并施彩绘；基座形制可分为十字折角形、八边形和方形三种。塔群出土文物中，最具特色的当数彩绘"擦擦"。简报推断"擦擦"是因为建造佛塔的需要而形成的。拜寺口北寺塔群遗址的初建时间应在西夏，经元一代而废于元末明初。

石嘴山市

吴忠市

1360.宁夏盐池县古长城调查与试掘

作　者：宁夏文物考古研究所、盐池县博物馆　王惠民、陈晓桦
出　处：《考古与文物》2000 年第 3 期

为配合长宁天然气管道建设，切实保护古长城，1997 年 9、10 月间，考古人员对管道穿过盐池县内的古长城地点进行了钻探和试掘，同时对长城沿线进行了考古调查。

简报分为：一、明长城，二、隋长城，三、结语，共三个部分，有手绘图、照片。

据介绍，保存在盐池县境内的明长城，是俗称河东横城大边（也称河东墙）的一部分。偏北的一条为明外长城（俗称二道边），于城郊乡夏记墩自然村东南 4，5 公里进入陕西省定边县境。偏南的一条内长城（俗称头道边），于城郊乡东郭庄自然村东南 2 公里进入陕西定边境。明外长城和明内长城虽然相距不远，但现存状况和结构都有着明显的差异。与明外长城相比，明内长城的墙体均保存较好，外观整齐高大，颇为壮观，与银川河东横城到陕北榆林的明长城保持统一的风格面貌。简报还介绍了明长城没有叠压的隋长城，指出《隋书》相关记载存在表述上的错误。

固原市

1361.宁夏西吉县汉、金墓发掘简报

作　者：宁夏文物考古研究所、西吉县文物管理所　陈晓桦、李怀仁、耿志强
出　处：《考古》1993 年第 5 期

1988 年 6、7 月间，考古人员对西吉县保林砖厂和兴隆鱼场在取土和扩建中发现的一座汉墓和一座金墓进行了抢救性发掘。

简报分为：一、保林汉墓，二、兴隆金墓，三、结语，共三个部分。有手绘图。

据介绍，墓葬位于西吉县城南 35 公里的将台乡保林砖厂东侧的一处东高西低的陡坡断崖上，西靠中静公路及葫芦河约 50 米。这里为一处汉代墓群，数年来，当地村民取土时，在南北长 130 米、东西宽 60 米的范围内多有汉墓发现。墓为砖券单室夫妻合葬墓，葬具已朽，人骨散乱。在墓室中部墓主人的腰部下面出土有五铢和大泉五十铜钱。随葬陶器有鼎、罐、灶、釜、甑、壶、盆等。铜器有刀、镜、铺首、带钩、盖弓帽、弩机等。兴隆金墓在西吉县兴隆镇西南，为仿木结构砖雕墓，早年被盗，仅出土两件陶罐。此墓砌工较细，建筑形式很像一个完整的四合庭院，表现了高度的建筑技巧。这一墓葬的发现，为印证史料记载金代疆域范围、隆德县建置以及研究金代木构建筑艺术，提供了珍贵的实物资料。

中卫市

1362.宁夏回族自治区中卫县古遗址及墓葬调查

作　者：宁笃学

出　处：《考古》1959 年第 7 期

1957 年 3 月至 7 月，考古人员在中卫县境内进行考古调查。简报分为：一、细石器文化遗址，二、汉代遗址和墓葬，三、唐代古城遗址，共三个部分予以介绍，有手绘图。

据介绍，细石器文化遗址有二：一处位于中卫县西园乡一碗泉，采集的标本以石器为主，陶片很少。另一处在中卫县西 7 公里的迎水桥村西北 1 公里处，经打制的石片遍地皆是，磨制石器不多。这几处遗址都位于腾格里沙漠，从石器看当时先民应是以农业为主，可以想见当时这里还是一片沃野。汉代遗存主要有居所和墓葬。居所位于中卫县西约 25 公里处，有石块砌造的居所残址 3 处，墙高 1 ~ 2.5 米。墓葬位于中卫县以东约 20 公里的张家山。初步估计有 200 余座，大多为石室墓，少数为土坑墓。唐代古城遗址位于中卫县长流水村西，尚存断续城垣、房基 2 处及石器、蚌器、陶器、白瓷、残砖、铜钱等 113 件。

1363.新疆考古的发现

作　者：黄文弼

出　处：《考古》1959 年第 2 期

　　1957 年 9 月开始至 1958 年 8 月止，考古人员在新疆维吾尔自治区五个专区、两个自治州、二十四县、两个市，调查了古城、遗址及寺庙约 127 处（内包括古城 58 座）。并在焉耆、库车作了一些发掘工作，采集实物颇为丰富。《考古》杂志分期登载了此次调查的报告，主要介绍了焉耆专区的调查与发掘、库车的调查和发掘、哈拉撒的发掘等。

　　焉耆专区现改为巴音郭楞蒙古族自治州，包括和硕及和靖、焉耆自治县。四面皆山，北、西为天山，南、东为库鲁克山，中为博斯腾湖，西、北两面隆起大平原，海都河流贯其间，古代的危须、尉犁、焉耆三国分布在海都河沿岸及博斯腾湖的西北边。起初都是小国，到魏晋以后，危须、尉犁并于焉耆，焉耆始为大国，东与高昌接，西与龟兹接，南与鄯善接，北界天山，而与匈奴、乌孙为邻。

　　考古人员到达焉耆后，共调查了古城 11 座，土墩寺庙、古坟等 9 处。古城及遗址，大都在开都河两岸及博斯腾湖西、北部平原上。重要的有和硕县曲惠乡的曲惠古城、萨尔墩旧城、焉耆自治县的四十里城子旧城等。还发现有公元前 3 世纪至公元 1 世纪的陶片、石器等。

1364.新疆文物调查随笔

作　者：史树青

出　处：《文物》1960 年第 6 期

　　1959 年，史树青先生赴新疆进行文物调查征集工作，历时 9 个月。

　　简报分为：一、七角井和雅尔湖的细石器遗址，二、新源县青铜器的发现，三、北疆石刻人像，四、岩画，五、和阗县约特干遗址出土文物，六、洛浦县阿克斯比尔古城出土文物，七、民丰县尼雅遗址出土文物，八、洛浦县阿其克山和库车县阿艾山两处汉代开矿冶铁遗址，九、白雀元年物品清单新释，十、新疆的古代宗教，

十一、记和阗绸，十二、哈萨克族的游牧生活，十三、阿里汗家藏哈萨克族文物，十四、新疆考古，大有可为，共十四个部分，有照片。

诚如史树青先生指出的，新疆面积辽阔，历史悠久，仅和阗专区就已发现被沙漠掩埋的古城 20 余处。地下遗物因气候干燥也保存完好，考古工作当大有作为。

1365.新疆东部的几处新石器时代遗址

作　者：吴　震

出　处：《考古》1964 年第 7 期

简报配以照片、手绘图，介绍了考古人员在调查中发现的 4 处新石器时代、青铜时代的遗址。

一是木垒河遗址，位于天山北麓的木垒哈萨克自治县木垒河东岸，采集有石器及少量陶片。

二是卡尔桑遗址，位于伊吾县东北 80 公里的淳毛村东，采集有砾石制作的大型石器、骨角器、陶器、铜器等。

三是石人子乡遗址，位于天山北麓的巴里坤哈萨克自治县石人子乡，出土有陶片、羊骨、马骨、铜块、炼渣、木炭等。

四是阿斯塔那遗址，位于吐鲁番县的阿斯塔那村西北，发现有石器、陶器。

简报称，阿斯塔那、木桑河两处遗址，应还处于细石器时代，经济上农牧结合。石人子乡、卡尔桑遗址，至少已进入铜石并用时代，经济上以农业为主，兼营狩猎。

1366.盐湖古墓

作　者：王炳华

出　处：《文物》1973 年第 10 期

1970 年 2 月，新疆军区生产建设兵团军垦战士在乌鲁木齐市南郊盐湖南岸天山（当地俗称南山）生产劳动过程中发现古代墓葬两座。考古人员收集了已经出土的部分文物，对两墓残存部分进行了清理。简报配图予以介绍。

据介绍，古墓所在山梁，相对高度不到 100 米，十分陡峻，寸草不生。由于长期雨水冲刷，形成不少洞穴。古墓即利用这类洞穴埋葬。

一号墓所在洞穴东向，洞口高约 1 米，向西南下斜，愈深愈窄小。有棺，棺内尸体内著棉布中单、裤，外套黄色油绢织金锦边袄子，足穿缂丝牛皮靴。随葬有弓、箭、箭箙、马鞍、铁镫等物。

自一号墓南上 100 余米，为二号墓所在洞穴。发现时墓葬大部分已被毁，在洞穴深处见到散乱的人体肢骨、桦木皮、一副腰带和锦、绢、暗花绸残片等。从洞穴口部残留足趾骨数节及部分青铜鞋饰，可以推见骨架头向北。不见葬具。人骨东侧有马坑，殉马一匹，马骨架保存完好，头部毛皮尚存。马头北向侧卧，鞍具配饰齐全，未经扰动。殉马坑底部铺芦苇一层，芦苇上盖一层红柳。红柳树干有的粗达 20 厘米。马身上面也是盖芦苇，芦苇上覆红柳，最后填土。

简报称，这两座古代墓葬，在荒僻的山沟中利用自然洞穴埋葬，随葬器物全是实用衣物、乘骑、武器等，而不见任何冥器。衣物、马饰虽可称豪华，一号墓主还用木棺，说明其身份并非一般，但也不见任何从容经营、厚葬以殉的迹象。这种情况，或可与戎马倥偬的古代戍边军人相联系。征行之际，突然暴卒于道，即马革裹尸，随地而敛。

两墓的年代，简报推断二号墓为唐代墓葬，一号墓为元代墓葬。

1367.新疆各地发现的一部分历代印章

作　者：李遇春
出　处：《文博》1984 年第 2 期

简报配以照片等，介绍了新疆各地发现的历代印章，绝大多数有明确出土地点。

据介绍，这批印章计有：西汉晚期的"居延丞印"；汉代"汉归义羌长"印；魏晋南北朝时的动物图形章，现藏新疆博物馆；宋代伊斯兰寺院印章；元代图形印章等。

1368.新疆出土的肖形印介绍

作　者：旅顺博物馆　王珍仁、孙慧珍
出　处：《文物》1999 年第 3 期

旅顺博物馆的藏品中，有一批出土于新疆地区的肖形印，这批肖形印系 20 世纪初日本西本愿寺派第 22 代门主大谷光瑞组织的"中亚探险队"前后三次，历时 12 年（1902 ～ 1904 年、1908 ～ 1909 年、1910 ～ 1914 年）对我国西北地区进行文化掠夺的一部分。这批肖形印的数量较大，计有 120 多枚，入藏旅顺博物馆至今已逾 80 多年。简报配以照片予以介绍。

据介绍，旅顺博物馆所藏的这批肖形印从材质上可分为四大类：

第一类：煤精石肖形印。共计有印 32 枚，有 41 个画面（序号 1 至 41）。

第二类：铜质肖形印。共计有印 75 枚，有 78 个画面（序号 42 至 119）。

第三类：铁质肖形印。共计有印 1 枚，有 1 个画面（序号 120）。

第四类：木质肖形印。共计有印 1 枚，有 2 个画面（序号 121、122）。

简报称这批肖形印的形制，除木质肖形印的面积和造型稍大一点外，其余三类的尺寸均较小。

根据肖形印的图案内容可分为样式花叶印、动物印、飞禽印和其他。

简报推断这批肖形印的年代，从东汉后期到魏晋南北朝时期，个别的如猴子图案等，可能晚至唐代。

乌鲁木齐市

1369.新疆米泉大草滩发现石堆墓

作　者：新疆社会科学院考古研究所

出　处：《考古与文物》1986 年第 1 期

1980 年 8 月，考古人员在米泉县境内进行考古调查时，在大草滩大队发现一处石堆墓地，墓的卵石有些已被附近居民挖掉。考古人员清理了已遭破坏的石堆 5 座，其中一座不是墓葬。

简报分为：一、墓葬形制，二、随葬文物，三、结语，共三个部分予以介绍，有照片、手绘图。

据介绍，清理的 4 座墓，均有封石堆，墓室就在石堆下，皆为东西向的竖穴，竖穴内填层层卵石。M2、M3 为二次葬，另两墓（M1、M4）为单人葬。随葬品贫乏，仅有少量陶器、铜器、骨器、铁器。应为相当中原地区汉晋时期墓葬。

1370.新疆乌鲁木齐萨恩萨依墓地发掘简报

作　者：新疆文物考古研究所、乌鲁木齐市文物管理所　阮秋荣、胡兴军、
　　　　　梁　勇等

出　处：《文物》2012 年第 5 期

萨恩萨依墓地位于新疆乌鲁木齐市南郊板房沟乡东白杨沟村三队萨恩萨依沟口的二级台地上，乌鲁木齐河东岸，北距乌鲁木齐市约 68 公里。2006 ～ 2008 年，考古人员对此墓地进行了抢救性发掘，清理墓葬共 180 座，出土各类器物 300 余件。

发掘情况简报分为：一、墓地概述，二、墓葬举例，三、结语，共三个部分予

以介绍，有照片、手绘图。

据介绍，此次发掘共清理墓葬 180 座，出土陶器、铜器、骨器、石器、铁器等 300 余件（组）。墓葬的类型多样，文化面貌复杂，墓地年代简报推断自青铜时代至汉唐时期。简报称，此墓地的发掘为探讨中国西北地区青铜文化与欧亚草原地区文化的关系提供了珍贵的实物资料，有助于了解中国西北地区青铜文化发展的过程。

克拉玛依市

吐鲁番地区

1371.新疆吐鲁番阿斯塔那北区墓葬发掘简报

作　者：新疆维吾尔自治区博物馆
出　处：《文物》1960 年第 6 期

1959 年 10 ~ 11 月，考古人员赴吐鲁番的阿斯塔那作了一次为时半月的墓葬发掘，从 6 个墓葬里获得一批考古资料。简报配以照片、手绘图予以介绍。

据介绍，阿斯塔那汉名"三堡"，哈萨克语意思是"首府"，位于吐鲁番以东 38 公里胜金口西南 4.5 公里处。在阿斯塔那东北、正北各有一个墓葬区，每个墓区又分布着许多"坟院"，考古人员选择了三个坟园，各发掘了两个墓葬。这里墓道、墓室顶部多以砾石标志，凡有砾石标志的几全遭盗掘。

简报称，这批墓葬的时代，相当于中原地区西晋十六国、北朝直至隋初。

1372.新疆维吾尔自治区——吐鲁番阿斯塔那北区晋唐墓葬

作　者：不详
出　处：《文物》1972 年第 1 期

新疆吐鲁番阿斯塔那北区墓葬的发掘工作，"文化大革命"期间继续进行。1966 ~ 1969 年共发掘晋至唐墓葬 130 余座。出土遗物有各种织染品、鞋、陶木器、俑、钱币、铜银饰品、面制食品、干果和文书、书籍等。其中织染品和文书、书籍最为重要。简报配以照片予以介绍。

据介绍，织染品中出现了不少以前未见和少见的新纹饰、新品种和新技法。这些新的知识，使我们对我国古代织染工艺有了进一步的了解。墓葬中发现的大批自晋迄唐的各种文书、书籍，更是研究吐鲁番地区历史的直接的文字史料。有官私文书（契约、卖舍券、残族谱等），有已佚古书，如隋薛道衡《典言》四个残段较为重要。《论语郑氏注》残卷，长5.2米。存《为政》后半和《八佾》《治仁》《公冶长》三整篇。《公冶长》后附杂抄若干行。

1373.吐鲁番县阿斯塔那——哈拉和卓古墓群发掘简报（1963～1965）

作　　者：新疆维吾尔自治区博物馆　李　征
出　　处：《文物》1973年第10期

1963年，考古人员对吐鲁番县阿斯塔那和哈拉和卓两地区的一部分墓葬进行了发掘。发掘从1963年12月开始，至1965年结束。简报配以照片、手绘图予以介绍。

据介绍，墓葬主要集中在两个地方：一是高昌城西北的阿斯塔那（三堡）地区，此次共清理了42座墓葬；二是高昌城北的哈拉和卓（二堡）地区，此次清理了14座墓葬。其中的壁画以及出土的纺织品、药方、针经、疗牛方等均十分珍贵。简报指出，这次发掘的大量材料证明，自汉唐以来，吐鲁番盆地一直是我国西部地区的一个重要政治、经济、文化中心，是丝绸之路上的一个重要地点。这里所使用的年号和州、县、乡、里的行政基层组织与中原地区是一样的，土地制度与中原地区是一样的。这次发掘所得的许多新颖美丽的丝织品，既反映了我国劳动人民精湛的纺织技术，也是我国人民和中亚、西亚各国人民友好往来的象征。

1374.吐鲁番哈喇和卓古墓群发掘简报

作　　者：新疆博物馆考古队　穆舜英等
出　　处：《文物》1978年第6期

1975年春，为配合吐鲁番县火焰山公社哈喇和卓地区水库修建工程，考古人员发掘了分布在该水库内的古墓51座（有一座是在1976年清理的），编号为75TKM55～TKM105。其中11座因墓顶严重塌方，无法清理，故实际发掘40座墓葬，出土文物500余件。简报分为"出土文物及几点探索"等几个部分予以介绍，有照片。

据介绍，哈喇和卓古墓群，位于著名的火焰山南麓，高昌故城的东北，在今吐鲁番县火焰山公社境内。古墓分布在山麓前的砾石滩上。从古墓布局情况看，是聚族而葬的墓茔。这些大族墓茔的周围，有的挖有浅沟，有的置放排列整齐的石块，以示标志。在茔区内按死者去世的先后年代顺序排列。这次发掘的墓葬主要是张氏墓茔、贾氏墓茔和宋氏墓茔。这批古墓早年均被盗掘，有的被窃掠一空；有的仅存1～2件残破陶器；有的墓内文物明显地是从其他墓中混入的。40座墓可分为三期：一期11座墓，相当于十六国高昌设郡到柔然控制高昌的早期，重要出土文物为102件汉文文书。第二期16座墓，属于麴氏高昌时期，出土有墓志、文书2件等。第三期13座墓，属唐代西州时期，出土有青砖墓志、文书4件等。

简报称，吐鲁番地区在汉朝时就是屯田的中心地区之一。汉朝的戊己校尉驻此。吐鲁番县火焰山公社境内的高昌故城，在汉时称高昌壁。魏晋的戊己校尉仍驻此。东晋时，在我国北方出现了许多地方割据政权，当时统治过吐鲁番地区的割据政权，先后有前凉、前秦、后凉、西凉、北凉。前凉张骏于东晋咸和二年在高昌首次设郡，后前秦等沿袭此制。公元5世纪，北凉为柔然灭亡，柔然汗在高昌地区建立了阚氏地方政权，继后又有张氏、马氏、麴氏相继建立政权，其中以麴氏割据时期最长。公元640年唐朝统一了新疆地区，在高昌设西州。这一段历史，完全为吐鲁番地区出土的大量文物所证实。

简报称，这一批文物的出土，又为我们研究这一段历史提供了实物资料。简报略述了出土的西凉文书、北凉文书中较为重要者。还介绍了北凉时期5座墓的壁画以及十六国时期墓中出土的木俑等。

1375.新疆阿拉沟竖穴木椁墓发掘简报

作　者：新疆社会科学院考古研究所　王炳华等

出　处：《文物》1981年第1期

阿拉沟，是天山山脉中间的一条山沟，位于吐鲁番盆地托克逊县西南，居托克逊、乌鲁木齐、和靖三地之间。往北走，有沟谷可通乌鲁木齐，行政区划现属乌鲁木齐市南山矿区。在南疆铁路工程阿拉沟工区基建施工中，发现了大片古代墓葬群，考古人员于1976～1978年间，在阿拉沟东口、鱼儿沟车站地区，先后清理、发掘了古代少数民族墓葬85座。其中1976～1977年在鱼儿沟车站东、阿拉沟河谷西岸发掘的4座竖穴木椁墓，其墓葬形制、葬式、随葬文物均自成风格、别具特点，与该地其他墓葬不同。简报配以照片、手绘图予以介绍。

据介绍，4座竖穴木椁墓位于阿拉沟东口。由于铁路工程施工，墓葬封土都已破坏。4座墓室均为长方形竖穴，早期似曾被盗，出土有金器、银牌、铜器等，年代简报推断为战国到西汉这一段。墓主当为上层人物。

简报认为，墓葬内普遍出土的马、羊骨骼和小铁刀，颇能说明畜牧等已有所发展。

陶器的普遍存在,说明人们已有相对的定居。M30发现的菱纹链式罗也是值得注意的。现有资料说明,西汉前已有链式罗。这一发现说明当时内地的纺织珍品已沿着丝绸之路来到了阿拉沟。方座承兽铜盘,被认为是塞种人遗物,表明当地与今日哈萨克斯坦一带也有往来。

1376.新疆鄯善苏巴什古墓葬

作　者:吐鲁番地区文管所　柳洪亮、阿不里木
出　处:《考古》1984年第1期

苏巴什古墓群位于鄯善县吐峪沟公社一大队八小队西南3公里的地方,东距鄯善县城约45公里,分布在火焰山北麓吐峪沟入口处的沟西台地上,山南出口处即是著名的吐峪沟千佛洞遗址。墓区地表散布的高0.2～0.5米、径1～2米的石堆即墓葬的标志,共有墓葬40余座。除这一范围内墓葬比较集中外,西北面向山坳里延伸约0.5公里内断断续续还分布有一些。墓葬封土有的从外表看没有经过破坏,石堆平面呈较规则长方形,高出周围地面0.2米。1980年5月,考古人员试掘了三座墓葬,编号为80SASM1～3,当时鄯善县进行文物普查,在此也清理了5座墓葬,编为80SASM4～8。前后总共发掘墓葬8座,资料存吐鲁番地区文管所。

简报分为:一、墓葬形制及葬具,二、随葬器物,三、结语,共三个部分予以介绍,有手绘图。

据介绍,墓葬形制有竖穴土圹墓2座和竖穴偏室墓6座两种类型,都采用尸床作为葬具。有男、女成人及幼儿骨架计26具。随葬品有铜器、铁器、木器、漆器、银器、骨器、毛织品、皮革等。时代可分为两期:一期为春秋、战国时期;二期为西汉中、晚期。墓主人应为姑师人。

简报称,姑师人是生活在新疆的土著居民之一,属于秦汉时期所谓西域三十六国中的一国。汉武帝时,赵破奴破姑师,"分以为车师前后王及山北六国"。"车师"和"姑师"是同一名称汉译的不同写法,在古代音相近。此墓葬二期应为车师前国初期时的遗存。

1377.柏孜克里克千佛洞遗址清理简记

作　者:吐鲁番地区文物管理所　柳洪亮
出　处:《文物》1985年第8期

柏孜克里克千佛洞,位于新疆维吾尔自治区吐鲁番县城东40多公里的木头沟河

谷西岸断崖上，是吐鲁番地区保存洞窟最多、壁画较好、建筑形式多样的一处石窟群。窟群南距著名的高昌故城约 10 公里，始凿于麴氏高昌时期（499 ～ 640 年）。唐初称为"宁戎氏"，又叫作"宁戎窟寺"，9 世纪末以后为回鹘高昌的王家寺院，13 世纪末逐渐衰落，成为民间寺院，约于 15 世纪中叶废弃。1978 年，考古人员对坍塌损坏的洞窟进行清理维修时，陆续出土了一些壁画和泥塑残块。1980 年 10 月至 1981 年 7 月，在对崖前多年形成的土沙堆积进行清理时发现了新的洞窟，出土丰富的汉文和回鹘文等少数民族文字的写本和印本文书、绘制壁画的稿本、数以千计的泥塑和壁画残块、大型斗拱等木结构建筑构件、釉下彩莲花纹方砖等珍贵的历史文物。

简报分为：一、遗迹，二、出土遗物，三、结语，共三个部分予以介绍，有照片、手绘图。

据介绍，发现有 12 ～ 13 世纪洞窟、宋、元时塔，10 ～ 11 世纪阶梯等遗迹，汉文、回鹘文写本、印本及粟特文、西夏文文字等计 800 多件，主要内容为佛教经典，也有少量史籍、诗歌等。时代从晋到元都有。

简报指出，高昌是西域与中原之间的门户，是西域文化输入内地的第一站，也是中原文化输入西域的第一站，各民族文化在这里经过第一次融合，然后传入内地或西域。大量的汉文、回鹘文、西夏文以及其他民族古文字写本、印本文书和绘画的出土，说明各民族文化在这个地区集合与交流的事实，对研究这一时期高昌的语言、文字、绘画、宗教传播、经卷版本、印刷技术以及商业交通等方面内容，都有重要意义。

柏孜克里克石窟群是回鹘高昌佛教艺术中最重要、保存最完整、最有代表性的文化遗存，已日益引起国内外学术界的重视。1982 年已由国务院公布为第二批全国重点文物保护单位。

1378.吐鲁番阿斯塔那古墓群新发现的"桃人木牌"

作　者：柳洪亮

出　处：《考古与文物》1986 年第 1 期

1984 年 2 月 20 日，考古人员在查看阿斯塔那古墓群的保护情况时，发现了一枚正反两面载有墨书文字的小木牌。

所谓"木牌"，实为一扁平下端尖的小木橛，比起一般的木简来要宽厚一些，长 21 厘米、厚 1.1 厘米、上部最宽处 5 厘米。发现时，木牌直插在一座墓葬封土堆的顶端上，露出约 5 厘米高一截。暴露在外面的部分经过长年风吹日晒，干裂粗糙，一望而知埋在地下的部分没有丝毫干裂现象，墨迹完好如初。所有迹象表明，这一木牌自插入封土后没有经过后人移动，原是全部埋入土中的，年长日久，上部因风力刮走土沙才逐渐暴露出来。简报配以照片予以介绍。

据介绍，小木牌上有文字，正面写完接反面写。简报诊断是代替俑来随葬的。此墓为小型墓，当为消费不起木俑、陶俑的穷人用的。但上面一般有墓主人姓名，也会提供一些有用的信息。

1379.新疆鄯善县苏巴什古墓群的新发现

作　者：吐鲁番地区文管所　柳洪亮
出　处：《考古》1988 年第 6 期

苏巴什古墓群坐落在火焰山北麓吐峪沟入口处的沟西台地上，东距鄯善县城约 45 公里。1985 年 1 月，当地刮起一股挖墓寻宝风，考古人员闻讯赶到现场时，从沟口内开始沿火焰山北麓向西约 2 公里范围内断断续续分布的古代墓葬已被挖掘一空，粗略统计，被盗掘破坏的墓葬有 50 多座。考古人员采集了墓地上被遗弃的文物，又向群众宣传，做了收集工作。简报分为：一、出土遗物，二、结语，共两个部分予以介绍，有照片。

据介绍，苏巴什古墓群新出土的这一批文物，共计 54 件，编号 85SASM：1 ~ 54，分陶、木、金、铜、骨、毛皮制品五类介绍。

1980 年，文管所与自治区博物馆曾共同在苏巴什古墓群试掘墓葬 8 座，出土各类遗物近百件，资料发现在《考古》1984 年第 1 期上。墓主人是吐鲁番盆地早期的土著居民——姑师人，时代约当春秋至西汉（前 770 ~ 公元 23 年）时期。根据墓葬形制和出土遗物分析，可以明显地分为两期，对早期和晚期墓葬分别送请有关部门作了 C14 测定。M8 距今 3145±75 年，树轮校正年代为距今 3335±145 年；M3 距今 2225±70 年，树轮校正年代为距今 2220±85 年。一期墓葬处于姑师人由原始社会进入奴隶社会的阶段，M8 的数据似稍偏早；二期 M3 的年代与简报推测的年代大体相符（吐鲁番地区文管所：《新疆鄯善苏巴什古墓葬》，《考古》1984 年 1 期）。

简报称，新发现的这批文物，丰富了苏巴什古墓群的研究资料，许多器物都未曾见于上次发掘。

1380.新疆鄯善县苏贝希考古调查

作　者：新疆文物考古研究所　常喜恩
出　处：《考古与文物》1993 年第 2 期

"苏贝希"在维吾尔语中是源头之意。位于新疆吐鲁番盆地鄯善县城以东约 40

公里处。1978 年、1980 年考古人员均曾在这一带做过工作。1988 年全疆进行了文物普查，在此又有所发现，1991 年 5 月，当地筑路，考古人员对新发现的两处墓地（3 号、4 号）进行了调查。简报介绍了调查的情况。

据调查，此两处墓地的时代约在战国至汉代时期，存在时间很长，很可能有早期、晚期之别。从遗存物看，先民应过着畜牧兼营狩猎的生活。

1381.1996 年新疆吐鲁番交河故城沟西墓地汉晋墓葬发掘简报

作　者：新疆文物考古研究所　赵　静、郭建国、刘文锁、王宗磊
出　处：《考古》1997 年第 9 期

沟西墓地位于新疆吐鲁番市以西 10 公里交河故城与盐山之间的台地上。20 世纪 50 年代末考古人员在台地地表采集到部分打制石器以及细石器；1995 年，考古人员于台地南部采集大批打制石器，并且发现了出土于地层之中的旧石器。1994 至 1996 年，中日考古专家共同在沟西墓地实施考察与发掘。历时 3 年的工作以发掘晋唐时期斜坡墓道洞室墓为重点；同时，对于台地上墓葬的数量、形制、位置、年代、保存状况等多方面作了详尽的调查，并进行编号和统计。1996 年 8 月 29 日～9 月 12 日的调查过程中，于台地东南端首次发现一批早期竖穴墓葬，并发掘了其中的一部分，取得了重大的收获。

简报分为：一、墓葬概况，二、出土遗物，三，结语，共三个部分介绍这批早期竖穴墓的发掘情况，有手绘图、照片。

据介绍，这批竖穴墓葬的规模不大，属于中型墓葬，形制为竖穴土坑或竖穴偏室。因墓葬破坏严重，随葬品和人骨保存多不完整，但仍可见两区域内墓葬在考古文化方面所具有的共性。出土器物主要有陶器、金器、五铢钱、铁器、铜器、骨器、蚌壳等。根据墓葬所体现的考古文化特征，结合五铢钱与星云铜镜的出土，简报初步推断这批墓葬早到西汉时期。

简报称，这批竖穴墓葬的发现与清理，无疑为交河故城考古、历史文化研究提供了极具价值的资料。

1382.新疆鄯善三个桥墓葬发掘简报

作　者：新疆文物考古研究所、新疆大学历史系、吐鲁番地区博物馆、鄯善县文化局　邢开鼎、张永兵等
出　处：《文物》2002 年第 6 期

三个桥墓地位于鄯善县鲁克沁镇三个桥村南约 1.5 公里，墓葬分布在绿洲带以

南的荒漠戈壁，多集中在 2 个小台地上。1990 年 6 月，考古人员对当地已被盗的 27 座墓及 6 座牲畜坑进行了清理。

简报分为：一、墓葬形制，二、随葬器物，三、结语，共三个部分予以介绍，有照片、手绘图。

据介绍，墓葬可分为两类：

第一类墓有 18 座，以竖穴土坑墓为主，平面呈椭圆形。牲畜坑也属第一类墓，坑内埋有驼、马等。

第二类墓有 9 座，竖穴偏室墓或土洞墓。

据简报推断，第一类墓的时代约在战国或更晚一些，随葬品铁器与彩陶共存。第二类墓的年代相当于盛唐至中唐（公元 7 世纪中叶到 8 世纪中叶）。第二类墓中 M10 出土的饺子等引人注目。

1383. 新疆鄯善县洋海墓地的考古新收获

作　者： 新疆文物考古研究所、吐鲁番地区文物局　吕恩国、张永兵、祖里皮亚、徐东良等

出　处：《考古》2004 年第 5 期

洋海墓地位于鄯善县吐峪沟乡洋海夏村西北 2.5 公里处。吐鲁番盆地北沿是著名的风沙肆虐地区，墓地正处在火焰山前风蚀的沙漠戈壁地带，到处布满沙梁和低平的黄土岗。墓葬主要分布在相对独立的三块黄土梁台地上。其中西片（Ⅰ 号墓地）长 300 米，宽 50 米，面积 1.5 万平方米；东片（Ⅱ 号墓地）长 300 米，宽 80 米，面积 2.4 万平方米；南片（Ⅲ 号墓地）长 150 米，宽 100 米，面积 1.5 万平方米。除了这 3 片墓地之外，其西北部的许多梁子上还零星分布着一些偏室墓和斜坡墓道洞室墓。3 处墓地最初是附近农民在维修坎儿井时发现的。20 世纪 80 年代中期开始墓葬就不断遭受盗掘。1987 年春的一次盗掘最为严重，仅在洋海夏村就收缴文物 240 余件，其中不乏精美的彩陶器、青铜器、木器和毛织物。为此，考古人员组队在 Ⅰ、Ⅱ 号墓地抢救发掘 82 座墓葬。2003 年初春，又有 40 座墓葬被盗，收缴来的器物有带动物纹图案的木桶、青铜马衔、铜铃、弓箭、彩陶器等珍贵文物。考古人员对洋海古墓实施抢救性发掘。在 3 处墓地共清理发掘 509 座墓葬，其中 Ⅰ 号墓地 216 座，Ⅱ 号墓地 213 座，Ⅲ 号墓地 80 座（均遭到破坏）。在 Ⅰ 号墓地北部和 Ⅱ 号墓地中部因局部保存较好，留有未破坏的墓葬近千座，未发掘。

简报分为：一、墓葬形制，二、出土遗物，三、结语，共三个部分，有彩照。

据介绍，洋海墓地墓葬布局疏密相宜，井然有序，是吐鲁番盆地及其周围已知

最宏伟的史前墓地。出土遗物有陶器 800 多件、木制品 900 多件以及铜器、泥塑人头像等。简报判断年代为公元前 1000 年到公元前后，大致相当于中原地区商朝末年至西汉末年。

1384.新疆鄯善洋海墓地发掘报告

作　　者：新疆吐鲁番学研究院、新疆文物考古研究所　李　肖、吕恩国、张永兵等
出　　处：《考古学报》2011 年第 1 期

洋海墓地位于新疆鄯善县吐峪沟乡洋海夏村、吐鲁番盆地火焰山南麓的荒漠戈壁地带，北距吐峪沟乡政府 4 公里，东南距洋海夏村四组 2 公里。墓地主要分布在相对独立并毗邻的三块略高出周围地面的台地上，台地表面为戈壁砂石层，每个墓地都有坎儿井的竖井——地面上圆形封土堆，中间凹陷处有长方形的竖井口。这一带常刮暴风，地面风蚀严重。墓地曾遭盗掘，2003 年初春，墓地再次被盗。考古人员进行了抢救性发掘，发掘工作于 2003 年 3 月 2 日开始，5 月 11 日结束田野工作。墓地共分三区。Ⅰ号墓地发掘墓葬 218 座，编号 2003SAYIM1 ～ M218；Ⅱ号墓地 223 座，编号Ⅱ M1 ～ M223；Ⅲ号墓地 80 座，编号Ⅲ M1 ～ M80。这些墓葬多遭到不同程度的破坏。

简报分为：一、墓葬分布情况，二、墓葬形制及随葬品，三、葬式与葬具，四、随葬品特征，五、几种器物的定名，六、墓葬分期和年代，共六个部分予以介绍，有彩照、手绘图。

据介绍，洋海墓地规模宏大，是几处相毗邻的公共墓地，墓地的墓葬布局严谨有序。墓葬形制主要是竖穴二层台墓、竖穴墓和竖穴偏室墓，南面无标识物。随葬器物以陶器和木器为主，其次是皮具、毛纺织物、铜器、骨角器、铁器等。尤以精美的彩陶器、华丽而奇特的服饰、狩猎工具、马具、青铜兵器和动物纹最具特征，还发现如竖琴、泥俑、吹风管、皮马鞍、鞍毯、皮射鞲、小觿、法衣、长衣等。同时也出土了大量的人类和动、植物标本。作为食物的动物肢体的随葬，主要是羊头、整羊、羊排或羊腿等，牛头、马下颌和马肩胛骨、马胫骨等。带装饰的马尾、狗的随葬是个例，作为交通工具的整个马匹的随葬只是到了晚期才出现。用植物类食品随葬的例子也比较常见，而且全部都盛放于陶器中。该墓地时间跨度从公元前 12 世纪到公元 2 世纪，达 1400 年。

简报称，洋海人颅骨形态的综合特征明显倾向于高加索人种系列，其中三分之二近于古欧洲类型，三分之一近于地中海类型。前二期的居民没有大的变化，是一个相对稳定的群体。后期虽有蒙古人种因素的明显增加，但不足以改变基本的综合体。洋海人中存在颅骨穿孔和文身的习俗。

简报指出，在新疆乃至整个中亚，有许多文化都是从青铜时代延续到早期铁器时代，西边有楚斯特文化、古尔布留克文化，东面河西有卡约文化。洋海墓地出土遗物十分丰富，与周边文化联系密切。随葬品中，有些器物难以见到，以至需要命名。如钻木取火器、射鞴等。考古人员将洋海墓地的墓葬分为 A、B、C、D 四类，A、B 为早期，大约为公元前 12 世纪至公元前 8 世纪，大致相当于中原地区新石器晚期至西周时期；C 为竖穴墓，为中期，大约为公元前 7 世纪至公元前 3 世纪，相当中原春秋、战国时期；D 类大致相当两汉或稍早，墓葬中已出土少数汉式器物。

该墓地部分被盗随葬品后又追回，参见《"鄯善古墓被盗案"中部分文物之介绍》（载《新疆文物》1989 年第 4 期）一文。

1385.新疆吐鲁番市台藏塔遗址发掘简报

作　　者：新疆文物考古研究所　吴　勇、田小红、佟文康
出　　处：《考古》2012 年第 9 期

台藏塔遗址位于吐鲁番市三堡乡尤喀买里村境内。2008 年 8～9 月，为了配合丝绸之路（新疆段）重点文物保护工程，考古人员对台藏塔遗址进行了抢救性发掘，共清理台藏塔佛塔 1 座、墓葬 2 座。发掘情况简报分为：一、台藏塔遗址，二、墓葬，三、结语，共三个部分，有彩照、手绘图。

据介绍，台藏塔遗址是目前新疆境内保存较好、体量最大的唐至高昌回鹘王国时期的单体佛寺遗址。台藏塔为一座平面呈"回"字形的方形佛寺遗址，由塔身、外壁佛龛等构成。两座墓葬均为斜坡墓道洞室墓，随葬器物有陶器、金器、银器、铜器等。简报推断遗址的年代在唐宋时期。

1386.新疆吐鲁番市巴达木墓地发掘简报

作　　者：新疆文物考古研究所　田小红、吴　勇、佟文康、阿里甫等
出　　处：《考古》2013 年第 6 期

巴达木墓地位于新疆维吾尔自治区吐鲁番市二堡乡巴达木村的东、北部，距离高昌故城约 3.4 公里,距阿斯塔纳墓地管理站约 4.5 公里,距哈拉和卓墓地约 0.9 公里。2004 年，考古人员曾对该墓地进行过发掘。2007～2008 年，墓地中有 4 座墓葬遭到盗扰破坏；2008 年 5 月，考古人员对这 4 座墓葬进行了清理。2009 年，当地居民在新垦耕地内浇水时又造成 3 座墓葬塌陷，同年 4 月，对这 3 座墓葬进行了清理。

简报将这两次考古工作的基本情况分为：一、墓葬形制，二、出土遗物，三、

结语，共三个部分进行介绍，有彩照和手绘图。

据介绍，此次发掘的 6 座墓葬可分为斜坡墓道土洞墓、阶梯式墓道土洞墓和竖守墓三种类型。有的曾被盗，共出土各类遗物 50 件（组），主要包括陶器、木器、铜器、铁器、金器等。其中以木器居多，陶器次之，金属器的数量较少。简报推断斜坡墓道土洞墓和阶梯墓道土洞墓属盛唐时期，竖穴墓属春秋时期。

简报指出，此次发掘地点是吐鲁番地区水资源比较丰富的一处绿洲，自古以来就是人类活动的重要场所。在绿洲中部平原有高昌故城，城北分布着阿斯塔那及哈拉和卓墓群。这几座墓葬为深入研究吐鲁番地区的古代历史和经济文化提供了一批新资料。

哈密地区

1387.新疆发现的彩陶

作　者：李遇春
出　处：《考古》1959 年第 3 期

1957 年普查文物时，考古人员发现了一批较完整的彩陶、磨制石器。简报配以照片予以介绍。

据介绍，这批彩陶的发现地有哈密县西北三堡乡焉不拉村、哈密县西南 55 公里五堡乡哈拉墩、巴里坤县正东 20 公里石人子乡。遗物有彩陶、石器等。这是在天山以北发现的彩陶文化遗址。简报未提及年代。

1388.新疆东部发现的几批铜器

作　者：王炳华
出　处：《考古》1986 年第 10 期

近年，在新疆东部地区考古调查中，在哈密县花园子、巴里坤奎苏、木垒东城等处，见到几批铜器。

简报分为：一、哈密市郊出土遗物，二、巴里坤县出土遗物，三、土垒县出土遗物，共三个部分予以介绍，有照片、手绘图。

据介绍，在哈密市郊，发现了一件典型的鄂尔多斯式青铜刀，环首小铜刀、镞、砺石等。出土地点已被破坏，遗物系征集到的。这是一组相当重要、值得注意的文物。其中的鹿首刀、环首刀，具典型的鄂尔多斯式铜刀风格。此类文物，年代在商代晚期至西周前期，但能在新疆出土，可见流传之广。巴里坤县奎苏村则发现一"土墩"遗址，出土有铜器、陶器、磨石等。年代经测定在公元前670年前后，相当春秋时期。木垒县东城公社东城大队出土的透雕动物铜饰牌、铜质圆雕动物等，简报认为是汉代匈奴右部遗物。

1389.新疆哈密焉不拉克墓地

作　者：新疆维吾尔自治区文化厅文物处、新疆大学历史系文博干部专修班
　　　　张　平、艾尔肯·米吉提、田甲信、冯　霞、张铁男、姚书文、徐庆元、
　　　　郭建国等
出　处：《考古学报》1989年第3期

1986年4～5月，新疆维吾尔自治区文化厅、新疆大学历史系开办的文博干部专修班在哈密焉不拉克村进行了考古发掘实习。

简报分为：一、墓地环境及发掘情况，二、地层堆积，三、墓葬形制，四、随葬器物，五、墓葬分期和年代，六、结语，共六个部分介绍了这次发掘的全部资料。有照片、手绘图。

据介绍，焉不拉克村位于哈密市西北约60公里的三堡乡西北。墓葬使用土坯，葬式多为屈肢葬。随葬器物512件，多为手制陶器。年代可分三期：第一期大约相当于西周早、中期，其上限很可能还会早到殷代；第二期可能相当于西周晚期和春秋早期；第三期则可能相当于春秋中、晚期。

简报指出，在新疆地区已经发现的各文化遗存中，唯有焉不拉克文化与甘青地区古代文化具有较多的相同或相似的因素，这一文化又是我国境内欧洲人种分布到达地域的最东界线。因此，焉不拉克文化的发现与研究，对探索我国甘青地区与新疆地区古代文化之间的相互关系以及蒙古人种与欧洲人种之间的相互交往具有重要的学术意义。

1390.新疆巴里坤东黑沟遗址调查

作　者：西北大学文化遗产与考古学研究中心、哈密地区文物局、巴里坤县文
　　　　管所　王建新、任　萌、亚合甫·江
出　处：《考古与文物》2006年第5期

东黑沟遗址位于新疆维吾尔族自治区巴里坤哈萨克族自治县石人子乡石人子村南，西距巴里坤县城23公里。遗址位于东天山（巴里坤山）北麓。1957年哈密进行

文物普查时发现；1958 年对本遗址进行了调查；1981 年 4 月，又对其进行了复查。当时称"石人子遗址"。2005 年 7 ~ 9 月，考古人员对东黑沟遗址进行了较全面的调查和测绘，确认其为一处规模较大、内涵较丰富、具有代表性的古代游牧文化遗址。

简报分为：一、地理环境，二、遗迹，三、遗物，四、岩画，五、结语，共五个部分予以介绍，有手绘图等。

据介绍，东黑沟遗址发现的遗迹种类包括石筑高台、特殊遗迹、墓葬、石围基址、岩画等，总体保存较好，也有少数被破坏。所谓"特殊遗迹"是指 16 座用卵石筑成的祭祀活动地点。墓葬多达 1666 座，可分为环形石堆墓等，遗物大多为采自被盗墓中的陶片。可复原的陶器仅 1 件，另有 2 件石器、1 件铜片。岩画多达 147 块，中有两个部落敌对的场面。

简报没有绘出该遗址的时代，只是指出东黑沟西部的这三处遗址与东黑沟遗址在地理位置上连成一片，文化内涵虽有差异，但大体相似，可与东黑沟遗址一起并称为"东黑沟—小黑沟"遗址群。这个遗址群的发现，证明了古代此地在一个较大地域范围内、较长时间段中都有游牧民族生活过。

简报认为，对这个遗址群进行综合考察，可进一步研究其文化内涵、族属、演变及分期、年代，从而使我们对古代游牧民族、游牧文化能有更全面深入的了解。

1391.新疆巴里坤红山口遗址 2008 年调查简报

作　者：西北大学丝绸之路文化遗产保护与考古学研究中心、哈密地区文物局、
　　　　巴里坤县文物局　马　健、习通源、任　萌、王建新

出　处：《文物》2014 年第 7 期

红山口遗址位于新疆哈密地区巴里坤哈萨克自治县红山农场南 7.5 公里，西距巴里坤县城 25 公里。遗址分布于巴里坤山北麓针叶林带下部山坡及冲积扇上。2008 年 7 ~ 8 月，考古人员对红山口遗址进行了全面调查。此次调查发现大型石构建筑基址群 3 处、石围基址 66 座（组）、墓葬 225 座、岩画 496 块。

简报分为：一、石构建筑基址群，二、石基围址，三、墓葬，四、岩画，五、结语，共五个部分介绍此次调查情况，有照片、手绘图。

据介绍，红山口遗址是巴里坤草原继兰州湾子、石人子沟遗址之后的又一重要发现，是迄今在东天山北麓地区发现的石围基址数量最多、规模最大、分布最为集中的一处古代游牧民族大型聚落遗址。简报推断，此遗址延续时间较长，属于公元前一千纪。

简报称，红山口遗址群是东天山北麓已发现的规模最大的大型中心聚落，为揭示东天山地区古代游牧社会的聚落结构、功能布局等提供了重要线索。

1392.2009 年新疆巴里坤石人子沟遗址 F2 发掘报告

作　者：西北大学丝绸之路文化遗产保护与考古学研究中心、新疆文物考古研
　　　　究所、哈密地区文物局、巴里坤县文物局　马　健、王建新、赵汗青、
　　　　习通源、亚合甫·江等

出　处：《考古与文物》2014 年第 5 期

2009 年 7 ~ 9 月，考古人员对新疆石人子沟遗址进行考古发掘与文物保护工作。当年度发掘了石人子汉遗址西南部（Ⅱ区）遭受人为破坏的中型墓葬 1 座、大型石围居址 1 座以及保存完的小型石围居址 1 座。

简报分为：一、地层堆积，二、F2 的形制结构，三、遗物，四、结语，共四个部分介绍发掘完毕的小型石围居址（编号 09 ⅠXBS Ⅲ F2，以下简称 F2）资料情况，有彩照、手绘图。

据介绍，此次发掘的石人子沟遗址Ⅱ区一座战国晚期至西汉早期的小型石围居址，居址为四面石墙的半地穴式结构、石墙内侧有 14 个柱洞，居址内发现有活动面、烧面、灰堆、灰坑等遗迹。出土遗物包括陶器、骨器、石器、料器和玛瑙料等类，其中成组出现、保存完好的穿孔骨甲在东天山地区尚属首次发现。简报推断，F2 起建的年代大约在战国晚期至西汉早期；废弃年代可能在西汉中期、晚期，至迟不晚于东汉中期。简报称，该居址的发掘为揭示东天山地区考古学文化面貌提供了许多重要线索。

和田地区

1393.洛浦县山普拉古墓地出土缂毛裤图案马人考

作　者：李吟屏

出　处：《文物》1990 年第 11 期

1984 年，考古人员对洛浦县的山普拉古墓地进行了两次发掘，共清理战国至东汉时期的墓葬 52 座，出土许多文物。从 1 号墓（葬有 133 个个体的丛葬墓）出土一件比较完整的彩色缂毛裤。一条裤腿上织有一个男子头像，发束带，浓眉大眼，眼球碧蓝，隆鼻厚唇；另一条裤腿上织有一组奇特的图案——由 10 多个四瓣花组成一个菱格，菱格内有一半人半马的怪物，人的头、上肢，上身与马的躯体、四肢相结合。简报配以照片、手绘图予以介绍。

简报指出，山普拉古墓地出土的缂毛裤上的半人半马形象就是欧洲古代传说中的马人，也应是某一部族的图腾。就这幅图案的表现手法看，也是以希腊风格为主：高耸的鼻梁几乎与额头垂直，飘动在肩头的兽（狮？）皮隐喻着勇教，手中的号角象征着对自己荣誉的宣扬，马的四蹄也与中国传统摆法不同，马人四周的菱格图案，却带着西域韵味。现在尚无根据说马人是古于阗的部族图腾，但许多迹象说明马人形象在和田的出现不是偶然的。在我国古代文物中极为罕见的马人形象的面世，为研究古于阗的人种和文化增添了新资料。

简报称，半人半马形象产生于地中海沿岸，此次发掘似乎可证实地中海人种曾入居于阗。时代在距今 2000 年前或更早，即东汉以前。

1394.新疆克里雅河流域考古调查概述

作　者：新疆文物考古研究所、法国科学研究中心 315 所、中法克里雅河考古队
出　处：《考古》1998 年第 12 期

新疆文物考古研究所与法国科学研究中心 315 研究所合作，对新疆和田地区克里雅河下游进行联合考察的项目于 1993 年被国家文物局批准并开始实施。这一合作项目，野外考察期 3 年。通过 1993 年、1994 年和 1996 年 3 个年度的野外考察，这一合作项目的考古调查和发掘任务已经顺利完成。自 1997 年起转入室内整理和研究阶段。简报系对 3 年野外考察的基本情况和主要收获作一概述。

简报分为：一、野外考察基本情况，二、主要发现与收获，共两个部分，有手绘图。

据介绍，考察范围即喀拉墩古城遗址和圆沙古城遗址。通过调查，在喀拉墩古城周围共发现各类遗存 60 多处，测绘的总平面图基本上概括了喀拉墩遗址区全部遗存的状况，这些遗存大致可分为四类：以喀拉墩城堡为代表的中心建筑、民居、宗教建筑——寺庙和反映农业活动的遗迹——灌溉渠道。另外，还在固定和移动沙丘间凹地上发现了人工制品。圆沙古城及其周围古墓葬的发现，验证了克里雅河下游尚有人类早期活动，通过调查，在圆沙古城周围及其西北、东北地区发现各类遗存 40 余处。

简报推测，在克里雅河西北尾闾还应有早于青铜时代的石器时代的文化遗存，这一推断只能留待今后的工作去证实。

阿克苏地区

1395.新疆沙雅县出土大陶罐

作　者：浩　华

出　处：《文物》1982 年第 12 期

1980 年 6 月沙雅县英买力公社羊达克夏大队在挖土时发现埋在地下的一组 4 只大陶罐。简报配以照片予以介绍。

简报介绍，发现时 3 只陶罐已经破碎，另 1 只罐口破裂（可以对上缝口），其余完好。这只大陶罐呈土黄色，据说，是截至目前在新疆发现的最大陶罐。大陶罐腰部上端有两行黑色汉字楷书：一行写"薛行军"三字，一行写"监军"二字。大陶罐出土地点原是汉、唐遗址埃格麦里央达古城。考古人员在出土陶罐周围又进行了小面积探查，发现小铜钱两枚，一枚为唐开元通宝，一枚字迹不清，似与汉五铢钱相似。

1396.新疆拜城县克孜尔吐尔墓地第一次发掘

作　者：新疆文物考古研究所　张　平、张铁男等

出　处：《考古》2002 年第 6 期

克孜尔吐尔墓地位于新疆维吾尔自治区拜城县东约 47.5 公里的克孜尔乡范围内。墓葬分布于吐尔村东部的克孜尔河西岸的台地上，墓地是 1989 年文物普查时发现，南北长约 2 公里，墓葬主要分布于南北两端，中间是居住遗址和古城遗址。1990 年 8 ～ 9 月，为配合克孜尔水库建设工程，考古人员首次对墓地进行发掘，共清理 27 座墓葬。其中古城南 22 座、古城内 2 座、古城北 3 座（编号 90BKKM1 ～ M27，以下简称 M1 ～ M27）。

简报分为：一、墓葬形制及葬俗，二、随葬器物，三、结语，共三个部分，有手绘图。

据介绍，发掘的 27 座墓葬，已测定出 5 个 C14 测年数据。根据上述 C14 测定数据，简报推断克孜尔吐尔墓地的年代大致相当于西周至春秋时期。这次发掘的墓葬中合葬墓占半数以上，死者中成年男女和老幼均有。从墓坑为多次使用，以及共享随葬生活用具的现象分析，简报推测该墓地有可能是同一族群的公共墓地。

喀什地区

克孜勒苏柯尔克孜自治州

巴音郭楞蒙古自治州

1397.新疆库木吐喇石窟新发现的几处洞窟

作　者：梁志祥、丁明夷

出　处：《文物》1985 年第 5 期

简报介绍了新疆库木吐喇石窟陆续发现的若干处早经掩埋、封闭或因不易登临而未被注意的洞窟，如沟口区第 20、21 窟等。这些新发现的洞窟，无论就其保存的完整程度（相对于现存洞窟而言），还是新增添资料的重要性而言，都应引起充分的注意。它们提供了洞窟的形制、题材内容以及年代演进等方面的一批新资料，丰富了我们对库木吐喇这处重要石窟的认识。石窟年代从公元五六世纪至公元 9 世纪，大约相当于北朝十六国至唐代。

1398.新疆轮台群巴克古墓葬第一次发掘简报

作　者：中国社会科学院考古研究所新疆队、新疆巴音郭楞蒙古自治州文管所
　　　　孙秉根、陈　戈

出　处：《考古》1987 年第 11 期

群巴克古墓葬位于新疆维吾尔自治区轮台县西北约 18 公里的群巴克乡范围内，共见有三片墓地，分别编为一、二、三号墓地。它们均在乡政府西北约 3～4 公里处，相互距离约 1～2 公里。每片墓地有墓葬 10 余座或四五十座不等，每座墓葬都有圆形封土堆，其中大者直径约 30～40 米，高约 1～2 米；小者直径约 4～5 米，高 20～30 厘米。考古人员 1985 年 9～10 月，对其中的一号墓地进行了发掘。这片墓地共有墓葬近 50 座。这次只发掘了其中的 4 座（编号 85XLQM1～4）。简报分为四个部分予以介绍，有手绘图。

据介绍，每座墓葬的封土均系砂砾土，封土之下为竖穴土圹墓室。其中一座有一个主墓室，在主墓周围又分布有几个小墓室，其他三座均各有一个墓室。其形制有两种，一是带有短浅墓道的圆角方形或长圆形竖穴，共三座；一是没有墓道的长圆形竖穴，仅一座。墓葬上面有圆丘形砂砾封土，主墓室为圆角方形或长圆形竖穴土坑，一般有短墓道；主墓室和墓道中立有木柱，木柱上棚架盖木，其上敷草，俨然一座半地穴式房屋。今日南疆农村仍可见到与之基本相同的住房，当地人称"地窝子"。主墓室系多人二次合葬，一般放火焚烧；主墓室周围埋有小墓，小墓不火烧，一次和二次葬并行；出土器物以带流罐和单耳罐最多，尤以带流罐最具特征；彩陶是在黄白色陶衣上绘黑色或红色彩纹，花纹往往仅饰于器物的一个侧面的上半部分，彩陶和铜器、铁器共存。

简报称，先民应已过上定居的以农业生产为主的生活，但畜牧经济仍占一定地位。简报推定，该遗址的年代相当于中原地区的西周中期至春秋早期。

简报指出，轮台群巴克墓葬中出有彩陶，它不但与铜器共存，而且也与铁器同出。这又一次说明新疆地区与内地不同，彩陶不一定就是新石器时代的产物，它的延续时间较长，不但青铜时代有彩陶，铁器时代同样也有彩陶。

1399.新疆和静县察吾乎沟口二号墓地发掘简报

作　者： 中国社会科学院考古研究所新疆队、新疆巴音郭楞蒙古自治州文管所
　　　　丛德新、体力德修、陈　戈

出　处：《考古》1990 年第 6 期

1983 ~ 1984 年，考古人员对和静县北哈拉毛墩乡察吾乎沟口一、二、三号墓地进行了发掘。一号墓地的发掘简报已经发表。

简报分为：一、墓葬形制，二、随葬器物，三、结语，共三个部分介绍二号墓发掘情况，有手绘图、照片。

据介绍，和静察吾乎沟口二号墓地的墓葬在地面上有石围或石堆标志，墓室用卵石砌筑，主要实行多人二次合葬，墓葬周围有儿童墓，随葬陶器主要是带流罐、单耳罐、壶、单耳杯等，这些主要特征与一号墓地是相同的，它们应属同一种文化。根据一号墓地的资料将其正式定名为察吾乎沟口文化，故二号墓地亦应属察吾乎沟口文化。

简报推断：一号墓地大致相当于内地的西周至春秋早期，二号墓地则相当于春秋中晚期。

1400.新疆轮台县群巴克墓葬第二、三次发掘简报

作　者：中国社会科学院考古研究所新疆工作队、新疆巴音郭楞蒙古自治州文
管所　丛德新、陈　戈

出　处：《考古》1991年第8期

轮台县群巴克乡发现有三片墓地，1985～1987年，考古人员先后三次对其中的两片墓地进行了发掘。Ⅰ号墓地有43座，1985年（第一次）发掘了4座，1986年（第二次）发掘了26座，1987年（第三次）发掘了剩余的13座，同时又发掘了Ⅱ号墓地中的13座。

第一次发掘已有简报（《考古》1987年第7期），此简报介绍第二、三次发掘情况。

据介绍，Ⅰ号墓地的地理环境在第一次发掘简报中已谈及，此不赘述。Ⅱ号墓地位于群巴克乡西北约3公里，在Ⅰ号墓地的西边，相距约2公里。墓地处在一片荒寂戈壁滩的北部边缘，北面紧邻努巧卡村。该墓地分东、西两片，中间有深沟隔开。东片有二十余座，未做发掘，西片有13座，全部发掘。

简报推断，其年代为公元前950年至公元前600年左右，大致相当于中原地区的西周中期至春秋中期。

简报指出，轮台群巴克墓葬、和静察吾乎沟口墓葬可视为新疆地区新发现的一种考古学文化即"察吾乎沟口文化"的主要代表，根据已经发掘的资料，这种文化的主要特征可以概括为以下七点：

一是墓葬表面有石围、石堆或沙土堆标志，墓室为竖穴石室或竖穴土坑。

二是墓室一侧往往有短浅墓道，墓口多以石板或木头棚盖。

三是主要实行多人二次集体合葬。

四是在墓室周围埋有儿童小墓和马头、牛头、骆驼头或整马整狗。

五是一般都随葬有陶、铜、铁、木、石、骨器，彩陶与铜、铁器共存。

六是陶器中以带流罐最多且最有代表性，其他典型器物有单耳罐、双耳罐、单耳杯、单耳钵、壶等。

七是彩陶基本上是在黄白色陶衣上绘红色或黑色彩绘，彩绘一般多施于器物的上部或一个侧面，花纹母题主要有各种三角纹、网格纹、棋格纹、竖条纹、波折纹、菱形纹等。

事实上，还有一个特征，就是轮台群巴克墓葬出土有较多的铁器，种类也较多。新疆地区铁器出现较早已经是比较普遍的现象，这是值得大家注意和重视的。

1401.新疆尉犁县因半古墓调查

作　者：新疆文物考古研究所　羊毅勇等

出　处：《文物》1994 年第 10 期

1989 年 10 月初，考古人员在巴州尉犁县进行文物普查时，发现距县城东约 150 公里的因半一片墓葬被盗掘。普查队员把被盗墓葬依次编号，按墓号收集了散弃在墓室内外的文物，并对个别被破坏的墓葬进行清理。

简报分为：一、墓地自然地理环境，二、墓葬形制和葬俗，三、随葬器物，结语，共四个部分，有照片、手绘图。

据介绍，在汉晋时期因半墓地处于北与吐鲁番盆地，东与罗布泊地区，西与库尔勒、库车等地交通的咽喉地段，在墓地周围有城池、佛塔及数座烽火台遗迹分布，应是中西交通道路上的一座重镇。9 座墓葬共出土遗物 68 件，主要是木器，其次则是毛织品和丝织品。木器的制作技术相当成熟，毛、丝织品多为简单织物。木器和织品均应为当地出产。因半古墓的年代，简报推断为汉晋时期或稍晚。

1402.新疆且末县加瓦艾日克墓地的发掘

作　者：中国社会科学院考古研究所新疆队、新疆巴音郭楞蒙古自治州文管所
　　　　　龚国强、覃大海

出　处：《考古》1997 年第 9 期

加瓦艾日克墓地位于新疆且末县托平拉克勒克乡加瓦艾日克村，南距县城约 3 公里。墓地位于车尔臣河西岸的二级台地上，1994 年，在配合塔里木盆地第三区块石油勘探进行考古调查时发现该墓地。由于墓地破坏情况十分严重，1995 年 10 ~ 12 月对该墓地进行了抢救性发掘，共清理墓葬 12 座（编号为 95XQJM1 ~ 12，以下简称 M1 ~ M12）。

从这次揭露的墓葬情况来看，墓葬形制均为竖穴土坑墓，墓内葬死者数量不等，少则 2 人，多至 16 人。葬式既有一次葬，也有二次葬。随葬品以陶器和木器居多，铜、铁、骨、石、金等质地的器物较为少见。

简报分为：一、1 号墓，二、3 号墓，三、5 号墓，四、6 号墓，五，结语，共五个部分介绍 M1、M3、M5 和 M6 四座墓的情况，有手绘图。

据介绍，简报初步分析，这批墓葬可分为早晚两期。

根据墓葬形制和出土器物特征及 C14 年代测定，两者相证，早期墓葬的年代范围简报推断应相当于中原地区的春秋晚期至战国时期，晚期年代推断为东汉时期。简报称，

这次发掘的墓葬都为多人合葬墓，死者中男女老幼均有。根据这些现象分析，同一墓葬中的死者关系可能是同一家族的同辈或上下辈，加瓦艾日克墓地有可能是族葬地。

1403.新疆尉犁县营盘墓地 1995 年发掘简报

作　者：新疆文物考古研究所　周金玲、李文瑛等
出　处：《文物》2002 年第 6 期

营盘是塔里木河下游大三角洲西北缘、孔雀河中游一处古遗址群，属新疆尉犁县辖区，东距楼兰古城 160 余公里。这里分布有古城、佛寺、烽燧、公共墓地以及农田。19 世纪末 20 世纪初，俄国人科兹洛夫、瑞典人斯文·赫定和贝格曼、英国人斯坦因曾先后考察过营盘遗址，获取铜镜、玻璃杯、丝绸等文物。1989 年 9 月，考古人员在营盘清理被盗墓 9 座，采集文物 68 件。1995 年 11～12 月，又对营盘遗址进行了考察，发掘古代墓葬 32 座，清理被盗墓 120 座，出土、采集文物 382 件。1999 年 10～11 月，对营盘墓地再次进行了清理，共发掘墓葬 80 座，出土文物数百件。

简报分为：一、地理环境和墓葬分布，二、墓葬形制和葬俗，三、随葬器物，四、农作物及食物，五、结语，共五个部分，配以彩照、手绘图，介绍了 1995 年的主要收获，其中 15 号墓的发掘情况已刊发。

据介绍，营盘墓地位于尉犁县东南约 150 公里，其经通吐鲁番盆地，东接罗布泊地区，西抵库尔勒、库车等地，为古代交通的咽喉之地。根据墓葬形制和出土遗物分析，墓葬的时代为汉至魏晋。营盘地处丝绸之路"楼兰道"，出土遗物既有当地传统的文化因素，又包含了大量的外来文化成分。这种文化多元性的显著特征，引起了学术界的广泛关注。

1404.新疆尉犁县营盘墓地 1999 年发掘简报

作　者：新疆文物考古研究所　吴　勇、托乎提、李文瑛
出　处：《考古》2002 年第 6 期

营盘遗址位于新疆尉犁县库鲁克塔格山南麓、罗布泊之西，东距楼兰故城约 200 公里。遗址包括古城、城外佛寺、烽燧以及公共墓地。19 世纪末 20 世纪初，俄国人科兹洛夫、瑞典人斯文·赫定和贝格曼、英国人斯坦因曾先后对营盘遗址进行过考察。斯坦因曾在这里做过发掘，获取丝绸、钱币、玻璃杯、佉卢文书等遗物。1989 年考古人员在营盘墓地清理被盗墓 9 座，采集了一批重要文物。1995 年，对该墓地进行了抢救性清理发掘，发掘墓葬 32 座，清理被盗掘墓葬百余座，出土了保存完好的干

尸及珍贵遗物，被评为 1997 年度全国十大考古新发现之一。1999 年 10 ～ 11 月，又发掘墓葬 80 座，出土遗物达 400 余件。

简报分为：一、M6，二、M7，三、M8，四、M9，五、M13，六、M33，七、M42，八、M59，九、结语，共九个部分择要报道其中 8 座墓葬的情况，有手绘图。

据介绍，营盘墓地范围很大，整个墓地有墓葬近 300 座，约有近三分之二的墓葬被盗掘，被盗墓多被洗劫一空，葬具被扰乱或被破坏，可利用的资料极为贫乏。依据未遭盗掘的墓葬资料的分析和发掘报告，简报推断这 8 座墓的年代大致在东汉魏晋时期。

1405.新疆且末扎滚鲁克一号墓地发掘报告

作　者：新疆维吾尔自治区博物馆、巴音郭楞蒙古自治州文物管理所、且末县文物
　　　　管理所　王　博、鲁礼鹏、徐辉鸿、艾尼瓦尔·艾山、玉素甫·买买提等
出　处：《考古学报》2003 年第 1 期

扎滚鲁克一号墓地在新疆维吾尔自治区且末县托格拉克勒克乡扎滚鲁克村西 2 公里绿洲边缘的戈壁地带，处于车尔臣河西约 10 公里的堆积阶地上。据目前的调查资料看，扎滚鲁克村绿洲及边缘区域内分布着大小不同的 5 处古墓葬群，在 20 世纪 20 年代末就有人对此进行过小规模的发掘。1985 年以来，考古人员连续两次在扎滚鲁克一号墓地做过抢救性发掘。第一次是 1985 年 9 月，发掘了 5 座墓葬。第二次是 1989 年 8 月，发掘了 2 座墓葬。扎滚鲁克村及附近的墓葬很早就有过盗掘现象，连年持续不断。据反映，1947 年盗墓活动可能是最大的一次，墓葬破坏最多。同时，当地居民或挖取墓葬棚的芦苇和蒲草做肥料，或挖取土盐食用，也不同程度地破坏了一些墓葬。1996 年 10 ～ 11 月，对该墓地再次进行抢救性发掘。

简报分为：一、墓葬概况，二、第一期文化墓葬，三、第二期文化墓葬，四、第三期文化墓葬，五、结语，共五个部分予以介绍，有彩照、手绘图。

且末是西域的一个小国，《汉书·西域传》云："户二百三十，口千六百一十，胜兵三百二十人"。且末国地处且末水流域，即今车尔臣河水系。所辖范围大体在车尔臣河山前地带，并可延至今北部的沙漠一带。且末国同精绝、于阗、莎车诸国一样，皆为丝绸之路新疆段南道绿洲国家，在两汉西域史上占有重要位置，然而史缺有间，特别是对其立国之初及以前的历史所知甚少。此次发掘为揭示且末考古文化提供了可信的资料，具有重要的研究价值。扎滚鲁克一号墓地一期遗存据简报推断距今约 3000 年，应属且末国之前的文化。二期遗存是此次发掘中的主体，年代简报推断为春秋至西汉时期，约七八百年，应属且末国文化阶段。第三期的年代简报

推断为东汉至南北朝时期。《魏书·西戎传》："南道西行,且志国(且末国)、小宛国、精绝国、楼兰国皆并属鄯善也。"《后汉书·西域传》："小宛、精绝、戎卢、且末,为鄯善所并。"应是东汉末年的事情。"后其国并复立",至隋大业五年(609年),且末设郡。第三期文化墓葬的资料可以反映这一时期且末地区的文化面貌。

简报认为扎滚鲁克一、三期遗存,与新疆东部地区的文化联系更密切一些。而二期文化与内地、北方草原及西方的联系均有体现。

1406.新疆和静哈布其罕萨拉墓群 2013 年发掘简报

作　者:新疆文物考古研究所　吴　勇、王永强、党志豪、徐佑成、覃大海
出　处:《文物》2014 年第 12 期

2013 年 7 ~ 8 月,为配合巴仑台至伊尔根铁路及伴行公路建设,考古人员运用 RTK 技术对新疆和静县哈布其罕萨拉(萨拉为蒙古语"沟")、哈尔哈提沟和巴音布鲁克草原小裕勒都斯盆地东北山前地带内的 40 余处墓地和石构遗址进行了详细调查和测绘,并对位于施工区域内的 6 处墓地和 1 处石构遗址进行了抢救性发掘,共清理墓葬 33 座,发掘遗址面积 1300 余平方米。

发掘情况简报分为:一、地理位置,二、墓群分布及墓葬概况,三、大西沟 1 号墓地,四、大西沟 4 号墓地,五、那仁哈其罕沟墓地,六、乔恩恰克勒德克墓地,七、熊库勒乌兰墓地,八、结语,共八个部分予以介绍,有彩照、手绘图。

据介绍,这次抢救性发掘,完成清理分属 5 处墓地的墓葬 29 座。其中,石围墓 25 座,墓葬特征基本一致,与察吾呼文化墓葬特征基本相同,简报推断其年代相当于察吾呼文化晚期,属于青铜时代晚期至早期铁器时代;石堆墓 4 座,随葬器物贫乏,年代尚待探讨。简报称,此次考古和测绘工作,丰富了对和静地区乃至焉耆盆地古代文化内涵的认识,对于探索察吾呼文化的来源和去向提供了重要线索。

昌吉回族自治州

1407.新疆木垒县四道沟遗址

作　者:新疆维吾尔自治区文管处　羊毅勇
出　处:《考古》1982 年第 2 期

1976 年下半年,木垒县东城公社四道沟大队第二小学操场修建跑道时,发现石球、

石杵、磨盘、纺轮和陶器残片等遗物。1976 年 10 月和 1977 年 3 月，考古人员两次去遗址进行调查。发掘工作从 1977 年 5 月开始，至 7 月结束，历时两个月，清理墓葬 4 座。简报分为五个部分予以介绍，有手绘图。

据介绍，遗址位于木垒县城西南约 10 公里，东城公社四道沟第二小学所在地。遗迹有灰坑、灶址、柱洞，遗物有陶器、石器、骨器及少量铜器。遗址的文化遗存可分为早晚两期。早晚期遗物变化不大。石器中磨制的约占石器总数的 78%，其中纺轮、锄、铲、球和杵等的磨制技术已有相当高的水平。在骨器中出现三棱形单翼、扁平双翼镞，这是仿金属工具制成的。特别是出土有铜质的刀、笄、环及饰件等，这反映了遗址的相对年代，最迟已进入金石并用时期。遗址早、晚期出土的木炭标本，经国家文物局文物研究所测定年代，早期的木炭年代距今 3010±105 年，晚期木炭距今 2345±90 年。遗址的时代相当于中原地区的西周至战国时期。

1408.新疆吉木萨尔北庭古城调查

作　者：中国社会科学院考古研究所新疆工作队　孙秉根、陈　戈、冯承泽
出　处：《考古》1982 年第 2 期

北庭古城是唐代北庭大都护府的所在地，为古丝路上北道的必经之地，是天山以北、巴尔喀什湖以东以南广大地区的最高军政中心。清代中叶，我国学者徐松曾去古城考察。1949 年前，外国探险队曾来此调查或盗掘，我国学者也曾对古城进行过调查和发掘。1949 年后，确定为自治区第一批区级文物保护单位。考古人员于 1980 年 10 月，对古城进行了实测并作了初步踏查。简报分为五个部分予以介绍，有手绘图等。

据介绍，北庭古城遗址在今新疆吉木萨尔县北约 12 公里，现属国庆公社管辖。古城南距公社驻地后堡子约 3 公里，北距红旗农场约 18 公里，西距胜利大队部 700 多米。当地人称为"破城子"。城内有一条现行公路纵贯南北。古城有内外两重，平面均呈不规则的南北长方形。内城位于外城中部略偏东北。城的四角都建有角楼，城墙外部筑有敌台和较密集的马面，外绕护城壕，外城之北还有羊马。据实测周长为 4596 米。除东墙外大多保存较好，墙基残宽 5～8 米，顶宽 2～5 米，残高 3～5 米。城中采集到的遗物大多也是唐代的，如建筑材料和罐、砚台、盆、盘等陶器，但也有属于高昌回鹘时期或元代的陶器和瓷器。从文献记载看：唐贞观十四年（640 年）讨平高昌，在这里设立了庭州，武则天长安二年（702 年）设置北庭大都护府，开元二十一年（733 年）又改设北庭节度使，管辖瀚海、天山、伊吾三军，而瀚海军就驻在北庭城内。高昌回鹘王每年来此避暑，当时城中多楼台卉木，实际相当于陪都。

元时也在此设重要机构，元后北庭城不见于史籍。简报认为北庭古城现存的外城墙可能始建于唐朝初年，后经两次修补。内城墙大约建于高昌回鹘时期，在修建内城时对外城又进行了一次大规模的修补和加固。关于北庭城废弃的年代，史无明载，但据《明史·西域传》的记载来看，明永乐年间北庭城已荒芜。清嘉庆年间，徐松去北庭城考察时，已称此为"破城"。另外，古城中从未发现过明代的遗迹、遗物。因此，北庭城的废弃年代大约在元末明初。

1409.新疆吉木萨尔县大龙口古墓葬

作　　者：新疆文物考古研究所
出　　处：《考古》1997 年第 9 期

大龙口古墓葬，位于新疆吉木萨尔县城以南约 8 公里的大龙口村，分布于大龙口村内至村北长约 1 公里范围内。1990 年 5 月，村南端一座墓葬因渗水被村民盗掘，部分文物现已收回。1993 年 9 月，考古人员对村内分布的其他墓葬进行了清理发掘。

简报分为：一、墓葬概况，二；出土遗物，三，结语，共三个部分予以介绍，有手绘图。

据介绍，大龙口墓葬皆呈南北方向排列，其中小型墓葬均为竖穴土坑墓室，死者或仰身直肢，头朝西，或为二次葬。这是天山以北地区已经发掘的相当于春秋战国至西汉时期的石堆墓的普遍特征之一，但墓室外西北侧随葬陶器，在新疆其他地区还很少见，是大龙口小型石堆墓的一个主要特点，墓葬中的少量随葬品主要是陶器，器形主要是单耳罐和双耳罐。大龙口古墓群的时代，简报大致推断在相当于战国到西汉时期，其上限可能要早于战国。

1410.新疆昌吉努尔加墓地 2012 年发掘简报

作　　者：新疆文物考古研究所　于建军、阿里甫等
出　　处：《文物》2013 年第 12 期

努尔加墓地位于新疆维吾尔自治区昌吉回族自治州昌吉市阿什里哈萨克族乡努尔加村南努尔加河西岸，地处天山北麓前山草甸区，地势较为平坦。有一条西南—东北向乡村道路贯穿墓地东部，东部峡谷内洪沟为季节性河流，洪沟东岸为降水侵蚀明显的山峰。墓葬分布相对集中，地表形态多为石堆。西部较高山梁上仍有类似墓葬，南为天山支脉山口。2012 年 6 ～ 8 月，为配合昌吉市努尔加水库建设，考古

人员对水库涉及的古墓葬进行了抢救性发掘，共发掘古墓葬53座，出土器物90件。简报分为三个部分予以介绍，配有照片和手绘图。

第一部分为"墓葬"，墓葬地表多为卵石堆积的大致呈圆锥或圆台状的封堆，有的外面还有方形石围。封堆下多为长方形墓口，填土多夹杂有石块。有的封堆下为双墓室；有的封堆下为偏室墓，有单偏室墓和双偏室墓两种。另有部分墓葬下半部为棚木封盖的墓室。因墓葬较多，简报仅选择较典型的M3、M10、M11、M15、M29、M32、M35作进一步介绍。

第二部分"出土器物"分类进行介绍：

陶器8件，主要有罐、钵、杯等，制作稍显粗糙。

铜器12件，有刀、锥、镞、镜等。

铁器1件，刀。

骨器5件，镞、扣等。

石器8件，有磨盘、砺石、鹿石等。

另有料珠、箭囊等。

第三部分为"结语"，简报称，努尔加墓地可划分为两类，第一类时代应该属于青铜时代，第二类墓葬应该属于早期铁器时代。

简报指出，M11、M32、M33封堆中都发现有除羊首之外的羊骨架，有的在封堆中间，有的在封堆下墓口中间。这些墓葬均属于青铜时代，表明当时可能有用羊随葬的习俗，羊首可能作为葬仪的道具被使用。M32墓穴中竖立有鹿石，这一现象在别处也曾发现。一般情况下，鹿石多竖立于封堆附近，而努尔加墓地鹿石处于墓葬墓道中，是否说明了不同的葬俗，或者是偶尔为之，尚需更多的材料来证实。

简报最后说，结合墓地出土器物以及所处环境，推测当时的经济方式可能以畜牧业为主，石磨盘较多出现，表明植物加工比较频繁，或者存在比较发达的种植业。

博尔塔拉蒙古自治州

1411.博尔塔拉自治州石人墓调查简报

作　者：李遇春

出　处：《文物》1962年第7、8期合刊

博乐和温泉两县属博尔塔拉自治州。考其历史，这一带于公元前后，为北方匈

奴后部或乌孙的属地。作为"匈奴苗裔"的铁勒人，于 6 世纪以前，在此牧放其牲畜。西突厥汗国兴起后，这里成了该族领土的一部分。公元 659 年唐朝建立的双河都督府可能就在这里，属于唐朝中央设在西域的北庭都护府管辖。蒙古人西征前，这里居住着乃蛮部族。元朝时代属察合台汗国属地。悠久的历史发展，遗留下了各个时代的文物古迹，1961 年的调查，只不过是重点地进行了一部分。

简报分为博乐故城、温泉石人、古石堆和石阵，共三个部分予以介绍，有照片、手绘图。

据介绍，发现唐至元代故城一座，位于今自治州府所在地博乐县 5 公里处，属星火公社三大队二小队，盛世才时期曾派人来此挖过金子，1958 年"大炼钢铁"时，曾在此捡到很多废铁，可能有一处古代炼铁遗址。至于温泉石人，位于温泉县十月公社去博乐的路上，非常古朴。简报认为应是 6 ~ 7 世纪，至迟为 8 世纪西突厥统治者的墓葬遗物。

至于古石堆和石阵，离此石人约 5 公里。共 7 个石堆，每个石堆直径 7 ~ 9 米不等。石堆东约 4 公里处，又有用石头堆成的石阵。年代不详。

1412.博尔塔拉自治州重要古城址和古墓葬

作　者：李遇春
出　处：《文博》1988 年第 5 期

博尔塔拉蒙古自治州地处新疆西北边界，在准噶尔盆地西端。南越天山为伊犁哈萨克自治州境，北部和西部为我国边陲，与哈萨克斯坦为邻。全境面积 2.7 万多平方公里，共辖一市二县（博乐市、温泉县和精河县）。新疆天山以北自古以来就是一个地势险要、历史悠久、交通方便和农牧业发达、文化繁荣的地区，又是一个多民族聚居的地区之一。现在居住在这里的近 30 万人口中，就有蒙古族、汉族、维吾尔族、哈萨克和回族等 20 多个民族。1962 年，考古人员曾对博乐市和温泉县的古城和古墓葬进行考古调查；1987 年 9 月，博尔塔拉自治州师范学校蒋学熙老师来信反映古城之内有新的发现，考古人员又前往调查。简报配以照片、手绘图予以介绍。

据介绍，此次发现有达勒特乡古城、博乐古城、温泉古城等 3 座古城，古城的历史至少可追溯到唐宋时期，明代时这些城可能还有居民。自治州境内至少分布着古代的石堆墓、石墙墓、石人墓、方阵墓和土墩墓（曾在圩吐不拉克公路平原上望见有 7 座此类型墓，每座相距 0.5 公里左右）等 5 种类型古墓，这足以说明博乐草原在历史上就已是多民族聚居的繁盛之地。

1413.新疆温泉县阿敦乔鲁遗址与墓地

作　者：中国社会科学院考古研究所、博尔塔拉蒙古自治州博物馆、温泉县文
　　　　物局　丛德新、贾笑冰、郭　物、尚国军、葛　丽等

出　处：《考古》2013 年第 7 期

阿敦乔鲁遗址及墓地位于新疆维吾尔自治区西北端博尔塔拉蒙古自治州温泉县查干屯格乡吐日根村，位于距温泉县城西约 43 公里处的阿拉套山南麓浅山地带。遗址居北，墓葬偏南，两者相距约 1.8 公里。墓地南侧约 3 公里处有博尔塔拉河自西向东流过。阿敦乔鲁是蒙古语，意为"像马群一样的石头"。

阿敦乔鲁墓地发现于 1988 年，1999 年列为自治区文物保护单位，新疆文物考古研究所也曾对该地区进行调查。田野工作自 2010 年开始，当年完成了田野调查与部分测绘；2011 年进行了试掘。2012 年 6 月至 9 月，对遗址和墓地进行了大面积发掘。发掘了 3 座相互连属的大型建筑遗迹（F1～F3）以及 9 座石板墓葬，出土了陶器、石器、小型铜器、包金铜耳环和石人等遗物。简报分为三个部分进行了介绍，有彩照、手绘图。

简报认为遗址与墓葬的年代集中在公元前 19 世纪至公元前 17 世纪间，属于青铜时代早期。这批材料对揭示西天山地区青铜时代遗址的面貌、探索新疆地区早期青铜时代的文化及与亚欧草原地区的文化交流提供了重要线索。

伊犁哈萨克自治州

1414.伊犁河谷新发现的古城堡及相关遗迹

作　者：张玉忠

出　处：《文博》1990 年第 2 期

新疆维吾尔自治区伊犁地区，地处祖国西北边疆的天山山谷盆地之中。盆地东西长约 350 米，南北宽约 180 公里，伊犁河及其三大支流特克斯河、巩乃斯河和喀什河东西横贯全境。谷地中，水源充沛，土地肥沃，草原辽阔，森林茂密，物产丰富，是新疆维吾尔自治区粮、油、畜产品的重要基地。据史书记载，古代塞种、月氏、乌孙、匈奴、突厥、蒙古等游牧民族都曾在伊犁河谷有过较长时期的活动，并留下了丰富的文物遗存。伊犁地区的古城堡遗址，在伊犁河谷分布较多，但经考古调查，并见诸报道的很少。黄文弼先生于 1958 年在新疆考古期间，曾深入伊犁河谷进行了广泛的调查，在伊犁地区共发现古城 11 座，除清代所建或情况不明者外，具体报道

了比较重要的 4 座古城，即伊宁市的吐鲁番圩子古城，霍城县的磨河古城、阿力麻里古城和察布查尔县的海努克古城。这 4 座古城、均坐落在伊犁河地段。近年来，考古人员又在伊犁河的三大支流喀什河、巩乃斯河和特克斯河沿岸发现了一批古城和城堡。

简报分为：一、昭苏县夏塔古城，二、昭苏县波马古城，三、昭苏县胡土乎尔城堡，四、昭苏县布尔拖里哈城堡，五、巩留县达尔堤古城，七、新源县阿克奇古城，八、尼勒克县赛普勒古城，共八个部分。有手绘图。

据介绍，8 座古城或城堡均分布在伊犁河上游的特克斯河、巩乃斯河和喀什河畔，规模都不算大，一般地南北宽、东西长均为二三百米，有的甚至更小。但对于历史时期伊犁地区游牧民族的社会经济生活以及有关的重大历史地理问题的研究是十分重要的。如据《汉书·西域传》记载，汉代乌孙人在西汉初年西迁后，其主要活动地域就在伊犁河流域。关于乌孙国的王治赤谷城的地望所在，学术界认识不一，这一问题的解决都须依赖于考古资料。夏塔和波马古城，均位于特克斯河南岸，又是在特克斯河流域发现的规模最大的两座城址，附近又都有古墓群分布，其中有的经过发掘正是汉代乌孙人所遗留，如对这两座古城进行一定规模的发掘，找到汉代前后的遗迹或遗物，当有助于乌孙都城问题的探讨。又如：见于《新唐书·西突厥传》的西突厥后期的牙帐、唐代西域重镇马月城地望，学术界意见也不一致。而尼勒克县境发现的赛普勒古城，恰是喀什河北岸现存的唯一一座规模较大的城址。认真保护好这座古城，并进行必要的清理发掘，也会有益于弓月城位置的最终解决。此外，见于史书记载，曾先后游牧于伊犁河谷的乌孙、鲜卑、柔然、突厥、契丹、蒙古等游牧民族的经济生活形态等问题的研究，又都离不开对包括城址在内的居住遗址的发掘。在伊犁考古研究中，近年来主要偏重对古墓葬的发掘，而居住遗址的调查和发掘还是一个亟待加强的薄弱环节。如以上城堡的年代，因未发掘，简报就未给出肯定意见。

1415.伊犁河流域的文物考古新发现

作　　者：张玉忠

出　　处：《文博》1991 年第 6 期

张玉忠先生在《伊犁河谷新发现的古城堡及相关遗迹》一文中，主要介绍了近年来在伊犁河上游的特克斯河、巩乃斯河和喀什河沿岸新发现的 8 座古城，戍堡及其周围的古墓葬等遗迹。伊犁河干流在我国境内长 205 公里，它流经伊犁地区的伊宁市、伊宁县，穿察布查尔县和霍城县后，出境注入巴尔喀什湖。1989 年 5 ~ 6 月，对伊犁河谷西部的这四个县（市）进行了比较全面的文物普查，新发现了几处古城遗址和一大批不同特征的古墓葬。

简报分为：一、古城遗址的调查，二、新发现的几批文物及相关的墓葬，共两个部分。

据介绍，伊犁河地段的古城遗址主要分布在伊宁、霍城和察布查尔县城。黄文弼先生曾对伊宁县的吐鲁番圩子古城，霍城县的阿力麻里、磨河古城和察布查尔县的海努克古城作过调查。其中，阿力麻里古城的城垣和城内建筑遗迹早已荡然无存，遗址区已被夷为平地、辟为农田；吐鲁番圩子古城因挖土取肥，现状已是面目全非，城垣残存甚微，须细心寻找方可辨认；唯海努克古城和磨河古城破坏较小，城垣面貌基本依旧。通过调查，对磨河古城的资料也有一些新的补充。

据介绍，在伊犁河流域，不仅古城遗址比较集中，古墓葬的分布也很普遍。经过普查，地表尚有明显标志的古墓葬，在伊犁河南岸的察布查尔县境内就有32处，数量达3000余座，河北岸的伊宁县有4处，约600座，霍城县因主要是农业区，山前地开发较早，较小的坟冢多被推平，现存的16处墓葬，仅有600余座。其特点是：察布查尔县境内的土墩墓很少，绝大多数墓葬的封堆表面通体铺卵石或无封土，只是在地表铺圆形或椭圆形石圈为标志；伊宁县则以土墩墓为主，而霍城县的墓葬中较小的石堆墓数虽较多。这批墓群，绝大多数都未曾作过发掘。普查中，收集到几批文物，它们虽非科学发掘所获，但出土环境均较清楚，皆同周围的古墓葬有关。有石磨盘、陶器、石器等。

1416.新疆伊犁昭苏县古墓葬出土金银器等珍贵文物

作　者：伊犁哈萨克自治州文物管理所　安英新
出　处：《文物》1999年第9期

1997年10月，新疆伊犁哈萨克自治州昭苏县波马74团场在基本建设取土过程中，发现一座古墓葬，并出土了一批罕见的金银器及其他重要文物。简报分为：一、古墓葬位置、环境及文物出土概况，二、出土文物，三、结语，共三个部分予以介绍，有彩照、手绘图。

据介绍，波马位于新疆伊犁哈萨克自治州昭苏县西南100公里的74团场附近，地处天山山脉北麓的山前地带，北依伊犁河支流特克斯河，东为木扎特河，西隔纳林果勒河与哈萨克斯坦接壤。沿东南—西北方向一线分布有3座大土墩墓，间距近30米，出土遗物以金银器为大宗，另有丝织品。出土的金器中，镶嵌红宝石金面具、嵌玛瑙虎柄金杯、镶嵌红宝石金盖罐、剑鞘、戒指、坠饰等制作精美，其制作以锤镍、镶嵌、金珠细工、焊接为主要工艺，显示出了高超的技术水平。银瓶的制作及错金工艺也较为成熟。

该墓的年代，简报推断为公元 6 ~ 7 世纪。当然，金银器的年限有可能更早。墓主应为西突厥显赫人物。

1417.新疆尼勒克穷科克岩画调查

作　者：西北大学文化遗产与考古学研究中心、新疆维吾尔自治区文物考古研究所　何军锋、王建新

出　处：《考古与文物》2006 年第 5 期

穷科克岩画点位于新疆伊犁哈萨克自治州尼勒克县吉仁台乡，西距尼勒克县城约 30 公里。1985 年发现，2001 年、2003 年考古人员进行了调查。简报配以手绘图，介绍了 2003 年的调查情况。

据介绍，计有 49 块岩石画，编号为 YNQY1 ~ 49，简报逐号进行了介绍。岩画内容以动物等居多。简报未提及岩画的时代。

1418.新疆尼勒克县加勒克斯卡茵特墓地发掘简报

作　者：新疆文物考古研究所、西北大学文化遗产与考古研究中心、伊犁州哈萨克自治州文物局　李溯源、吕恩国、刘学堂、钱耀鹏、于建军

出　处：《考古与文物》2011 年第 5 期

为配合新疆吉仁台梯级水电站水库建设，考古人员在 2004 ~ 2005 年间，对水库管理区和设计淹没范围区域内进行了全面的考古调查和发掘，共发现古代墓葬 700 余座，古代遗址 2 处。加勒克斯卡茵特山北麓古代墓葬是吉仁台水库库区淹没范围内十多处古墓群之一，它位于卡什河南岸，加勒克斯卡茵特山北麓的一、二级台地上。在东西长约 5 公里、南北宽约 2 公里范围内共分布有古代墓葬 106 座。2003 年 4 ~ 10 月进行了发掘，此简报仅利用了该墓群中的部分资料。

简报分为：一、地理环境及墓葬分布，二、墓葬概况，三、墓葬形制，四、出土器物，五、结语，共五个部分予以介绍，有手绘图。

据介绍，墓葬地表均有封土堆，大多数还铺有一圈或两圈卵石。主要是竖穴土坑和竖穴偏室墓，有少量竖穴石棺、竖穴洞室墓。以一次葬为主，少量二次葬。随葬品以陶器 45 件为主，还有少量铜饰品、金饰品、铁器、骨器等。

简报称，此处墓地的年代经测定为公元前 5 世纪即战国时期至汉代，个别墓会略早或稍晚。先民应为游牧业为主，伴随相应的农业生产。

1419.新疆特克斯县阔克苏西 2 号墓群的发掘

作　者：新疆文物考古研究所　阮秋荣、王永强、阿里甫·尼亚孜
出　处：《考古》2012 年第 9 期

2010 年 6 ~ 8 月，为配合新疆特克斯县库什塔依水电站工程建设，考古人员对阔克苏西 2 号墓群进行了抢救性发掘，发掘墓葬 93 座。

发掘情况简报分为：一、发掘概况，二、青铜时代墓葬，三、早期铁器时代墓葬，四、结语，共四个部分，有彩照、手绘图。

据介绍，此次发掘了墓群中部的 93 座墓葬。这批墓葬形制有竖穴土坑墓、竖穴偏室墓和竖穴石室墓，出土了铜器、骨器、陶器、铁器和石器等遗物。从出土遗物和墓葬形制判断，墓葬的时代差距较大，简报推断分别属于青铜时代和早期铁器时代。

1420.新疆伊犁尼勒克汤巴勒萨伊墓地发掘简报

作　者：新疆文物考古研究所　阮秋荣等
出　处：《文物》2012 年第 5 期

2010 年 5 ~ 6 月，为了配合当地建设，考古人员对位于伊犁尼勒克县喀拉托克乡喀尔沃依村东牧区草场中的汤巴勒萨伊墓地进行了抢救性考古发掘。

简报分为：一、墓地概况，二、早期墓葬，三、中期墓葬，四、晚期墓葬，五、结语，共五个部分，有照片、手绘图。

据介绍，东区墓葬比较密集，应是不同时代、不同人群的遗存。汤巴勒萨伊墓地的年代，简报推断：早期属青铜时代安德罗诺沃文化范畴；中期年代约公元前 5 ~ 前 3 世纪；晚期时代已至唐代。

简报称，此墓地发现和发掘，为研究伊犁地区早期青铜时代乃至新疆、中亚地区的早期青铜文化提供了较为宝贵的资料，具有重要研究价值和意义。

1421.新疆尼勒克乌吐兰墓地发掘简报

作　者：新疆文物考古研究所　阮秋荣、张　杰、胡望林
出　处：《文物》2014 年第 12 期

2013 年，为了配合新疆尼勒克县胡吉尔台乡环境治理项目，考古人员对施工范围内的墓葬和遗址（据第三次全国文物普查资料，此处被称为"乌吐兰墓地"）进

行了考古发掘，发掘墓葬 17 座，祭祀遗址 3 处。

简报分为：一、墓地概况，二、青铜时代墓葬与祭祀遗址，三、早期铁器时代墓葬，四、战国至汉代墓葬，五、结语，共五个部分，有彩照、拓片、手绘图。

据介绍，从青铜时代墓葬的形制、葬式、葬俗和随葬器物特征看，简报推断：此墓地青铜时代墓葬属于汤巴勒萨伊类型，时代为安德罗诺沃文化中期，即公元前 17～前 16 世纪；发掘的 3 处祭祀遗址相距较近，与青铜时代墓葬同时或略早于青铜时代墓葬的安德罗诺沃文化遗存；在伊犁地区已发掘了大量的早期铁器时代墓葬，其中穷科克一号墓地的年代为公元前 10～公元前 5 世纪，此墓地早期铁器时代墓葬的时代稍晚；以 M5、M6 为代表的晚期墓葬，在特克斯恰甫其海墓地及新源别斯托别墓地、阿尤赛沟口墓地等均有发现，其时代为战国至汉代。

简报称，此次发掘的墓葬虽然数量较少，但其文化内涵的时间跨度较长，上至青铜时代，下至汉代。文化遗存现象复杂，特征鲜明，为研究伊犁地区史前考古学文化的序列及谱系关系提供了珍贵的实物资料。

塔城地区

阿勒泰地区

1422.阿勒泰地区石人墓调查简报

作　者：李　征

出　处：《文物》1962 年第 7、8 期合刊

考古人员于 1961 年 6 月赴新疆北部阿勒泰地区进行调查，历时两个月。简报配以照片予以介绍。

据介绍，在阿勒泰县克尔木齐公社一带发现有大小不一的墓葬群，为石棺墓，周围有围墙及石人。简报推断，这应是公元 6～9 世纪突厥人的遗存，大致相当于中原地区的北朝至隋唐时期。

1423.新疆克尔木齐古墓群发掘简报

作　者：新疆社会科学院研究所　易漫白等
出　处：《文物》1981年第1期

1963年下半年，考古人员在阿勒泰专区所属阿勒泰、布尔津、哈巴河、吉木乃、富蕴、青河等6县调查了分布广泛的一种石人、石棺墓葬，并在阿勒泰县的克尔木齐共出土32座这种墓葬。简报分为五个部分，配以手绘图等予以介绍。

据介绍，克尔木齐公社在阿勒泰县西南约12公里，有克尔木齐河从阿勒泰山南出，布（尔津）阿（勒泰）公路在南面通过。发掘的墓葬都在公路北面，大体上分成三片，可分为坟院制和单坟制两大类。所谓"坟院制"的墓葬，是指四周往往用平铺（或直植）的块石围成一个矩形。有的周缘虽无列石，由于较周围地面略略隆起，因此还比较清楚。坟院范围通常在200～600平方米。坟院往往不止一座墓葬。10座坟院内共计24座墓，无封土的17座，有封土的7座，有2座带封土的墓暂未发掘。一部分单墓或坟院前，还立有石刻人像或条石。

总计发掘了32座墓葬，葬式有屈肢葬、仰身直肢葬、俯身直肢葬和乱骨葬。出土遗物较贫乏，放置也无规律，棺内、棺外、乱骨堆中、骨架的各个部位乃至坟院范围内到处均有发现。器物质地有陶、石、青铜、红铜、骨、铁等。这批墓葬的时代，简报推断上至西汉，下至隋唐，有的墓应为殉葬，头骨破成五片，足跟因被缚而紧并，骨盆左右各有一道很深的刀砍痕迹。大石棺墓中有可多达20个人的殉葬遗骨。

1424.新疆布尔津喀纳斯下湖口图瓦新村墓地发掘简报

作　者：新疆文物考古研究所　于建军、胡兴军等
出　处：《文物》2014年第3期

2013年7～9月，考古人员对布尔津县喀纳斯下湖口图瓦新村墓地进行了考古发掘。墓地共有墓葬55座。清理发掘的9座墓葬中，6座有整匹马随葬，反映游牧经济在当时占据主导地位。

简报分为：一、墓葬，二、出土器物，三、结语，共三个部分，有彩照、手绘图。

据介绍，墓地中发现有祭祀遗迹，在阿勒泰地区以往的发现中较为多见，应是古人墓地重要的祭祀遗迹之一。墓葬年代，简报推断为青铜时代至早期铁器时代，青铜时代与切木尔切克文化属性一致，早期铁器时代与阿尔泰山北部的巴泽雷克文化相近，更晚的一座墓葬简报认为可能属于隋唐时期突厥人，这对于建立当地考古学文化序列有重要意义。

1425.新疆哈巴河托干拜 2 号墓地发掘简报

作　者：新疆文物考古研究所　于建军、胡兴军等
出　处：《文物》2014 年第 12 期

2013 年 9 ～ 10 月，考古人员对哈巴河县托干拜 2 号墓地进行了抢救性发掘。本次发掘共清理墓葬 4 座，出土遗物 11 件。

发掘情况简报分为：一、墓葬形制，二、出土遗物，共两个部分予以介绍，有照片、手绘图。

据介绍，被盗的 2 号墓四周用白色石英岩围成长方形石围，比较少见。托干拜 2 号墓地墓葬出土遗物中不见金属器，每座墓葬均发现了石镞，这些石镞与同在哈巴河县的齐德哈仁细石器遗址中发现的石镞特征一致，因此，简报推断墓地可能属于青铜时代早期的遗存。

M4 石棺较大，盖板上有经加工的菱形图案。M2B 石棺内壁也绘有四组相连的菱形图案，菱形空格内填有红点。所有石棺中一般葬有 2 人以上，最多的是 M2A，石棺中葬有 11 人，这些人有可能是多次埋葬的。M4 东部竖立的石人在切木尔切克文化的墓地中多有发现，都属于青铜时代。从墓葬结构及出土遗物分析，简报推断这些墓葬属于青铜时代的切木尔切克文化范畴，经 C14 测定，距今约 4200 年，是目前阿勒泰地区最早的考古学文化。简报指出，这不仅仅扩展了切木尔切克文化的研究视野，而且对于亚欧草原早期文明的研究有独特意义。

石河子市

1426.新疆石河子南山古墓葬

作　者：新疆文物考古研究所、石河子市军垦博物馆、新疆大学历史系　邢开鼎、
　　　　刘　宁、郭　婧、张玉忠等
出　处：《文物》1999 年第 8 期

南山古墓群位于石河子市西南 60 余公里的石场镇南山水泥厂西北约 2 公里处。这里地处天山山脉前山山谷口，顶山谷南行不远，即是由乌鲁木齐通向伊犁河谷的天山公路。墓群于 1996 年在石河子垦区进行首次文物普查时发现，因部分墓葬与水泥厂居民坟墓杂处或叠压，个别已遭破坏。考古人员于 1998 年 7 月 2 日至 17 日对这一墓群进行了抢救性清理发掘。

简报分为：一、墓葬概况，二、随葬品，三、结语，共三个部分，有彩照、手绘图。

据介绍，这处墓群共有墓葬 30 余座，其中坡地西北墓葬较为集中，发掘的 13 座墓大多在此。墓葬皆有圆丘形封堆，大多为土堆，表面铺一层石块，外形似石堆，封堆均较小。发掘的 13 座封堆中，2 座封堆下不见墓室和人骨（M13、M14），其中 M14 封堆底部见夹砂红陶片。墓室大多在封堆底部中心，个别在封堆北缘。见墓室的 11 座墓葬，形制有两种：竖穴土坑墓和竖穴偏室墓。随葬品有陶器、铜器、铁器等。除 M1 外，每座墓葬均见羊骨，以羊尾骨多见，个别墓为羊脊椎骨。简报推断这批墓葬的年代大致相当于中原王朝的战国到西汉时期，其文化内涵不仅与天山东部地区的乌鲁木齐、吐鲁番盆地同一时期的考古文化关系密切，同时又与天山西部伊犁河流域发现的可能属于塞克——乌孙的文化遗存有紧密联系。关于人种等特征，采集的 10 具人骨标本中，男性 4 例、女性 5 例、婴儿 1 例，年龄大多在 20～60 岁之间。保存完整的 7 例颅骨（男 4、女 3，皆成年），颅、面形态特征较为一致，在人类学特征上属欧洲人种的中亚两河类型，与周邻地区古代颅骨比较，石河子南山组颅骨更接近阿莱塞克——乌孙组的特征。

阿拉尔市

图木舒克市

五家渠市

香港特别行政区、澳门特别行政区、台湾省

1427.香港考古发掘

作　者：陈公哲

出　处：《考古学报》1957 年第 4 期

陈公哲先生自购旧帆船一只，在香港沿岸进行考古工作。简报分为：一、绪言，二、初步调查，三、发掘，四、遗物推论，五、时代推论，共五个部分，附有"中英地名对照表""香港考古发掘出土器物登记表"。有照片。

据介绍，陈公哲先生发现、发掘的遗物有新石器时代石器、陶器，汉代铜戈、玉女俑，以及唐代海马葡萄镜等。陈公哲先生的考古调查，是香港最早的由中国人实施的考古活动。

1428.香港涌浪新石器时代遗址发掘简报

作　者：香港古物古迹办事处

出　处：《考古》1997 年第 6 期

涌浪遗址 1974 年由香港考古学会发现，香港政府古物古迹办事处于 1981 年复查该遗址，确定了文化遗存的分布范围。1983 ～ 1985 年，古物古迹办事处委托蒲国杰（B.A.V.Peacock）进行香港考古资源的调查，将其列为香港五大重要考古遗址之一。1985 ～ 1986 年蒲国杰先生曾进行过小规模抢救发掘。1992 年 4 月至 1993 年 3 月，为配合中华电力有限公司修建新电厂工程，古物古迹办事处对遗址进行了全面的发掘。

简报分为：一、自然环境，二、发掘过程，三、地层堆积与遗迹，四、文化遗物，五、结语，共五个部分予以介绍，有手绘图、拓片、照片。

据介绍，涌浪遗址位于香港新界屯门的西部海岸，地处珠江口东侧，其南与龙鼓上滩和龙鼓滩新石器时代遗址隔山相邻，西与龙鼓洲和深圳蛇口诸新石器时代遗址隔海而望。简报将涌浪晚期遗存这一类有鲜明地方特色的文化称之为涌浪类型，其年代简报推断约为珠江口新石器时代晚期的早段，与中原地区相比，大约相当

于龙山时代晚期。涌浪北区暂时未做 C14 标本测定，C14 测定年代数据，以距今 4170±80 年至 3810±70 年之间较为合理。

1429.2002 年度香港西贡沙下遗址 C02 和 DII02 区考古发掘简报

作　者：香港古物古迹办事处、河南省文物考古研究所　方燕明、赵新平、
　　　　张志清
出　处：《华夏考古》2004 年第 4 期

2002 年，考古人员在香港西贡沙下遗址进行了发掘，简报分为：一、前言，二、文化堆积与分期，三、第一期文化遗存，四、第二期文化遗存，五、第三期文化遗存，六、第四期文化遗存，七、第五期文化遗存，八、结语，共八个部分，有照片、拓片、手绘图。

据介绍，一期遗存有带柱洞的房址、灰坑，出土有石器、陶器，属新石器时代晚期早段遗存。二期遗迹、遗物同一期，属新石器时代晚期晚段遗存。三期未见遗迹，只有石器、陶器，属商周时期。四期有带柱洞的房址、石器制造场、灰坑、灰沟，属春秋时期遗存。五期有灰坑 4 座，出土有釉陶器、陶器、瓷器，属宋至元的遗存。

简报称，此次发掘，对建立香港地区考古学系列，研究当地生产、生活的历史，都很有价值。

1430.香港西贡沙下遗址发掘简报

作　者：陕西省考古研究所、香港古物古迹办事处　侯宁彬、邢福来、孙安娜
出　处：《考古与文物》2006 年第 6 期

西贡沙下遗址位于新界东部的西贡街区北部，1996 年香港特别行政区康乐署古物古迹办事处对遗址西北部的唐代遗址发掘过程中，在距地表深约 2 米处发现夹砂陶片，遂于 1988 年初进行了全面调查与试掘。2002 年 2 月至 6 月，又对该遗址进行了大规模发掘。

简报分为：一、地层堆积，二、新石器时代晚期遗存，三、青铜时代遗存，四、唐宋至明清时代遗存，五、结语，共五个部分予以介绍，有手绘图。

据介绍，新石器时代晚期遗存遗迹有柱洞一个，遗物有陶片及少量石器。青铜时代遗存有墓葬 3 座，时代应在西周至战国时期。唐宋至明清遗迹有灰坑、石堰、冲沟，遗物有铜钱、瓷器、陶器等。既有明清时的青花瓷盘、碗残片、粗笨厚重的黑瓷、素烧粗瓷缸、罐残片，也有宋代流行的青瓷、白瓷碗、素烧擂钵、褐釉瓷双耳罐、绿釉（易脱落）瓷四系罐、盆等遗物。

1431.香港南丫岛沙埔新村遗址发掘简报

作　者：香港古物古迹办事处　刘成基等

出　处：《考古》2007 年第 6 期

　　沙埔新村遗址位于香港南丫岛榕树湾畔。榕树湾一带的考古工作源于 20 世纪 30 年代芬戴礼神父的海岛考古调查和发掘。20 世纪 70 年代，香港考古学会在此做过一些考古工作，在沙埔旧村发现有几何印纹硬陶青铜时代遗物。该遗址是 1982 年香港古物古迹办事处对南丫岛文物普查时发现的。1985 年，蒲国杰（B.A.V.Peacock）和妮逊（Taryn J.P.Nixon）曾于此做过试掘，发现有青铜石范、石镞和几何印纹陶片等遗物。2000～2001 年，区家发先生等对沙埔新村作过相应的考古调查。2003 年 12 月至 2004 年 2 月，香港古物古迹办事处考古组对沙埔新村新建小型屋宇地进行了考古发掘，出土一批文化遗物和一些遗迹。2004 年 11 月至 12 月，香港古物古迹办事处又进行了考古发掘，出土了一批青铜时代文化遗物。

　　简报分为：一、地理环境和地层堆积，二、青铜时代遗存，三、唐宋时期文化遗存，四、明清时期文化遗存，五、结语，共五个部分，有彩照、手绘图。

　　据介绍，该遗址发现大量青铜时代的文化遗物和灰坑、柱洞等遗迹，另有少量历史时期的遗物。自 20 世纪 30 年代在此发现古代文物后，南丫岛的文化遗存成为探索香港古代文化的重点之一，为了解香港地区古代历史面貌提供了实物证据。

　　青铜时代，一般认为始于公元前 21 世纪，止于公元前 5 世纪，大体相当于夏、商、西周和春秋时期。

1432.香港屯门扫管笏遗址发掘简报

作　者：香港古物古迹办事处、中国社会科学院考古研究所　傅宪国、梁中合等

出　处：《考古》2010 年第 7 期

　　扫管笏遗址位于香港特别行政区新界屯门南部扫管笏村西南的古沙堤上。该遗址三面环山，背靠潟湖。20 世纪 50 年代以前，沙堤的北部尚保存完好，沙堤后面曾有大面积的农田，沙堤前面除浅滩浅海外，也有一定面积的农田，而遗址中心处即是一片较为平坦的开阔地。由于香港的高速发展，如今遗址及其周围建筑崛起，公路如织，原沙堤的大部分被军营球场覆盖，早期的河谷口也被逐年填海而成为"黄金海岸"住宅区和酒店。自 20 世纪 20 年代以来，中外学者曾对该遗址进行多次田野调查和试掘、发掘。由于在扫管笏遗址上将要兴建学校，2008 年至 2009 年，香港康乐及文化事务署古物古迹办事处邀请中国社会科学院考古研究所组成联合考古

队，对扫管笏遗址进行了抢救性考古发掘。遗址分为Ⅰ、Ⅱ、Ⅲ三个区。

简报分为：一、地层堆积，二、商至西周时期文化遗存，三、东周时期文化遗存，四、汉代时期文化遗存，五、结语，共五个部分，先行介绍了Ⅰ、Ⅱ两区的发掘情况，有彩照、手绘图。

据介绍，遗址已发现有商至西周时期活动面及与之相关的灶址、房址、手工业作坊址和灰坑、墓葬等，东周时期的活动面及与之相关的手工业作坊址等，以及汉代墓葬1座，出土遗物有陶器、石器、铜器等。此次发掘，为深入解读不同时期香港古代居民乃至华南地区的生产、生活状况提供了重要资料。

参考文献

一、参考文献分为上编、中编、下编。

二、上编收录本书收录的考古核心刊物（以《北京大学中文核心期刊目录》2011年版考古学科为准，略加调整）。中编系非核心刊物及以书代刊的连续出版物、某一地区考古成果汇编等举要。下编是面对非考古专业读者的相关书籍。

三、上编依《北京大学中文核心期刊目录》2011年版给出顺序排列；中编依通行的省市自治区直辖市顺序排列。省市自治区下排列不分先后。

上　编

1.《文物》

创刊于 1950 年，国家文物局主管，文物出版社主办。初名《文物参考资料》，1959 年改为《文物》。1971 年曾停刊一年。现为月刊。

2.《考古》

创刊于 1955 年，由中国社会科学院考古研究所主办。1955 ～ 1959 年，用《考古通讯》的刊名，1955 ～ 1957 年为双月刊，此后改为月刊，1966 年 6 月至 1971 年 12 月停刊，1972 ～ 1982 年为双月刊，1983 年至今为月刊。有《考古（1955 ～ 1996 年）》《考古（1997 ～ 2003 年）》两张全文检索光盘出版。2007 年 3 月起，实行双向匿名审稿。

3.《考古学报》

创刊于 1936 年 8 月，由国立"中央研究院"历史语言研究所主办，刊名《田野考古报告》，列为专刊之十三。第二册（1947 年 3 月出版）更名为《中国考古学报》，至 1949 年共出版四册。第四册出版于 1949 年 12 月，由中国科学院历史语言研究所主办。1950 年 8 月 1 日，中国社会科学院考古研究所成立（当时为中国科学院所属研究机构），继续主办，于 1950 年 12 月出版第五册。自第六册（1953 年 12 月出版）更名为《考古学报》至今。1954 年变更为半年刊，1956 年变更为季刊，1960 年又变更为半年刊，1978 年起改为季刊，每年 1、4、7、10 月的 30 日出版。2007 年 3 月起，实行双向匿名审稿。

4.《考古与文物》

1980 年创刊，陕西省考古研究所主办，季刊。1982 年改为双月刊。该刊曾编有若干期《考古与文物》辑刊，多为研究性文章；还编有《考古与文物丛刊》，为不定期刊物，有少许发掘报告，但内容较宽泛，古文字学、古人类学等方面文章均收。

5.《中原文物》

河南省博物馆主办，1977 年创刊时名为《河南文博通讯》，1981 年改名《中原文物》，季刊。2000 年改为双月刊。有《〈中原文物〉十五年叙录（1977 ～ 1992）》一书。

6.《北方文物》

黑龙江省考古研究所、考古学会主办，1981 年创刊，初名《黑龙江文物丛刊》，季刊。

7.《华夏考古》

河南省考古研究所、河南省文物考古学会主办，创刊于 1987 年，季刊。

8. 《四川文物》

四川省文物局主办。1984 年创刊，双月刊。出版有《〈四川文物〉二十年目录索引（1984～2003）》。

9. 《江汉考古》

1980 年创刊，先以不定期形式共出了五期（至 1982 年底为止）。从 1983 年第 1 期（即总第 6 期）起改为季刊，向国内外公开发行。1989 年第 3 期起，由湖北省文物考古研究所主办。

10. 《农业考古》

1981 年创刊，为国内外唯一的专门发表有关农业考古学研究成果的大型学术刊物。原主办单位为江西省博物馆、江西省中国农业考古研究中心。1985 年由江西省社会科学院历史研究所和江西省中国农业考古研究中心主办；1994 年起由江西省社会科学院和中国农业博物馆联合主办；2003 年起由江西省社会科学院主办。双月刊。

11. 《文博》

1984 年 7 月创刊，陕西省考古研究所主办；陕西省博物馆、秦始皇陵兵马俑博物馆参办。双月刊。

《文博》虽未列入 2011 年版《北京大学中文核心期刊目录》，但考虑到该刊的质量及陕西省作为文物大省的地位，此次仍然予以收录。

中 编

1. 北京市

《考古学社社刊》

北京燕京大学考古学社编，1934 年创刊，1937 年停刊。

《考古学集刊》

中国社会科学院考古研究所主办，1981 年创刊，科学出版社出版，年刊。自第 16 期开始以专业论文为主。

《考古学研究》

北京大学考古文博学院、中国考古学研究中心编，16 开平装，科学出版社、北京大学出版社不定期出版。

《北京文物与考古》

1983 年创刊。

《北京文博》

北京市文物事业管理局主办，1995 年创刊，季刊。

《北京考古》

北京市文物研究所编，北京燕山出版社 2008 年始不定期出版。

《三代考古》

中国社会科学院考古研究所夏商周考古研究室编，16 开平装，科学出版社不定期出版。

《中国道教考古》

线装书局不定期出版。

《中国古陶瓷研究》

紫禁城出版社出版的连续出版物。

《石窟寺研究》

中国古迹遗址保护协会石窟专业委员会编，文物出版社不定期出版。

《中国大遗址保护调研》

中国社会科学院考古研究所文化遗产保护研究中心编，科学出版社 2011 年始不定期出版。

《文物研究》

科学出版社连续出版物。

《九州》

商务印书馆连续出版物。

《古脊椎动物学报》

中国科学院古脊椎动物与古人类研究所主办。1957 年创刊时为英文版，季刊，1959 年创刊中文版。1961 年英文、中文版合并，1966 年停刊，1973 年复刊。

《文物资料丛刊》

《文物》编辑委员会编，文物出版社不定期出版。

《古代文明》

北京大学中国考古学研究中心编，文物出版社不定期出版。

《古代文明研究》

中国社会科学院考古研究所、古代文明研究中心编，文物出版社不定期出版。

《中国盐业考古》

科学出版社不定期出版。

《科技考古》

中国社会科学院考古研究所编，科学出版社不定期出版。

《水下考古》

国家文物局水下文化遗产保护中心编，上海古籍出版社 2018 年出版第 1 辑。

《中国国家博物馆馆刊》

创刊于 1979 年，初名《中国历史博物馆馆刊》。原为半年刊，一年两本。1999 年改名《中国历史文物》，2002 年改为双月刊，2011 年改为《中国国家博物馆馆刊》，并改为月刊。

《首都博物馆丛刊》

首都博物馆主办，北京燕山出版社 2007 年始不定期出版。

《中国文物报内部通讯》

1991 年 7 月创刊，不定期出版。

《陶瓷考古通讯》

《玉器考古通讯》

《古代文明考古通讯》

以上三种"通讯"，均由北京大学文博学院主办。

《青年考古学家》

北京大学文物爱好者协会会刊，1988 年创刊。科学出版社出版。每年一册。

《故宫博物院院刊》

故宫博物院主办，1958 年创刊，双月刊。

《中国文物科学研究》

国家文物学会、故宫博物院主办，2006年创刊。

《中国历史文物》

国家博物馆主办，双月刊。

2. 天津市

《天津博物馆集刊》

天津博物馆编，天津人民出版社出版，1998年第一辑出版。

《天津考古》

天津市文化遗产保护中心编，16开精装，科学出版社不定期出版。

《天津博物馆论丛》

科学出版社不定期出版。

《天津文博》

天津市文物博物馆学会编，1986年创刊。

3. 河北省

《文物春秋》

河北省文物局主办，创刊于1989年，双月刊。

《河北省考古文集》

河北省文物研究所编，科学出版社不定期出版。

4. 山西省

《三晋考古》

山西省考古学会、山西省考古研究所主办，1994年创刊。年刊，现由上海古籍出版社出版。

《山西博物馆学术文集》

山西人民出版社不定期出版。

《晋中考古》

文物出版社不定期出版。

《运城地区博物馆馆刊》

运城地区博物馆主办。

《北朝研究》

中国魏晋南北朝史学会、大同平城北朝研究会编，16开平装，科学出版社不定期出版。

《文物世界》

山西省文物局主管，1987年创刊，双月刊。

5. 内蒙古自治区

《内蒙古文物考古》

内蒙古文化厅、内蒙古考古博物馆学会主办，1981 年创刊，半年刊。

《草原文物》

内蒙古自治区文化厅、内蒙古考古博物馆学会主办，1984 年创刊，1997 年由年刊改为半年刊。

《鄂尔多斯考古文集》

伊克昭盟文物工作站 1981 年创刊。

《内蒙古包头博物馆馆刊》

内蒙古包头博物馆主办，2000 年创刊。

6. 辽宁省

《辽宁文物》

辽宁省博物馆主办，1980 年创刊。

《辽海文物学刊》

1986 年创刊，辽宁省博物馆、文物考古研究所主办，半月刊。

《辽宁考古文集》

辽宁省文物考古研究所编，16 开平装，科学出版社不定期出版。

《辽宁省博物馆馆刊》

辽海出版社不定期出版。

《沈阳故宫博物院院刊》

沈阳故宫博物院主办，1995 年创刊，半年刊。

《沈阳考古文集》

沈阳市文物考古研究所编，科学出版社 2007 年始不定期出版。

《大连文物》

科学出版社不定期出版。

7. 吉林省

《东北史地》

吉林省社会科学院吉林省高句丽研究中心主办，2004 年 1 月创刊。

《博物馆研究》

吉林省博物馆学会、吉林省考古学会主办，季刊。

《边疆考古研究》

吉林大学连续考古研究中心编，科学出版社不定期出版。

《亚洲考古》

吉林大学边疆考古研究中心编，科学出版社出版。该刊为英文版。

8. 黑龙江省

《黑龙江文物丛刊》

1985 年创刊，季刊，现已改名为《北方文物》。

《昂昂溪考古文集》

科学出版社 2013 年版。

9. 上海市

《上海博物馆馆刊》

创刊于 1981 年，上海人民出版社出版。后改名《上海博物馆集刊》，年刊。

《上海文博论丛》

上海博物馆主办。2002 年创办，季刊。

《文物保护与考古科学》

上海博物馆主办，1989 年创刊，现为双月刊。

《出土文献》

清华大学出土文献研究与保护中心编，2010 年创办，每年一辑。

10. 江苏省

《东南文化》

南京博物院、江苏省考古学会主办，1975 年创刊时名为《文博通讯》，1985 年改为《东南文化》。

《南京博物院集刊》

南京博物院主办，文物出版社出版。

《无锡文博》

1990 年创刊，季刊，原名《无锡博物馆通讯》。

《扬州文博》

扬州市博物馆主办，1990 年创刊，1992 年停刊。

《江淮文化论丛》

扬州市博物馆编，文物出版社不定期出版。

《徐州文物考古文集》

徐州市博物馆编，科学出版社不定期出版。

《苏州文博论丛》

苏州市博物馆编，文物出版社不定期出版。

《文博通讯》

江苏省考古学会编。1975 年创刊，1985 年改名为《东南文化》。

《江阴文博》

江阴市文物管理委员会编，半年刊。

《常州文博》

常州市博物馆编，1993 年创刊，半年刊。

11．浙江省

《东方博物》

浙江省博物馆主管，创刊于 1997 年，季刊。

《杭州文博》

杭州出版社不定期出版。

《浙江省文物考古所学刊》

科学、文物出版社不定期出版。

《宁波文物考古研究文集》

宁波市文物考古研究所、文物保护管理所编，科学出版社不定期出版。

《东方建筑遗产》

宁波报国寺古建筑博物馆编，科学出版社的连续出版物。

《绍兴市考古学会会刊》

绍兴市考古学会编，不定期出版。

12．安徽省

《安徽省考古学会会刊》

安徽省文物考古研究所、考古学会编，16 开平装，1985 年创刊，为科学出版社出版的连续出版物。

《安徽文博》

安徽博物院、安徽省博物馆协会主办，1980 年创刊。年刊。

《徽州文博》

黄山市博物馆协会主办。

《文物研究》

安徽省文物考古研究所编，科学出版社不定期出版。

13．福建省

《福建文博》

福建省博物馆主办，1979 年创刊，半年刊。

《东南考古研究》

厦门大学出版社不定期出版，涉及东南亚国家考古成果。

14. 江西省

《南方文物》

江西省文化厅主办，江西省博物馆、江西省考古研究所编辑出版。原名《江西文物》，1992 年改称《南方文物》，季刊。

《江西省博物馆集刊》

江西省博物馆主办，文物出版社不定期出版。

15. 山东省

《东方考古》

山东大学东方考古研究中心编，16 开平装，为科学出版社推出的连续出版物。

《齐鲁文物》

山东省博物馆编，科学出版社不定期出版。

《海岱考古》

山东省文物考古研究所编，科学出版社不定期出版。

《胶东考古》

《齐鲁文博》

齐鲁书社不定期出版。

《山东省高速公路考古报告集》

科学出版社不定期出版。

《济南考古》

济南市考古研究所编，为科学出版社的连续出版物。

《青岛考古》

青岛市文物保护考古研究所编，为科学出版社出版的连续出版物。

16. 河南省

《河南博物馆馆刊》

1936 年创刊，河南博物馆编辑出版，16 开，计已出版了 11 册。除了考古成果，还收录了动物、植物、矿物等方面的成果。

《中原文物考古研究》

大象出版社不定期出版。

《河洛文化论丛》

北京图书馆出版社不定期出版。

《动物考古》

河南省文物考古研究所编，文物出版社不定期出版。

《文物建筑》

河南省古代建筑保护研究所编，科学出版社不定期出版。

《郑州文物考古与研究》

郑州市文物考古研究院编，科学出版社不定期出版。

《郑州商城考古新发现与研究》

河南省文物考古研究所编，中州古籍出版社出版。

《洛阳考古》

洛阳市文物考古研究院编，中州古籍出版社出版的系列出版物，2017 年以来已出版十余册。

《洛阳文物钻探报告》

洛阳市文物钻探管理办公室编，文物出版社不定期出版。

《开封考古发现与研究》

开封市文物工作队编，中州古籍出版社 1998 年出版。

《开封文博》

开封市博物馆主办，1990 年创刊，半年刊。

《殷都学刊》

安阳师范学院主管，1980 年创刊，季刊。

17. 湖北省

《楚文化研究论集》

荆楚书社不定期出版。

《荆楚文物》

荆州博物馆编，16 开平装，科学出版社 2013 年始不定期出版。

《襄樊考古文集》

襄樊市文物考古研究所编，科学出版社 2007 年始不定期出版。

《鄂东北考古报告集》

湖北科学出版社 1996 年版。

《三峡考古之发现》

湖北科学技术出版社推出的连续出版物。

《湖北库区考古报告集》

国务院三峡工程建设委员会办公室、国家文物局编，科学出版社 2003 年始不定期出版。

《武汉文博》

武汉市文物管理处研究室编，1988 年创刊，季刊。

《清江考古》

湖北省清江隔河岩考古队、湖北省文物考古研究所编，科学出版社 2004 年出版。

《湖北南水北调工程考古报告集》

科学出版社不定期出版。

《葛洲坝工程文物考古成果汇编》

武汉大学出版社出版。

《长江文物考古简讯》

长江流域规划办文物考古队编，1958 年创刊，月刊。

18. 湖南省

《湖南省博物馆馆刊》

岳麓书社不定期出版。

《湖南考古辑刊》

岳麓书社不定期出版。

19. 广东省

《广东文物》

广东省文化厅、广东省文物博物馆学会主办，1996 年创刊，半年刊。

《广东文博》

广东省文物管理委员会主办，1983 年创刊，不定期出版。

《艺术史研究》

中山大学艺术史研究中心编，中山大学出版社出版，每年一本。

《华南考古》

广州市文物考古研究所等编，文物出版社 2004 年始不定期出版。

《羊城考古发现与研究》

广州市文物考古研究所编，文物出版社 2005 年始不定期出版。

《广州文博》

广州市文物局等编，1985 年创刊，文物出版社不定期出版。

《珠海考古发现与研究》

广东人民出版社 1991 年版。

《深圳文博论丛》

深圳博物馆编，文物出版社不定期出版。

20. 广西壮族自治区

《广西考古文集》

广西文物考古研究所编，文物出版社不定期出版。

《广西文物考古报告集》

广西壮族自治区文物工作队编，广西人民出版社1993年出版的一册汇集了1950～1990年的考古调查、考古发掘报告等。

21．海南省

《海南省博物馆研究文集》

科学出版社不定期出版。

《西沙水下考古》

中国国家博物馆水下考古研究中心、海南省文物保护管理办公室编，科学出版社不定期出版。

22．重庆市

《长江文明》

中国三峡博物馆主办，2008年创刊，季刊。

《重庆库区考古报告集》

重庆市文物局、重庆市移民局编，科学出版社出版，大体每年一卷。

《大足学刊》

大足石刻研究院编，重庆出版社不定期出版。

23．四川省

《四川考古报告集》

文物出版社不定期出版。1998年出版第1集。

《南方民族考古》

四川大学博物馆、成都民族文物考古研究所编，1987年创刊，中间因故停刊，2010年复刊。科学出版社不定期出版。

《成都文物》

成都文物管理委员会主办，季刊。

《成都考古发现》

成都市文物考古研究所编，科学出版社出版，大体一年一册。据称自2001年以来，20年间发表了425篇报告。

《四川古陶瓷研究》

四川省社会科学院主办，不定期出版。

《川南文博》

四川省宜宾市博物馆主办，1985年创刊。

24．贵州省

《贵州省博物馆馆刊》

贵州省博物馆主办，1985年创刊，1988年停刊，1992年与《贵州文物》合并，改名《贵州文博》。

《贵州文物》

贵州省文管会主办，1982 年创刊，1992 年停刊。

25．云南省

《云南文物》

云南省博物馆主办，1973 年创刊，1987 年停刊。

《云南考古文集》

云南民族出版社出版。

《茶马古道研究集刊》

云南大学出版社不定期出版。

26．西藏自治区

《西藏文物考古研究》

西藏自治区文物保护研究所编著，平装 16 开，科学出版社 2014 年始不定期出版。

《西藏考古》

四川大学出版社 1994 年始不定期出版。

《西藏文物通讯》

西藏自治区文管会主办，1981 年创刊。

27．陕西省

《周秦文明论丛》

三秦出版社不定期出版。

《西部考古》

三秦出版社出版的连续出版物。

《史前研究》

陕西省考古研究院、西安半坡博物馆主办，1986 年创刊，季刊。

《秦文化论丛》

西北大学出版社出版的连续出版物。

《陕西省历史博物馆馆刊》

西北大学出版社出版的连续出版物。

《陕西博物馆馆刊》

三秦出版社不定期出版。

《宝鸡文博》

1991 年创刊，不定期出版。

《秦陵秦俑研究动态》

秦始皇兵马俑博物馆主办，1986年创刊，季刊。

28．甘肃省

《敦煌研究》

《西北民族研究》

《陇右文博》

甘肃省博物馆主办，1996年创刊，半年刊。

《简牍学研究》

西北师范大学、甘肃省文物考古研究所编，甘肃人民出版社1997年开始出版。

29．青海省

《青海文物》

青海省文化厅主办，1988年创刊。

《青海考古学会会刊》

青海省文化厅文物处、青海省考古学会主办，1980年创刊，1985年停刊。

30．宁夏回族自治区

《宁夏社会科学》

《西夏学》

宁夏大学西夏学研究院主办，半年刊。

31．新疆维吾尔自治区

《新疆文物考古研究所丛刊》

《新疆考古》

新疆社会科学院考古研究所主办，后改为《新疆考古研究资料》，不定期出版。

《新疆文物》

《西域文史》

北京大学中国古代史研究中心、新疆师范大学西域文史研究中心合办，16开平装，由科学出版社不定期出版。

《吐鲁番学研究》

吐鲁番地区文物局编。

32．香港特别行政区、澳门特别行政区、台湾省

《香港文物》

香港古物古迹办事处出版。

《香港考古学会专刊》

《"国立"台湾大学考古人类学刊》

1953年创刊，年刊。

《台湾省博物馆季刊》

创刊于 1948 年，现存 4 期，已停刊。

《故宫文物月刊》

台湾"'国立'故宫博物院"出版，1983 年创刊。

下　编

　　欲了解最新的考古成果、考古文献，有两套书是必须知道的：一套是《中国考古学年鉴》，自1984年以来每年一册，欲了解上一年度（如2019年出版的年鉴，反映的是2018年的信息）的考古成果、考古书籍、考古论文等，这是最权威的工具书之一；另一套是《中国重要考古发现系列》，这套书的优点是图文并茂，反映的就是书名所示年度的重要考古发现。如2013年出版的《2012年中国重要考古发现》，说的就是书名所示2012年的事情。这两套书，均由文物出版社出版。

　　更深入一些的书籍，有三套书应该提到：

　　第一套是文物出版社出版的《中国文物地图集》，这套书按各省市自治区分册，如重庆分册、河北分册等。优点是将考古发现与地图结合，可以直观地看到某一地区考古发现的多少，但欲进一步了解，仅靠此套书是无法解决的。所以正确的使用方法是：将此书与其他书结合起来阅读。

　　第二套是《中国考古集成》（中州古籍出版社2006～2007年版），此书实际上就是将散见各处的考古文献汇集一处，这对使用者而言当然是极为便利。不过窃以为如改为《中国稀见考古文献集成》，或许更实用一些。

　　第三套是《中国考古学》，此为集中全国专家编写了十余年之久的国家项目，专业性较强。计划分为9卷，目前"新石器时代卷""秦汉卷""两周卷""三国两晋南北朝卷""夏商卷"等册已出版。全套书要出齐恐怕尚待时日。《考古》杂志2011年第7期有相关书评，有兴趣的话可以找来看看。

　　如果没有时间去浏览这些大套书的话，先看一些概述、综述性质的书是一个不错的选择。这里仅介绍国家文物局主编的《中国考古60年（1949～2009）》（文物出版社2009年版）一书。这部书是按省市自治区分开叙述的，囊括了1949年后几乎全部重大考古发现，有文有图，执笔者多为各省（自治区、直辖市）的考古专家，文简意赅，缺点是没有给出参考文献，无法以此为线索扩大阅读。当然，依照以往的惯例，可以预料日后会有《中国考古70年（1949～2019）》一类的书出版，希望那时会有所改进。文物出版社2009年出版的《中国文物事业60年》一书，或可视作《中国考古60年（1949～2009）》一书的姐妹篇，也可参阅。书中除了港澳台以外，各省（自治区、直辖市）均列有专节。另外，国家博物馆编、中华书局2012年出版的《文物史前史·彩色图文本》等，已出齐10册，几可视为中国考古的图片专辑。

　　陈淳先生的《考古学研究入门》（北京大学出版社2009年版）、李朝远先生的

《青铜器学步集》（文物出版社2007年版）、刘凤翥先生的《遍访契丹文字话拓碑》（华艺出版社2005年版）等，当为比较专业的"入门"类书。四川文物考古研究院编过一本《少儿考古入门》（文物出版社2013年版），那是明言给中小学生看的。其实，一些大家写的集子，可读性颇强，不妨也当作入门书来读。如严文明先生的《足迹：考古随感录》（文物出版社2011年版）、苏秉琦先生的《中国文明起源新探》（辽宁人民出版社2009年版，三联书店2019年新版）、李零先生的《入门与出塞》（文物出版社2004年版）、赵青芳先生的《赵青芳文集·考古日记卷》（文物出版社2011年版）、罗宗真先生的《考古生涯五十年》（凤凰出版集团2007年版）、石兴邦先生的《叩访远古的村庄》（陕西师范大学出版社2013年版）、杨育彬先生的《考古人生——杨育彬回忆续录》（科学出版社2021年版），等等。一些考古工作者亲力亲为的记载，也十分生动有趣。如王吉怀先生的《禹人絮语——考古随笔记》（中国社会科学出版社2017年版）、罗西章先生的《周原寻宝记》（三秦出版社2005年版），等等。事实上，此类书几乎已成为近几年的一个出版热点。如《了不起的文明现场：跟着一线考古队长穿越历史》（三联书店2020年版）、《我在考古现场：丝绸之路考古十讲》（中华书局2021年版）、《考古中国——15位考古学家说上下五千年》（中信出版集团2022年版）等，均很受欢迎。

这里要特别推荐李伯谦先生《感悟考古——写给青年学者的考古学读本》（上海古籍出版社2015年版）一书，这是考古大家唯一一本明言写给青年学者的考古学入门读本。另外，李学勤先生的《李学勤讲演录》（长春出版社2012年版），也是深入浅出的大家之作。陈洪波先生《中国科学考古学的兴起：1928～1949年历史语言研究所考古史》（广西师范大学出版社2011年版）、《中国文物研究所七十年（1935～2005）》（文物出版社2005年版）、《记忆：北大考古口述史》（北京大学出版社2012年版）、《考古研究所编辑出版书刊目录索引及概要》（四川大学出版社2001年版）等是众多考古机构类书籍中最值得推荐的几本。读此会对中国最高考古机构及最早的考古教育院系有一个基本了解。文物出版社2010年还出版过一本《春华秋实：国家文物局60年纪事》，读一读，对中国大陆最高文物考古行政部门，也会有所了解。学术史、研究史方面的书自也不应忽视。这方面的书籍应提到陈星灿先生的《中国史前考古学史研究：1895～1949》（三联书店1997年版）、《20世纪中国考古学史研究论丛》（文物出版社2009年版）、黄继秋先生的《百年中国考古》（江苏人民出版社2013年版）、李学勤先生的《20世纪中国学术大典·考古学、博物馆学》（福建教育出版社2007年版）等。最新的书籍，当然是王巍先生主编的《中国考古学百年史（1921～2021年）》（中国社会科学出版社2021年版）共12册，据称共有276名专家参加了此书的写作。

有几部书较有特色，但很难归类：一是国家文物局第三次全国文物普查办公室编的《三普人手记：第三次全国文物普查征文选集》（文物出版社2009年版），可一见奋战在文物普查一线的文保工作者的酸甜苦辣；二是中国文物保护基金会编的《天职——从"文保市长"到"文保书记"》（文物出版社2009年版），可了解地方官员的无奈与奋争；三是何驽先生的《怎探古人何所思：精神文化考古理论与实践探索》（科学出版社2015年版），不是讲考古的思想史，而是从考古材料出发研究思想史；四是《梁带村里的墓葬：一份公共考古学报告》（北京大学出版社2012年版），它是从一个村庄微观角度，讲述考古学。

最后应介绍文献学及工具书方面的书籍。首先应提到张勋燎、白彬先生编著的《中国考古文献学》（科学出版社2019年版）。至于工具书，有《中国考古学文献目录（1949～1966）》（文物出版社1978年版）、《中国考古学文献目录（1971～1982）》（文物出版社1998年版）、《中国考古学文献目录（1983～1990）》（文物出版社2001年版）等，虽说尚未构成一个完整的考古文献"数据库"，但总算有胜于无。期待着国家文物局相关数据库建设早日完善。还有一些小型的更专业的书目，如叶骁军编的《中国墓葬研究文献目录》（甘肃文化出版社1994年版）、赵朝洪先生的《中国古玉研究文献指南》（科学出版社2004年版）。这些书目都很不错，但如不及时修订容易过时。史前方面，还有几部研究史和文献目录应该提到：吕遵谔先生的《中国考古学研究的世纪回顾——旧石器时代考古卷》（科学出版社2004年版）、严文明先生的《中国考古学研究的世纪回顾——新石器时代考古卷》（科学出版社2008年版），是很好的研究史专著。缪雅娟先生的《中国新石器时代考古文献目录（1923～2006）》（中州古籍出版社2014年版），为我们提供了该领域的专业目录。后两书的内容，从时代看有的已进入夏商甚至更晚的时期。

辞典方面，仅介绍三部：一部是上海辞书出版社2014年出版的《中国考古学大辞典》，由中国社会科学院考古研究所所长王巍先生主编。条目拟定者多为相关领域专家，历时7年编成。正文收有条目5000余条，附录中有"中国考古学大事记（1899～2012）"等也都很实用。这部辞典，可以看作是考古学领域的"牛津双解辞典"，颇具权威性。另一部是罗西章、罗芳贤父女二人编著的《古文物称谓图典》（百花文艺出版社2013年版）。李学勤先生在序中称此书"别出心裁，与众不同，是一部新颖又有重要应用价值的著作"。共收录各类文物（图）3553件（组），下分20大类，再依时代排列。此书的图片印制等尚有提升空间，期盼第三版时会更臻完善。第三部是文物出版社2012年出版的《常见文物生僻字小字典》，很实用。

报纸方面，应提到国家文物局主办的《中国文物报》周报。当然，最快捷的还是互联网。较权威的有中国社会科学院考古研究所的中国考古网（http：//kaogu.

cn）、中国考古网微信（zhongguokaogu/ 中国考古网）、中国考古网新浪微博（http：//e.weiho.com/kaoguwang）。

各地区也有一些不错的考古史及考古丛书等。

如北京市，推荐宋大川先生主编的《北京考古发现与研究（1949～2009）》一书，科学出版社 2009 年版，上、下两册。如觉此书太厚，可参见同一作者的《北京考古史》（上海古籍出版社 2012 年版）一书。另外，上海古籍出版社 2011 年出版的《北京考古工作报告（2000～2009）》，计 12 册，可视为北京考古事业的一个大型文献数据库。《北京考古集成》（北京出版社 2005 年版）15 卷也已出齐。

河北省，推荐河北省文物研究所编著的《河北考古重要发现 1949～2009》（科学出版社 2009 年版）一书。分旧石器时代、新石器时代、夏商周、秦汉、魏晋北朝、隋唐五代、宋辽金元明，共七个部分进行介绍。另有《河北文物考古文献目录》（河北人民出版社 2020 年版）。

山西省，山西是文物大省。相关书籍不少。从非专业人员阅读兴趣考虑，首先推荐《发现山西：考古人手记》（山西博物院、山西省考古研究所编，山西人民出版社 2007 年版）一书。该书 16 开一册，仅 175 页厚，插图 213 幅，记叙了山西省芮城县西侯度、清凉寺，吉县柿子滩、沟堡，绛县横水墓地，曲沃县羊舌墓地，黎城县西周墓地，侯马市西高祭祀遗址，大同市沙岭北魏壁画墓，太原市北齐徐显秀墓的考古发掘始末。读此一书，对山西省比较重要的考古发现，都会有一个初步的印象。《有实有积：纪念山西省考古研究所六十华诞集》（山西人民出版社 2012 年版）也可参考。

内蒙古，有《辽西区青铜时代考古文献选编：回眸药王庙、夏家店遗址发掘六十周年》（科学出版社 2020 年版）一书，把相关的考古发掘报告及研究论文集中于一书，使用起来当然很方便，何况收入的考古发掘报告又做了修订。

黑龙江省，可参阅黑龙江省文物考古研究所编《考古·黑龙江》（文物出版社 2011 年版）。

上海市，张明华先生《考古上海》（上海文化出版社 2010 年版）、上海博物馆编《上海市民考古手册》（北京大学出版社 2014 年版）等均可一阅。

浙江省，可参阅浙江省文物局编《发现历史：浙江新世纪考古新成果》（中国摄影出版社 2011 年版）一书。马黎先生的《考古浙江：历年背后的故事》（浙江古籍出版社 2021 年版），用浅白有趣的文笔，讲述了近十年来浙江省的考古工作，正好可与上一本书在时间上衔接起来。《浙江考古（1979-2019）》（文物出版社 2020 年版）汇集了相关最新成果。

安徽省，可参阅《流金岁月——安徽省文物考古研究所 50 年历程》（安徽省文物考古研究所 2008 年版）。

山东省，山东省文物考古研究所编《山东 20 世纪的考古发现和研究》（科学出版社 2005 年版），可作为了解山东省考古事业的一部入门书，但缺点是缺少近十年来的内容。

河南省，河南省是文物大省。可以推荐的书不少。如文物出版社 2011 年出版的《历程：洛阳市文物工作队三十年》，读来并不枯燥。同类书尚有《岁月如歌——一个甲子的回忆》《岁月记忆：河南省文物考古研究所 60 年历程》，均由大象出版社 2012 年出版。国家图书馆出版社 2009 年出版的《洛阳古墓图说》一书，以图解方式介绍了新石器时代至明代的古墓。《河南文博考古文献叙录（1986 ~ 1995）》（中州古籍出版社 1997 年版）、《河南新石器时代田野考古文献举要（1923 ~ 1996）》（中州古籍出版社 1997 年版），虽稍显过时，但仍不失为两部有价值的文献目录。

北京图书馆出版社 2005 年始陆续出版的《洛阳考古集成》，为 16 开多卷本，已出版"原始社会卷""夏商周卷""秦汉魏晋南北朝卷""隋唐五代卷"及"补编"等，汇集了近五十年来相关考古资料，可视为考古重镇洛阳的一项大型文献基本建设。

湖北省，楚文化研究会早在 20 世纪 80 年代即编有《楚文化考古大事记》，可作为工具书使用。

湖南省，文物出版社 1999 年出版有《湖南省考古五十年》一书，可参阅。

广东省，广东省文物局编《广东文物考古三十年》（暨南大学 2009 年版）一书，附有"广东省文物考古调查发掘简报、报告目录（1978 ~ 2008）"，可以视作广东省考古文献的入门目录之一。文物出版社 1999 年出版的《广东省考古五十年》一书也可参看。

近年来，不少经济大省纷纷推出本省文物、考古的集大成丛书，广东省自然也不例外。科学出版社近年所出《广东文化遗产》，下分"古墓葬卷""塔幢卷""石刻卷""近现代重要史迹卷""古代祠堂卷"等，广东相关文献，几乎全部囊括在内。

广州市文物考古所有《广州考古六十年》（广东人民出版社 2013 年版）一书，可了解广州市考古工作的情况。

重庆市，文物出版社 1999 年出版的《重庆市考古五十年》一书，可作为入门书来看。此后的考古发现，可参阅《重庆文物考古十年》（重庆出版社 2010 年版）。

四川省，比较值得推荐的有《巴蜀埋珍：四川五十年抢救性考古发掘纪事》（天地出版社 2006 年版），此书为四川省文物考古研究院编著，读者阅后对四川省 1949 ~ 2005 年间重大考古发现会有一个总体的印象。

贵州省，今有贵州民族出版社 1993 年版《贵州田野考古 40 年》一书，可参阅。

西藏自治区，夏格旺堆先生的《西藏考古工作 40 年》（文物出版社 2013 年版），是了解西藏自治区考古工作的一部综述类著述。

陕西省，陕西省是我国文物大省，从出版角度看，2006年成立的陕西省考古研究院在全国各省市自治区中可以说是做得最好、最有规划的。该院已出版的丛书计有：

——"陕西省考古研究院田野考古报告丛书"，已出版五六十部；

——"陕西省考古研究院学术专题研究丛书"；

——"陕西省考古研究院专家学术研究丛书"；

——"陕西省考古研究院文物精品图录丛书"；

——"陕西省考古研究院译著丛书"。

陕西省考古方面的书籍众多，在此仅介绍《三秦60年重大考古亲历记》（三秦出版社2010年版）一书，此书16开，554页厚，收文71篇，图文并茂，还有一些专业名词解释等小贴士，便于初学者阅读。读后对20世纪50年代的半坡遗址，60年代的蓝田猿人、70年代的秦兵马俑坑和周原遗址，80年代的法门寺地宫、汉唐帝陵和陪葬墓，90年代的汉阳陵陪葬坑、周公庙遗址、梁带村芮国墓地等均会有所了解。文章中不乏考古人员的发掘过程、生活细节、真实想法等，读来颇为生动、形象。陕西省文物局、考古研究院编《留住文明：陕西"十一五"期间基本建设考古重要发现（2006～2010）》（三秦出版社2011年版）当然是更专业的综述了。尹申平、焦南峰先生主编的《薪火永传：纪念陕西省考古研究院50周年（1958～2008）》（三秦出版社2008年版），读后对陕西省考古最高学术机构陕西省考古研究院会有一定了解。罗宏才先生的《陕西考古会史》（陕西师范大学出版社2014年版），也可参阅。

工具书方面，《陕西考古文献目录（1900～1979）》仍有一定使用价值。《陕西文物年鉴》（陕西人民出版社）是少数几个出版有文物年鉴的省、市中最为实用的。

甘肃省、青海、宁夏，有李怀顺、黄兆宏著《甘宁青考古八讲》（甘肃人民出版社2008年版），介绍了甘肃、宁夏、青海从旧石器时代到明代的考古情况。另有《青海考古50年》（青海人民出版社1999年版）一书，也可参阅。

新疆维吾尔自治区，2015年由新疆美术摄影出版社、新疆电子音像出版社、美国克鲁格出版社联合出版《西域文物考古全集》一书，共有"研讨与研究卷""精品文物图鉴卷""不可移动文物卷"三大卷39分册，是新疆维吾尔自治区文物局完成的对近万处文物资料的整理汇编，是以新疆88个县、市的不可移动文物资料为基础，融汇了多年来新疆文物考古取得的主要成果。按照古遗址、古墓葬、古建筑、石窟寺及石刻、近现代重要史迹及代表性建筑、文物等类别的体例依次汇编。这些细致的工作，不仅为新疆不可移动文物保护规划的制定、进一步的考古发掘提供了科学依据，更为西域古代文化的研究提供了全面和系统的资料。

香港特别行政区，商志（香覃）、吴伟鸿先生的《香港考古学叙研》（文物出版社 2010 年版）在回顾香港考古发现、考古发掘的过程中，不时加入自己的研究观点，可作为了解香港特别行政区考古事业的首选书。

澳门特别行政区，郑炜明先生的《澳门考古史略》（澳门理工学院 2013 年版）是了解澳门特别行政区考古事业的一部好书，只是在中国内地不太好找。

台湾省，有陈光祖先生主编、臧振华先生编著的《台湾考古发掘报告精选（2006～2016）》。又有李匡悌先生编著的《岛屿群相：台湾考古》（台湾"中央研究院"历史语言研究所 2018 年版）一书，分章叙述了台湾的考古学史、史前考古、田野考古、环境考古、科技考古、动物考古、历史考古、水下考古等。

中国考古学会有《中国考古学年鉴》，已如前述。河南等地考古机构也有《考古年报》，一年一册。博物馆方面，有《中国国家博物馆年鉴》《中国博物馆年鉴》。

后记

　　考古发掘报告,包括前期的勘察报告、调查报告、钻探报告、航拍报告、试掘报告,中期的清理报告、发掘报告,后期的实验报告、整理报告、保护报告等,是我国几代考古工作者辛勤劳动的结晶,是我们认识考古学术成果的唯一文字凭证。考古发掘报告,反映的是祖先留下的珍贵遗产,而考古发掘报告本身,也已成为一座取之不尽、用之不竭的学术宝库。这座宝库,应该说不仅仅属于考古学界,甚至应该说不仅仅属于学术界,而应属于全体国民,属于人类文明。

　　然而,令人遗憾的是,多年以来,国人对考古发掘报告的了解和利用实在是太有限了。考古学"是 20 世纪中国学术界成绩最突出,对人类历史贡献最大的学科之一"。(陈星灿著《考古随笔(二)》,文物出版社 2010 版,第 251 页),历史学号称与考古学的关系"特别密切和重要"(赵光贤著《中国历史研究法》,中国青年出版社 1988 年版,第 29 页),但《中国古代史史料学》(安作璋主编,福建人民出版社 1994 年版,第 91 页)一书,对古代陵墓、建筑遗址、遗迹及相关实物等考古材料不还是以一句"因涉及考古学的专门知识,这里不再作介绍"交代了吗?究其原因,主要在于考古发掘报告专业性强,佶屈聱牙。考古学家俞伟超先生甚至说,他当年对斗鸡台的考古报告都"很难看得懂",直至 1954 年"在陕西宝鸡发掘时,在当地琢磨才明白的"(曹兵武编著《考古与文化续编》,中华书局 2012 年版,第 330 页)。考古名家尚且如此,遑论其他?唯其如此,如果有一部通俗易懂而又信息量大的集中介绍考古发掘报告的工具书,不是多少能解决点问题吗?我个人以为,这一工具书最好是有提要的,仅仅是一部考古发掘报告的书目、篇名目录,对"数据"的"发掘"程度是不够的。人们需要了解:在哪儿、什么时候、发现或发掘出什么、这些遗迹或遗物有何特别之处、有何重要意义等基本信息。只有通过对这些基本信息的揭示,人们才会对考古发掘报告有一个大体了解,才谈得上去进一步利用。但这么多年了,却未见这样的工具书问世。诚如章培恒先生所言:"要踏踏实实地、系统地研究某一门学问,非有这方面的较为完整的目录书指示门径不可。倘若没有呢？那就得自己动手去编。"（《日本现藏稀见元明文集考证与提要·序》，岳麓书社2004年版）这，也正是我们编纂《中国考古发掘报告提要》这一工具书的初衷和目的。如果说，《四库全书总目》囊括了大部分古典文献；那么，《中国考古发掘报告提要》则涉及主要的考古发现与考古发掘，只有既掌握了古典文献的基本内容，又了解了考古发掘的基本事实，才有可能真正融会贯通，将王国维先生的"二重证据法"落到实处。从这一角度看，将《中国考古发掘报告提要》视为"地下的《四库全书总目》提要"似无不可，尽管二者的作者水平与学术地位不可相提并论。

在工作开始之前，征求了多位不同学科、不同专业的专家、学者们的意见。有意思的是，持反对意见的人主要集中在考古圈内，考古圈外的人却大多表示赞同。反对的意见主要出自三点考虑：

一是"网上都有"。的确，不少刊物现已在网上可查全文。但经过逐刊、逐年、逐期的查寻发现，并非"网上都有"，有的刊物网上查不到，有的刊物缺年少期。更重要的是，仅在网上浏览，是无从享受纸本工具书的解说、集中、分类、检索等功能的。从务实的角度说，上网查询，毕竟是要产生费用的，有时一篇文章反复翻阅，既不方便，也不经济。这时恐怕即使是考古圈内的人，也会想要有一部工具书，有个基本了解后再有目的地上网查找相关文献，线上线下，相辅相成，岂不是事半功倍？

二是"大多知道"。这里所说的"大多知道"，是指某一地区的考古人员，对本地区的考古文献是很熟悉的。比如北京市的考古人员，对北京市这一亩三分地都挖出过什么，可以说是如数家珍。即便如此，仍然会让人产生以下推论：一是就算是对本地区的考古文献烂熟于胸，有一部工具书辅助查寻，又有什么坏处呢？二是谁真能保证当地考古人员人人都能对本地区的考古文献十分熟悉呢？三是考古这门学问和别的学科一样，少不了比较，仅仅是熟悉本地考古文献，是做不了什么大学问的。王巍先生不就讲过："考古资料如汗牛充栋，不仅业外人士很难了解其全貌，就连从事考古学研究的学者，对自己研究领域之外的考古成果也往往知之不多。"（《中国考古学大辞典·前言》，上海辞书出版社2014年版）四是考古圈以外的人，当然不可能做到"大多知道"。

三是"量太大了"。认为考古报告成千上万，编起来不胜其烦。其实不正是因为太多太繁，才有必要编纂相关工具书吗？马云讲未来的资本不是土地，不是金融，而是"大数据"。从做学问的角度讲，只有掌握了某一门学科的"大数据"，才有可能做出大学问。

与考古圈内形成鲜明对比的是，考古圈外的人却大多表示赞同，认为有这么一部工具书，对于查找和理解考古发掘报告是颇有益处的。北京大学李零先生早就谈到：考古圈内人"除了'报告语言'就不会说话"，而"圈外人看考古报告又如读天书，不知所云，不但不知道怎样找材料，也不知道怎样读材料和用材料"（《说考古"围城"》，载《读书》1996 年第 12 期）。复旦大学葛兆光先生则说："当外行人读他们的报告时，要么觉得他们的话让人难懂，要么觉得他们是在自言自语。""考古可以不断地挖出新的遗址，发现新的文物，但是无论如何，这只是学科内的事情。"（《槛外人说槛内事》，载《读书》1996 年第 12 期）其实这些学者，还是很关注考古发掘的。例如文献学家周勋初先生，就说他"喜欢看考古发掘方面的介绍"（《艰辛与欢乐相随——周勋初治学经验谈》，凤凰出版社 2016 年版，第 3 页）。但喜欢是一回事，能否真正看懂又是一回事。许宏先生不就讲过："考古学给人以渐渐与世隔绝的感觉。甚至与这个学科关系最为密切的文献史学家，也常抱怨读不懂考古报告，解读无字天书的人又造出了新的天书。"（王巍主编《追迹：考古学人访谈录 II》，上海古籍出版社 2015 年版，第 170 页）如果说，《四库全书总目》提要让人们对那些陌生的古代文献有了一个基本了解；那么，《中国考古发掘报告提要》也不过是想让人们对这些号称"天书"的考古发掘报告有个大致印象，仅此而已。

对于编纂《中国考古发掘报告提要》的看法不同，或许也是因为考古圈内、圈外对于考古发掘报告的关注点不一样：

首先，考古圈内更关注的是相关考古报告何时发表，是否规范。如郑嘉励先生指出："就考古工作者的职业道德而言，积压的考古资料必须适时发表。"（《浙江汉六朝墓报告集·后记》，科学出版社 2012 年版）张文彬先生也谈到："在我看来，客观、完整、及时将重要的考古资料公布于世，让学界鉴赏、研究，这是文物、考古工作者的天职，也是文物考古界的职业道德。恪守这个职业道德，对于我国考古学研究水平的提高乃至整个考古事业的发展，都是十分重要的，切不可等闲视之。"（《鹿邑太清宫长子口墓·序》，中州古籍出版社 2000 年版）而考古圈外更关注的，主要是已出版、发表的考古发掘报告如何利用。

其次，考古圈内更关注史前及夏商周三代考古，现在不少大学还是史前、三代考古各设一个教研室，其后的各朝各代统设一个"汉唐宋元考古教研室"。这是因为中国考古学诞生于 20 世纪 20 年代那个落后、屈辱的时代，"中国考古学一开始的主要工作，就是要寻求中国人类繁衍不息，中国文化源远流长，中国文明连接不断的证明"（王煜主编《文物、文献与文化——历史考古青年论集·序言》第一辑，上海古籍出版社 2017 年版）。以求重建民族自尊心和自信心。加之中国考古学源自欧洲，而欧洲"考古学要解决的主要是人类起源、农业起源、文明起源这三大问题"。（同前引文）不要说中世纪及近现代考古，就是古希腊、古罗马，在很长一段时间都"显然不是欧洲考古学的主要阵地，甚至更多的关注来自艺术史的学者"（同前引文）。这对中国考古学不可能没有影响。所以考古圈内不少人对战国以后的所谓"历史时期考古"兴趣不大。而考古圈外呢，自然更关注与自己搞的那一段所谓"断代史"有关的史料。

这么说，并不是说考古圈内的人都反对这个事，考古圈外的人都赞成这个事——不是这样的。考古圈外有的也颇不以为然，考古圈内的人也有的认为很有必要。如老考古人苏秉琦先生神骏出枥，指出考古学"新趋势的特点是向多学科、大众化发展。考古学的发展需要多学科素养的人来参加，社会上各行各业的人都能从这门学科中找到他们感兴趣的知识或材料，事实上还远远没能做到这一点，这主要是由于我们的工作还有许多薄弱环节"（《苏秉琦文集》（三），文物出版社 2009 年版，第 113 页）。苏秉琦先生这里所说的"我们"，应该是指考古学界。而自说自话、外人难读的考古发掘报告，理应属于"薄弱环节"之一，既然是薄弱环节，当然就有待改进和提高了。否则的话，就如同另一位老考古人张勋燎先生所指出的："如果搞其他学科史的人感到我们的历史时期考古对解决他们的问题完全没有帮助，那我们就是在玩古董，而不是研究考古了。"（《中国历史考古学论文集》下册，科学出版社 2013 年版，第 261 页）

不过，考古圈内和考古圈外在一个问题上的看法却惊人地一致：那就是都认为考古发掘报告花费了这么多的时间、精力和金钱，不好好利用，实在可惜。李伯谦先生曾讲过："我深知一部考古报告的诞生十分不易，从田野调查、发掘到室内资料整理、编写报告，一环扣一环，不知有多少人为此付出了辛劳和汗水。"（《大冶五里界·序》，科学出版社 2006 年版）。郭德维先生也曾谈到："凡整理过报告的人都知道，这是一项极其繁杂、十分琐碎的工作，既费神又费力，且短期难以完成，如果不是有很强的事业心，不下狠心用很长时间坚持做，是绝对做不好的。"（《随州擂鼓墩二号墓·序》，文物出版社 2008 年版）。宋建忠先生则感叹："常言道：巧妇难为无米之炊，但考古工作的现状常常是'好米难遇巧妇'，现在是物欲横流的时代，考古发现层出不穷的时代，人心浮躁不安的时代，现实的情况往往是'发掘抢着做，报告无人理'。因此，即使是一个重要的考古发现，报告的出版也常常是遥遥无期"。（《汾阳东龙观宋金壁画墓·序》，文物出版社 2012 年版）安金槐先生更直言："考古报告的出版是个大问题""编一本考古报告是要费大劲的""所以编考古报告要有点吃亏的精神"（曹兵武编著《考古与文化续编》，中华书局 2012 年版，第 359 ~ 360 页）。考古发掘详报时隔一二十年甚至更长时间才得以出版的例子比比皆是。如张忠培先生在《元君庙仰韶墓地》一书封三上写道："一九五九年写成初稿，二十四年后才贡献给读者。"（高蒙河《张忠培先生六十年学术论著要目编纂札记》，载《庆祝张忠培先生八十岁论文集》，科学出版社 2004 年版）王益民先生在《丁村旧石器时代遗址群》一书后记中，开篇即说此书费时 20 年。然而，好不容易有人不计名利将报告写了出来，又费尽千辛万苦申请到了经费，总算幸运地得以出版，命运又如何呢？除了图书馆、博物馆采购一些外，大都流往图书大集，成了打折书。北京大学陈平原先生讲："就拿我来说，明明知道正在削价出售的考古报告很有学术价值，可就是没有勇气把它们抱回家，原因是读不懂。"（《文学史家的考古学视野》，载《读书》1996 年第 12 期）季羡林先生也曾讲道："往往有这种情况，中国考古工作者发掘的某个地方，经过艰苦的劳动和细致的探索，写出了发掘报告，把发掘的情况和发掘出来的实物都加以详尽、准确、科学的描述，有极高的水平，但是往往不把这些发掘结果应用到历史研究上来。结果给外国的历史学家提供了素材。他们利用了这些素材，证之以史籍，写出了很高水平的历史专著。"（转引自张保胜《张懋夫妇合葬墓·序》，科学出版社 2017 年版）然后国内学界再"出口转内销"。这实在是一件令人深感悲哀的事情。

说完了考古圈内外关于考古发掘报告及《中国考古发掘报告提要》的看法，再来说说考古发掘报告本身。关于这一问题，比较令人感触的有两点：一个是"量"与"质"，一个是"繁"与"简"。

先说"量"与"质"。先说"量"。自 20 世纪 20 年代至今，究竟有多少考古发掘报告，谁也说不清楚。不仅考古圈外的人说不清，考古圈内的人也说不清，王巍先生曾谈到，1949～2009 年这 60 年，"公开出版的考古发掘报告已达 300 余部"（《新中国考古六十年》，载《考古》2009 年第 9 期）。可也有人说如今"每年出版的考古报告多达百册以上"（《新世纪的学术期刊的繁荣发展——纪念〈考古〉创刊 50 周年笔谈》，载《考古》2005 年第 12 期）。以书的形式出版的考古详报并不算多，都有不同的数字，更不用说以文章形式发表的考古简报了。

《中国考古发掘报告提要》收入的考古发掘报告，从收录标准看是偏宽的，不是仅收狭义的"考古发掘报告"，从篇幅来看，既收动辄几十万字的考古详报，也收几千字上万字的考古简报，还有几百字的所谓"微简报"。之所以连"微简报"也尽量予以收录，有两个原因：一是考古发现（发掘）本身就比较简单：或许只是发现了一件青铜器，或许就是发掘出一处窖藏；二是正是因为考古发掘过程简单，很大可能仅有此一介绍，除此再无音讯。但即使是这种"微简报"，也有可能蕴藏着丰富的信息（如某种文化的"边疆"在哪）。金泥玉屑，不可小视。

《中国考古发掘报告提要》收录了以书的形式出版的考古详报和在核心期刊（以《北大中文核心期刊目录》2011 版考古学科为准，略加调整）发表的考古简报、微简报共计 13000 多种。在非核心期刊和以书代刊的考古文献上发表的考古报告，估计还有四五千种，公正地说，这部分发掘报告的学术价值大多略逊一筹，计划日后以《中国考古发掘报告提要·补编》的形式出版。如此，仅是 20 世纪 20 年代末至

2015年，已出版和发表的考古发掘报告，就几近20000种，差不多是《四库全书总目》所收书的一倍了。这个数字看似可观，其实仍只是我们这个五千年文明古国考古成果中的一部分。众所周知，祖先留下的遗迹、遗物，已发现的只是其中的一部分；对这一部分进行了清理、发掘的又只是其中的一部分；已发掘的这一部分中，写有考古发掘报告的又仅是其中的一部分；写有考古发掘报告能正式发表的，又只是其中一部分。不是有学者指出，"十个考古发掘项目中，只有四五个发表了简报或者报告"吗？甚至一些名列"全国十大考古新发现"的考古发掘，也尚未发表考古报告。（张庆捷《考古发掘报告积压的问题》，载2011年9月23日《中国文物报》）所以我们今天能够看到的考古发掘报告，看似珠渊瑶海、宏富之极，其实已是经过层层递减，实在是弥足珍惜。

再看"质"。既然是中国考古发掘报告，自然和别的事情一样，必定会带有中国特色。其表现之一，就是质量参差不齐。不像发达国家，考古报告的整体学术水平相对比较整齐。质量不一的一个重要原因，是时代造成的。张在明先生曾讲过："我们干考古时间长了，也有一种自豪感，我们是文科里边，理工科因素最多，科学性最强、最严谨的一门学科。比起哲学、文学、历史，还是比较自豪的。"（张在明《科学的态度，历史的真实——在全国文物普查培训班上的发言》，载《文博》2008年第1期）但从事这一"科学性最强"的人又如何呢？不去提中华人民共和国成立初期留用的盗墓人员（参见《长沙砂子塘西汉墓发掘简报》，载《文物》1963年第2期），也不提"大跃进"时由8位刚从中学毕业的姑娘组建的"刘胡兰"考古队（参见《河南南召二郎岗新石器时代遗址》，载《文物》1989年第7期），"文化大革命"后期和改革开放之初的"亦工亦农学员"（参见《河北磁县东魏茹茹公主墓发掘简报》，载《文物》1984年第4期），就是到了20世纪80年代末90年代初文物普查时，张在明先生不还在说，"中国就是这样的现实，大部分普查队员就是这样一个业务水平。当时陕西省上了1000多人，省上真正业务好的，懂考古的，上的人并不多"，甚至出现"照出来的胶卷大部分废了"，因为有时"镜头盖没打开，照完了，回来一冲是空的"，以致陕西省"90%以上文物点都没有照片"（同前引文）。文物大省陕西省尚且如此，别的省区可想而知。近一二十年，考古队伍中的高学历人员多了许多，考古报告的质量有所提升，但仍然存在诸多问题。比如董新林先生谈到的"有意无意加以取舍，不按单位发表资料，使得资料零散"的问题，恐怕就不在少数（"期刊建设与考古学的发展暨纪念《考古》创刊500期学术研讨会"纪要，载《考古》2009年第5期），而"资料完整不完整，是评判考古报告的质量高低的第一标准"（李伯谦《郑州大师姑·序》，科学出版社2004年版）。看来，的确如张忠培先生所言："中国考古学的成长史，离不开整个社会条件的制约。"（《中国考古学：走近历

史真实之道》，科学出版社 1999 年版，第 43 页）

应该指出，考古发掘报告在近年来有很大的进步，从量来说，取得国家专项资金支持得以出版的考古发掘详报越来越多，当然印量都不高，甚至有的书已出，考古圈内都不太了解（参见《考古》2011 年第 7 期载《中国考古学》一书书评），从质来说，海外学者曾批评："中国大陆在考古研究上不会问问题，即使问，也问得有限。有资料与有问题是两回事，如果只有资料而没有或问不出好的问题，资料也失去意义。"（许倬云《历史分光镜》，上海文艺出版社 1998 年版，第 297 页）而近年来出版的考古发掘报告，应该说已越来越善于问问题了。

再说"繁"与"简"。早在 20 世纪 80 年代，尹达先生就曾提出考古发掘报告"太简化，简化到史学家不能使用的程度"（《尹达同志谈考古学研究》，载《中原文物》1982 年第 2 期）。黄宽重先生则抱怨：考古发掘报告"偏重于墓葬结构、形制、出土陪葬物品的种类式样，如漆器、瓷器、石器等，特别着重于器物、墓室形制的描述，并讨论其意义。报告中虽然也注意到买地券，以及考订墓葬年代等等问题，却多忽略墓志资料"（《宋代的家族与社会》，国家图书馆出版社 2009 年版，第 15 页）。而墓志又恰恰是治史之人最需要的，着实令人恼火。王益人先生也指出已发表的旧石器时代考古发掘详报："可读的信息量实在太少，一个遗址出土几千件标本，读者只能看到十几件甚至一两件石器标本的插图和照片。难道这些标本就能代表这个遗址的所有信息吗？这绝不是我们想要的，也不能再走这样的老路了。"（《丁村旧石器时代遗址群：丁村遗址群 1976 ～ 1980 年发掘报告·代后记》，科学出版社 2014 年版）如此看来考古发掘报告似乎是越全、越厚越好。而当下 80、90后的网友，又大多认为如今的考古发掘报告太过繁琐，不忍卒读。如有一位名叫王悦婧的网友提到初读考古发掘报告的印象："在刚开始阅读时，我深刻体会到了阅读的艰难，很多专业术语一知半解，而且有很多的疑问和不理解。"（王悦婧《阅读考古发掘报告的几点心得体会》，载 http：//www.do-cin.com/D-8333.6897.htm1）似乎考古报告越通俗，越简单为好。

那么，考古发掘报告的量与质的问题、繁与简的矛盾是否能有一个兼顾呢？我个人认为，撰写提要，恰恰就是一个比较好的解决方案。只有通过撰写提要，才能为考古发掘报告算一总账，知道还有哪些重大考古发掘迟迟未出报告，以致国家文物局不得不将其列入"限期整理"名单（参见《长治分水岭东周墓地》文物出版社 2010 年版，第 4 页）；只有通过撰写提要，才能分辨出哪些报告已不堪使用，需要出版修订本、增订本（参见霍东峰、华阳《也谈考古报告的编写》，载《内蒙古文物考古》2007 年第 2 期）；也只有通过撰写提要，才能使"繁"与"简"的矛盾得以平衡，需要更多信息的读者，可以沿着提要的线索去查找更多的资料；需要一般了解的读者，或许阅读几百几千字的提要就得以了解相关信息了。

尽管考古发掘报告尚存在着这样那样的问题，但诚如有学者指出："从某种意义上说，现今研究中国的古代历史和文化，如果离开考古学及其研究成果，是很难进行的。"（张之恒主编《中国考古通论》南京大学出版社 2009 年版，第 38 页）而对考古学成果的利用，抛开考古发掘报告，也是不现实的，同样是很难进行的。《輶轩语》曰："无论何种学问，先须多见多闻，再言心得。"欲了解考古成果、考古材料，一本一本、一篇一篇地去读考古发掘报告，当然是一个办法，但先行阅读考古发掘报告提要，也应不失为一种事半功倍的选择吧？如袁珂先生所言："积累应当说是做学问的基础，没有积累，任何学问也做不起来。"（《袁珂神话论集·代序》，四川大学出版社 1996 年版）《中国考古发掘报告提要》，只能说是考古发掘报告"提要学"的最初一点积累吧。也算是为贯彻习近平总书记提出的"建设中国特色、中国风格、中国气派的考古学"的指示，所做出的一点努力吧。

至于编纂此书的难处，先抛开编者的学术水平等主观因素不说，客观上的困难至少有三：

一是几无借鉴。此书的编纂属于首创，考古发掘报告的提要怎么写，谁也不知道；这么多提要依照什么原则进行编排，谁也没干过。只能是摸着石头过河，摸索着干。王杰先生曾指出："万事开头难，前人没有做过，第一次来做此事，自然就难。"（《楚都纪南城复原研究·序》，文物出版社 1992 年版）确是深知甘苦之言。而只要是首创之举，恐怕都难称完美。这在目录学史上不乏其例。比如《书目答问》，被称作是首部"面向广大读书人的，把书目与读者的密切关系放在首位"的杰作，但"《答问》体例不一，仓促之迹比比皆是"（《增订书目答问补正·前言》，中华书局 2011 年版）。这里要提到张在明先生在谈及考古文物普查图集时曾引用过的一个外国笑话，说是一个火车站火车老晚点，旅客们埋怨说，要列车时刻表有什么用？站长说，没有列车时刻表，你怎么知道列车晚点多少？张先生说："可是我们 50 多年了，连个列车时刻表都没有。文物事业的火车，就是在没有时刻表的情况下，跑了 50 多年。"（同前引文）蠡测其意，张先生意思是说，文物普查图集，也是类似列车时刻表这么一项基本建设。而《中国考古发掘报告提要》，不也应算是一项基本建设吗？何况是出于编者少数人之力，错讹肯定是还要超过文物普查图集，但正如张先生所言，"有了文物图集至少有了靶子，有靶子可打呀，没有文物图集，你连靶子都没有"（同前引文），编者不揣简陋，编纂《中国考古发掘报告提要》，实在是任重才轻，操刀伤锦；也不过是想给学界提供一个"靶子"吧，甚望高明缺者补之，误者正之，日后也有类似《四库全书总目提要补正》《中国丛书综录补正》一类专著问世，使其更趋完善，更便使用。

二是工程浩大。工作量有多大，可有个参照。《〈中原文物〉创刊十五年叙录（1977～1992）》（河南省博物馆 1993 年 6 月自印本）一书收录了 1500 余条 25 万字，每条都有提要。该书前言称："《中原文物》编辑部的全体同志，在完成自己繁重的本职工作之余，为编写这本书，不辞劳苦，牺牲了业余时间，经过一年的艰苦努力，克服经费上的困难，自筹资金，终于使此书出版发行了。"《中国考古发掘报告提要》所收是《中原文物》提要数倍，且参编人员也均为利用业余时间工作，这么一对比，其工作量之大，即可思过半矣。

原稿堆积如山

三是经费紧张。《中国考古发掘报告提要》是在未及申报任何项目，没有一分钱科研经费的情况下干起来的，经费之紧张自不待言。中国科学院院士叶大年先生常常开导学生们，要记住拿破仑的名言："先投入战斗，然后见分晓。"（日新编著《听大师讲学习方法》，天津社会科学出版社 2004 年版，第 126 页）这件事也是"先投入战斗"，困知勉行，干起来再说。

或许正是因为有这些难处，才会留下诸多遗憾：

从"量"来说，未能一步到位，收录的书籍肯定有遗漏，收录的文章更是缺少了非核心期刊和以书代刊这一块。估计还会有几千种。计划仿照《四库全书存目丛书》的先例，以补编形式出版。

从质来说，未能更臻完善。记得曾在《北京晚报》上看到北京大学考古系的同学写的文章，将发掘的先民住宅用今天的"两居室""三居室"来打比方。我们这部提要虽说也尽量往"浅白有趣"努力，但似乎尚无法做到如此直白。另外，不少重要的学术信息，也实在是无暇一一查找对应到位，这都只能是留下遗憾了。

这么一部有着诸多遗憾和不足的资料，为什么仍要野人献曝、布鼓雷门呢？这实在是因为我坚信考古发掘一定会有着学界急需的营养。诚如陈星灿先生所言："考古学是一门让人难堪的学问。它的发展日新月异，足以动摇被世代奉为金科玉律的东西。"（《考古随笔（二）》，文物出版社 2010 年版，第 149 页）不要说三星堆、红山、陶寺等足以改写上古史的考古发现，就是中古史，不少考古发现也一样会促使我们重新思考以往的一些"定论"。比如胡宝国先生就注意到："根据传统史料，到处都是豪族，到处都有豪族的影响，但在造像记中，我们又几乎看不到豪族的踪影。"（胡宝国著《将无同：中古史研究论文集》，中华书局 2020 年版，第 383 页）这至少会促使我们重新审读以往的文献记载，以求更加贴近历史真相。

还有几点需要特别说明一下：

一是大的原则是依时间排列。征求了不少人的意见，都愿意从最便利的途径得知某一朝代（如汉代）已发现了多少手工业遗址，已发现了多少皇陵。《中国考古学》系列，倒是依时间排列的，但那是考古学的专业书，圈外人看起来还是费力，何况还未出齐。

二是附录中的"参考文献"，列举的是一些最基本的书刊，注明的也是一些考古界最熟知的事实，算是照顾考古圈外的普通读者吧。

三是总主编刘庆柱先生统筹全局，负责大政方针的把控，已是千钧重负，尽管先生向来虚己以听，闻过则喜，但作为后学，已然蒹葭倚玉，何忍再让先生推功揽过，分损谤议。故而收录之遗漏、分卷之可议、校读之疏忽等种种具体问题，理应由本人引咎自责，抉误补阙。

四是本《提要》总索引，待《补编》《续编》《外编》等出齐后，再统一编一个涵盖整个《提要》系列的总索引。

最后想说的是：编纂过程虽然充满艰辛，但好在有许多前辈、朋友的支持和帮助，大家一起来克服困难。要感谢中国社会科学院考古研究所、北京大学文博学院、北京大学图书馆、首都师范大学图书馆、文物出版社、科学出版社、中国大百科全书出版社、中华书局以及河南、山西、陕西等地考古部门的支持与帮助，要感谢傅璇琮前辈的肯定与提携，要感谢中国文史出版社的各位领导，各位编辑、印制、发行老师和项目负责人窦忠如先生，要感谢关心此书出版的范纬女士、卢仁龙先生，还有许多师友，恕不一一列举大名了。没有大家的支持和鼓励，这件事情是不可能做成的。

丁晓山
2016 年 8 月于首都师范大学
2021 年 10 月改定